オーストラリアの日本語教育と日本の対オーストラリア日本語普及

——その「政策」の戦間期における動向——

嶋津　拓

ひつじ書房

まえがき

本書は、第一次世界大戦の終了後から第二次世界大戦開戦までの、いわゆる戦間期にほぼ相当する時期におけるオーストラリアの日本語教育史を、とくに「政策」の観点から分析したものである。

このような研究を志すに至った理由は、本書の序論にも書いたとおり、筆者が1994年3月から1997年4月までの約3年間、国際交流基金から同基金シドニー日本語センター（The Japan Foundation Sydney Language Centre）に派遣され、オーストラリアに対する「日本語普及」に従事していた時に抱いた疑問を明らかにしたいと考えたことにある。

したがって、この研究は、筆者がシドニーに派遣されなければ生まれなかった性格のものであるが、本書はもともと学位請求論文として書いたものであり、国際交流基金における本務の一環として執筆したものではない。したがって、本書で述べた見解はすべて筆者個人のものであり、国際交流基金および同基金の後身である独立行政法人国際交流基金の見解ではないことを、あらかじめお断りしておきたい。

筆者は本書を執筆するに際して、この種の研究がどのような学術領域に属す研究なのかということをあまり意識しなかった。しかし、結果的には複数の領域にまたがるものになったのではないかと考える。すなわち、言語と政策の問題を扱ったという点では社会言語学ないし言語政策論の分野に含まれるであろうし、オーストラリアの日本語教育史を扱ったという点では日本語教育学の一分野と言っても差し支えないかもしれない。また、言語という観点から見た日豪関係という点では国際関係論の分野にも含まれるかもしれない。したがって、様々な分野の関係者が本書を手にとってくださることを筆者は期待しているが、なかでも筆者と同じく国際文化交流や日本語教育の分野に関わっている読者に本書が何かしらの刺激と発見の機会を提供することになれば、それにまさる喜びはない

それにしても、オーストラリアで過ごした3年間は楽しかった。よく言われるように、オーストラリアにはフレンドリーな人々が多いが、そのような人々に囲まれて、筆者は幸せな日々を送ることができた。またオーストラリアは、その言語政策や言語教育の在り方がきわめて興味深く、日本語教育に施策面で関わっている者として、多くの刺激を受けた。今日、オーストラリアは日本人の日本語教師にとって赴任したい国のひとつに挙げられているが、その理由は実感としてわ

かる気がする。同国は日本語教育の施策と実践にあたる者に多くの示唆を与えてくれる。

しかし、そのオーストラリアで日本語教育がどのような経緯で始まり、またどのような過程を経て今日に至ったのかについては、あまり知られていないように思われる。本書はその過程の一部を扱ったに過ぎないが、本書を手にとる方々が読後に、オーストラリアの日本語教育の「前史」について、何らかの感慨を抱くことになれば、本書を執筆した意義はあったと言えるかもしれない。

凡　例

・引用文中における旧字体・カタカナは、それぞれ新字体・ひらがなに直した。また、文意を汲んで、適宜句読点を付した場合や促音表記にした場合もある。ただし、仮名遣いは原文にしたがった。

・引用文中には、今日からすると事実でない部分や適切でない表現も含まれているが、著作者の主観あるいは認識を反映している場合もありうるので、人物や機関の名称など明確な誤りを除いては注釈等を施さなかった。また、誤字も訂正しなかった。

・英語の人名については、原則としてアルファベットで表記した。これは、カタカナで表記した場合の人物の混同を避けるためである。ただし、地名・機関名等については、その可能性が少ないと思われたので、カタカナで記した。

・すでに邦訳されている文献・資料を除き、英語文献・資料の邦訳は原則として筆者が行った。これに当てはまらない場合はその旨を明記した。

もくじ

オーストラリアの日本語教育と
日本の対オーストラリア日本語普及
——その「政策」の戦間期における動向——

序　論

1.　研究の目的

国際交流基金日本語国際センターが1998年に実施した「海外日本語教育機関調査」の結果によれば、同年のオーストラリアにおける日本語学習者数は307,760名で、韓国（948,104名）に次いで世界第2位となっている(1)。また、人口に占める日本語学習者の割合も韓国に次いで多い(2)。

このような段階に達するまで、オーストラリアで日本語学習者が増加したのは、とくに1980年代後半から1990年代にかけてのことである。1990年代に限定しても、オーストラリアの日本語学習者数は、1990年の約6万人(3)から1993年には約18万人(4)と3倍に増え、さらに1998年には上述のように約30万人にまで増加した。この現象は「日本語ブーム」(5)と呼ばれた。

筆者は1994年3月から1997年4月までの約3年間、そのような「日本語ブーム」の只中にあったオーストラリアにいた。勤務先の国際交流基金から同基金のシドニー日本語センターに派遣されたためである。国際交流基金（The Japan Foundation）は海外に対する「日本語の普及」（1972年度法律第48号「国際交流基金法」第23条）(6)を業務のひとつとして1972年に設立された、日本政府系の国際文化交流機関であり、「シドニー日本語センター」（The Japan Foundation Sydney Language Centre）は、同基金が「中等教育レベルを中心に、当該国の日本語教育に対する総合的な支援を実施する」(7)ために設置した「海外日本語センター」のひとつである。

筆者が派遣されていた時期を含む約10年間、すなわち1980年代後半から1990年代にかけての時期にオーストラリアで日本語学習者数が増加したのは、日豪間の経済関係や人的交流の拡大にも負うところが大きいのであるが(8)、それとともに、オーストラリア政府やその関係機関が、この時期に「英語以外の言語」（LOTE : Languages Other Than English）の教育を振興することの意義や目的と、それを実現するための計画や方針をあいついで定めた事実も無視できない。

1987年、社会言語学者Joseph Lo Biancoの報告書『言語に関する国家政策』（National Policy on Languages）が連邦議会において承認されている。Lo Bianco

はこの報告書の中で、英語教育とLOTE教育の両者の重要性を指摘しているが、そこではLOTEが「権利」（Language as a Right）であると同時に、「オーストラリアの国益」（Australia's national interests）(9)を増進するために積極的に活用していくべき「資源」（Language as a Resource）としても重視されている(10)。すなわち、外交上あるいは経済上の実際的な利益の追求を目的のひとつとして、LOTE教育を促進しようというのである。そして、この観点から同報告書は、オーストラリアにおいてその教育を振興すべきLOTEを9言語指定しているが、うちひとつは日本語である。

翌年の1988年には、連邦政府の諮問機関「アジア教育審議会」（The Asian Studies Council）が雇用教育訓練省に対して、『オーストラリアにおけるアジア教育のための国家戦略』（A National Strategy for the Study of Asia in Australia）と題する答申報告書を提出している。この報告書では、アジア語教育とアジアに関する教育を推進することは、アジア太平洋国家としてのオーストラリアの「国益」に寄与すると規定され、1995年までに初等中等教育レベルの全生徒の15%と高等教育レベルの全学生の5%がアジア語を学習しているようにすること、そして2000年までには、それをそれぞれ25%と10%に引き上げることを目標として掲げた。また、中国語、インドネシア語、日本語の3言語については、全国規模で教えられなければならないとした。

1991年、連邦政府は先行する各種報告書を参考にしてまとめたレポート『オーストラリアの言語―オーストラリア言語・識字政策―』（Australia's Language, The Australian Language and Literacy Policy）を国家の言語教育指針として発表した。このレポートは、全てのオーストラリア人に英語の識字能力を保証するとともに、全国的な規模でLOTE教育を促進するとしている。また、それを実現するための具体的な計画や方針についても触れている。その要点は次のとおり。

「オーストラリアにおける言語学習の水準は、この25年間に大幅に低下している。1960年代には、最終学年に在籍する生徒の約40%が「英語以外の言語」を学んでいた。現在は12年生の12%未満がLOTEを学んでいるに過ぎず、しかも、その大半はそれらの言語を母語とする生徒たちである。また、大学生で言語科目の単位を最後まで履修するものは1%にも満たない。

学習言語の選択に偏りが見られる。例えば、12年生でフランス語を学ぶ生徒は全体の24%であるが、インドネシア・マレー語を学ぶ生徒はわずか6%前後に過ぎない。大学生では、言語科目を選択している者の半分以上が日本語かフランス語を学んでいる。残りはそれ以外の28言語を学んでいるが、どの

言語の学習者もきわめて少数である。(中略)

言語政策を策定するに当たっては、オーストラリアの国益にとってより重要な言語を優先する必要がある。オーストラリアがアジア太平洋地域に位置しているという事実と海外貿易のパターンは、優先言語を選定する際の重要な要素であり続けるであろう。(中略)

すでに各州・地域は、学校教育課程におけるLOTE教育に関して、それぞれ独自の方針を定めている。その際、多くの場合は優先言語を指定している。多くの州や地域に共通する優先言語は、フランス語、ドイツ語、日本語、インドネシア語、中国語であり、イタリア語と現代ギリシャ語もその必要性を認められている。これらの選択はオーストラリアの国益とも一致している。(中略)

オーストラリア全国で、あらゆる言語を教育するのは現実的に不可能である。また、すべてのニーズに応えるために、限られた数の教員、教育課程、財源を分散させることは好ましくない。資力と資源をある程度集中させることが必要である。そのため連邦政府は、次の言語の中から各州・地域の政府が選定する8つの言語に対して援助を行うものとする。アボリジニの言語、アラビア語、中国語、フランス語、ドイツ語、インドネシア語、イタリア語、日本語、韓国語、現代ギリシャ語、ロシア語、スペイン語、タイ語、ベトナム語。(中略)

連邦政府は、西暦2000年までにLOTEを学ぶ12年生の生徒数を全国で25%まで引き上げることを提案する。そしてそれを実現するために、公立学校・私立学校に対して、生徒数の25%を上限として、前年度に優先言語のどれかひとつを履修しおえた生徒1名につき300ドルを助成金として支給する。」(11)

この連邦政府の指針を受けて、実際に初等中等教育行政を担当する各州・地域の教育省は、学校教育において教えるべき「優先言語」(Priority Languages)を制定(結果として日本語は全ての州・地域で優先言語に指定された)するとともに、具体的なLOTE教育振興計画を立案することになった。たとえば、ニューサウスウェールズ州政府は次のような計画を策定した。

(a) 1996年までに、7年生～10年生の全ての生徒に年間100時間のLOTE学習を義務づける。
(b) 1996年以降は、7年生～10年生の全ての生徒に年間200時間のLOTE学習を義務づける。

(c) 2000年までに、全生徒の25%がHSC（筆者註：ニューサウスウェールズ州の後期中等教育修了試験）のためにLOTEを学習しているようにする。
(d) 次の12言語を優先言語に指定する。アラビア語、中国語、フランス語、ドイツ語、インドネシア語、イタリア語、日本語、韓国語、ギリシャ語、ロシア語、スペイン語、ヴェトナム語。
(e) コミュニティーが要求する言語または国益にかなう言語を、幼稚園から12年生までの全ての教育段階に導入する(12)。

1994年、「オーストラリア政府審議会」（COAG : The Council of Australian Governments）から『アジアの諸言語とオーストラリアの経済的将来』（Asian Languages and Australia's Economic Future）と題する報告書が発表された。この報告書は、学習優先度の高いアジア語として、中国語、日本語、インドネシア語、韓国語の4言語を指定し、当該4言語の教育を1996年から全国の小学校教育に導入するとともに、2006年には12年生全体の15%がこれら4言語のいずれかひとつを学習しているようにすべきだと勧告した。前述の『オーストラリアの言語―オーストラリア言語・識字政策―』においては、全12年生の25%がLOTEを学習しているようにすると定めたが、この『アジアの諸言語とオーストラリアの経済的将来』では、その25%の生徒の60%に相当する生徒が当該4言語を学習しているようにすべきだと勧告したことになり、アジア語重視の姿勢が窺われる。

このCOAGの答申を受けて、連邦政府と各州・地域の教育省は1994年10月にタスク・フォースを設け、「オーストラリアの学校におけるアジア語・アジア学習推進計画」（The NALSAS Program : The National Asian Languages and Studies in Australian Schools Program）と総称する事業計画に着手した。同計画の最終目標は、COAGの勧告を大筋で受け入れ、2006年までに3年生から10年生までの全ての生徒の60%と12年生の15%（LOTE学習者の60%）が当該4言語のいずれかひとつを学習しているようにすることに置かれた(13)。

このように、1980年代後半から1990年代前半にかけての時期にオーストラリアでは、LOTE教育を振興することの意義や目的と、それを実現するための計画や方針があいついで定められた。その内容は、主として経済的な「国益」増進のために、「資源としての言語」を積極的に活用していくべきとの観点に立って、コミュニティー言語（Community Language）としての性格が強い言語も含むLOTE教育全体の推進を企図したもの、あるいは、アジア太平洋地域に存在するオーストラリアの「国益」追求という観点から、とくにアジア語教育の推進を企図したものなど、様々だったが、結果としては日本語教育を重視することになった。1980～1990年代のオーストラリアにおいては、その経済環境と自国の地理的な位置に対する自覚の両面から、LOTE教育を振興する意義や目的を規定するということは、すなわち日本語教育を振興する意義や目的を規定するということでもあり、LOTE教育を振興するための計画や方針を策定するということは、すなわち日本語教育を振興するための計画や方針を策定するということでもあったのである。

一方、「日本語の普及」を業務のひとつとする国際交流基金も、海外に「日本語の普及」を図ることの意義や目的と、それを実現するための具体的な計画や方針を、1980年代の中頃に定め、公表している。この「海外における日本語普及の抜本的対応策について」と題する報告書は調査会の答申という形でではあったが(14)、同基金が「日本語普及」の目的とそれを実現するための計画や方針を成文化して公表したのは、これを嚆矢とする。その内容は次のとおりである。

「まえがき

アジア地域を中心とした海外諸国においては、近時日本語を学ぶ者の数が増加し、昭和59年現在では、約58万人の日本語学習者がいるといわれ、過去10年の伸び率で推移すれば、10年後には、学習者数は400万人を上回り、そのために必要な教師数は6万人に達すると推測される。同時に、学習の動機・内容も多様化し、海外における日本語教育には質的な変化が生じてきている。その背景には、国際社会において、特に日本に対する関心と期待が強まってきていることがあると考えられる。

このような現状にあって、海外からの日本語の学習に対する様々な要請が増加しているが、我が国の対応は、他の先進諸国の自国語普及活動と比較して極めて不充分である。我が国としてはこの状況に鑑み、新たな認識に立って、日本語普及体制の確立を図ることが国民的課題であると考える。

Ⅰ．国際交流における日本語の位置づけ

(1)　日本語は、意思疎通の基本的手段である。国際社会の安定した発展は、諸国民間の相互理解を促進することによってもたらされるものであり、特に文化には感性的、情緒的な面が内在しているので、文化を中心とする多面的な交流においては、日本語を含め多様な言語が使われることが自由で活発な交流と相互理解の前提になる。

(2)　我が国が、東西文化の影響の下に蓄積した高度の文化的・文明的所産を、日本語を通じて国際社会に還元していくことも、世界の中の日本の責任である。

(3) 日本語の普及によって、我が国の諸情報の外国への伝達が容易となり、我が国の文化が外国人に、より深く理解されるとともに、日本人も、日本語を通じ諸外国の文化に接し得ることになる。諸国民が言語の背景にある異文化に、より深く接することは、それだけ新しい人類文化の創造と発展を期待されることになる。

Ⅱ．海外における日本語の普及

海外における日本語普及にあたっては、日本語が諸国間における相互交流の媒体として使用される言語になる（日本語の国際化）との認識にたって、長期的・計画的に諸事業を推進すべきである。その際、海外諸国の自主性を尊重し、関係機関等の自助努力に協力することによって、自立的に発展していくよう配慮すべきである。

我が国としては、このような考え方の下に、日本語普及の実をあげていくため、海外の学習者が学びたい時に学べる環境を整備することが肝要である。海外日本語教育機関の整備・充実、外国人及び日本人教師の養成と確保、教授法・教材の開発と提供及び対外放送等の諸施策を、強化拡充することが必要であるが、更に日本語普及関連情報の収集・整理・提供や海外日本語教師に対する通信による研修等の新しい諸施策についても検討し、実施することが望ましい。

また、日本語普及を効率的に推進するためには、海外における日本語教育機関を包含する海外ネットワークを積極的に構築し整備する必要がある。」(15)

その後、国際交流基金はこの報告書に基づき、各種の施策を実施していくことになるが、そのひとつとして、1991 年 6 月に「シドニー日本語センター」を開設した。同基金がオーストラリアに対する「日本語普及」のための専門施設を設けたのはこれが最初である。

このように、1980 年代の後半から 1990 年代にかけての時期に、オーストラリアでは「日本語教育」の目的と政策が、そして日本では「日本語普及」の目的と政策が、それぞれ定められた。また、具体的な施策も動き出した。このうちオーストラリアの「日本語教育」は、オーストラリア政府審議会が 1994 年に発表した報告書の『アジアの諸言語とオーストラリアの経済的将来』という標題が端的に示しているように、経済的な利益の追求を主な目的としている。すなわち、オーストラリアが「アジア太平洋地域に位置しているという事実と海外貿易のパターン」を意識した上での「オーストラリアの国益」の重要な一部には、日本との貿易や日本からの投資拡大によって得られる利益が含まれており、それを追求することがオーストラリアの「日本語教育」の主要な目的のひとつになっているのである。

このように、オーストラリアの「日本語教育」が基本的に経済的な利益の追求を目的としているのに対し、日本は「わが国に対する諸外国の理解を深め、国際相互理解を増進するとともに、国際友好親善を促進する」（1972年度法律第48号「国際交流基金法」第1条）ことを、その「日本語普及」の目的としている[16]。べつに日本はオーストラリアの経済的利益を慮って同国に「日本語普及」を図ろうとしているわけではない。そうではなくて、「日本語の普及によって、我が国の諸情報の外国への伝達が容易となり、我が国の文化が外国人に、より深く理解される」という日本の利益を一義的な目的として、オーストラリアに対しても「日本語普及」を図ろうとしているのである。また、オーストラリアも、経済的な利益の追求を目的とする「日本語教育」が結果として日本語学習者の日本に対する「理解を深め」ることにつながるとしても、それが究極の目的ではなく、日本を「より深く理解」することによって、日本との貿易や日本からの投資を拡大し、オーストラリアに経済的な利益をもたらすことを目的としている。

このように、オーストラリアの「日本語教育」と日本の「日本語普及」は、その「目的」とするところでは隔たりがある。しかし、その「目的」を達成するために立案されることになる「政策」の部分、あるいはその「政策」の実行面では、両者の利害が一致することも可能性のひとつとして想定しうるかもしれない。したがって、それぞれの「目的」を達成するための両者の「政策」、すなわちオーストラリアの「日本語教育政策」とでも言うべきものと日本の「日本語普及政策」とでも言うべきものが相互補完的な役割を演じて、あるいはそれらの相乗的な効果によって、1980年代後半から1990年代にかけての時期にオーストラリアでは日本語学習者数が急増したと考えることも可能なのであるが、現下の「日本語ブーム」は、果たしてそのような両者の「幸福な出会い」によってもたらされたものなのかと、筆者は1990年代のシドニーにあって、オーストラリアに対する「日本語普及」事業に携わりながら常に自問していた。なぜなら、オーストラリアの日本語教育関係者から国際交流基金シドニー日本語センターは、同国の「中等教育の伸長に大きな貢献」[17]をしていると評価される一方で、「オーストラリアの日本語教育の自立性を損なうことなく、どこまでその活動の幅を広げることができるだろうか」[18]との声も向けられていたからである。すなわち、日本の「協力」がオーストラリアの「自助努力」を損なう危険性があることも指摘されていたわけである。

筆者はシドニーに赴任するまで、日本政府やその関係機関がオーストラリアの日本語教育と関わるようになったのは、1972年における国際交流基金の設立以降のことだと思っていた。また、オーストラリアの日本語教育史が1910年代の陸軍士官学校やシドニー大学における日本語教育の開始にまでさかのぼれることは、業務上必要な知識として承知してはいたが、その後は1960年代まで、すなわち、石炭や鉄鉱石などの各種鉱物資源の輸出拡大を計画していたオーストラリアとそれらの鉱物資源を大量に輸入することで高度経済成長をなしとげようとしていた日本の二国間関係が深まった1960年代まで大きな動きはなく、またオーストラリアで「日本語ブーム」が「発生」したのも近年のことだと思い込んでいた。しかし赴任後、オーストラリアでは1910年代後半から1940年代初頭にかけての時期に陸軍士官学校やシドニー大学以外の公教育機関でも日本語教育が実施されていたことを知った。また、国際交流基金の前身である財団法人国際文化振興会が1930年代の後半から太平洋戦争の勃発前までオーストラリアの日本語教育と関わっていたことを知った。さらには、当時の日本でオーストラリアの「日本語学習熱」が盛んに紹介されていたことも知った。それらの事実を知って筆者は、オーストラリアにおける自身の立場や職務あるいは置かれている環境がけっして今日に特有のものではない可能性があることに気づき、少なからず驚きを覚えたが、と同時に、当時のオーストラリアの「日本語教育政策」と日本のオーストラリアに対する「日本語普及政策」はそれぞれ何を目的としていたのか、また、それらの中身とはどのようなものだったのか、そして、両者はどのような関係にあったのかという点に、さらには1980～1990年代の「日本語ブーム」と1930～1940年代の「日本語学習熱」はどこが違うのかという点に興味を引かれた。それは、オーストラリアの「日本語教育政策」と日本の「日本語普及政策」は果たして「幸福な出会い」をしているのかと、1990年代のシドニーにあって自問していた筆者にとって、その解答を導き出すための一助になるようにも思われた。

このような理由から、筆者は1910年代後半から1940年代初頭までの時期におけるオーストラリアの日本語教育史、すなわち第一次世界大戦の終了後から第二次世界大戦勃発までの、いわゆる戦間期とほぼ重なる時期におけるオーストラリアの日本語教育史を調べてみたいと思った。また、この時期のオーストラリアの「日本語教育政策」と日本のオーストラリアに対する「日本語普及政策」の中身と目的、さらには両者の関係を解明したいと思った。これがこの研究を開始した動機であり、目的でもある。

2.　オーストラリアの日本語教育史に関する先行研究

しかし、そのオーストラリアの日本語教育史、とくに戦間期の日本語教育史については、今日までのところあまり研究が進んでいない。このため、オーストラリアの日本語教育史が語られる時、1917年におけるシドニー大学の日本語教育導入については、James Murdoch の名前とともに、その事実が触れられるが、その後は第二次世界大戦中または戦後まで飛ぶのが一般的である。

たとえば、日本語教育専攻の大学院を有するモナシュ大学の研究者は、オーストラリアの日本語教育史を次のように記述している。

「一九一七年にシドニー大学で日本語が大学の教育科目として確立されたことを除けば、日本語が実質的な意味でオーストラリアの大学教育および中等教育に導入されたのは、一九六〇年代も半ばになってからのことであった。」(19)

また、オーストラリアの別の研究者は次のように記している。

「1917年に James Murdoch がシドニー大学で初めて教壇に立った時、参加した学生の数は少なかったが、彼らには日本語を習得する明確な理由があった。Murdoch はダントーンの王立陸軍士官学校でも日本語を教えた。しかし、当時の日本語教育は、今日とは異なり、経済関係を主な動機とするものではない。1922年には A. L. Sadler が Murdoch の後任としてシドニー大学の東洋学教授となり、Joyce Ackroyd のような次の世代の日本研究者を養成した。Ackroyd は1936年にシドニー大学に入学したが、当時はまだ日本に関する研究はそれほど奨励されてはいなかった。1962年にオーストラリア国立大学に日本語教育が導入された時、彼女は同大学にポストを得たが、1965年にはクィーンズランド大学に移り、日本語・日本文学科（当時はそう呼ばれていた）を開設した。また、メルボルン大学でも日本語教育が開始され、1967年にはモナシュ大学にも日本語講座が設置された。日本語教育は1976年までに13の高等教育機関と100以上の学校に導入されるほど拡大した。」(20)

オーストラリア国立言語・識字研究所（The National Languages and Literacy Institute of Australia）は、言語政策を立案するための参考に資する目的から、オーストラリアで広く教育されている9言語の教育史と教育状況を調査し、そのうち日本語教育に関する報告書を1994年に発表したが、そこでもオーストラリアにおける日本語教育史の記述の仕方はほぼ同じである。

「日本語はオーストラリアにおいて1910年代から教えられている。それは1917年にシドニー大学に日本語教育が導入され、James Murdochが東洋学の教授に任命された時である。シドニー大学の日本語講座はこの時から今日まで存続している。ただし、1960年代までその規模は限られたものだった。また、オーストラリアでは日本語が第二次世界大戦以前にすでにいくつかの中等学校で教えられていたし、試験科目としても登録されることがあったが、今日、戦争中の状況に関する情報を集めることは不可能である。」(21)

このような記述の仕方は、日本側でも同じである。国際交流基金の関係者は次のように記している。

「オーストラリアの日本語教育の端緒は、連邦が樹立されてまもない1917年に開設されたシドニー大学日本研究講座にあり、その翌年には市内の私立《ママ》男子校フォート・ストリート高校でも取り入れられました。しかし、今日の隆盛の基礎となる取り組みは、両国の国交を途絶えさせてしまった第二次大戦が終わり、1957年に日豪通商協定が結ばれ再びお互いが扉を開き、前述のように1970年代に入りオーストラリア社会が大きな転換期を迎え、かつ日本経済がめざましい成長期にさしかかったころ、大学を中心に本格化していったのです。」(22)

また、民間の国際文化交流機関である財団法人国際文化フォーラムに勤務する日本語教育関係者は次のように記述している。

「オーストラリアにおいて日本語教育が正式に開始されたのは、東京の第一高等学校の教授であり有名な日本研究家であったマードック（J. MURDOCH）が1918年、シドニー大学の東洋学部教授になった時と言われている。このコースは第1次世界大戦中に日本軍がドイツ領南洋諸島を占領するのを見て、日本研究の必要を感じた国防省の資金で始められた。その後第2次大戦で日本軍が直接オーストラリアを攻撃するようになり、国防省はポイント・クックにオーストラリア空軍語学学校を作り、日本語、ロシア語、東南アジアの言語を教えた。このようにオーストラリアの日本語教育の始まりは国防上の理由であった。

第2次大戦後の1955年に英国のケンブリッジ大学からデービス(A. R. DAVIS)がシドニー大学に赴任したが、当時シドニー大学以外、日本語は大学の科目としては確立していなかったし、大学教師になれるのは戦時中の軍隊の特訓コースで日本語を学習した少数の人しかいなかった。その日本語講座から「優等学士」(Honours Degree)の卒業生が出たのは66年である。」(23)

政府系のシンクタンクである総合研究開発機構が1985年に発行した、日本国内および海外の日本語教育事情に関する報告書でも、記述の仕方はほぼ同じである。

「オーストラリアにおいて日本研究といえるものが始まったのは、1918年シドニー大学にジェームス・マードック(James Murdoch)が初代の東洋学部教授として就任した時であると言われている。しかし、オーストラリアにおける日本語教育が本格的に始まったのは、1955年に、英国ケンブリッジ大学からシドニー大学に、デーヴィス(A. R. Davis)教授が赴任してきた頃からであると言われている。その日本語講座から、日本語を完全に修得したといえる「優等学士」(Honours Degree)を初めて送り出すのが、1966年である。」(24)

このように、いわゆる戦間期におけるオーストラリアの日本語教育史は、第一次世界大戦中あるいはその直後に、陸軍士官学校とシドニー大学、そしてニューサウスウェールズ州のハイスクールで日本語教育が開始された事実を除いては、取り上げられることが稀であり、「その規模は限られたものだった」として、また「オーストラリアにおける日本語教育が本格的に始ま」る以前の事柄として、割愛されるのが一般的である。その例外的な論文にBrewster, Jennifer(1996)があり、これは、「オーストラリアにおける日本語教育の、その初期の時代における経験から、今日われわれは何を学ぶことができるかという点に特別の留意を払った」(25)労作であるが、その内容はBrewster自身が「包括的なものをめざしてはいない」(26)と断わっているとおり、概説にとどまっているきらいがある。また、この時代のオーストラリアに対する日本の「日本語普及」については触れていない。

1910年代にはメルボルン大学でもすでに日本語教育が実施されていた。しかし、メルボルン大学は日本語を卒業単位にならない課外科目と位置づけていたためか、あるいは第二次世界大戦後の時代にオーストラリアの日本語教育・日本研究を担うことになる人材を輩出することがなかったためか、同大学の日本語教育史に関しては、Zainu'ddin, Ailsa G. Thomson（1988）以外には先行研究が存在しない。その Zainu'ddin, Ailsa G. Thomson（1988）も、Brewster, Jennifer（1996）と同じく、日本の対オーストラリア「日本語普及」については触れていない。

むしろ、メルボルン大学の日本語教育史は、その中心的な存在であった稲垣蒙志の強烈な個性と悲劇的な最後が関心を集めるらしく、その生涯が語られる中で触れられる場合が多い。なかには稲垣の生涯を丁寧に追った労作もあるが、彼の存在をオーストラリアの日本語教育史の中に位置づける試みはなされていない。

1990 年代のメルボルン大学に所属する、ある日本語教育研究者は、稲垣の生涯を次のように記述している。

「メルボルン大学の日本語学習者のなかには、高校留学やワーキングホリデーや休暇などで日本へ行ったことがある学生がかなりいる。日本語教師も大多数が日本人だ。また。テレビでは NHK の午後九時のニュースが翌朝見られ、日本の大丸デパートもある。そのため、今日、メルボルンの日本語教師や学習者にとり日本は非常に身近に感じられる。しかし、戦前におけるメルボルン大学での日本語教師は、かなり孤独で孤立した存在であった。

オーストラリアで日本語が最初に教えられたのはシドニー大学で、一九一七年のことである。第一次大戦時に、日本はイギリスの同盟国であったために、オーストラリアにとっても日本は同盟国であったが、日本は「今日の味方は明日の敵」になりかねない存在とも見られた。そこで、日本にいたジェームズ・マードック教授がオーストラリア政府の財政援助のもとに迎えられたのである。しかし、メルボルン大学での状況はかなり異なっていた。

メルボルン大学では、日本語は学位取得とは関係のない課目として教えられることが認められたが、教師の報酬も学生が納める授業料によって賄われることになった。このような状況下で、最初は長老会派の牧師によって、そして一九二二年からは日本人の稲垣蒙志が唯一の日本語教師となった。しかし、彼の大学における立場は正規のレクチャラーではなく、単なる“インストラクター”であった。もちろん、収入は他のアカデミックスタッフのそれと比較したら、破格に低いものであった。稲垣は教材の開発から、試験の作成等、すべて一人で携わらなければならなかった。相談する日本人の同僚などもなく、日本との接触もほとんどない環境下で、彼はメルボルン大学における日本語教育に努力を注いだのである。

稲垣蒙志は一九〇六年、二六歳の時に医師である叔父について、クィーンズランド州の木曜島に渡った。そして、一九〇七年末メルボルンで、イギリス人を両親に持つオーストラリア生まれの女性、ローズ・オーキンスと結婚している。

さて、長年に及ぶ稲垣の日本語教育における教え子の中には、自ら日本語の教鞭を取る者や、奨学金を受けて日本へ行く者なども現れたが、メルボルン大学における彼の仕事はある日突然停止するのである。

一九四一年一二月八日午後。妻のローズが帰宅すると、夫の姿はなく、家のなかは修羅場のごとくに荒されていた。日本の真珠湾攻撃のニュースがメルボルンにも伝わり、他の日本人とともに稲垣は検挙されてしまったのだ。ローズは夫の釈放のために、夫が二〇年間働いたメルボルン大学へ助けを求めたが、大学は稲垣が正規のアカデミックスタッフではないことを理由に、援助を拒否。ローズのその他の必死の努力にもかかわらず、稲垣は敵国人として収容所での生活を余儀なくされる。さらに不幸なことに、ローズは一九四三年八月に病気により急死してしまった。五年におよぶ収容所生活から解放された稲垣は、一九四七年に日本へ追放されている。誠に気の毒な話である。

もし、稲垣が五〇年後のメルボルン大学での日本語教育の現状を知ることができたなら、どのように思うであろうか。」[27]

この記述のように、稲垣蒙志という「かなり孤独で孤立した存在」であった「日本語教師」の生涯については、大学での恵まれない立場、日豪開戦に伴う抑留と抑留中の配偶者の死、そして戦後の国外追放という「誠に気の毒な話」を中心に語られることが多く、稲垣が戦間期にメルボルン大学で日本語教育とどのように関わっていたのかについては、福島尚彦（1978）や Zainu'ddin, Ailsa G. Thomson（1988）が事実関係を記述してはいるものの、それをオーストラリアの日本語教育史の中に位置づける試みはなされていない。また、彼が日本の政府機関とどのような関係にあったのか、そして日本の対オーストラリア「日本語普及」とどのような関わりを持っていたのかについては、それを考察した先行研究が存在しない。このため、稲垣に関する記述は、「メルボルン大学講師」としての立場や職務を中心になされる場合が多く、「文化の国際的進運に資し、特に我国及び東方文化の顕揚に力を致さんことを期す」[28]ために 1934 年に設立された財団法人国際文化振興会の「在濠連絡事務員」[29]としての立場や職務に触れたものは存在しない。

また、1938 年 3 月から 1941 年 12 月までの約 3 年半は、クィーンズランド大学でも日本語教育が実施されていた。しかし、メルボルン大学の場合と同じく課外科目としての扱いだったためか、あるいは日本語教育が実施されていた期間があまりにも短すぎたためか、戦間期におけるクィーンズランド大学の日本語教育史に関しては、先行研究が存在しない。

それどころか今日では、この時期にメルボルン大学とクィーンズランド大学ですでに日本語教育が実施されていた事実すらも忘れ去られようとしている。

国際交流基金は1989年と1997年にそれぞれ、『オーストラリアの日本研究』(Japanese Studies in Australia)、『オーストラリア・ニュージーランドの日本研究』(Japanese Studies in Australia and New Zealand) という日本語教育と日本研究に関するディレクトリーを発行している。これらのディレクトリーの中には、オーストラリアの各大学に所属する日本研究者がそれぞれの大学の日本語教育・日本研究の変遷と現状について記述した章があるが、たとえ課外科目としてであったにせよ、戦間期にすでに日本語の教育を実施していたはずのメルボルン大学(30)とクィーンズランド大学(31)の項には、この時期の日本語教育に関する記述が全く見られない(32)。一方、シドニー大学の場合は、両版とも同大学日本学科教授のHugh Clarkeが執筆しているが、いずれも1917年のJames Murdochによる日本語教育の開始から筆を起こしている(33)。

また、国際交流基金日本語国際センターは1998年に海外の日本語教育機関を対象に調査を実施しているが、その回答項目のひとつである「日本語教育開始年」の欄に、メルボルン大学は「1965年」、クィーンズランド大学は「1968年」と記入している。それに対して、シドニー大学は「1917年」と回答している(34)。

本書では、このような状況を踏まえ、戦間期におけるオーストラリアの日本語教育史を考察するが、前述の理由から、とくに日豪双方の「政策」面に焦点を当てて考察する。このため、本書においては「日本語教育政策」と「日本語普及政策」という二つの概念を対比的に設定するとともに、それを戦間期のオーストラリアにあてはめ、オーストラリアの「日本語教育政策」と日本のオーストラリアに対する「日本語普及政策」はそれぞれいかなるものであったのか、また、それらの目的は何であったのかを考察する。さらには、両者の関係についても、あわせて分析する。

3.「日本語教育政策」と「日本語普及政策」

これまで「日本語教育政策」および「日本語普及政策」という言葉をとくに定義することなく使用してきた。しかし、言語教育に関して1980～1990年代に作成・公表された、オーストラリアの各種政策文書に、「日本語教育政策」に相当する英語表現が見られるわけではない。本書で使用してきた「日本語教育政策」という用語は、オーストラリアのLOTE教育あるいはアジア語教育に関する「国家政策」（National Policy）や「国家戦略」（National Strategy）の中から、「日本語教育」にも当てはまる部分を抽出し、かつまた、それを一言で表現するために用いてきた、たぶんに便宜的な用語にすぎない。

「日本語普及政策」という言葉も同様である。1972年に制定された「国際交流基金法」（1972年度法律第48号）には「日本語の普及」という表現こそ用いられているものの、同基金の発行物に「日本語普及政策」という言葉は見られない。前述の「海外における日本語普及の抜本的対応策について」（1985年）にも、「日本語普及政策」という言葉は見あたらない。それにもかかわらず本書で「日本語普及政策」という用語を使用してきたのは、国際交流基金が業務のひとつとしている「日本語の普及」に関する「政策」を何らかのひとつの用語で、しかも上記のオーストラリアの「政策」とは区別して言いあらわす必要があったからであり、また、それを表現するに際しては、「日本語の普及」という、すでに存在する言葉を借用することが最も便利だったからである。すなわち、本書で使用してきた「日本語教育政策」と「日本語普及政策」という言葉は、行政用語として公認されたものというわけではない。

また、この二つの言葉は学術的に公認された用語というわけでもない。むろん、社会言語学あるいは言語政策論の分野で、「日本語教育政策」または「日本語普及政策」という用語を用いた先行研究は存在する(35)。しかし、本書で使用してきた、そしてこれからも使用する「日本語教育政策」と「日本語普及政策」という言葉は、それらの先行研究で使われている場合と、その概念および位置づけが一致するとは限らない。なぜなら、後述するように本書においては、これらの言葉を対比的な用語として用いるからである。

このように、本書で使用する「日本語教育政策」と「日本語普及政策」という言葉は、行政的あるいは学術的にすでに認知された用語というわけではなく、あらたにその概念を定義する必要がある言葉である。いわば本書は、「日本語教育政策」と「日本語普及政策」という、その概念がまだ定義されていない用語を利用して、1910～1940年代におけるオーストラリアの日本語教育史を考察するとともに、同国の「日本語教育」と日本のオーストラリアに対する「日本語普及」のそれぞれに関する「政策」の中身と目的、そして両者の関係を分析しようとしているわけであり、定義の仕方によっては、その考察や分析の在り方、さらには結果も変わってしまう危険性を孕んでいるのであるが、日豪双方の「政策」を対置するためには、対になる何らかの概念を設定せざるを得ず、その概念を言いあらわす言葉として、ここでは「日本語教育政策」と「日本語普及政策」という二つの用語を便宜的に使用する。したがって、これらの用語がもし何らかのニュアンスやイメージを帯びているとしたら、そしてそれを避ける必要があるとしたら、これらの用語に代えて、「α 政策」と「β 政策」というような、やや無色透明な印象を与える用語を用いることも、むろん可能である。そのことを前提とした上で、なおかつ、今日の海外における「日本語教育」と日本の海外に対する「日本語の普及」の現状を視野に入れつつ(36)、本書で使用する「日本語教育政策」と「日本語普及政策」という二つの用語の概念を、ここで定義しておきたい。

まず、「日本語教育政策」であるが、これは、日本以外の国や地域の中央政府・地方政府あるいはそれらの関係機関など、当該国・地域の公的な機関がその国民や住民（基本的には日本語非母語話者）を対象として日本語の教育を開始あるいは振興するために立案する計画や方針を指す(37)。したがって、政府等の公的機関に属さない個々の学校やその関係者が日本語の教育を開始することを計画したとしても、それは「日本語教育政策」とは言わない。ただし、公的機関の関係者がいずれはそれが所属する機関によって公認され、実行に移されるであろうことを期待して、その職務の一環として立案あるいは提言した計画や方針については、それが最終的に当該機関によって公認されたか否かに関わりなく、「日本語教育政策」の範疇に含まれるものとして扱う。

これに対して、「日本語普及政策」とは、日本政府やその関係機関が日本以外の国や地域において日本語の非母語話者を対象に日本語の教育を開始あるいは振興すること（これを本書では「日本語普及」と呼ぶ）を目的として立案する計画や方針を指す(38)。その範疇は上記の「日本語教育政策」のそれに準じる。

ただし、「日本語教育政策」の場合も「日本語普及政策」の場合も、これらの概念を定義する際に用いた「日本以外の国や地域」という表現は、その範囲が曖昧だろう。なぜなら、かりに時代を限定することなく「日本語普及政策」という用語を用いるとしたら、20 世紀前半期の台湾や朝鮮半島をその範囲に含めることはできないとしても、第一次世界大戦後に日本が国際連盟からその統治を委任された「南洋諸島」や第二次世界大戦中に日本が占領した「昭南島」は、その範囲に含まれる可能性があり、それらの地域に対する「日本語普及」も、今日のパラオ共和国やシンガポール共和国に対する「日本語普及」も、その「政策」に関しては、いずれも「日本語普及政策」という同じ言葉で表現することが可能になるからだ。しかし、「南洋諸島」とパラオ共和国あるいは「昭南島」とシンガポール共和国の国際的な地位の違いや日本との関係における往時と今日の差を勘案した場合は、それらを同列に扱うことには疑問も生じよう。

したがって、このような疑問が生じるのを回避するためには、上記の「日本以外の国や地域」という表現を、さらに「日本以外の国や地域かつ日本の実質的な支配下にない国や地域」と限定する方が適切かもしれない。しかし、この場合でも「日本の実質的な支配」とはどのような程度までを指すのかという疑問が生じる。そして何よりも、そのように限定することは、第二次世界大戦前あるいは戦中の「日本の実質的な支配下にあった国や地域」に対する「日本語普及」を視野から遠ざける結果となり、その「日本語普及」と今日の「日本以外の国や地域かつ日本の実質的な支配下にない国や地域」に対する「日本語普及」のそれぞれに内在する現象の連続性、あるいは関係者の意識における連続性の問題などに、眼を閉ざしてしまうことになる。

すなわち、「日本以外の国や地域かつ日本の実質的な支配下にない国や地域」と限定する場合は、第二次世界大戦前あるいは戦中の「日本の実質的な支配下にあった国や地域」に対する「日本語普及」と今日の「日本語普及」の連続性を無視する危険性を生じる。それに対して、「日本以外の国や地域」という表現のみにとどめる場合は、当該国あるいは当該地域の国際的な地位の変化や日本との関係における往時と今日の違いをいっさい考慮することなしに、両者の連続性を前提にしていると解釈される可能性が生じる。この問題に関して、筆者自身は社会言語学や言語政策論の分野における昨今の研究成果(39)を勘案するならば、少なくとも「政策」の中身や関係者の意識を分析する場合には、両者の差異よりも連続性にこそ着目する必要があるものと考えるが、この連続性の問題を検討する際に、本書で使用する二つの概念、すなわち「日本語教育政策」と「日本語普及政策」という二つの概念は役に立たない。なぜなら、これらの概念は基本的に両者を対比するために設定した概念だからである。

また、さきに述べた「日本以外の国や地域」の範囲の問題に戻れば、「日本語教育政策」という概念を設定することが可能なのは、その立案主体となるべき政府あるいはそれに準じる自治機構が当該国または当該地域に存在する場合、あるいは存在すると仮定できる場合に限られるが、もし、それらの政府や自治機構が「日本の実質的な支配下」にあったとしたら、当該国または当該地域における日本語教育の状況を分析するに当たって上記二つの概念を設定することは、あまり適切とは言えないだろう。なぜなら、かりにその国や地域に「日本語教育政策」に類するものが存在したとしても、それは日本の当該国または当該地域に対する「日本語普及政策」と対比できるものではなく、その一部だった可能性もあるからだ。したがって、上記二つの概念を対比的に用いて分析することが可能と考えられるのは、「日本以外の国や地域」の中でも、基本的には「日本の実質的な支配下にない国や地域」の場合に限定されることを、ここで確認しておきたい(40)。

範囲が曖昧な表現がもうひとつある。それは「日本語」という表現である。なぜなら、それぞれの国が「日本語教育政策」を立案してまでも自国民に教育したい「日本語」と日本がその「日本語普及政策」により対象国に普及したい「日本語」の範囲が異なるケースも考えられうるからだ。また、時代によっても「日本語」の範囲は異なることがあるだろう。本書が考察対象とする時代のオーストラリアでは、草書体で書かれた候文の文書を解読しうる能力を養成することが、その「日本語」教育の重要な目的の一部だったが(41)、当時の日本が国策として草書体や候文の「日本語」までオーストラリアに普及しようとしていたとは考えにくい。また、今日のオーストラリアにおける「日本語」教育では、どんなに上級のクラスであったとしても、草書体や候文で書かれた文書の読解までは扱わないのが一般的である。それは通常、日本文学あるいは日本美術史の講座が担当する。

このように、「日本語」という表現はその範囲が曖昧なのであるが、この問題については本書では取り上げない。ここでは、「日本語教育」あるいは「日本語普及」の関係者が「日本語」（Japanese, Japanese language）という言葉で表現し、かつまたその言葉から観念したであろう「日本語」、あるいは観念するであろう「日本語」の教育を、開始または振興するために、政府等の公的機関が立案する計画や方針を、便宜的に「日本語教育政策」あるいは「日本語普及政策」と表現する。

したがって、本書で使用する「日本語教育政策」および「日本語普及政策」という概念は、たぶんに便宜的な概念であり、あらゆる時代のあらゆる国や地域の日本語教育事情あるいは日本語教育史を分析する際に使用できる普遍的な概念ではないことをあらかじめ確認しておきたい(42)。また、この二つを対になる概念として設定することが可能と考えられるのは、前述のように、「日本の実質的な支配下にない国や地域」の場合に限られるが、「日本の実質的な支配下にない国や地域」で日本語教育が開始されたのは、いわゆる「日本学」（Japanology）の伝統が19世紀からある一部の欧米諸国を除いて、第二次世界大戦後（それも1960年代以降）のことである場合が多い。そして、その第二次世界大戦後における日本側の状況を振り返ってみると、社団法人アジア協会（現在の独立行政法人国際協力機構〈JICA〉の前身のひとつ）が海外への日本語教師派遣事業を開始したのが1957年、外務省が東南アジアの高等教育機関に対する日本語講座寄贈事業を開始したのが1967年、国際交流基金の設立が1972年であることから、ある国や地域の日本語教育事情あるいは日本語教育史を分析するに当たって、「日本語教育政策」と「日本語普及政策」という二つの概念を対比的に設定することが可能なのは、多くの場合、この40年ほどの時代の事例を研究対象とするケースに限られるかもしれない。

ただし、今日の日本語教育事情、とくに公教育分野における日本語教育の現状を分析する際には、これら二つの概念を対比的に設定したとしても、それほど無謀な試みとは言えないだろう。また、現在では「日本語教育政策」と「日本語普及政策」という二つの概念を対比的に設定することで、その国や地域の日本語教育の全体像が見えてくる場合もあろう。なぜなら、今日、海外の日本語学習者はその約88%が初等教育レベルから高等教育レベルまでの公教育分野で日本語を学んでいるが(43)、この分野の日本語教育には、とくに初等中等教育レベルの日本語教育には、当該国・地域の政府や公的機関が何らかの形で関与しているものと想像できるのと同時に、国際交流基金の「日本語普及」事業も、その多くは公教育分野の日本語教育に向けられているからである(44)。

前述の「海外日本語教育機関調査」によれば、1998年の時点で日本語教育が実施されている国や地域の数は115か国・地域である(45)。そのすべての国・地域の政府や公的機関が「日本語教育政策」を有しているわけではなく、なかには民間の日本語学校や私塾だけが、すなわち「日本語教育政策」の枠外にあると見なすのが適当な機関のみが日本語教育を実施している場合もあろうが、同時に政府や公的機関の関与をある程度は想定できる公教育分野で日本語教育が実施されている国・地域の数が90を越えることを勘案するならば(46)、上記115か国・地域の多くに「日本語教育政策」の存在を想定することは可能だろう。

また、国際交流基金は、「職務上・研究活動上日本語能力を必要とする人々を対象とした専門日本語研修、海外の大学・日本研究機関等で日本語を学ぶ人々を支援する日本語学習奨励研修」(47)を実施するため、1997年5月に大阪府泉南郡田尻町に「国際交流基金関西国際センター」を設置したが、同センターが上記の「海外日本語教育機関調査」が実施されたのと同じ1998年度に海外から招聘した日本語学習者の出身国が87か国に及ぶことを考え合わせるならば(48)、日本の「日本語普及政策」の対象国が少なくとも87か国以上は存在することを想定しうるし、それと同時に、その多くが上述の公教育分野で日本語教育が実施されている90以上の国や地域と重なるであろうことも想像できる。すなわち、「日本語教育政策」と「日本語普及政策」の両者が存在すると仮定できる国や地域の数を、少なくとも80～90程度は見積もることができるのである。

したがって、ある国や地域の今日の日本語教育事情、とくに公教育分野における日本語教育の現状を分析する際に、「日本語教育政策」と「日本語普及政策」という二つの概念を対比的に設定することは、多くの場合、けっして無理なことではないし、分析の結果、その両者の一方の不在が明らかになったとしても、これら二つの概念を設定したことで、かかる事実が解明できたわけだから、概念の設定そのものは妥当だったと評価しうるであろう(49)。そして、今日の日本語教育事情だけではなく、過去の日本語教育事情、さらには日本語教育史を分析するに当たっても、これらの概念を対比的に設定することが可能な国や地域は存在しよう。

むろん、これらの概念を過去の時代に設定する際には、「日本語教育」と「日本語普及」の在り方やそれらを取り巻く環境が、今日と過去とでは異なる場合もあることを認識しておく必要がある。しかし、ある国の政府と日本政府の双方が当該国で日本語の教育を開始あるいは振興しようとして、時期を同じくして何らかの計画や方針を立案したことは過去の時代にもあっただろうし(50)、そのようなことが想定できる場合には、当該国のその時代の日本語教育史を分析するに当たって、「日本語教育政策」と「日本語普及政策」という二つの概念を対比的に設定することが可能なケースもありうるのではないかと思われる。戦間期のオーストラリアの場合も、同国は「日本の実質的な支配下」にはなかったこと、当時、オーストラリアではすでに幾つかの公教育機関で日本語教育が実施されていたこと、そして日本の公的機関がそれに関わっていたことという各種の事実を勘案するならば、「日本語教育政策」と「日本語普及政策」という二つの概念を対比的に設定した上で、その日本語教育史を分析することが可能なのではないかと想像できる。

ただし、かかる二つの概念を対比的に設定して、戦間期におけるオーストラリアの日本語教育史を分析した先行研究は存在しない。前述の Brewster, Jennifer (1996) にしても、しいていえばオーストラリアの「日本語教育政策」にのみ焦点を当て、またその「日本語教育政策」の観点のみから同国の日本語教育史を分析している。

このような前提の下に、本書では「日本語教育政策」および「日本語普及政策」という用語を使用する。そして前述のように、本書では「日本語教育政策」も「日本語普及政策」も、それぞれの国・地域または日本の政府・政府機関が日本語の教育を開始あるいは振興するために立案する計画や方針として定義づける(51)。それでは、なぜ日本語の教育を開始あるいは振興するのかと言えば、また、それを一言で表現するならば、「国益」(national interests)(52)のためとすることができるだろう。なぜなら、「日本語教育政策」も「日本語普及政策」も、政府やその関係機関が立案の主体となる以上は、いわゆる「言語権」[53]や「権利としての言語」[54]を主目的としたものでない限り、個々の人間やその人間が所属する特定の企業・私的団体のではなく、より広い範囲の利益追求を目指すことになるだろうと考えられるからである。しかし、国家を形成するまでには至っていない地域の場合や、オーストラリアのように初等中等教育行政権が地方政府に属す国の場合は、その自治政府や地方政府の主導による「日本語教育政策」の目的として、「国益」という表現を用いることが適切でないケースがありうる。さらには、本書が考察対象とする時代のオーストラリアを「国」と分類して差し支えないのかという問題もある。したがって、これらの問題を避けるためには、むしろ「公益」（public interests）という表現を用いる方が適切かもしれないが、「公益」という言葉は、「国」を越えたレベルの利益、すなわち、国際社会の利益や人類全体の利益を指し示す場合もあるため、より狭い範囲の利益をあらわす言葉として、ここでは便宜的に「国益」という言葉を用いる。もとより「国益」という言葉も意味が曖昧であるが、その曖昧性にあえて依拠するならば、「日本語教育政策」も「日本語普及政策」も、立案主体の別はあるものの、基本的には「国益」の追求を目的として、あるいは「国益」を少なくとも間接的には意識して、日本語の教育を開始あるいは振興するために立案する計画や方針と言いかえることもできるだろう。そして、その「国益」の中身を例示するならば、「日本語教育政策」においては、日本との貿易拡大、日本人観光客の誘致、自国の子供たちに異文化への理解を得させること、日系移民の言語能力を「資源としての言語」[55]として活用すること[56]、あるいは日本が（仮想）敵国の場合は、その軍事情報を入手することといった「国益」が考えられるし、「日本語普及政策」においては、海外における日本文化の「顕揚」、「わが国に対する諸外国の理解」の増進、「知日家」や「親日家」の育成、日本企業の海外進出促進、日本の国際社会に占める地位の向上といった「国益」が想定できよう。

ただし、それらの「政策」が実行に移された、たとえば日本語講座開設等の具体的な「施策」については、本書では「政策」の範疇に含まない。したがって、「日本語教育政策」や「日本語普及政策」が立案されたとしても、結果として具体的な「施策」を全く伴わない場合もありうる。また、ある国の公的機関が日本語講座を開設したとしても、あるいは日本政府の関係機関がある国の教育機関にたとえば日本語教材を寄贈するといった「施策」をとったとしても、基盤となるべき「日本語教育政策」や「日本語普及政策」が不在だったというケースも考えられる。さらには、「政策」を無効化する「施策」という事例も想定できよう[57]。

本書では「日本語教育政策」と「日本語普及政策」という用語を以上のように

定義した上で使用するが、「日本語教育政策」と「日本語普及政策」のそれぞれが目的として掲げる「国益」の中身が両者の間で一致することはおそらく稀だろう。しかし、「政策」そのものやそれの実行面である「施策」の部分では、両者の間に共通性や類似性が見られることもあろう(58)。そして、この共通性や類似性ゆえ、両者によって「共催」事業が実施される場合もあろう(59)。

また、「日本語教育政策」と「日本語普及政策」が相互補完的な役割を果たすことによって、あるいは両者の相乗的な効果によって、当該国の日本語教育が量的に拡大したり、質的に向上したりするような現象を、かりに両者の「幸福な出会い」と呼ぶのであれば、政策目的であるところの「国益」の部分はともかくとして、「政策」それ自体や「施策」の面では両者が「幸福な出会い」をすることも可能性のひとつとしては想定できるかもしれない。

言語に対する公的な関与は、「言語政策」(Language Policy) あるいは「言語計画」(Language Planning) と呼ばれる(60)。この「言語政策」ないし「言語計画」という言葉は、その言葉を使用する人の立場や意図によって、意味する範囲が異なることがある。すなわち、政策目的の設定から、その政策目的を実現するための計画や方針の立案、立案された計画や方針の実施、そしてその実行された施策に対する評価までの全段階を意味する場合もあれば、特定の段階に限定して使用される場合もあるが(61)、本書で言う「日本語教育政策」と「日本語普及政策」は、上述のように、いずれも政策目的を実現するための計画や方針の立案段階のみを指す。

また、この「言語政策」ないし「言語計画」は、「実体計画」(Corpus Planning) と「席次計画」(Status Planning) に大別されることが多いが(62)、その区分からすれば、本書で言うところの「日本語教育政策」と「日本語普及政策」は、そのどちらも基本的には「席次計画」に分類されると言えるだろう。なぜなら、「日本語教育政策」にせよ、「日本語普及政策」にせよ、立案主体の別はあっても、いずれも当該国・当該地域あるいは対象国・対象地域の言語教育全体の中に占める日本語の地位の上昇を少なくとも間接的には意図することになるだろうと考えられるからだ(63)。

ただし、「席次計画」の範囲を、ある言語の地位を法的または政治的な手段で上昇させる、あるいは低下させる「政策」にのみ限定するならば、たとえば1990年代にオーストラリアの各州政府が実行に移した、日本語を「優先言語」のひとつに指定するという「日本語教育政策」は、たしかに「席次計画」の範疇に含まれるであろうが、その「優先言語」に指定された日本語の教育そのものに関する「政策」は、この「席次計画」の範疇には含まれないことになる。実際、言語教育それ自体に関する「政策」を「席次計画」とは別の範疇に含める研究者もいるが(64)、この種の「政策」も、その対象言語の地位の上昇を教育という行為を通じて実現しようと、少なくとも間接的には意図することになるであろうことから、基本的に「席次計画」の範疇に含めて差し支えないものと筆者は考える。したがって、本書で言う「日本語教育政策」と「日本語普及政策」は、いずれもその範囲に、法的または政治的な手段の採用によって実現されうる「政策」と、教育という行為を通じて実現されうる「政策」の両方を含むが、その両方とも、「言語政策」あるいは「言語計画」という領域においては、「席次計画」の範疇に含めていいのではないかと考える。

また、この「席次計画」の範疇において「日本語教育政策」と「日本語普及政策」を区別する必要がある場合は、前述のように、これら二つの概念を対比的に設定することが可能と考えられるのは、「日本以外の国や地域」の中でも、基本的に「日本の実質的な支配下にない国や地域」の事例を研究対象とするケースに限られることから、そこに「内政」および「外政」という分類軸を導入することも可能なのではないかと思われる(65)。たとえば、オーストラリアの「日本語教育政策」はオーストラリアの「内政」に、日本の対オーストラリア「日本語普及政策」は日本の「外政」の領域に属す。今日、多くの国で「外国語教育」に関する政策は文部省ないし教育省の、海外への「自国語普及」に関する政策は外務省ないし対外関係省の所管となっている(66)。

次に、「日本語教育政策」と「日本語普及政策」の関係についてであるが、まず第一に、その両方とも存在しないケースが考えられる。そして第二に、片方のみが存在するケースが考えられる。すなわち、「日本語教育政策」と「日本語普及政策」のどちらか片方のみが存在する場合が想定される。今日、たとえば北朝鮮（朝鮮民主主義人民共和国）には、平壌外国語大学などに日本語学科があり、それは北朝鮮政府の何らかの「日本語教育政策」の一環として設置されたものと想像できるが、日本政府は国交のない北朝鮮をその「日本語普及政策」の対象とはしていない。

「日本語教育政策」と「日本語普及政策」の両方が存在する場合も考えられる。その際、両者が対立するケースや、相互に全く無関係に並存するだけのケースもありうるだろうが、前述のように、「幸福な出会い」をすることも可能性のひとつとしては想定しうるだろう。また、ある国の政府が日本政府に日本語教師の派遣を要請しようとする場合、あるいは日本政府がある国の教育行政機関に当該国の学校教育への日本語科目の導入を要請しようとする場合のように、日本に「日本語普及政策」の立案を要請する「日本語教育政策」、あるいは相手国に「日本語教育政策」の立案を要請する「日本語普及政策」という事例も考えられる。

本書では、「日本語教育政策」と「日本語普及政策」という用語を以上のように位置づけた上で対比的に使用するが、人によっては「日本語普及政策」という名称に違和感を覚えるかもしれない。たとえば、「日本語普及」とは言いながらも対象国の日本語教育と関わる以上は、「日本語教育政策」と呼ぶべきではないかとの疑問を感じる人もいよう(67)。そして、それは当然の疑問でもあろう。なぜなら、「日本語普及」という言葉が「日本語教育」という言葉の実質的な言い換えに過ぎないケースもありうるからだ。

日本では2001年に中央官庁の再編成が実施された。その結果、「海外における日本研究及び日本語の普及に関すること」(2000年度政令第249号「外務省組織令」第27条)は外務省の所掌事務とされた。それに対して、「外国人に対する日本語教育に関すること」(2000年度政令第251号「文部科学省組織令」第105条)は文化庁の所掌事務とされた。いわば行政面において、「日本語の普及」と「日本語教育」という用語は使い分けられていると言うことができるのだが、「文部科学省組織令」には、「外国人に対する日本語教育に関すること」という言葉の後に、括弧書きで「外交政策に係るもの並びに初等中等教育局及び高等教育局の所掌に属するものを除く」との文言も付されている。すなわち、「外交政策」に係る「日本語教育」は文化庁の所掌ではないと宣言しているわけだが、このことと、「外務省組織令」にある「日本語の普及」という言葉を考えあわせるならば、「日本語の普及」とは「外交政策」に係る「日本語教育」にほかならないことを、日本政府も暗黙のうちに認めていることを示している。したがって、もし「日本語普及政策」という言葉を別の言葉で表現する必要がある場合は、これを「外交政策に係る日本語教育政策」と呼ぶことも可能かもしれない。

また、「日本語普及政策」という表現の中にある「日本語普及」という言葉を「日本語を学んだことがない人たちに日本語学習をはじめさせる」ことと解する人もいるかもしれない。そのような人の場合は、たとえば国際交流基金の各種事業報告書を読んだら、同基金の活動は「すでに日本語を学びはじめている人々」に対する支援に特化しており、「日本語を学んだことがない人たちに日本語学習をはじめさせる」ための活動をしていないではないか、したがって、「日本語普及」という用語を同基金の活動を表現するのに用いることは不適切ではないかという疑問を抱くかもしれない(68)。これもまたもっともな疑問だろう。なぜなら、法的には「日本語の普及」を業務のひとつとしているはずの国際交流基金自体も、その業務内容を表現するのに、「海外における日本語普及」(69)(dissemination of the Japanese language overseas)(70)という、やや積極的な印象を与える表現のほかに、「海外における日本語教育支援」(Support for Japanese-Language Education Overseas)(71)という表現を併用しているからだ。

したがって、上記のような疑問が生じるのを回避するためには、「日本語普及政策」という用語に代えて「日本語教育支援政策」という用語を用いることも(72)、事例によってはそのイメージと実態が今度は「日本語普及政策」の場合とは反対の方向にかけ離れてしまう危険性があることを無視するならば、むろん可能である。本書で使用する「日本語普及政策」という用語は、あくまでも「日本語教育政策」という用語と対比、あるいは区別するための便宜的な用語であることを、ここであらためて確認しておきたい。

以上のように「日本語教育政策」と「日本語普及政策」という用語を定義および位置づけた上で、本書ではこれらの用語を利用してオーストラリアの日本語教育史を考察するとともに、同国の「日本語教育政策」と日本の対オーストラリア「日本語普及政策」の中身と目的、そして両者の関係を考察する。

その考察の対象時期としては、第一次世界大戦の終了後から第二次世界大戦勃発までの、いわゆる戦間期を取り上げるが、後述するように、オーストラリアの「日本語教育政策」にとって「戦争」は大きな意味を持っていたことから、第一次世界大戦中および第二次世界大戦中の時期も本書では考察の対象とする。また、第二次世界大戦は1939年9月のドイツによるポーランド侵攻をもってその始まりとするのが一般的であるが、日豪開戦はその2年後の1941年12月のことであり、この1939年9月から1941年12月までの時期も日本は対オーストラリア「日本語普及」事業を営んでいたことから、本書では、この2年間も戦間期の一部として扱う。

また、この第二次世界大戦の始まりと日豪開戦の時期のズレに関連して、1941年12月から1945年8月までの、日本と英米豪諸国との戦争に言及する際には、必要に応じて「太平洋戦争」という言葉を用いる。現在では、「太平洋戦争」に代えて「アジア太平洋戦争」という呼称も用いられるようになってきたが、後者は「満州事変」や「日中戦争」も含めた、すなわち、1956年に鶴見俊輔が初めて用いた「十五年戦争」と同じ概念として使われるケースも見受けられ、現状ではその中身および対象時期が定まっているとは言いがたいように思われる。むろん、「太平洋戦争」という言葉自体も、それを使う人によって対象時期が異なることがあるが、他に適切な表現が見あたらないので、本書では、日本と英米豪諸国との戦争に限定して言及する際には、「太平洋戦争」という呼称を便宜的に使用する。

〈註〉

（1）国際交流基金日本語国際センター（2000）18 頁

（2）国際交流基金日本語国際センター（2000）19 頁

（3）国際交流基金日本語国際センター（1992）39 頁

（4）国際交流基金日本語国際センター（1995）15 頁

（5）杉本良夫（1991）

（6）国際交流基金は 2003 年 10 月に独立行政法人に移行したが、法人格が変更になった後も同基金は「日本語の普及」（2002 年度法律第 137 号「独立行政法人国際交流基金法」第 12 条）をその業務のひとつとしている。

（7）国際交流基金（1998b）46 頁

（8）詳細については、拙稿（1999）、同（2001a）を参照。

（9）Lo Bianco, Joseph（1987）p. 7.

（10）松田陽子（1994）67 頁

（11）Department of Employment, Education and Training（1991）p. 15–p. 17.

（12）New South Wales Department of School Education（1994）p. 1.

（13）この目標に向けて、同タスク・フォースは、全州共通カリキュラムの作成、教師研修の拡充、言語能力判定基準の制定等のほか、「アジア語イマーション計画」（The Asian Languages Immersion Program：学校教育にアジア語のイマーション・プログラムを導入する計画）や「青少年アジア派遣計画」（The Young Australians in Asia Program：ハイスクールの生徒を日本・中国・韓国・インドネシアの 4 か国に最低 1 年間派遣する計画）等のプログラムを策定した。これらのプログラムを含めた「NALSAS」計画全体のために、連邦政府は 1995 年から 2002 年にかけて合計 2 億豪ドル以上の資金を投入し、その成果については、すでに 2000 年の段階で初等教育レベルおよび前期中等教育レベルの全生徒の約 23%が当該 4 言語のいずれかひとつを学習しているようになったが、同時に後期中等教育レベルでは目標達成が困難となりつつあることも明らかとなった。2002 年 5 月 2 日、連邦政府の教育科学訓練大臣 Brendan Nelson は、当初の目標が未達成であるにもかかわらず、「NALSAS」計画を予定（2006 年）よりも 4 年早い 2002 年末をもって終了すると発表した。

（14）1985 年、国際交流基金は「日本語普及」の抜本的対応策を検討するための事務局として「日本語普及総合推進室」を設置するとともに、学界、経済界、官界などの関係者 17 名から構成される「日本語普及総合推進調査会」を設けた。同調査会に対して国際交流基金が諮問した事項は、（1）国際交流における日本語の位置づけ、（2）日本語普及の方法と事業、（3）国際交流基金における日本語普及拡充のための推進体制の強化、の三つである。調査会は初会合のあと、3 回の全体会議と 3 回の専門部会を開催し、上記の諮問事項に関する審議を行ったが、専門部会において「日本語普及」のためのセンター設立計画が検討され、全体会議に提出されるに至った。そして、同年 11 月の第 5 回会議において、調査会は「海外における日本語普及の抜本的対応について」と題する答申を採択し、国際交流基金理事長に提出した。この答申に基づいて、国際交流基金は 1989 年 7 月に、「外国人及び日本人教師の養成と確保、教授法・教材の開発と提供」ならびに「日本語普及関連情報の収集・整理・提供」を行う機関として、埼玉県浦和市（当時）に「国際交流基金日本語国際センター」を開設した。

(15) 日本語普及総合推進調査会（1985）2頁～3頁

(16) 2002年12月に公布された「独立行政法人国際交流基金法」(2002年度法律第137号)は、同基金の目的を次のように規定している。「独立行政法人国際交流基金（以下「基金」という。）は、国際文化交流事業を総合的かつ効率的に行うことにより、我が国に対する諸外国の理解を深め、国際相互理解を増進し、及び文化その他の分野において世界に貢献し、もって良好な国際環境の整備並びに我が国の調和ある対外関係の維持及び発展に寄与することを目的とする。」

(17) 芳賀浩（1995）269頁

(18) Marriott, H., Neustupny, J. V., Spence-Brown, R.（1994）p. 7.

(19) マリオット，ヘレン（1991）22頁

(20) Low, Morris（1997）p. 4.

(21) Marriott, H., Neustupny, J. V., Spence-Brown, R.（1994）p. 1.

(22) 嘉数勝美（2000）87頁

(23) 今井信光（1993）3頁

(24) 疋田正博（1985）628頁

(25) Brewster, Jennifer（1996）p. 4.

(26) Brewster, Jennifer（1996）p. 4.

(27) 野口幸子（1997）4頁～5頁

(28) 国際文化振興会（1934）4頁

(29) 国際文化振興会（1935d）8頁

(30) 1989年版はE. S. Crawcour、1997年版はJunko kumamoto-Healeyが執筆。

(31) 1989年版はAlan Rix、1997年版はNanette R. Gottliebが執筆。

(32) 戦間期にメルボルン大学とクィーンズランド大学の両方で日本語教育が実施されていた事実に触れている研究書は、管見の限り、成田勝四郎（1971）だけである。同書には次のように記述されている。

「とくにオーストラリアにおける日本語講座の歴史は古く、一九一六年（大正五年）六月に国防省がダントルーンの王立陸軍士官学校に日本語講座を開くこととし、当時熊《マ》本《マ》の第五《ママ》高等学校の講師であったマードックを採用し、翌年開講したのにはじまる。国防省はまたシドニー大学に対し、俸給は国防省が負担することとして同氏による日本語講座の開講を提議し、同大学はこれを容れて一九一八年（大正八年）東洋学講座を設けてマードック教授を迎えた。同教授はダントルーンからシドニーへ本拠を移し、シドニーから引きつづき陸軍士官学校の日本語講座を指導した。マードック氏は一九二一年に永眠した。後任者にはサドラー（Arthur L. Sadler）教授が、当時駐日イギリス大使であったエリオット（Sir Charles Eliot）に指名されて、翌一九二二年就任し、ダントルーン陸士教官を兼ねた。（中略）ブリスベーンのクィーンズランド大学は戦前東京商大から清田竜《ママ》之助を招いて日本に関する講座を設けていたが、戦後一九六五年には、J. アクロイド女史を教授に迎えて日本語講座を設けた。（中略）メルボルン大学では太平洋戦争前の数年間、稲垣蒙志による日本語の講義があったが、これは学位必須課目ではなかった。」（68頁～70頁）

(33) The Japan Foundation（1989）p. 89 および The Japan Foundation（1997）p. 95. なお、Clarke は、1917 年当時に日本語教育が導入されたのは、今日の日本語教育の場合と同様、「国益」（national interests）の強調と重要な貿易相手という対日認識があったからだとしている。

(34) 国際交流基金日本語国際センター（2000）389 頁、417 頁、438 頁

(35) これらの用語が単独で用いられる場合、概念あるいは用法の点で両者の間に差が見られないケースもある。たとえば 20 世紀前半期の朝鮮半島に対する日本の政策を「日本語教育政策」（久保田優子（2002）11 頁）と呼ぶ研究者もいれば、「日本語普及政策」（井上薫（1992）163 頁）と呼ぶ研究者もいる。

(36) 海外における「日本語教育」の現状に関しては、国際交流基金日本語国際センターが発行している『世界の日本語教育―日本語教育事情報告編―』等を、「日本語の普及」の現状に関しては、国際交流基金および国際協力事業団（2003 年 10 月以降は国際協力機構）の各種事業報告書等を参照。

(37) ただし、日本留学を企画することも、それが日本語学習を目的とした日本留学である限り、「日本語教育政策」の範疇に含まれるものとしておく。「日本語普及政策」の場合も同じ。

(38) クルマス，フローリアン（1993）は、「言語輸出」の方法として、「供給を増大する」「需要を刺激する」「価格補助」の三つの方法をあげているが（145 頁）、本書で言う「日本語普及政策」の内容は、必ずしもこの三つにとどまるものではない。

(39) たとえば、イ・ヨンスク（1996）、子安宣邦（1996）、安田敏朗（1997）、小熊英二（1998）を参照。

(40) ただし、「日本語普及」という表現については、他に適当な表現が見あたらないため、本書では、「日本の実質的な支配下にあった国や地域」の場合にもアナロジカルに使用することがある。

(41) その理由のひとつは、日本語で書かれた郵便物を検閲するのに必要な日本語能力の養成をめざしていたことにある。

(42) 本書で〈日本語教育〉という言葉を、括弧を付さないで使用する場合は、一般的な行為としての、日本語の教育や研修あるいは訓練を指す。それに対して、括弧を付して使用する場合は、おおむね「日本語普及」と対比される行為としてのそれらを指す。本書で用いる「日本語教育事情」および「日本語教育史」という言葉における〈日本語教育〉は、前者の例に相当する。このため事例によっては、「日本語教育・普及事情」あるいは「日本語教育・普及史」と呼ぶ方がより正確かもしれないが、それと同時に、すべての事例をそのように呼べるとも限らないことから、本書では単に「日本語教育事情」または「日本語教育史」と表現する。なお、「日本語教育事情」は、ある国や地域のある特定の時点における日本語教育の状況を、それに対して「日本語教育史」は、ある程度時間的な幅がある時期における日本語教育の状況を指す言葉として、本書ではそれぞれ使用する。

(43) 国際交流基金日本語国際センター（2000）12 頁

(44) たとえば、国際交流基金（1998b）50 頁～60 頁を参照。

(45) 国際交流基金日本語国際センター（2000）7 頁

(46) 国際交流基金日本語国際センター（2000）11頁
(47) 国際交流基金関西国際センター（1999）1頁
(48) 国際交流基金関西国際センター（1999）90頁～92頁
(49) ただし、「日本語教育政策」と「日本語普及政策」の二つの概念だけで、その国・地域の日本語教育事情をすべて分析できるわけではない。とくに、私立の教育機関や私塾における日本語教育、独習者の日本語学習、あるいは海外の日本語教育を支援しようとする日本企業、NGO/NPO、個人等の活動を視野からはずす結果を生む可能性や危険性があることは認識しておく必要があろう。
(50) たとえば、タイの事例を扱った、北村武士, Voravudhi, Chirasombutti（1998）を参照。
(51) 今日、日本の初等中等教育における「国語」教育を別とすれば、日本語教育に関する日本の「政策」としては、本書で言う「日本語普及政策」のほかに、定住外国人や留学生など、日本国内に居住する日本語非母語話者に対する日本語教育のための「政策」や、日系企業海外駐在員の子女など、日本以外の国や地域に居住する日本語母語話者に対する日本語教育のための「政策」が考えられうる。ただし、後者の日本語教育は、それがいわゆる「日本人学校」で行われる場合、日本の初等中等教育における「国語」教育の延長上にあると見なすのが適切であろう。また、それらの日本人子弟がいわゆる「現地校」で日本語教育を受ける場合は、その居住する国あるいは地域の「日本語教育政策」の枠内にあるとするのが適切である。オーストラリアのニューサウスウェールズ州教育委員会は、同州の公立ハイスクールに在籍する日本語母語話者またはそれに準じる生徒（11年生～12年生）のために独自の日本語教育シラバスを用意している。その具体的な内容については、Board of Studies New South Wales（1999）を参照。
(52) たとえば、Department of Employment, Education and Training（1991）は「national interests」という表現を用いている。
(53) 言語政策と「言語権」の関係については、言語権研究会編（1999）に詳しい。
(54) オーストラリアの社会史あるいは言語政策史上における「英語以外の言語」（LOTE）の位置づけに関しては、様々なキーワードで表現されるが、そのひとつに、「問題としての言語」（Language as a Problem）、「権利としての言語」（Language as a Right）、「資源としての言語」（Language as a Resource）というキーワードによる表現の仕方がある。すなわち、オーストラリアの歴史において、LOTEは同化主義の時代には解消すべき「問題」として、1970年代には擁護すべき「権利」として、そして1980年代に入ってからは「国益」増進のために積極的に活用していくべき「資源」として位置づけられてきたとするものである。その概要については、Djite, P. G.（1994）p. 9を参照。
(55) 1980～1990年代のオーストラリアの言語政策に見られる「資源としての言語」という考え方については、松田陽子（1996）182頁～190頁を参照。
(56) ただし、日系移民に対する日本語教育、とくに三世以降の世代に対する日本語教育は、日本の「日本語普及政策」の対象ともなりうる。日本政府の関係機関である国際協力事業団（2003年10月に独立行政法人国際協力機構へ改組）は、日系社会に対する「日本語普及」を目的に、専門家やボランティアの派遣、日本語教師研修会の開催、各種資金助成等の事業を実施している。詳細については、国際協力事業団企画・評価部（2000）127頁～129頁を参照。

(57) 安田敏朗（2002）は、「言語政策と日本語教育は、理念と現実、立案と実行（現場）などといった、位相のことなる関係にあると思われる。しかしながら両者はまったく切断された関係にあるのではない。教育の政策規定性は否定できないものの、政策をうらぎる存在としての教育というとらえ方もできる」（44 頁）と指摘している。この指摘を踏まえるならば、「日本語教育政策」の場合も「日本語普及政策」の場合も、これらの「政策」やその各々の「政策」が追求しようとしているところの「国益」をうらぎる、あるいは無効化する「施策」（その担い手には実際の教育現場に立つ日本語教師も含まれる）という事例の存在も考えられる。

(58) ただし、「日本語教育政策」と「日本語普及政策」の中身の完全な一致を想定することは無理だろう。また、「日本語教育政策」と「日本語普及政策」のどちらか片方のみが扱える分野というものの存在も考えられよう。たとえば今日、海外における初等中等教育レベルの日本語教育は、単なる言語教育ではなく、「外国人の日常生活と彼らの生活様式への理解を深め、より肯定的で積極的な生活態度を身に付け、さらに世界の中の韓国人としてのふさわしい行動様式の基礎づくりができるようにする」（韓国教育部（2002）1 頁）ことや、「生徒が中日両国の文化的差異を理解し、国際的な視野を開き、愛国精神を育て、健全な人生観を確立することを助ける」（中華人民共和国教育部（2002）1 頁）こと、あるいは「国境や文化のステレオタイプを超えて、異なる言語、文化、国籍を持つ人々に対する寛容で積極的な態度を身につけ」（ニュージーランド教育省（2002）3 頁）させることや、「異文化についての洞察力を養い、それを自己の経験に結びつける機会を与えること」（英国教育雇用省（2002）5 頁）というような、「青少年教育」とでも言うべき要素を含んでいる場合が多いことから、日本がそれに直接的に関与することは、内政干渉との批判を受けることになろう。したがって、たとえ「ある国で、ある外国語が、その国の中等教育機関の外国語の教科目に入った時、その外国語は、（一般）外国語としての市民権を得た」（椎名和男（1988）31 頁）と言えるにしても、その国や地域の初等中等教育のカリキュラムに日本語科目を導入することは、少なくとも今日では「日本語普及政策」の領域においては計画しえないだろう。それは当該国・地域の「日本語教育政策」の領域においてのみ許されることだろう。しかし、日本がある国または地域の教育行政機関に対して、当該国・地域の学校教育への日本語科目の導入を「要請」することは、今日でも「日本語普及政策」の一部として計画されうるだろう。

(59) 1990 年代のオーストラリアにおける具体的な事例については、たとえば国際交流基金（1998b）を参照。

(60) その概略については、たとえば平高史也（1997）76 頁～80 頁を参照。

(61) たとえば、カルヴェ，ルイ＝ジャン（2000）8 頁～20 頁を参照。

(62) たとえば、クルマス，フローリアン（1987）101 頁～104 頁を参照。

(63) ただし、その「政策」の中身が「実体計画」である場合はありうる。第二次世界大戦前あるいは戦中における「日本語普及」が「国語の整理統一」の必要性を顕在化せしめたことは、イ・ヨンスク（1996）の指摘しているところである。また、本書第 2 章第 2 節を参照。

(64) たとえば、渋谷勝巳（1992）は「言語計画」の区分として「実体計画」と「席次計画」のほかに「普及計画」を挙げている。また、Cooper, Robert L.（1989）は「習得計画」

(Acquisition Planning）を加えている。

(65) ただし、例外的な事例もありうる。総務庁北方対策本部（当時）は1990年代の後半に北方領土の住民（その大半はロシア国籍の日本語非母語話者）に対する日本語教育を企画し、1998年には国後島に、1999年には択捉島と色丹島にも日本人の日本語教師を派遣したが、この時の総務庁の施策は、日本国内に定住する外国人に対する日本語教育というよりも、その実態からすれば、本書で言うところの「日本語普及」に近い。このため、もしロシア側に同地に対する「日本語教育政策」に相当するものが同時期に存在したとしたら、たとえ北方領土が「日本以外の国や地域」には相当しないとしても、1990年代末の時点における同地の日本語教育事情を分析するに当たって、「日本語教育政策」と「日本語普及政策」という二つの概念を対比的に設定することは可能かもしれない。

(66) たとえば、英国のブリティシュ・カウンシル（The British Council)、ドイツのゲーテ・インスティトゥート（Goethe Institut)、日本の国際交流基金は、いずれの当該国の外務省が所管官庁となっている。

(67) 国際交流基金・国際文化フォーラム編（1989）によれば、1988年3月に東京で開催された「日本語国際シンポジウム」において、当時、日本語教育学会の会長を務めていた林大は、「日本語教育」と「日本語普及」という表現に関して、「私の聞いているところでは、国内では日本語教育という言葉を使い、海外に対しては日本語普及という言葉を使うということになっていると、こういうことですね。日本側がする仕事としては、海外においては日本語教育が行われているんだけれども、それに対して、例えば交流基金が仕事をなさると、日本語普及の事業だというふうに言葉を言い換えなきゃならないということを聞いているんでございますけれども、これはまことにばかばかしいこと」(98頁）と発言している。

なお、「日本語普及」という表現に関し、このシンポジウムの最終日に開催された講演会において、加藤秀俊は次のように述べている。「第三点でございますが、これは林先生から「普及」という言葉をめぐってご質問がございました。そのご質問のちょうど途中のところで私、遅れてまいりましたので、十分その前後関係がわからずにこういうことを申し上げるんでございますけれども、後で伺いますと、日本語の「普及」という言葉は法律上使われている言葉なんだそうでございます。ですからこれはしかたがない。法律改正をしなきゃいけませんから。しかしそこのところは目をつぶるにしましても、日本語を「布教」することは絶対にやめたいと私は思います。つまり使命感をもった日本語教育は駄目だろうということなんであります。」(124頁)

(68) アモン，ウルリヒ（1992）によれば、ドイツのゲーテ・インスティトゥートは、今日、その「ドイツ語普及」事業の基本的な理念として、「他国から明確な要請があってはじめて行動し、強制はしない」(53頁）という原則（非強制の原則）を掲げているが、この理念と「需要喚起」(Bedarfsweckung）という行為は矛盾しないとする考え方も関係者の間に見られるという。

(69) 国際交流基金（1998b）54頁

(70) The Japan Foundation（2001）p. 83.

(71) 和文および英文のいずれも、国際交流基金が2003年4月の時点で使用していた広報用パンフレットによる。

（72）たとえば宮岸哲也（1997）は、1990年代におけるスリランカの日本語教育に対する日本政府の関与の在り方を考察するに当たり、その関与の在り方を「日本語教育への援助」と呼んでいる。

第1章　オーストラリアの「日本語教育政策」

1.　日本語教育のはじまりとその時代背景

1-1　日本語教育のはじまり

オーストラリアで、いつから日本語が教えられるようになったのかは、わからない。ただし、日豪関係史研究上の成果によると、1906年頃に日本人の高須賀穣が「メルボルンのストット・アンド・ホアレ商業学校（Stotts & Hoare's Business College）で日本語を教授した」(1)との記録があるという。シソンズ, デイビッドC. S.（1974）は、「これは、オーストラリアで、日本語が教えられた最初だったにちがいない」(2)としている。

高須賀穣は1865年、愛媛県温泉郡雄群村に生まれた。慶応義塾に学び、さらに米国に留学した後、1898年から約4年間、政友会所属の衆議院議員を務めたが、1905年3月、配偶者のイチと2人の子供を連れて渡豪した。渡豪当初、「メルボルンのクイーンストリート136番地で彼は、“日本の買付業者、タカスカ・ダイト会社”という名で、事業にとりかかった」(3)のであるが、「ひまな時には、ストット・ビジネス単科大学で日本語を教えた」(4)という。

その後、「彼は商業を捨て、農業に変え、マレー川沿いのスワン・ヒル近くのナイアという地で州政府から小農地を年賦で得、米を栽培」(5)することになった。だが、「高須賀の米作は成功とはいえなかった。1906（明治39）年から1934（昭和9）年に至る約30年間は苦難の連続であり、ついには米作をあきらめざる」(6)を得なかった。

しかし、「高須賀のまいた一粒の日本米が、オーストラリア米作産業開始の祝砲」(7)となったことは後の時代に高く評価されることになった。1998年6月には、ニューサウスウェールズ州ヤンコの州立農業試験場で、高須賀穣をたたえる記念碑の除幕式が挙行されている。また、今日では高須賀について、「日本式の米文化を通したマルチカリチュラリズムのパイオニア」(8)との評価もなされている。

1934年、高須賀は米作を断念し、グーノンに移転した。そして、継母死去のため日本に一時帰国していた1940年に松山市で死去した。75才だった。

高須賀の死後、「オーストラリアに残された妻イチ、長男昇、長女愛子、次男万里雄は間もなく始まった対日戦争のはざまで、それぞれの人生を歩いた。昇（1898～1972）は日本人として一時抑留されたが隣人たちの人望で解放され、イチ（1874～1956）とともに普通の生活に戻り、戦後ハントリー郡の郡長を勤めた。万里雄（1910～）は軍隊に志願し欧州戦線で偉勲を立て」(9)た。高須賀穣とその子供たちは、今日、初期の日豪交流における象徴的な存在とも見なされている(10)。

「商業学校」とも「ビジネス単科大学」とも訳されている「Business College」は、今日の学制では専門学校（TAFE : Technical and Further Education）にほぼ相当する。ストット・アンド・ホアレ・ビジネス・カレッジは、1884年にストット秘書学校（Stotts Secretarial College）としてメルボルンに設立されたオーストラリア最古の私立ビジネス・カレッジである。「1906年のストットの年次報告書によると、日本語の授業は多くの学生に歓迎された」(11)という。しかし、同校の日本語教育は連邦政府や州政府の教育行政機関が関わった公的なものではなく、したがって、そこに何らかの「日本語教育政策」を見い出すことはできない。また、日豪関係史の上では、「オーストラリアにおける日本人による日本語の教師としては、稲垣蒙志という人物が著名であるが、たとえ短期間とはいえ、穣の果たした功績も忘れることはできない」(12)とされているものの、日本語教育史の上で高須賀の名前が登場することは稀である。オーストラリアにおける日本語教育のはじまりは、序論でも述べたように、James Murdochの名前とともに語られることが多い。

1-2　時代背景

ここでは、オーストラリアで日本語教育が開始された時代の日豪関係を見てみる。

オーストラリアがいつ頃から日本に対して脅威を抱くようになったのかについては諸説があるが、一般には、「日本は1905年の日露戦争に勝利を収めるが、これはオーストラリアが日本の能力に高い評価を与える契機となると共に、対日警戒心を募らせるものともなった」(13)というように、日露戦争後とされている。たとえば、メイニー，ネヴィル（1981）は次のように述べている。

「一九〇一年にいたるまで、イギリス海軍の優越性というもの、およびそれがオーストラリア連邦に保障していた保護というものに対するオーストラリアの信頼感は、これら一九世紀末年の諸問題にもかかわらず、本質的には不動のままであった。しかしその時、オーストラリアの指導者たちの信頼感を揺るがし、日本というもののうちに国家の安全を脅かすような危険、否、その生存をさせ脅かすような危険があることを悟らせる二つの事件が起った。オーストラリア外交史において、日本の局面の到来を告げたのが、これら二つの出来事であった。その第一は、日露戦争を終結に導いたところの、対馬沖海戦における日本のロシアに対する勝利であった。日本の勝利は、西太平洋での戦略上の現状を覆した。戦争の前には、日本とロシアが、双方の競合のためにお互いの野心というものを中和しえたのだが、戦争の後は、ひとり日本のみが同地域において卓越した地歩を占めた。第二の事件とは、欧州におけるドイツの勢力均衡に対する挑戦に応じるため、イギリスがその主力艦を太平洋から撤収したことであった。」(14)

ただし、オーストラリアが日本を脅威と感じるようになったのは、それより10年前の日清戦争における日本の勝利を契機とするという見方もある(15)。いずれにせよ、19世紀から20世紀への転換期、すなわち1901年の連邦誕生の時期と前後して、オーストラリアでは対日警戒心が醸成されはじめたとすることができる。1905年にはオーストラリア海軍がシドニー沖で日本を仮想敵国とした軍事演習を実施している(16)。

一方、日豪間の人的交流に眼を転ずると、1890年代にはすでに数多くの日本人が木曜島や西オーストラリア州のブルームに真珠貝採取の潜水夫として渡っている。また、クィーンズランド州の砂糖黍農場で働く日本人の数も多く、1896年にはシドニーより1年早く、同州のタウンズヴィルに日本領事館が開設されている(17)。オーストラリア連邦が発足し、また移民制限法（白豪主義政策）が制定された1901年の時点で、オーストラリアにはクィーンズランド州と西オーストラリア州を中心に3,554人の日本人（男性3,143人、女性411人）が居住していたという(18)。

経済関係の上では、オーストラリアの対日輸出は1865年に始まっている。1887年には兼松房治郎が「濠洲貿易兼松房治郎商店」を設立。シドニーとメルボルンに支店を置き、1890年にオーストラリア産羊毛の輸入業務を開始している。また、20世紀に入ると、高島屋飯田の1905年を皮切りに、三井物産、三菱商事、日本棉花、岩井商店など、日本の大手商社がオーストラリアに続々支店を設けている。さらに、1904年には日本郵船が日豪間に定期航路を開設(19)。1905年にはニューサウスウェールズ州政府が神戸に駐日商務官事務所を設置した(20)。

このように、19世紀から20世紀への転換期に、オーストラリアでは対日警戒心が醸成されはじめる一方で、日本との人的交流・経済関係が拡大した。そして、日本を含むアジア諸国とのさらなる貿易拡大を目的として、この頃には経済界や政界の一部からアジア語学習の必要性が唱えられるようにもなった。1905年にニューサウスウェールズ州鉱山・農業省は、同州工業会議所に対してアジア語教育の振興を勧奨している(21)。また、1908年にニューサウスウェールズ州株式取引所のJames Currie Ellesという理事長は、オーストラリアの商業教育にアジア語とアジア文化に関する学習を取り入れるべきことを提言するとともに(22)、すべての大学に商学教育と結びついた東洋語の教授職を設けるべきだとした(23)。さらに、1910年にはニューサウスウェールズ州総督のLord Chelmsfordが同州商業会議所の会合において、アジア語教育を商業教育に取り入れることの必要性を貿易上の観点から唱えている(24)。ただし、これらの提言に基づいて具体的な計画や方針が政府部内で検討されることはなく、第一次世界大戦前のオーストラリアで「日本語教育政策」が経済的観点に基づいて策定されることはなかった。

第一次世界大戦中、日本とオーストラリアは同盟関係にあり、たとえば日本海軍の巡洋艦がオーストラリア軍の輸送を護衛するなどした。また、経済面では1915年に横浜正金銀行がシドニー支店を設置している。しかし、1914年10月の日本によるドイツ領太平洋諸島の占拠は、戦前からの対日警戒心に新たな要素を付け加えることになった(25)。それは、日本の「南進」が現実のものとなったことである。このため、「戦時中、陸海軍の諜報機関は、敵陣営の動きよりも、むしろ太平洋における日本の活動、そしてうわさされたオーストラリア国内での日本のスパイ活動の方に、より多くの時間と注意を割い」(26)たとされている。さらに、「ともに第一次世界大戦の勝者の一員となった日豪両国は、戦後西太平洋における旧ドイツ領諸島を赤道を境に南北に分割し、連盟の委任統治領として領有することになる。これにより両国はいわば隣同士となったことになり、そのことが逆にオーストラリアの対日脅威認識をより現実的なものにした」(27)という。

オーストラリア国防省が陸軍士官学校(28)とシドニー大学に日本語教育を導入したのは、そのような時代である。すなわち、後藤乾一（1999）が述べているように、「第一次世界大戦前後期の拡大する通商関係―その一方での日本の軍事力に対する潜在的な不安感―を背景に、シドニー大学は一九一八年にジェームス・マードックを中心とする東洋学講座を開設し、そこに日本語コースも設置」(29)したのである。次節以降では、そのMurdochが日本語学習を始めた経緯と、やがて彼がオーストラリアで日本語教育と関わるようになった事情について見てみたい。

〈註〉

(1) 押本直正（1982）12頁

(2) シソンズ、デイビッドC. S.（1974）35頁

(3) シソンズ、デイビッドC. S.（1974）35頁

(4) シソンズ、デイビッドC. S.（1974）35頁

(5) シソンズ、デイビッドC. S.（1974）35頁

(6) 押本直正（1996）79頁

(7) 押本直正（1996）74頁

(8) 杉本良夫（2000）23頁

(9) 押本直正（1996）74頁

(10) たとえば、Meaney Neville（1999）p. 80-p. 82を参照。

(11) シソンズ、デイビッドC. S.（1974）35頁

(12) 押本直正（1982）12頁

(13) 竹田いさみ・森健編（1998）291頁

(14) メイニー、ネヴィル（1981）7頁

(15) この問題に関する諸説については、村上雄一（1999）267頁〜279頁を参照。

(16) 外務省欧亜局編（1980）226頁

(17) 日本のオーストラリア駐在外交機構としては、幕末の日本に滞在した経験を有するAlexander Marksが1879年から1902年までの期間、メルボルン駐在の初代日本名誉領事を務めた。一方、常設の外交機構としては、1896年、タウンズヴィルに日本領事館が開設されている。ただし、翌1897年には閉鎖され、あらたにシドニーに領事館が設けられた。在シドニー日本領事館が総領事館に昇格したのは、1906年のことである。

(18) ジェイン、P., 水上徹男（1996）129頁〜130頁

(19) 日本郵船の最初のオーストラリア直行便は1891年に運航された。当時、神戸からシドニーまで約40日を要した。1935年頃には大阪商船も日豪路線に就航し、横浜とシドニーの間を約2週間で結んだ。

(20) 竹田いさみ（2000）によれば、ニューサウスウェールズ州政府がその通商代表部を英国・南アフリカ・日本に設置することを決定したのは、オーストラリア連邦の成立と時を同じくする1901年1月のことだったという。日本における設置都市としては、横浜・神戸・長崎の3都市が候補地として検討されたが、最終的には輸入貿易港で第1位の神戸（輸出港では横浜が第1位）が選ばれた。初代の通商代表にはJohn Bligh Suttorが任命された。Suttorについて、日濠協会（1934）は次のように記している。「日本に対しては、濠洲連邦政府よりの通商代表の派遣されたる事はなきも濠洲ニユーサウスウエールズ州政府派遣の商務官ジエー・ビー・サツター氏は一九〇三年に来朝し神戸に事務所を置き一九三二年廃止せらるゝ迄サツター氏は日濠貿易の為めに盡瘁せられたる其功たるや蓋し大なるものがある、而して同氏は商務官退職後神戸に在住し日濠貿易の指導並に両国間の親善に勉められ一九二五年五月廿七日神戸に於て逝去せらる。」（32頁）

(21) Walker, David（1999）p. 82.

(22) Walker, David（1999）p. 10.

(23) Walker, David（1999）p. 82.

（24）Walker, David（1999）p. 83.
（25）日本のドイツ領太平洋諸島の占拠にオーストラリア政府は反対したが、英国政府は日本との対立を望まず、最終的に日豪両国は赤道の南北でその占領区域を分けることになった。酒井一臣（2002）53頁を参照。
（26）メイニー，ネヴィル（1981）7頁
（27）後藤乾一（1999）76頁～77頁
（28）同校は1911年にキャンベラ近郊のダントーンに開校した。
（29）後藤乾一（1999）77頁

2. James Murdoch

オーストラリアにおける日本語教育の端緒は、「1917年にシドニー大学に日本語教育が導入され、James Murdochが東洋学の教授に任命された時」(1)と記述される場合が多い。

そのMurdochは、1856年9月27日、スコットランドに生まれた。1873年には奨学金を得てアバディーン大学に進学。同大学を卒業後はオックスフォード大学に進み、古典語を学んだ。さらにはゲッティンゲンとパリに留学し、1880年、24才の時に母校アバディーン大学のギリシャ語教師となったが、翌年には辞職。オーストラリアのクィーンズランド州に渡り、同州メアリーバラーのグラマースクールに教頭として勤めた。すぐに同校の校長に昇格したものの、「キリスト教信仰を失い、社会主義に惹かれた」(2)ことから、地域社会とうまくいかなくなり、同校校長を辞して、ブリスベンのグラマースクールに教頭として移った。しかし、1888年頃にはブリスベンの学校も退職し、ジャーナリズムに身を投じた。

最初に日本へ渡ったのは1888年5月のことだという。はじめは「豊前中津の中学校に雇はれて英語教師となった」(3)が、いったんオーストラリアに戻った後、1889年9月、第一高等中学校に英語と歴史の教師として迎えられ、1893年9月までの丸4年間、同校で教鞭をとった。

この時の教え子に夏目漱石がいたことはよく知られている(4)。同じく教え子のひとりであり、Murdochが『日本史』（A History of Japan）を執筆する際にも協力した山県五十雄によると、「其頃彼は急激なる社会主義者であって、しきりに私に其思想を吹き込んだ」(5)という。そして、「彼は只に主義として之を唱ふるに止らず、自らこれを実行せんと志し、一千八百九十三年の頃濠洲に於ける社会主義者の首領ウイリアム・レーンが同志と共に南米パラグエー国に於て新しき村の建設を始むるや、直に職を辞して、これ等夢想者の団体(6)に参加した」(7)が、この「試みは類似の幾多の他の試みと同じく、全然失敗」(8)に帰し、

Murdochは「社会主義が理想としては美はしきも現実には捉へ難き虹であることを悟って、数年の後再び我国に帰って」[9]きた。そして、「暫く金沢の高等学校に在職し、後東京に移りて高等商業学校に位置を得、貞淑なる日本婦人を娶りて芝高輪に家を構へたが[10]、彼が其名を不朽にする其大著日本歴史の著述を思ひ立ったのは其頃である」[11]という。

Murdochは鹿児島に第七高等学校造士館が設立されると、同校に移った。そして、1903年10月、その著『日本史』の第2巻を最初に出版する。これは、「葡萄牙人が初めて種が島に渡来し、我国と西洋との交通が開けた時から、天草の乱が収まり、徳川政府が少数の和蘭商人を除くの他、総ての外国人を国外へ追ひ放った迄約一世紀間の歴史を取扱ったもの」[12]で、「此一世紀は信長、秀吉、家康の三大英雄が出て、耶蘇教が初めて我国に伝へられ、朝鮮征伐が行はれ、又関ケ原大阪の二大戦役があった等、我国の歴史に於て興味ある出来事の最も多かった時代であるが、当時日本に来た西洋の宣教師商人等が其見聞観察した事を記述して本国に送った文書が多く保存せられてあって、これ等の頗る貴重なる資料である事はいふ迄も」[13]なく、「然もこれ等は容易に手に入り難く、又拉典語、仏語、西班牙語、和蘭語等で書かれてあって、我国の史家で悉く之を読破し、之を用ひ得る者は稀であった」[14]のを、Murdochは「大英博物館に蔵せられあるこれ等の史料の主要なるものを写し取って持って居た」[15]のに加え、「当時北京駐在の英国公使サトウ氏並に帝国大学名誉教授チェムバレン氏の所蔵にかゝる数十部の珍本稀書を其好意により研究参考するを得」[16]て執筆したものであった。しかし、当時のMurdochは「日本文を読む能はざりしにより、日本文の史料は私（筆者註：山県）が反訳して之を提供した」[17]という。

このように「日本文を読む能はざりし」Murdochが主にヨーロッパ語の史料を基にして執筆した『日本史』第2巻（A History of Japan, during the century of early foreign intercourse, 1542–1651）は1903年10月に刊行された[18]。

そのMurdochが日本語学習を開始したのは50歳を過ぎてからだった。Murdochが日本語を学びはじめた理由について、山県は次のように記している。

「マードックは第二巻の出版を完了した後、経済的に損失を受けたに拘はらず、建国の始めより葡萄牙人渡来の時迄を取扱ふ第一巻の著述を思ひ立った。然るに此時代についての外国史料は実際絶無であって、悉く日本の史料に拠らねばならぬ。ところが彼は日本文を読むことが出来ず、反訳者として私は新聞記者の劇職に従事して居るから、到底彼を満足せしむるだけ豊富なる材料を提供することは出来ぬ。こゝに於て彼は断然先づ日本語を学び、然る後其目的を追ふの決心をした。其時彼は年齢五十歳を越えて居たが、私が其成功を疑うた時に「羅馬の賢人ケートーは八十歳にして希臘語の学修を始めた。私が日本語の学修を始むるもまだ遅くない」と言って、先づ其夫人を師としていろはから学び始めた。そして数年の後、普通の日本文はいふ迄もなく、古事記万葉集の如き古典、四書五経の如き漢書をも容易に読破し得るや、かくて得らるゝ限りの史料を研究して第一巻を書き上げ、之を亜細亜協会に託して出版せしめた。」(19)

この記述からは、Murdoch の日本語学習は「読み」の能力取得に重きが置かれていたことがわかる。後に Murdoch によってシドニーに招聘された宮田峯一は、Murdoch の語学力について、「露語を除く外総ての欧州語に通じ、Latin, Gleek《ママ》, Hebrew, Sanskrit の如き classical language にも通じて居られ、漢文も日本文も読めた。而し其性格上マ氏は linguist ではないから会話は至って下手であった。此等の語学は畢生の事業日本歴史の著述の為に primary subjects として学ばれたものであって重に読書力養成に意を用ゐて居られた」(20) と記している。また、Murdoch の漢字に関する知識については、夏目漱石が山県から聞いた話として次のように記している。

「先生は稿を起すに当って、殆んどあらゆる国語で出版された日本に関する凡ての記事を読破したといふ事である。山県君は第一其語学の力に驚ろいてゐた。和蘭語でも何でも自由に読むと云って呆れた様な顔をして余に語った。述作の際非常に頭を使ふ結果として、仕舞には天を仰いで昏倒多時に亙る事があるので、奥さんが大変心配したと云ふ話も聞いた。夫許ではない、先生は単に此著作を完成する為に、日本語と漢字の研究迄積まれたのである。山県君は先生の技倆を疑って、六づかしい漢字を先生に書かして見たら、旨くはないが、劃丈は間違なく立派に書いたと云って感心してゐた。」(21)

Murdoch がオーストラリア政府に招聘されたのは、鹿児島に居住していた時である。当時、彼は第七高等学校造士館を辞職し、志布志中学校に勤めていた。招聘の事情について宮田は、「日濠関係日を逐ふて密接を来し将来太平洋問題の起るべき事を察し濠洲政府は其士官学校の学科目中に日本語を入るゝ必要を感じ、駐日英国大使を通じて其教師の推薦を依頼した」(22) と記している。

Murdoch 招聘の過程に「駐日英国大使」の「推薦」があったことはよく知られている。たとえば、平松幹夫（1977）は次のように記述している。

「第一次大戦後、オーストラリア政府は日本研究の必要を認め、教授のあっせんを英国大使にもとめた。マクドナルド卿は親しく鹿児島に先生を訪ねて就任を勧めたが、五年後ようやく帰豪を決意して、一九一六年（大正五年）ニューサウスウェールズ州の陸軍士官学校教授に就任した。「先生の熱意と無私の奉仕」で、日本語教育は同州の高校からシドニー大学に及んだ。一九一八年（大正七年）には同大学初代の東洋学部長となり、大学における日本研究の基を築いた。」(23)

また、平川祐弘（1984）は次のように記している。

「駐日英国大使サー、クロード、マクドナルドは鹿児島にこの学者を訪ね、奇人マードックにたいして格別の敬愛を抱くにいたった。第一次世界大戦が勃発し、イギリス本国がオーストラリアに十分な配慮をするゆとりがなくなった時、アジアの南に位置するこの国は強国としての日本の存在をあらためて意識した。好むと好まざるとにかかわらず、日本は豪州が研究し理解せねばならぬ国である。オーストラリア政府はそのダントムーンの陸軍士官学校の学科目に日本語を入れる必要を感じ、駐日イギリス大使にその教師の推薦方を依頼した。マクドナルド大使以来の縁もあってマードックの名前がまず候補にあがった。その頃の彼は鹿児島の柑橘に囲まれた家で、余生を『日本歴史』を書きつつ過そうと思っていただけに躊躇したが、一九一七年オーストラリアへ赴いた。」(24)

これらの記述からは、オーストラリア政府が「教師の推薦」を依頼したのは「駐日英国大使」のみであったがごとき印象を受ける。また、「余生を『日本歴史』を書きつつ過そうと思っていた」Murdochが「帰豪を決意」するまでには、「五年」というのは明らかに誤りであるが、それにしても相当の「躊躇」期間があったがごとき書きぶりである。しかし、次節で検証するように、これは事実と異なる。たしかに駐日英国大使館はMurdochをオーストラリア政府に推薦した。その間には、「奇人マードックにたいして格別の敬愛を抱く」にいたった駐日英国大使が「親しく鹿児島に先生を訪ねて就任を勧めた」こともあったかもしれないが、オーストラリア国立公文書館に保存されている文書を見る限り、オーストラリア政府が「教師の推薦」を依頼したのは「駐日英国大使」のみではなかったし、その要請を受けたMurdochが「帰豪を決意する」するまでの期間は2週間足らずであった。さらには、駐日英国大使館の推薦がすぐにオーストラリア政府によるMurdochの招聘決定に結びついたわけでもなかった。

むしろ、オーストラリア政府にとってMurdochは「第三の候補者」に過ぎなかった。オーストラリア政府が企図していたのは、日本の古典文学や歴史を研究する学者、いわゆるジャパノロジストの養成ではなく、陸軍士官に対する日本語教育であったから、たとえMurdochに『日本史』という「其名を不朽」にする著作があったとしても(25)、その教師には「語学将校」や「領事官」などの実務経験者を優先したあとが見られる。その任命の経緯を次に見てみよう。

〈註〉

(1) Marriott, H., Neustupny, J. V., Spence-Brown, R.（1994）p. 1.

(2) 平川祐弘（1984）30頁

(3) 山県五十雄（1926）173頁

(4) 夏目漱石はMurdochに関して、「博士問題とマードック先生と余」および「マードック先生の日本歴史」の2編のエッセイを書いている。後者において漱石は、Murdochの日本に対する関心の在処について次のように述べている。「マードック先生の吾等日本人に対する態度は恰も動物学者が突然青く変化した虫に対すると同様の驚嘆である。維新前は殆んど欧州の十四世紀頃のカルチャーにしか達しなかった国民が、急に過去五十年間に於て、二十世紀の西洋と比較すべき程度に発展したのを不思議がるのである。僅か五隻のペリー艦隊の前に為す術を知らなかった吾等が、日本海の海戦でトラファルガー以来の勝利を得たのに心を躍らすのである。（中略）日本歴史全部のうちで尤も先生の心を刺激したものは、日本人がどうして西洋と接触し始めて、又其影響がどう働らいて、黒船着後に至って全局面の劇変を引き起したかと云ふ点にあったものと見える。」夏目漱石（1911a）233頁～234頁

(5) 山県五十雄（1926）173頁

(6) Murdochが参加した事業は、「新生オーストラリア社会主義者入植地」（Socialistic Colony of New Australia）運動という。平川祐弘（1984）によれば、「マードックが脱け出してからもその共同体は分裂を繰返しつつなお引続き存続して二十世紀にいたったようである」（53頁）とのこと。なお、平川は、「憶測に過ぎない」と断りつつも、「地道な歴史学者としてのマードックが生まれたのは社会主義の夢が破れた南米の町の病床であったろう」（55頁）と推測している。

(7) 山県五十雄（1926）173頁

(8) 山県五十雄（1926）173頁

(9) 山県五十雄（1926）173頁

(10) 第四高等学校には1898年1月まで勤務した。つづいて東京の高等商業学校で1900年9月まで英語と商業史を担当した。この間、1899年11月23日に旧幕臣岡田長年の長女岡田竹子と結婚している。

(11) 山県五十雄（1926）173頁

(12) 山県五十雄（1926）175頁

（13）山県五十雄（1926）175頁
（14）山県五十雄（1926）175頁
（15）山県五十雄（1926）175頁
（16）山県五十雄（1926）175頁
（17）山県五十雄（1926）175頁
（18）第3巻以降について、山県は次のように述べている。「マードックの計画は第三巻に於て徳川時代を叙述し、第四巻を明治史に充てるのであった。第三巻は欧州大戦の始まる頃之を完了したが、其後前述の如く、彼は濠洲政府に聘せられてシドニーに移住した。そして戦争の為めに久しく之を出版することが出来ず、又第四巻の執筆も延引して居たが、遂に之を果たさずして彼は大正十年の秋シドニーに於て永眠した。」山県五十雄（1926）177頁
（19）山県五十雄（1926）177頁
（20）宮田峯一（1921）316頁
（21）夏目漱石（1911b）230頁
（22）宮田峯一（1921）316頁
（23）平松幹夫（1977）2頁
（24）平川祐弘（1984）132頁～133頁
（25）山県はMurdochの位置について次のように述べている。「マードックの名はハーンのそれ程は知られて居ない。彼は三巻より成る日本歴史の著者で、此書は日本の標準歴史として外国に於て重んぜられて居る。其著作物の性質上、マードックの読者は其数に於ても、其範囲に於ても限られて居る。然しハーンの著書は一般の人、殊に婦人が娯楽の為めに読むのであるが、マードックのそれは一般社会の指導である学者、政治家其他真に我国を研究せんと欲する特志家が読むのであるから、其感化力の及ぶ所は或はハーンの著書のそれよりも大なるものがあらう。」山県五十雄（1926）172頁

3. 任命の経緯

Murdochがオーストラリア政府にとって「第三の選択肢」(1)あるいは「第三の候補者」(2)に過ぎなかったことは、すでにSissons, David（1996）とBrewster, Jennifer（1996）が指摘している。

このうち前者は、Murdochの生涯を丁寧に追った労作である。ただし、彼の存在をオーストラリアの「日本語教育政策」の動きの中に位置づける試みはなされていない。また後者は、第一次世界大戦中から第二次世界大戦終戦直後までのオーストラリアにおける日本語教育史を概観した、現在のところは唯一の研究論文であるが、Murdochがオーストラリアに赴任することになった経緯については、残念ながら割愛されている。このような状況を考慮して、ここでは、第一次世界大戦中におけるオーストラリアの「日本語教育政策」と、それに基づいて

Murdochがオーストラリアに渡り、同地で日本語教育に従事するに至った経緯について、オーストラリア国立公文書館に保存されている文書を基にたどってみたい。

発端は国防大臣のGeorge Pearceだったようである。オーストラリア国立公文書館に保存されている1934年7月31日付の陸軍文書によると、1916年4月、Pearceは陸軍参謀総長に対して、「日本語とロシア語をそれぞれダントーンの士官6名に学習させる問題」(3)について意見を求めた。ダントーンは1911年に設立されたばかりの陸軍士官学校の所在地である。

これに対して参謀総長は、「今までの経験からすると、日本語翻訳者・通訳者をオーストラリアで雇用することはきわめて困難であるが、拡大する豪日関係を勘案した場合、日本語翻訳者・通訳者の不足は政府にとって憂慮すべき問題であり、オーストラリアにおいて日本語学習を振興するための措置を可及的速やかに講ずべきである」(4)と提言した。「拡大する豪日関係」の具体的な内容や、「日本語翻訳者・通訳者の不足」がもたらすであろう「政府にとって憂慮すべき問題」の中身について、参謀総長は何も述べていないが、そこに「国防上の理由」(5)を見る識者は多い(6)。

すでに見てきたように、19世紀後半から20世紀初頭にかけて、「豪日関係」は経済的に「拡大」しつつあった。このため、オーストラリアでは連邦成立の直後より経済界や政界の関係者を中心に、主に貿易振興の観点から、日本語を含めたアジア語教育の必要性が指摘されはじめてもいた。しかし、上記の諮問と提言がいずれも国防に責任を持つ立場の人間によってなされたことを勘案するならば、その最大の関心事がオーストラリアの安全保障にあったことは否定できない。

このように、オーストラリア政府の関係者が日本語教育に関心を寄せるようになったきっかけのひとつは「国防上の理由」にあったと言えるのだが、それに基づくオーストラリアで最初の「日本語教育政策」とは、陸軍士官学校と「オーストラリアの大学に日本語の講師職を設置する」こと、およびそのための適任者を見つけ出すことの二点だけだった。参謀総長の提言を受けて、「1916年5月30日に大臣は駐日英国大使館とロンドン駐在のオーストラリア弁務官事務所に対し、オーストラリアの大学で日本語教育にあたる講師として適当な者はいるかとの照会を打電することを許可」(7)している。そして、翌日の6月1日付で国防次官代理は外務次官に対して、下記の内容の電報をロンドン駐在のオーストラリア弁務官事務所に打電するよう要請した。

「豪日間の拡大する貿易関係を勘案した場合、オーストラリアで日本語教育を振興することが望まれる。このため、オーストラリアの大学に日本語の講師職を設置することが提案された。その提案を詳細に検討する前に連邦政府は、当該職務にふさわしい英国人を確保することができるか、また確保できるとしたら、その給与はどのくらいが適当かを承知したいと考えている。ついては本件に関する情報および貴見を回報ありたい。」(8)

ここでは、「オーストラリアで日本語教育を振興すること」の目的として、「豪日間の拡大する貿易関係」が挙げられている。しかし、この電報の起案が国防省でなされていることを勘案するならば、Brewster, Jennifer（1996）が示唆しているとおり(9)、この求人活動の背後に通商問題を越えた別の動機が最初から存在していたことは明らかであろう。

同じ日に、国防次官代理は連邦総督官房に対しても、同様の内容の電報を駐日英国大使館に打電するよう要請している(10)。

これらの照会に対して、6月6日付ではじめに駐日英国大使館から回答があった。

「二人の候補者をご紹介申し上げたい。ひとりはMurdochである。同人はすばらしい日本語能力を有している。彼は現在60歳ぐらいのジャーナリストであるが、日本の学校で教師を務めた経験があり、日本史についての著作もある。もうひとりはA. M. Cardewであるが、同人は現在カルカッタでコックス社の経営を任せられている。年齢は35歳ぐらいで、卓越した能力を有している。また、彼は元語学将校であり、当地で4年間日本語を学習した後、中国語も学んだ。ただし、彼は現在インド政府の特別任務についている模様で、採用することはできない可能性もある。かかる職務は英国においては引退した領事官が務めるケースが多いので、もし年齢の点で障害にならなければ、有能な元領事官も候補となろう。なお、給与は600ポンドぐらいが適当である。」(11)

翌日の6月7日付でロンドン駐在のオーストラリア弁務官事務所からも回答があった。

「英国外務省の示唆によると、貴電にある日本語講師職に最もふさわしいのは引退した領事官であるとのことである。その第一の候補者にM. Longfordがいる。同人は55歳で、充分な日本語能力を有している。第二の候補者は

Robertson Schott であるが、同人は現在日本でジャーナリズムの仕事についている。

給与に関しては、元領事官を採用する場合、年金がすでに支給されていることから、500 ～ 600 ポンドぐらいが適当とのことであった。」[12]

このように、駐日英国大使館から 2 名、駐英オーストラリア弁務官事務所から 2 名の合計 4 名の候補者が推薦された。当時、連邦首相の Hughes は大戦の情勢視察のため英国に滞在していたことから、オーストラリア政府は首相不在のまま人選を進めた結果、ロンドンの弁務官事務所から推薦された Longford を第一の候補者とし、滞英中の首相に意見を求めることになった。6 月 16 日付で外務省は下記の電報をロンドンの弁務官事務所あてに打電している。

「6 月 7 日付の貴電に関し、内閣は Longford の採用を好ましいと考えているが、その前に首相の意見を確認する必要がある。本件につき回電ありたい。」[13]

これに対して、駐英弁務官事務所は 7 月 1 日付で外務省に次のような内容の電報を送っている。

「6 月 16 日付の貴電に関し、首相が Longford のことで貴官に電報を発したかは承知していないが、首相は Longford と面談し、その最後に Hughes 首相は同人に対してオーストラリアでの再会を希望すると述べた。」[14]

この回答を受けて、国防省は外務省に対して、下記の内容の電報を駐英弁務官事務所に打電するよう依頼している。

「6 月 7 日付の貴電に関し、Longford に対しその採用を申し入れられたい。条件は次のとおり。3 年契約で年給は 500 ポンド。再委嘱もありうる。一等船室の往復交通費を支給する。同人は大学に配属されるが、王立陸軍士官学校にも出講すること。また検閲業務も課せられる。」[15]

この時点で駐英弁務官事務所は Longford の年齢を実際よりも 12 歳若く報告していた誤りに気づき、「これが本件決定に際して何らかの影響を与えるか否か回電願いたい」[16] と 7 月 5 日付で国防省に照会しているが、その回答を待たず、2 日後の 7 月 7 日には次のとおり報告している。

「Longford は大学および士官学校における仕事を立ち上げるに当たり、年給800ポンドを条件に3年間の委嘱を受諾したいとしている。ただし、再委嘱もありうること、業務終了後に本人および長女の帰国交通費ならびにその1年後に夫人および次女の交通費が支給されること、検閲業務は行わないことを条件としている。Longford は10月にはオーストラリアへ渡航できる由。なお、年齢の件に関しては、全く健康で問題ないとのことであった。」(17)

しかし、国防省はこの段階で Longford の採用を断念した模様である。断念した具体的な理由は不明であるが、上記の年齢の問題のほかに、年給の額が折り合わなかったこと、Longford が検閲業務を拒否したことなどがその理由としては推測できる。

Longford の採用を断念したオーストラリア政府は、すぐさま下記の電報をインド総督あてに打電している。

「オーストラリアで日本語教育を開始するため、連邦政府は英国人教師を採用したいと考えている。駐日英国大使は、カルカッタでコックス社の経営を任せられている A. M. Cardew を、同人がインド政府の特別任務についていると了解しつつも推薦してきた。ついては、A. M. Cardew に本件職務を委嘱することは可能か、また可能だとしたらどのような条件においてであるかを承知したいので、回電願いたい。」(18)

これに対して、インド総督は7月17日付で、「インド政府は現時点において Ca《マ》rdrew《マ》s 大尉を割愛しえないことを遺憾とするものである」(19)と回答している。

この時点で、「第三の候補者」として Murdoch が登場する。Murdoch はオーストラリア政府にとって必ずしも意中の人というわけではなかったと言える。

7月28日付で首相府は連邦総督官房に対し、下記の内容の電報を駐日英国大使館あてに打電するよう依頼している。

「7月6日付の貴電に関し、Murdoch に日本語講師職の委嘱を申し入れられたい。条件は次のとおり。3年契約で年給は600ポンド。再委嘱もありうる。一等船室の往復交通費を支給する。同人はメルボルン大学かシドニー大学に配属されるが、王立士官学校にも出講すること。また、日本語で書かれた郵便物を検閲者のために翻訳する業務も課せられる。」(20)

これに対して、駐日英国大使館は8月14日付の電報で、Murdochが委嘱を受諾した旨を報告しており(21)、ここにMurdochの渡豪は内定した。渡豪後の「Murdochは、シドニー大学で週2日、陸軍士官学校で週3日、それぞれ日本語教育にあたるほか、入手した日本語文書を翻訳することや日本の政治・政策に関して政府にアドバイスすることもその業務として求められた」(22)とされているが、委嘱条件がそのまま実行されていたとしたら、「入手した日本語文書を翻訳する」という職務の中には、「日本語で書かれた郵便物を検閲者のために翻訳する」業務も含まれていた可能性が大きい。

日本語教師候補者の人選と並行して、オーストラリア政府は大学との交渉も進めた。Murdochに委嘱を打診する段階では、配属校としてシドニー大学とメルボルン大学が候補に挙がっていたが、最終的には、「シドニー大学総長に対して、日本語講師のポストを同大学に設けることの可否につき打診」(23)することになった。「大学側に提示した条件は、国防省が給与を負担する代わりに、非常勤ベースで国防省も同講師に業務を委嘱すること」(24)だった。シドニー大学はこの提案を受諾した。

ただし、着任当初におけるMurdochの本務校はあくまでも陸軍士官学校だった。陸軍の文書には「Murdochは年給600ポンドで陸軍士官学校に採用された」(25)とある。しかし、国防省はMurdochの本務校はシドニー大学であり、陸軍士官学校での日本語教育は副次的なものとして社会に受けとめられることを希望したという。Zainu'ddin, Ailsa G. Thomson (1988) によると、陸軍参謀総長はシドニー大学に対して次のように要請している。

「陸軍士官学校で日本語教育に従事するためMurdochはオーストラリアに戻ってくるのだと受けとめられることは避けなければならない。むしろ、王立陸軍士官学校のカリキュラムに日本語教育を導入するのは、彼がせっかく大学に存在するのだから、士官学校はその恩恵を受けようとしたに過ぎないというふうに市民には理解されることが望ましい。」(26)

Murdochは1917年3月20日に初めて陸軍士官学校の教壇に立った。その雇用契約によれば、彼は毎週月曜日と火曜日はシドニー大学で、その他の平日は陸軍士官学校で日本語教育に当たることが求められていた。また、いくつかのハイスクールで日本語教育を開始するための準備をすることも条件づけられていた。いつの時点で、またどのような経緯で、中等教育レベルでも日本語教育を開始することが、この初期の時代におけるオーストラリアの「日本語教育政策」に盛り込まれるようになったのかは不明であるが、Brewster, Jennifer（1996）によれば、これはハイスクール時代に外国語を履修しなかった者は上級学校に進学した後も外国語を選択しないという、当時の一般的な風潮を考慮したものであったという[(27)]。シドニーでは1918年にフォート・ストリート・ハイスクール（Fort Street High School）で、その後はノース・シドニー・ハイスクール（North Sydney High School）でも日本語教育が開始されている。

1918年にはシドニー大学に東洋学科が新設され、同年10月にMurdochは同学科の初代主任教授となった。シドニー大学教育学部長が1918年7月12日付でニューサウスウェールズ州政府に送った覚書によると、シドニー大学評議会は次のように決議したという。

「新しい教授職を設ける問題を提出するに際し、また州政府に対してそのための援助を求めるに際し、大学評議会としては、とくに現在の状況およびオーストラリアと極東との将来的な関係を勘案した場合、この問題は国家的に重要であり、シドニー大学のような機関が州内で日本語教育を促進するための準備を整えるべきであると感じる。また、そのために最も良い方法はMurdoch氏を教授に任命することであると考える。同氏は卓越した能力を有するのみならず、優れた日本語力を備えているとされていることから、大学教授として遇されるべきである。」[(28)]

1920年7月21日付で陸軍参謀総長が国防次官に送った書簡によると、このシドニー大学評議会の決議に関し、「連邦首相は国防大臣とも協議した結果、ニューサウスウェールズ州首相に対して、Murdochを陸軍士官学校日本語講師からシドニー大学日本語教授に転出せしめることに同意した旨を1918年9月17日付で通知」[(29)]したが、その際、Murdochは「毎年、長期休暇期間中あるいは第1学期のしかるべき時期に日本を訪問する機会を与えられるべきこと」[(30)]と、滞日中は「連邦政府派遣の日本留学生の学習・研究を監督・指導するとともに、政府に報告すべきこと」[(31)]が、「シドニー大学評議会およびニューサウスウェールズ州首相の了解」[(32)]も得て、その雇用契約に含まれることになった。

上記のシドニー大学教育学部長の書簡（1918年7月12日付）と陸軍参謀総長の書簡（1920年7月21日付）を読む限りでは、東洋学科の新設とMurdochの教授任命はシドニー大学評議会が主導し、連邦首相はそれに「同意」しただけの印象がある。ただし、Marriott, H., Low, M.（1996）は、これらの決定には連邦首相のHughesの意向が働いていたとしている[(33)]。

一方、Brewster, Jennifer（1996）は、Murdoch が陸軍の意を受けて 1917 年 9 月に訪日した時、より魅力的なポストが提供されようとしたことから[34]、彼を引き留めるため、国防省はシドニー大学との契約を変更し、Murdoch を同大学の教授に指名すること、陸軍士官学校では日本語教育に直接当たるのではなく、その運営を監督するだけにとどめること、毎年長期休暇の時には日本に行く機会を提供すること等に合意したとしている。

Meaney, Neville（1996）は別の見方をしている。

陸軍情報部長の Edmund L. Piesse は、対日問題に関する英国の視点とオーストラリアの視点は異なるとの見地から、日本の外交政策を把握するためには、駐日英国大使館経由の情報に依存するだけではなく、オーストラリア独自の「外交情報機構」[35]を設置するとともに、その目的のために、「国際政治の潮流に関して知識があり、かつまた極東の言語を熟知している者を雇用する」[36]必要があるとかねてより主張していた。Meaney は、オーストラリア政府が Murdoch の東洋学科教授への昇進を支持したのは、そのような「外交情報機構」設置に向けての第一歩だったとしている[37]。

また Meaney は、オーストラリア政府が Murdoch に対して、「毎年、長期休暇期間中あるいは第 1 学期のしかるべき時期に日本を訪問する機会を与え」たのは、大戦後における日本政府の対アジア太平洋政策を Murdoch に日本で直接調査させるためではなかったかと推測している[38]。そして、Murdoch が政府の資金で 1918 年 10 月から翌年 3 月にかけて日本へ渡ったのも、たんに書籍の購入や日本語教師採用のためだけではなく、上記の目的があったからではないかとしている[39]。滞日中、Murdoch は Piesse に 4 通の書簡を送っているが、そのいずれも陸軍情報部あてではなく Piesse の私邸に、しかも Piesse の配偶者の旧姓を受取人として送られている。これは「日本が全ての通信を慎重に監視している」[40]ための措置であり、もしも陸軍情報部あてに、しかも Piesse を受取人としてこれらの書簡を送ったとしたら、疑いようもなく日本側の注意を引いたであろうと Murdoch は述べたという[41]。

このように、Murdoch が「陸軍士官学校の講師を辞任し、シドニー大学に新設された現代語の教授職に就任する」[42]ことになった理由については、今日、複数の見解が示されているのであるが[43]、いずれにせよ、その過程において国防省の意向が働いていたことは否定できない。シドニー大学が本務校となった後も、国防省は Murdoch の給与として年間 600 ポンドを負担している[44]。

国防省がその給与を負担することの代償として、Murdoch は陸軍士官学校の日本語教育を監督することや、滞日中は「連邦政府派遣の日本留学生の学習・研究を監督・指導するとともに、政府に報告」することを求められたが、それとともに、ニューサウスウェールズ州内のハイスクールに日本語教育を導入するための準備作業も継続することとなった(45)。

また、Murdochは対日外交政策に関する連邦政府のアドバイザー的な職務も担ったが、このことは日本でも知られていた。たとえば、山県五十雄は次のように記している。

「彼を採用した当時の濠洲首相ヒュースは最も彼を信頼して、日本に対する外交政策を定むにつきては主として彼の意見に拠った。

先年英国政府が各植民地の首相を招きて帝国会議をロンドンに開きこれに日英同盟を継続すべきや否やを諮ったことがあった(46)。これに先だつ一月程前、私はマードックから手紙を受取ったが、それに『一両日前首相ヒュースに招かれて会見し、数時間にわたり日本につき意見を述べた、其結果は来るべき帝国会議に現はれると信ずる、刮目して待て』との意味が書いてあった。私は大なる興味を以て帝国会議についての新聞電報まで待って居たが、やがて此会議に於て日英同盟に反対するならんと予期されて居たヒュースが却て其継続を主張したとの報が来たので、是ある哉と覚えず膝を拍ったことがある。」(47)

連邦政府のアドバイザーとしてだけではなく、日本語教育の上でも、Murdochは「日濠両国の理解と親密」の増進に寄与したと日本では評価された(48)。日豪開戦を間近に控えた時期に、松本美穂子（1941）は次のように書いている。

「シドニー大学に東洋科が新設せられて、彼は士官学校と大学との講座を兼任し年俸一万余円を受けることになったが、傍ら政治に教育に日濠両国の理解と親密とのために懸命の活動を試みた。そして中等学校に於ける日本語の地位をフランス語、ドイツ語に伍して高めたのも彼の貢献であった。」(49)

Murdochが「中等学校に於ける日本語の地位をフランス語、ドイツ語に伍して高めた」という評価は、戦後もそのまま継承されており、平川祐弘（1984）は、「マードックはオーストラリアの中等教育でも日本語の位置をフランス語、ドイツ語と同等の地位にまで高めたのである」(50)としている。しかし、中等教育レベルにおける日本語の位置が、「フランス語、ドイツ語と同等の地位にまで」高まったとしても、それは結果に過ぎない。日本語教育がニューサウスウェールズ州のハイスクールに導入された本来の目的が、「国防上の理由」から開始されたシドニー大学や陸軍士官学校の日本語教育を充実させるための「予備教育」にあったことは、Murdoch にその業務を課したのが国防省であったことからも明らかであろう。ただし、Murdoch 自身はこの「予備教育」(51)の成果を見ることなく、フォート・ストリート・ハイスクールやノース・シドニー・ハイスクールで日本語を学んだ生徒たちがシドニー大学や陸軍士官学校に進学する前に死去している(52)。

Murdoch は、陸軍士官学校で日本語教育に当たるに際し、英国の日本語教育を意識していたようだ。それは、「大英帝国において日本語教育が実施されているのはロンドンとオーストラリアのみである」(53)のと同時に、「ロンドンでは東洋語学校とロンドン大学で日本語が教えられているが、その受講者は軍人を中心とする大人たち」(54)であり、Murdoch が陸軍士官学校で対象としたのも「軍人を中心とする大人たち」であったから、一種のライバル意識を感じていたのかもしれない。そして彼は、「いずれ日本へ留学することになるオーストラリア士官の日本語能力は英国から派遣される士官のそれよりも高いことであろう」(55)と自負した。

オーストラリアで日本語教育を振興する方策を検討するため、Murdoch は 1918 年 6 月に陸軍参謀総長および陸軍士官学校長と面談している。その際、「会話演習と文字練習を担当」(56)する「日本人講師を陸軍士官学校の助手として採用する」(57)ことや、「日本語の継続学習のために年間 2 名を越えない範囲で卒業生を 1 ～ 2 年間日本へ派遣する」(58)こと、さらには、「各州政府に対して情報を提供するとともに、協力を求める」(59)ことが合意された。オーストラリアの「日本語教育政策」は、Murdoch の招聘前には、陸軍士官学校と「大学に日本語の講師職を設置する」こと、およびそのための適任者を見つけ出すことの二点だけだったのが、Murdoch の招聘を機に拡大されることになった。

上記の合意事項のうち、「日本人講師を陸軍士官学校の助手として採用する」ことに関しては、「Murdoch 教授の推薦により岡田が日本から招かれた。岡田は 3 年間講師職にあり、給与は年間 250 ポンドだった。その給与および往復旅費は国防省が負担」(60)した。また、「卒業生を 1 ～ 2 年間日本へ派遣する」ことについても、次節で述べるように実現することになった。さらに、「各州政府に対して情報を提供するとともに、協力を求める」ことに関しては、第 2 章で見るように、「ヴィクトリア州が 1919 年に日本語教育を開始」(61)するに至った。

前述のように、オーストラリア政府はその日本語教師の採用に当たり、「領事官」や「語学将校」などの実務経験者を優先したあとが見られる。それは、この日本語教師に期待された日本語教育の主な対象者がジャパノロジストではなく、「軍人」という実務者であったから、その意味では自然なことであったかもしれない。また、英国では 19 世紀後半に、Ernest Mason Satow、Rutherford Alcock、William George Aston のように、「外交官」や「領事官」を本務としつつ、ジャパノロジーの分野でも名前が知られるようになった者が数多く出たことを考え合わせるならば(62)、その植民地から出発したオーストラリアの政府関係者の間には、「領事官」等の実務経験者こそ日本語教育や日本研究には相応しいという認識があったのかもしれない。しかし、いずれにせよ Murdoch は、オーストラリア政府にとって「第三の候補者」に過ぎなかった。それは、本節の前半で見てきたとおりである。だが、彼の来豪を機に、オーストラリアの「日本語教育政策」が拡大され、またその多くが実施に移されたことを考え合わせるならば、この初期の時代における「日本語教育政策」の策定とその実行という点における Murdoch の存在と役割を過小評価することはできないし、オーストラリア政府は結果的に適任者を得たとすることができるだろう。

〈註〉

（1）Sissons, David（1996）p. xxxviii.
（2）Brewster, Jennifer（1996）p. 5.
（3）オーストラリア国立公文書館保存文書（以下 NAA と表示）B1535, 929/16/161
（4）NAA A816, 44/301/9
（5）今井信光（1994）69 頁
（6）たとえば、今井信光（1993）3 頁、後藤乾一（1999）77 頁、竹田いさみ（2000）162 頁を参照。
（7）NAA B1535, 929/16/161
（8）NAA A1, 1916/29032
（9）Brewster, Jennifer（1996）p. 5.
（10）NAA A1, 1916/29032
（11）NAA A1, 1916/29032
（12）NAA A1, 1916/29032
（13）NAA A1, 1916/29032
（14）NAA A1, 1916/29032
（15）NAA A1, 1916/29032
（16）NAA A1, 1916/29032
（17）NAA A1, 1916/29032
（18）NAA A1, 1916/29032
（19）NAA A1, 1916/29032
（20）NAA A1, 1916/29032

（21）NAA A1, 1916/29032
（22）Meaney, Neville（1996）p. 7–p.8.
（23）NAA B1535, 929/16/161
（24）NAA B1535, 929/16/161
（25）NAA B1535, 929/16/161
（26）Zainu'ddin, Ailsa G. Thomson（1988）P. 47.
（27）Brewster, Jennifer（1996）p. 6.
（28）NAA A816, 44/301/9
（29）NAA B1535, 871/12/105
（30）NAA B1535, 871/12/105
（31）NAA B1535, 871/12/105
（32）NAA B1535, 871/12/105
（33）Marriott, H., Low, M.（1996）p. v–p. vi.
（34）Sissons, David（1996）は、このポストの提供は早稲田大学からのものではなかったかと推測している。
（35）Meaney, Neville（1996）p. 11.
（36）NAA A981/4
（37）Meaney, Neville（1996）p. 13.
（38）Meaney, Neville（1996）p. 13.
（39）これについて、竹田いさみ（2000）は次のように記している。「マードックは一九一八年一〇月から翌年三月にかけて日本を訪れている。連邦政府としては、軍事的な色彩が目立つのを避けるため、わざわざニューサウスウェールズ州の商工会議所を介在させるなど、カモフラージュにも工夫を施していた。かって英語教師として長年勤務した日本を、ただ単に懐かしさや親近感だけから、再び訪れたわけではない。大学の夏休みを利用し、さらに特別許可を獲得して、半年間も大学を留守にして日本視察をしたというのも、マードックが背負った特別な使命ゆえであろう。それは高級なスパイ以外の何物でもなかった。」（163 頁～165 頁）
（40）Meaney, Neville（1996）p. 14.
（41）Meaney, Neville（1996）p. 14.
（42）NAA B1535, 929/16/161
（43）シドニー大学に東洋学科が設置され、Murdoch がその初代主任教授となった理由について、当時の日本では、たとえば宮田峯一（1921）が、「New South Wales 州の実業家中にシドニ大学に東洋科を設置するの議起り、濠洲政府と交渉の後マ氏に士官学校と大学とを兼ねる事を依嘱した」（316 頁）と述べているように、「豪日間の拡大する貿易関係」上の必要性ゆえと理解されていたようだ。なお、この宮田の記述は、第二次世界大戦後においてもそのまま引用されるケースがあり、たとえば平川祐弘（1984）は、「翌一九一八年にはシドニー大学に土地の財界人の発議で東洋学科が新設され、マードックは年俸一千ポンドでその主任教授となった」（133 頁）と記している。
（44）NAA A816, 44/301/9
（45）Zainu'ddin, Ailsa G. Thomson（1988）P. 47.

（46）1921年6月20日、ロンドンで英自治領首相会議が開催された。この会議では、とくに英帝国の国防問題と日英同盟の継続問題が議論された。
（47）山県五十雄（1926）174頁
（48）ただし、Murdochの関わっていた日本語教育が基本的に「国防上の理由」から開始されたものであったことは、遅くとも1943年頃までには日本でも知られるようになっていた。たとえば、井上武夫（1943）は次のように記している。「我が国の目ざましい発展振り、殊に工業力の躍進には非常に脅威し、濠洲の態度は対日感情に希望と恐怖心との二つがごっちゃになって現はれ、こゝで再び表面的な親善を以て接して来たが腹では将来の敵であるとして、その用意から、陸軍の諸学校においては、日本の武士道研究や国力の情勢等を内偵せしむる準備を命じ、こしゃくにも日本の目をカムフラジーすべく科目中に東洋科なるものを設け、専ら日本語や歴史を教授した。そして日本に留学生？を派遣して来たのであった。」（206頁）
（49）松本美穂子（1941）58頁
（50）平川祐弘（1984）132頁～133頁
（51）NAA B1535, 929/16/161
（52）ニューサウスウェールズ州の後期中等教育修了試験に日本語科目が導入されたのは1921年のことであるが、この時、Murdochはすでに死去していた。ただし、1919年に実施された前期中等教育修了試験の結果については、生前に知ることができ、彼はそれに満足していたという。Walker, David（1999）p. 213.
（53）NAA A816, 44/301/9
（54）NAA A816, 44/301/9
（55）NAA A816, 44/301/9
（56）NAA A816, 44/301/9
（57）NAA A816, 44/301/9
（58）NAA A816, 44/301/9
（59）NAA A816, 44/301/9
（60）NAA A816, 44/301/9
（61）NAA A816, 44/301/9
（62）英国で「外交官」や「領事官」からジャパノロジストが数多く出たことの事情については、新堀通也編（1986）111頁～112頁を参照。

4.　陸軍士官の日本留学

Murdochが陸軍士官学校に着任したのは1917年3月のことであるが、その直後から国防省は陸軍士官の日本留学を検討しはじめたようで、Murdoch着任2か月後の5月には日本に留学させる士官の具体的な人選に入っている[(1)]。その際、候補となったのは陸軍士官学校の教官たちだった。当時、Murdochは陸軍士官学校とシドニー大学で日本語教育に当たるのと同時に、陸軍士官学校の教官たちにも日本語を教えていた。受講者は4名。1名は文官で現代語の教授を務めていたJ. F. M. Haydon、他の3名はいずれも陸軍士官で、そのうちのさらに2名は同校の卒業生だった。

2年後の1919年7月17日付で陸軍士官学校長が国防次官にあてた書簡には次のように記されている。

「陸軍士官学校の教官である数名の士官および文官は、過去2年間、Murdoch氏、後には岡田氏の援助を受けて日本語学習に励んできましたが、その成果には相当なものがありました。これらの者の中にはBroadbent大尉とCapes中尉も含まれております。両名とも本校の卒業生です。」(2)

また、同年9月17日付で陸軍士官学校長が国防大臣に送った書簡によると、Haydonは「士官たちよりも多くの時間を日本語学習に割くことができたため、進展が最も著しい」(3)とされている。

しかし、文官は日本留学の候補者にはならなかった。候補となったのはBroadbentとCapesの2名である。前年の1918年6月にMurdochと陸軍参謀総長・陸軍士官学校長の三者が面談した際、「日本語の継続学習のために年間2名を越えない範囲で卒業生を1～2年間日本へ派遣する」(4)ことが合意されていたが、同年9月にMurdochは陸軍士官学校長に、同校の「教官であるBroadbent大尉とCapes中尉はともに陸軍士官学校の卒業生でありますが、昨年1年間、私の指導の下に日本語学習に励み、満足すべき成果をあげました」(5)と報告するとともに、将来的にBroadbentは情報将校として、Capesは陸軍士官学校の日本語講師として養成していくべきであると提言している。そして、翌年の1919年7月にMurdochは、BroadbentとCapesの2名または両者のうちの1名を日本に留学させるべきだと陸軍士官学校長に進言した。

この進言は採用され、1920年6月10日付で陸軍参謀総長は国防大臣に対して、BroadbentとCapesの日本留学を具申した。それによると、留学の方法は次のとおりである。

(a) 留学中の日本語学習の手段と方法についてはMurdoch教授に一任すること。
(b) 留学生は駐日英国大使館に定期的に出頭するとともに、その援助を受けるべきこと。
(c) 日本語学習を目的として日本に留学する英国士官の場合は、日本陸軍付となるのが通例であり、オーストラリア士官の場合も同じ措置をとることが望ましいが、日本側がオーストラリアに対して同様の措置を求めてくる可能性も生む結果になる恐れがあることを考慮すべきこと(6)。

国防大臣は1920年8月6日付でBroadbentとCapesの日本留学を承認した。それとともに陸軍は、「シドニー大学のMurdoch教授に対し、日本訪問のため1920年9月にオーストラリアを離れる許可を与え」(7)た。8月4日付で国防次官が首相府次官に送った書簡によると、その「訪日費用は国防省が負担」(8)するとしている。

陸軍士官2名の日本留学を決定したオーストラリア政府は英国植民省に下記の電報を発している。

「オーストラリア陸軍はBroadbent大尉およびCapes中尉の両名を日本語学習を目的に2年間日本へ派遣することを決定した。両名は10月にMurdoch教授とともに日本に到着する予定である。Murdoch教授は両名の留学期間中の教育内容を策定するとともに、3か月間日本に滞在する。オーストラリア政府はBroadbentとCapesを日本陸軍付ではなく、駐日英国大使館付とすることを希望している。これは日本側が同様の措置を求めてくる可能性を排除するためである(9)。両名は日本到着後ただちに英国大使館に出頭するよう命令されている。オーストラリア政府は英国大使館が両名を大使館付とすることに同意するとともに、両名に対してその日本滞在中必要な援助を付与されることを希望する。」(10)

しかし、渡日直前の8月25日になって、両名の日本留学に連邦首相のHughesから横槍が入った。その理由は、もし誰かを日本に留学させるべきだとしたら、それは首相府のスタッフでなければならないというものだった。このため、陸軍はBroadbentの身分を首相府に移す措置を講じ、それに伴い「首相は異議を取り下げ」(11)た。

この横槍は首相自身の意向というよりも、首相府太平洋局長のEdmund L. Piesseの意を汲んだもののようだ。すでに前年の1919年7月8日にPiesseは、同局の「スタッフに極東および太平洋の諸問題に対する深い理解と日本語能力を得させるための研修を可及的速やかに施すことが必要である」(12)と主張し、さらにその方法のひとつとして、Broadbentの首相府への転籍を首相代理に進言していた(13)。

Edmund L. Piesse は1880年にタスマニア州のニュータウンで生まれた。タスマニア大学で理学士の学位を得た後、ケンブリッジ大学に留学し、数学を専攻した。帰国後は法学士の学位も取得し、弁護士となったが、その後、陸軍情報部隊に中尉として勤務した[14]。「1901年から1939年まで、オーストラリアの外交上および国防上の中心課題は、日本の脅威と太平洋の安全保障への対応にあった」[15]のだが、情報将校としての Piesse の最大の関心事も、太平洋におけるオーストラリアの安全をいかに確保するかという問題にあった[16]。

情報将校としての活躍が認められ、Piesse は1916年3月に新設の陸軍情報部の部長に就任した。陸軍情報部長としての彼は、自らも日本語の文書や新聞を読めるようにするため、日本語学習を開始したという[17]。第2章でも触れるが、その日本語教師は稲垣蒙志だったようである。また、James Murdoch も Piesse の日本語学習を手助けしたようだ[18]。

前節で述べたように、Piesse はかねてからオーストラリア独自の「外交情報機構」を設置する必要性を唱えていた。そして、この意見は政府によって採用され、1919年、首相府に太平洋局（Pacific Branch of the Prime Minister's Department）が設置された。その初代局長には Piesse が就任した。太平洋局の機能や業務内容の決定は Piesse に一任されたという[19]。

その Piesse は、「近い将来、政府では首相府以外の部局においても、日本語の読解力と会話力（少なくとも読解力）を備えたスタッフが必要になるであろう」[20]として、国防省、海軍、駐日通商代表部、通商関税省、各州教育省、州立図書館などの「部局では、日本語能力を備えた人材をおそらく1ダースは必要としており、このため、政府が士官や官吏になろうとしている若い人たちにこの難しい言語の学習を奨励することは正当化されるのである」[21]と主張していた。そして、「最も効果的な日本語コースは陸軍士官学校のそれであろう」[22]として、同校で日本語教育を施した上で日本へ留学させることを提案していた。

Broadbent は1920年9月24日付で首相府に転籍となった。その Broadbent に対して、首相府は日本留学の目的を次のように通知している[23]。

「貴官を日本へ派遣する第一の目的は、貴官を日本語翻訳者に仕立て上げることにある。首相府における貴官の職務において会話能力はそれほど必要とされない。また第二の目的は、貴官が帰国後に携わることになるであろう国際関係業務の内容に照らして、日本に関する問題への深い理解を得させることにある。この二つはともに重要である。」[24]

1920年9月、CapesとBroadbentはMurdochに伴われて渡日した。しかし、Murdochは長崎で下船。そこから横浜まではCapesとBroadbentの二人だけで移動した。東京では駐日英国大使館が二人をサポートし、日本の陸軍参謀総長と陸軍次官への表敬訪問も同館がアレンジした。参謀総長も陸軍次官もオーストラリアが日本に初めて留学生を派遣してきたことを歓迎したという(25)。

CapesとBroadbentの留学期間中における日本語学習の具体的な方法は不明であるが、主体は日本語母語話者からの個人教授だったようだ。オーストラリア国立公文書館にはCapesが日本留学中に国防省に提出した各種の文書が保存されているが、その中に「小島辰二」および「岡本恵」の名義による授業料の領収書（1か月あたり80円）が残されている(26)。

渡日して1年半たった1922年3月の時点で、Broadbentは日本留学の成果を自分が所属する首相府のPiesseに対して次のように報告し、あわせて留学期間の延長を求めている。

> 「留学期間に関して、当初は12か月以上とのご指示以外には何も条件がありませんでしたが、小官はすでに16か月間日本に滞在しております。しかし、誠に残念ながら、かりに2年間滞在したとしても、日本語の読解力を完全に習得することは困難であると考えます。また、大使館の日本人職員やその他の人々とも相談いたしましたが、この言語を満足のいく段階までマスターするためには2年以上の期間が必要とのご意見をいただきました。
>
> このため、さらに半年の期間を加え、私の留学期間を2年6か月に延長してくださいますようお願い申し上げます。Capes大尉(27)と私は日本に留学する前にオーストラリアで日本語をある程度学びましたが、それは英国士官がロンドンの東洋語学校で到達するレベルを超えるものではありませんでした。英国士官の場合は、他の職務を免除され、集中的に3年間日本語を学んでいるのですから。」(28)

しかし、この書簡を受け取ったPiesseは、日本語教育に対する熱意をすでに失っていた。その理由は、ワシントン条約の締結に伴う日豪間の「緊張緩和」にある(29)。首相府は1922年4月13日付で国防省に対して、「ワシントン条約の締結によってもたらされた状況の変化により、1920年から2年間の予定で首相府に出向中の士官をその留学期間が終わる段階で国防省にお戻しすることを当府は決定いたしました」(30)と通知するとともに、Broadbentが提出した留学期間延長申請に対する回答を国防省にゆだねた。

これに対して、国防省は首相府に対して次のように通知している。

「当省は Broadbent 大尉の留学期間延長を考えてはおりません。このため貴府におかれましては、予定された留学期間が終わる段階で Broadbent 大尉の帰国をアレンジしていただけましたなら幸いです。」(31)

留学期間の延長を Broadbent は首相府に直接要請する一方で、駐日英国大使からオーストラリア政府に働きかけてもらうことも考えていた。1922 年 3 月 8 日付で彼は駐日英国大使に次のような書簡を送っている。

「オーストラリア政府が日本語学習を目的に私を日本に派遣した段階では、留学期間が明確には決められておりませんでした。亡くなった Murdoch 教授は、昨年末、日本に来られましたが、同教授が帰国され、私の日本語能力の向上度合を連邦政府に報告されたならば、連邦政府は私の留学期間を延長する措置を講ずるであろうと私は考えておりました。しかし、Murdoch 教授が逝去されたことにより、また専門的な知識を欠いていることから、私に対してこの上どのような教育を施せばよいのか、オーストラリアではわからなくなっているものと思われます。

帰国後どのような職務を担当することになるのか判然といたしませんが、2 年半より短い留学期間では、連邦政府が求めているような実用的な段階にまで私の日本語能力を到達させることは困難であると考えます。このため、私はオーストラリア政府の首相府に対して留学期間の延長を申請いたしました。

大使閣下におかれましては、私の日本語能力の向上度合をオーストラリア政府にご伝達いただくとともに、2 年（オーストラリアを出発する時、留学期間は 2 年と示唆されました）の留学期間では日本語を実用的な段階にまで高めることは不可能であり、さらに 6 か月の滞在延長が必要であることをご示唆いただけましたなら幸いです。」(32)

国防省から派遣されていた Capes も、Broadbent と歩調を合わせ、駐日英国大使に次のような書簡を送っている。

「私はオーストラリア国防省に対して、日本語学習のための留学期間を少なくともさらに 6 か月間延長してくれるようにとの申請を出しておりますが、大使閣下におかれましては、この申請にお口添えいただきたく、よろしくお願い申し上げます。

私がメルボルンの国防省から指示された留学期間は2年でした。しかし、その期間があと半年足らずで終えようとしている今日でも、私の日本語能力は連邦政府が必要としている段階にまで達しているとは思えません。私は多くの時間を読解能力の向上に費やしてきましたが、帰国するまでには会話力も身につける必要がありますし、軍事用語や現時点ではまだ手をつけていない草書体も学びたいと考えております。

また、これに関連して一言申し上げれば、日本語学習を目的に英国やインドから日本に派遣されてくる士官は3年間の留学期間を与えられております。

Murdoch教授が逝去されたため、オーストラリア政府は専門的な助言を欠くことになりました。このため、2年半あるいは3年以下の期間では日本語を習得することが困難であるということが本国では理解されていないように思われます。

大使閣下におかれましては、どうか私の申請をご支持いただき、この問題に関する閣下のご意見を連邦総督にご伝達くださいますよう、重ねてお願い申し上げます。」(33)

しかし、両名の希望は聞き届けられなかった。国防省は留学期間の延長申請を承認しない旨、5月22日付でCapesに通知している。

オーストラリア政府は、「留学中の日本語学習の手段と方法についてはMurdoch教授に一任する」としていたが、前年10月に「Murdoch教授が逝去されたこと」から、BroadbentとCapesが主張していたように、「専門的な助言を欠くこと」となり、日本留学生の学習到達度を測ることもできなくなっていた。このため、CapesとBroadbentの日本留学の成果を測定する手段として、国防省は駐日英国大使館に対して、英国陸軍がその語学将校を対象に実施していた試験を両名にも課してくれるよう要請している。当時、英国とインドから日本語学習を目的に日本へ派遣されていた士官は年に一度日本語試験を受けることになっていた。その試験委員会は駐日英国大使館の武官と書記官から構成され、日本陸軍の将校と大使館の書記官が口頭試験の試験官を務めた(34)。

帰国する前月の1922年9月にCapesとBroadbentは英国戦争省が準備した日本語試験を受験した。試験の内容および具体的なレベルは不明であるが、両名の試験結果を駐日英国大使は、「二人は適切な日本語学習シラバスおよび指導を欠いていたにもかかわらず、見事な進歩を見せた」(35)とオーストラリア政府に報告している。

帰国後の両名が留学中に得た日本語能力をその職務においてどのように活用したのかはわからない(36)。しかし、Capesは本来業務とは別に、陸軍における日本語教育のアドバイザー的な立場にもいたようだ。彼は1920年代の後半に、「日本語教育に関する覚書」(Memorandum on the study of the Japanese language)という題名の私的な意見書を国防省に提出している。その目的をCapesは次のように記している。

「日本語は1917年にニューサウスウェールズ州の二つのハイスクール、すなわち、フォート・ストリート・ハイスクールとノース・シドニー・ハイスクールに科目として導入された。また、陸軍士官学校でも教えられるようになった。さらに、シドニー大学には東洋学科が設けられ、日本語はその科目のひとつとなった。これら初期の仕事は1921年に亡くなったJames Murdoch教授によって担われた。

日本語教育がニューサウスウェールズ州の教育に導入されてからの8年間、学生と教師は多くの労力を費やしたものの、実際的な成果はほとんどあがらなかった。この覚書の目的は将来における政策の方向性を示唆することにある。」(37)

そして、Capesは日本語および日本語学習の性格とオーストラリアにとっての日本の位置づけについて、次のように記述する。

「日本語はどんなに控えめに言ったとしても既存のあらゆる言語と同程度には難しい言語である。その理由は複雑な文字体系にある。文字はもともと中国語から輸入されたものであるが、その後の13世紀間にきわめて高度に複雑化した。日本語は容易に取りかかれる科目ではなく、専門家が生涯かけてその研究に取り組むべき科学の一分野であることは明らかである。

オーストラリアは少なくともその東海岸を考慮するならば地政学的に太平洋の国家であり、太平洋の政治問題には関与せざるを得ないのであるが、その際にはこの海域における大日本帝国の優越した地位を無視することはできない。」(38)

このため、「太平洋において優越した力を持つ非アーリア系の国の言語である日本語を学習することがその隣人たるオーストラリアにとってきわめて重要であることはあらためて言うまでも」(39)なく、また、「日本語学習の重要性は平時においても有事の際においても明らかである」(40)にもかかわらず、「優れた日本語通訳者の数は全豪で現在のところ4人、あるいは集中学習の結果として5人にはなっているかもしれないが、人口に占めるその比率はごくわずか」(41)なのが現状であるとしている。

つづけて、Capesは中等教育レベルにおける日本語教育の現状を次のように記述する。

「たとえば、フォート・ストリート・ハイスクールに通う少年が12歳で日本語学習を始めたとしよう。3年後の前期中等教育修了試験のことを考慮して、この間の日本語教育は会話教育にとどめてある。今までの経験からすると、優秀な少年（もともと優秀な少年しか選ばれていないのであるが）は3年後には会話力の少なくとも基礎は得ることができる。

前期中等教育修了試験に合格した後、多くの生徒は働きに出るが、日本語学習のことを勘案するならば、これは好ましいことではない。多くの者が日本語学習をやめてしまうからだ。残った生徒たちはさらに2年間日本語を学び、後期中等教育修了試験を受験する。後期中等教育期間のうち最初の1年間は会話練習に集中するが、書き言葉の教育も始まる。そして最終学年の2年目は文字の学習に当てられる。過去の経験からすると、優秀で熱心な生徒は日本語学習を始めてからの5年間で、その内容をある程度知っているものであれば、新聞記事をかなりの程度まで読みこなすことができるようになる。

後期中等教育修了試験に合格してハイスクールを卒業した少年は、制限付きではあるがかなりの日本語力を身につけている。それは彼ら自身にもそして国家にとっても貴重なものであり、彼らはそこで日本語学習をやめてはいけないし、また実際、多くの少年が日本語学習を継続するのであるが、大人たちは誰もそれに関心を持とうとしない。

日本語学習はどこで続けることができるだろうか。それは陸軍士官学校かシドニー大学かである。前者においては、もし日本留学の機会が与えられたならば、そしてその事例はすでに二人ほど存在するのだが、学生たちは卒業時までにかなりの日本語力を身につけることができる。しかし、問題なのは陸軍士官学校に進まない少年たちである。彼らに日本語学習を継続させることがここでの課題である。」(42)

そして、Capesは「少年たちに将来の展望を保証すること」(43)が重要であるとして、次のように提案する。

(1)　優秀な少年たちの両親に連邦政府の方針を知らしめるため、その詳細を印刷して配布すること。
(2)　優秀な少年（11歳〜14歳）を選抜すること。
(3)　選抜された少年に対して、フォート・ストリート・ハイスクールかノース・シドニー・ハイスクールで5年間の日本語教育を施すこと。
(4)　日本語教育を受けた少年の氏名と達成度を卒業時までに商業会議所に通知すること。
(5)　それらの少年を特定の企業に入社させ、当該企業の業務を習得せしめるとともに、大学に通わせること。経費は企業と連邦政府で負担すること。
(6)　特にすぐれた少年を当該企業の日本支店（または日本代理店）に駐在員として派遣すること。派遣期間は少なくとも3年間とすること。
(7)　帰国後は当該企業に所属せしめるが、必要に応じて通訳者として徴用すること(44)。

オーストラリアは、中等教育レベルに日本語教育を自主的に取り入れた、世界で最初の国とされている(45)。シドニーでは1918年にフォート・ストリート・ハイスクールで日本語教育が開始されている。これは、ハイスクール時代に外国語を履修しなかった者は上級学校に進学した後も外国語科目を選択しないという、当時の一般的な風潮を考慮したものとされており(46)、いわば、ハイスクールの日本語教育はシドニー大学や陸軍士官学校における日本語教育の「予備教育」的な位置づけを与えられたのであるが、Capesは、上級学校に進学しない生徒も存在するとして、そのような者にも「日本語学習を継続させる」ためのフレームワークを作ろうとする。そしてひいては、有事の際に「通訳者として徴用」できる人材を確保しようとするのである。

せっかくハイスクールで日本語を学んでも、社会に出ると使う機会や継続的に学習する機会がないので意味がないという主張は、その後の時代においてもしばしば聞かれた意見であるが(47)、Capesは日本語学習と日本語教育の制度全体を「国家が管理・監督すること」(48)により、ハイスクールの日本語教育を無駄にすることなく、そこで得られた、「国家にとっても貴重」な日本語能力をさらに発展せしめ、オーストラリアの「国益」に役立たせようとする。「陸軍士官学校に進まない少年たち」まで対象とした「日本語教育政策」を立案した士官はCapesが最初である。

しかし、時代はすでに「緊張緩和」の時代へと移っており、Capesのこの「政策」が国家によって承認され、実行に移されることはなかった。Capesは日本との「有事」を見ることなく、1935年3月6日に死去している。

〈註〉

（1）NAA B1535, 871/12/105

（2）NAA B1535, 871/12/105

（3）NAA B1535, 871/12/105

（4）NAA A816, 44/301/9

（5）NAA B1535, 871/12/105

（6）NAA B1535, 871/12/105

（7）NAA B1535, 871/12/105

（8）NAA B1535, 871/12/105

（9）1920年10月18日付で英国植民大臣がオーストラリア連邦総督にあてた電報によると、留学生を大使館付とすることについて、駐日英国大使は、「日本軍がその士官を言語学習の目的からオーストラリア駐在の日本総領事館に派遣するという提案をしてきた場合に、それを拒否しえないということを、オーストラリア政府ははたして検討したのであろうか」と訝しがったという。これに対して、オーストラリア政府は次の内容の電報を英国植民省あてに打電している。「日本がその士官を言語学習の目的をもってオーストラリア駐在の日本総領事館に派遣するとしても、連邦政府は反対しないし、さらにはその言語学習に対する援助を惜しまない。」（NAA CP78/22, 1924/62）

（10）NAA B1535, 871/12/105

（11）NAA B1535, 871/12/105

（12）NAA A458, N1/22

（13）20世紀前半期、オーストラリア政府は英国政府との関係および国際情勢の変化を反映して、政府部内における外交組織とその所掌事務の内容をたびたび変更している。第一次の外務省（External Affairs Department）はオーストラリア連邦が樹立された1901年に設置されたが、第一次世界大戦中の1916年に廃止された。首相府太平洋局は太平洋情勢に関する情報の収集と分析を業務として1919年に設置され、局長に就任したPiesseは、将来的に外務省が復活した暁には太平洋局がその中核になるものと期待したが、同局はワシントン条約締結後に廃止されている。Meaney, Neville（1976）p. 12.

（14）Meaney, Neville（1996）p. 3.

（15）Meaney, Neville（1996）p. 1.

（16）Meaney, Neville（1996）p. 5.

（17）Meaney, Neville（1996）によれば、Piesseは1918年2月の段階で、「Colloquial Handbook」を学びおえ、「Moji no Shirube」に取り組みはじめたところだった。前者は1889年に東京で初版が発行された、Basil Hall Chamberlainの『日本語口語入門』（A handbook of colloquial Japanese）、後者は同じくChamberlainの『文字のしるべ』（A practical introduction to the study of Japanese writing, Moji no shirube）のことだろう。

（18）Meaney, Neville（1996）p. 13.

（19）Meaney, Neville（1996）p. 22.

（20）NAA A458, N1/22
（21）NAA A458, N1/22
（22）NAA A458, N1/22
（23）Piesse 自身も 1919 年 12 月に訪日している。これは私的な訪問だったが、在シドニー日本総領事の清水精三郎の紹介で、12 月 25 日には外務次官の埴原正道と非公式の会談も行っている。その会談内容については、酒井一臣（2002）55 頁～ 56 頁を参照。
（24）NAA B1535, 871/12/105
（25）Brewster, Jennifer（1996）p. 9–p. 10.
（26）NAA B1535, 871/12/105
（27）この時点までに Capes は大尉に昇進していた。
（28）NAA B1535, 871/12/105
（29）酒井一臣（2002）によれば、ワシントン条約の締結により、「太平洋の国際秩序が安定するに従い、オーストラリアでの日本脅威論は急速に沈静化し、日本専門家としてのピースの役割は小さくなって」（60 頁）いった。また、Piesse は「白豪主義」の在り方をめぐって連邦首相の Hughes と意見が対立していたが、その対立もしだいに激しさを増すようになり、彼の政府部内における立場は微妙なものになっていったという。Piesse は 1923 年の政権交代を機に首相府太平洋局長を辞任し、弁護士に戻っている。
（30）NAA B1535, 871/12/105
（31）NAA B1535, 871/12/105
（32）NAA B1535, 871/12/105
（33）NAA B1535, 871/12/105
（34）NAA B1535, 871/12/105
（35）Brewster（1996）p. 10.
（36）オーストラリア国立公文書館に保存されている文書によると、Capes の日本語能力は、「1928 年に陸軍士官学校の日本語講師が病気で倒れた時にその穴を埋めることができるほどだった」という。（NAA B1535, 929/16/161）
（37）NAA A816, 44/301/9
（38）NAA A816, 44/301/9
（39）NAA A816, 44/301/9
（40）NAA A816, 44/301/9
（41）NAA A816, 44/301/9
（42）NAA A816, 44/301/9
（43）NAA A816, 44/301/9
（44）NAA A816, 44/301/9
（45）Marriott, H., Neustupny, J. V., Spence-Brown, R.（1994）p. 53.
（46）Brewster, Jennifer（1996）p. 6.
（47）たとえば、Chisholm, A. R., Hunt, H. K.（1940）p. 76–p. 77 を参照。
（48）NAA A816, 44/301/9

5.　海軍の動き

1910年代後半、陸軍士官学校が日本語教育を導入しようとしていたことが刺激となったのか、海軍においても、その士官に対して日本語教育を開始することの是非が議論されるようになった。

オーストラリア国立公文書館に保存されている1916年6月12日付の海軍文書は、「日本語は疑いようもなく太平洋の海軍にとって重要な言語である」(1)との見解から、海軍士官を対象に日本語教育を開始すべきだと提言するとともに、陸軍の政策を意識してか、「特定の大学に東洋語の教授職を設けることも検討に値する」(2)とした。

また、ちょうどそのころ、陸軍は同軍の士官学校で日本語教育にあたる教師の人選を進めていたところだったが、海軍の動きを知ってか、次のように打診している。

「我々は陸軍士官に日本語教育を施すことの是非を長いこと検討してきたが、現在は英帝国当局と日本語講師の業務内容について協議する段階に至っている。この日本語講師はシドニー大学に配属されるが、給与は陸軍が負担し、その代わり陸軍士官学校における教育と検閲業務を委嘱したいと考えている。大学も当該日本語講師の恩恵を受けることになろう。もし海軍がその士官に対する日本語教育を開始するにあたり、この日本語講師の活用を希望するのであれば、陸軍は同講師を海軍士官学校にも派遣する手はずを整える用意がある。本件に関する海軍の意向を可及的速やかに回答願いたい。」(3)

これを受けて海軍は、日本語教育を海軍士官学校に導入することの是非を検討するためのワーキング・グループを設置した。同ワーキング・グループは1916年8月8日付で報告書をまとめているが、そこでは日本語教育の導入は「得策」でないとされた。理由は次のとおりである。

「我々は現時点においては海軍士官学校に日本語教育を導入するのは得策でないとの結論に達した。

シドニー大学に照会したところ、現在は日本語講師と中国語講師の雇用を検討している段階であり、日本語教育に関して助言のできる専門家はまだ存在しない由。シドニー大学事務局長からは、日本語講師と中国語講師が実際に雇用され、慣れてきた段階で当方に情報を寄せてもらう手はずになっている。

西洋人が日本語を学習するに際して直面する困難さには想像を絶するものがある。まず3種類の言葉を学ばなければならない。ひとつは常体の口語体、ふたつめは敬体の口語体、そしてもうひとつは書き言葉である。これらに加えて2種類の文字を習わなければならない。そのうちのひとつは多くの変体形を持ち、また少なくとも2,000ないし3,000の漢字を学ぶ必要があるが、それらはさらに環境によって三つないし四つの読み方を持ち、乱雑にも同じ頁に現われることすらある。したがって、日本語をマスターすることはほとんど至難の業である。

これらの点を勘案し、我々は海軍士官学校のカリキュラムに日本語科目を導入するだけの余裕はないものと判断する。最も適切な方法は、数名の士官を選抜し、しかるべきキャリアを積ませた後に日本へ送り、日本語を学ばせることであると考える。」(4)

しかし、海軍の内部には士官学校に日本語教育を導入すべきとの意見もあったらしく、1917年2月に海軍は陸軍に対して、「海軍士官学校で日本語教育を実施することはきわめて重要である」(5)として、陸軍士官学校における日本語教育導入のための準備作業に関し、その後の進捗状況を照会している。また、「現在の情勢を勘案した場合、海軍士官学校の学生にはフランス語やドイツ語よりも日本語が必要である」(6)との立場から、駐日英国大使館付武官にも意見を求めたが、最終的には、「海軍士官学校に日本語教育を導入することに関しては、さらなる特別の情報を得るまで延期すること」(7)になった。

その後も海軍内部では海軍士官学校に日本語教育を導入することの是非が議論されたようだ。とくに中枢部は日本語教育の導入に積極的だった。しかし、海軍士官学校自体はそれに反対していた。同校の校長は海軍次官にあてた1917年7月13日付の書簡の中で次のように述べている。

「海軍士官学校の教育内容は盛りだくさんであり、疑いようもなく世界中の海軍士官候補生に教えられているわけではない日本語の教育を導入することは、現在のカリキュラムを乱すだけでなく、わずかしか、あるいは全く成果を生むことがないであろう。小官は現在の状況下で日本語教育を海軍士官学校に導入することは間違いであるとの意見を堅持するものである。」(8)

これに対して海軍次官は、「海軍参議会も貴官および教育評議会が指摘した困難さは充分に認識しているが、事の重要性に鑑み、選ばれた海軍士官に日本語能力を得させるための計画をそれでも立案することが望まれる」(9)と再考を求めたが、海軍士官学校の態度は変わらず、同校は Rymer という主任教授の次の意見書を海軍次官に提出している。

「現下の日本語教育問題に関し、小官は日本海軍の艦隊司令官と話す機会があったが(10)、その司令官は非常に有能な将校であり、優れた意見を寄せてくれた。それによると、士官候補生に週 2 時間日本語教育を施したならば、4 年後には少しは会話ができるようになるかもしれないが、読むことは難しいとのことであった。

また、現在、日本の学校では英語が必修科目なので、日本人士官は我々よりも有利な立場にあり、当方の日本語能力と日本人士官の英語能力を比べたならば、後者の方が優れており、両者が会話する時は、それは英語で営まれることになるであろうとのことであった。

それゆえ、士官学校卒業後に日本語を専攻することになる少数の士官を除き、それ以外の者たちに日本語教育を施すことは時間の無駄であり、教育上の効果は全くない。日本海軍の艦隊司令官によれば、海軍士官学校に日本語教育を導入するか否かについては、シドニー大学および陸軍士官学校の成果を見てから判断するのが賢明ではないかとのことであった。

成人が日本で日本語を覚えるのに必要な期間は約 1 年とのことである。たとえ海軍士官学校で日本語を学びはじめたとしても、最終的には日本で学ぶ必要があるのだから、当地での日本語学習は時間の無駄である。他の日本人士官も同様の意見であった。」(11)

また、海軍士官学校長も海軍次官に再度書簡を送り、上記の意見書を次のように支持している。

「海軍士官学校で若き士官たちに日本語を教育する計画は、それを正当化するだけの成果を収めることができないであろう。日本語教育を施すための時間を確保することは困難であり、もしそれでも日本語教育を導入するとしたら、他の科目の教育を中止する必要があるが、思い当たる科目と言えばフランス語だけであり、その他の科目（歴史科はその可能性があるかもしれないが）を廃止することは、士官学校に求められている教育効果および教育水準を損なう結果になるであろう。日本語をたとえ週 2 ～ 3 時間教育したとしても片言の日本語しか得させられないという Rymer 大佐の意見に小官も同意するものである。また、実際それ以上のことはできないであろう。さらに、士官学校で日本語を4年間学んだとしても、そこで得た知識は翻訳者としての教育が始まったならば忘れ去られてしまうだろう。したがって、政府の資金およびフランス語教育を犠牲にしてまでも日本語教育を実施することは正当化できない。」(12)

こうして日本語は、「学習するに際して直面する困難さ」ゆえに、それを「マスターすることはほとんど至難の業である」のと同時に「時間の無駄」であることから、海軍士官学校のカリキュラムに導入することは断念された。しかし海軍中枢部は、「士官学校当局は現下の情勢では日本語教育を実施しえないとしている」(13)が、「この言語はきわめて重要であり、日本語翻訳者確保の必要性は無視しえない」(14)として、「翻訳者としての訓練を受けるに足る下士官を選抜し、遅滞なく日本に送り込む」(15)ことが必要であるとした。

さっそく海軍は日本語学習を希望する士官の募集を始めた。それに応募したT. K. Nave という主計士官候補生はシドニー大学の Murdoch に個人教授をしてほしいと掛け合い、その教授費用の見積額を海軍当局に報告している。海軍はこの主計士官候補生と Kingsford Smith という主計中尉が Murdoch の下で週1回10週間日本語を学ぶことを許可した。

実際の日本語教育は Murdoch が日本から招聘した宮田峯一が担当したようで、7週間が終わった段階での二人の日本語能力について、宮田は次のように報告している。

「私は E. K. Smith と T. K. Nave の2名に日本語を個人教授しておりますが、現在は仮名をすべて教えおわり、漢字に取りかかりはじめた段階です。この間、両名とも著しい進歩を見せ、基礎的な短い文でしたら、話すことも書くことも読むこともできるようになっております。」(16)

最初の10週間が終わった段階で、さらに10週間の学習期間延長が認められた。そして、陸軍士官学校の教官2名が日本語学習を目的に1920年9月から日本へ留学する予定であることを Murdoch から知らされた Nave は、海軍当局に対して自分もそれに同行することが可能かと打診した。海軍は Nave が日本留学の段階に進むだけの日本語能力を身につけたかを Murdoch に照会し、それを Murdoch が保証したのを受けて、Nave を日本へ2年間の予定で留学させることを決定した。

主計中尉に昇格したNaveは、1921年2月28日、シドニー港を発った。この時点ですでに日本には、陸軍から派遣されていたCapesと形式上は首相府に所属するBroadbentがいた。Naveの日本留学中における日本語学習の方法も、陸軍の2名の場合と同様、その詳細が不明だが、後者のケースから類推するならば、それは日本語母語話者からの個人教授であった可能性が大きい。Naveが1922年3月24日付で海軍に送った報告書によると、彼ははじめ静岡に滞在して日本語を学んだ。その後、横須賀に移り、日本海軍の士官たちと交流しながら軍事用語を習得した。そして、最後の6か月間は東京に滞在する予定であるとしている(17)。

1920年代に海軍はNaveを含めて3名の士官を日本に留学させた。あとの2名は1921年と1927年にそれぞれ渡日している(18)。陸軍の派遣がCapesとBroadbent（ただし後者は首相府に出向中）の最初の2名だけだったことを考え合わせるならば(19)、海軍は士官学校においては日本語教育を実施しなかったものの、留学という形での日本語教育には陸軍よりも熱心であったと言えよう。そして、結局のところ、この陸軍と海軍の「日本語教育政策」の違いは、日本語学習の「困難さ」に対する認識の差に起因していたとすることができる。

〈註〉

（1）NAA MP472/1, 5/18/8562

（2）NAA MP472/1, 5/18/8562

（3）NAA MP472/1, 5/18/8562

（4）NAA MP472/1, 5/18/8562

（5）NAA MP472/1, 5/18/8562

（6）NAA MP472/1, 5/18/8562

（7）NAA MP472/1, 5/18/8562

（8）NAA MP472/1, 5/18/8562

（9）NAA MP472/1, 5/18/8562

（10）日本海軍は1878年から1935年までオーストラリアに合計26回の練習航海をしている。Noguchi, Sachiko, Davidson, Alan（1993）p. 1.

（11）NAA MP472/1, 5/18/8562

（12）NAA MP472/1, 5/18/8562

（13）NAA MP472/1, 5/18/8562

（14）NAA MP472/1, 5/18/8562

（15）NAA MP472/1, 5/18/8562

（16）NAA MP472/1, 5/18/8562

（17）NAA MP472/1, 5/18/8562

（18）Brewster, Jennifer（1996）p. 10.

(19) オーストラリア国立公文書館に保存されている1934年7月31日付の陸軍文書には、「陸軍士官学校では現在も士官を対象に日本語が教えられているが、陸軍士官の日本留学は1922年以来実施されていない」と記されている。(NAA B1535, 929/16/161)

6. 陸軍士官学校における日本語教育のその後

Murdochは1921年10月30日にシドニーの自宅で死去した。これに伴い、シドニー大学東洋学科教授のポストはArthur Sadlerが継承することになった。Sadlerはオックスフォード大学で東洋研究を専攻した後、1909年から1919年まで岡山の第六高等学校で英語とラテン語を教え、また1919年から1922年のシドニー赴任時までは学習院で教授を務めていた(1)。

Sadlerは日本語教育にはあまり関心がなかったようで、シドニー大学の日本語教育は、Murdochの義弟であり、陸軍士官学校で日本語の専任講師を務めていた岡田六男が同校から転籍して、専ら担当することになった。岡田の転籍に伴い、陸軍士官学校の日本語教育は、かってMurdochに日本語を学んだ経験がある現代語教授のHaydonと同校の卒業生たちによって営まれることになったが、それは本務の傍らにであり、岡田の離任とともに日本語科目の専任講師職は廃止されることになった。その理由はワシントン条約の締結に伴う日豪間の「緊張緩和」にある。Frei, Henry p.(1991)によれば、1922年にワシントンで調印された海軍軍縮条約により、「オーストラリア政府は国防費を100万ポンド以上削減し、たとえばオーストラリア艦隊は23隻から13隻に縮小された」(2)が、同時に「第一次世界大戦中に設けられた対日理解のための機構も縮小されること」(3)になり、首相府の太平洋局が廃止されたほか、「王立陸軍士官学校の日本語専任講師職も廃止される」(4)ことになった。

日本語科目の専任講師職が廃止されたのと同じ頃、陸軍士官学校における「シドニー大学教授の職務は名目的なものとなり、授業監督と試験実施のための年1回の訪問に限られること」(5)になっていた。また、Murdochの死後、「国防省は東京にいたA. L. Sadlerを空席となった東洋学教授職の後継者に選ぶ」(6)とともに、その「年俸1,000ポンドのうち600ポンドを補助した」(7)が、Clarke, Hugh(1997)によれば、この「Sadlerの時代にシドニー大学東洋学科はさらに古典的・学問的な色彩を帯び、日本の伝統文化と前近代文学の研究に没頭すること」(8)になった(9)。しかし、それは国防省の期待するところではなく、同大学の日本語教育は軍事目的からすると、あまりにもアカデミックすぎるとの批判が出た(10)。また、1927年10月2日付で第二地区司令部が国防省に提出した報告書によると、「東洋学教授職の現在の価値は小さいが、その理由は軍との協力関係が欠如していることと、極東問題についての集中研究にあまり関心が寄せられていないことにある」(11)とされている。陸軍士官学校長は1928年2月28日付の報告書に次のように記している。

「国防省はシドニー大学に支払っている年間600ポンドに相当する見返りを受けていない。国防省は陸軍士官を日本語教師として雇用し、ダントーンにおける日本語教育に全面的な責任を持たせることに、この資金を使うべきである。」(12)

このような事情から、国防省はシドニー大学との協力関係を継続する必要性が薄れてきたとして、1928年10月に「契約を廃棄することを大学側に申し入れたが、契約では東洋学教授職の存続期間が20年とされていたことから、契約を廃棄することができず、国防省はさらに資金を提供しつづける」(13)ことになった。

陸軍士官学校は、1931年1月、シドニーに移転した。このため、「陸軍からシドニー大学に対して、Sadler教授に士官学校でも日本語教育にあたってほしい旨の要請がなされ、大学側もこの要請を受け入れたため、同教授はその年の3月から士官学校でも日本語を教えること」(14)になったが、同校は1937年に再びキャンベラ近郊のダントーンに戻ることになった。このため、日本語教師をどのように確保するかという問題があらためて浮上することになった。オーストラリア国立公文書館に保存されている文書によると、陸軍士官学校は当時キャンベラおよびその周辺の教育行政も管轄していたニューサウスウェールズ州教育省と協議の上、下記の措置をとることになった。

「陸軍士官学校が1937年の初めにシドニーからキャンベラに移転した時、それまでシドニーにあって、陸軍士官学校の日本語教育を担当してきたSadler教授は、授業の監督と試験問題の点検以外の業務を引き受けることが困難となった。このため、今後の日本語教育をどうするかという問題について、Sadler教授やニューサウスウェールズ州の教育行政当局とも協議した結果、最良の方策として、ニューサウスウェールズ州教育省に所属する、日本語能力のある教師1名を、陸軍士官学校においても非常勤ベースで日本語教育に当たらせるため、キャンベラに転勤せしめるとともに、国防省がそのための経費を支払うことが決定された。

この目的から選ばれたのが教育学士のAlfred Rixである。彼はキャンベラのテロピア・パーク・スクール（Telopea Park School）に転勤した。また、州教育省との間で次の取り決めがなされた。(a) Rix は 1937 年 2 月からダントーンの陸軍士官学校で日本語教育に当たる。授業時間は月曜日から金曜日までの午前 9 時〜 11 時の毎日 2 時間、期間は 2 月初めから 10 月末まで（ただし休暇期間中を除く）とする。(b) 国防省は給与として年間 190 ポンドを支給する。(c) この給与に加えて国防省は Rix に対して年間 100 ポンドの特別手当を支給する。(d) この雇用は臨時のものであり、両者の片方が 6 か月前までに文書で通知することにより契約は終了する。」(15)

この取り決めに基づいて、Rix は 1937 年 2 月から陸軍士官学校の教壇に立った。しかし、それと時を同じくして、陸軍士官学校の内部では日本語科目の廃止が検討されはじめた(16)。そして、同校が 1937 年 12 月 3 日付で国防省に提出したカリキュラム改革案には、日本語科目の廃止が含まれることになった。日本語科目を廃止する理由は次のとおりである。

「日本語は一般的に言って文化的な価値を持つ言語ではない。また、生涯にわたる学習を必要とし、卒業後に大学進学や日本留学の形で継続して学習しない限り、士官学校における教育は無駄になるが、すべての学生にその措置を講ずることは不可能であるから、日本語科目は廃止する。」(17)

しかし、これに対しては陸軍評議会が異議を唱えた。同評議会は、陸軍士官学校への日本語教育導入が決定された 1916 年当時の参謀総長が、「今までの経験からすると、日本語翻訳者・通訳者をオーストラリアで雇用することはきわめて困難であるが、拡大する豪日関係を勘案した場合、日本語翻訳者・通訳者の不足は政府にとって憂慮すべき問題であり、オーストラリアにおいて日本語学習を振興するための措置を可及的速やかに講ずべきである」(18) と提言したのを引用し、「これらの言葉は疑いようもなく正しいし、今日でも日本語教育振興政策の基盤をなすものだが、22 年たった現在も、われわれは達成目標からはるかに遠く離れたところにいる」(19) として、「陸軍士官学校のカリキュラムから日本語科目をはずすことを許可する前に、日本語教育と通訳者の問題を国防会議に諮問すべき」(20) と国防大臣に進言した。そして、この進言は採用され、国防大臣は 1938 年 7 月 28 日付で「国防会議に対して、陸軍における日本語教育政策および有事における日本語通訳者の問題について再検討する」(21) ことを命じた。その際、国防大臣は「日濠間最初の国際裁判」(22) とされる「第三高千穂丸事件」（第 3 章

第2節参照）の裁判で連邦政府の側に立って日本語を通訳すべき者を見つけ出すことができなかったことに触れ、「これはきわめて重大な問題であり、国防会議においては、日本語学習の奨励とその訓練のための枠組を含んだ計画を立案されんことを希望する」(23)とした。

1939年3月10日、陸軍・空軍・海軍の参謀総長と国防次官から構成される国防会議が開催され、同会議は検討部会を設けてこの問題を扱うことになった。そして、ただちに各軍および国防省の代表者からなる検討部会が設置され、この部会は10か月後の1940年1月11日付で、「軍における日本語教育」（Study of Japanese Language in Services）と題する「部会報告書」（Report of Sub-Committee）をまとめた。

その内容を見てみよう。はじめに「部会報告書」は、日本語翻訳者・通訳者の現状について、次のように述べている。

> 「現在のところ、日本語の知識があるオーストラリア人は国内に50名存在する。しかし、そのうち草書が読める者は4名だけであり、さらに緊急事態が発生した時に軍が第一級の翻訳者・通訳者として利用しうる人材は2名に過ぎない。これは情報収集の立場からすると平時においても不安な状況であるが、日本との間に戦争が起こった場合には重大な事態をもたらすであろう。」(24)

この「部会報告書」を仕上げる前に、検討部会は「草案」（Draft Report of Sub-Committee）を作成しているのだが、その「草案」に記されているところによると、上記「50名」の内訳は、男性36名、女性14名であり、男性は23歳から45歳までが34名、それ以上の者が2名とされている。また、「緊急事態が発生した時に軍が第一級の翻訳者・通訳者として利用しうる人材」のひとりとしては、Sadlerの名前が挙げられている。

つづいて「部会報告書」は、軍が必要とする日本語翻訳者・通訳者をその言語能力によって次のようにクラス分けすることを提案している。

1. 第一等の翻訳者・通訳者：筆記試験および口頭試験で80％以上得点した者。この試験には、日本語会話、英語から日本語への通訳、日本語会話の内容を英語でメモすること、日本語から英語への翻訳、日本語の手書き文書の英訳を含む。
2. 第二等の翻訳者・通訳者：同じ試験で60％以上得点した者。
3. 第三等の翻訳者・通訳者：ある程度流暢に日本語を話せる者(25)。

そして、「有事の際に各軍が必要とする等別の日本語翻訳者・通訳者」[26]の人数を次のとおり見積もる。ただし、「現在のところ第一等の日本語翻訳者・通訳者は軍には存在しない」[27]とされている。

【表1】必要な日本語翻訳者・通訳者数（単位：人）

	第一等	第二等	第三等
海　軍	9	0	0
陸　軍	17	23	0
空　軍	6	6	0
合　計	32	29	0

それでは、これらの日本語翻訳者・通訳者を確保するためにはどうしたらいいのか。「部会報告書」には次のように記されている。

「海軍においては、士官数の不足、艦隊勤務によってのみ得られる能力の重要性、翻訳者・通訳者として養成されることを希望する士官の数がきわめて限られていること等の問題が存在する。また、空軍においては、第一等の翻訳者・通訳者として養成されるということは、継続的な訓練を必要とする高度に特別な業務から4年間も離れることを意味する。また、陸軍においては、通常、日本語翻訳者・通訳者は戦闘部隊にではなく、情報部隊に勤務しているが、戦闘部隊に勤務する士官を翻訳者・通訳者として利用することは非経済的であり適当でない。このような事情から、必要とされる人員を確保するためには、連邦政府および各州政府の文民公務員を日本語翻訳者・通訳者に仕立て上げる必要がある。また、この施策を継続的に実施するためには、教員養成も図る必要があるが、そのためには連邦政府の財政的な支援を必要とする。」[28]

ここでは、「情報部隊に勤務」する陸軍士官以外は、「連邦政府および各州政府の文民公務員を日本語翻訳者・通訳者に仕立て上げる」ことが提言されている。陸軍関係者が将兵以外の者に対する日本語教育にも言及した先例としては、1920年代に首相府太平洋局長のPiesseが連邦政府や州政府の公務員に対する日本語学習奨励の必要性を唱えていたし、日本への留学経験を持つCapesがハイスクールで日本語を学んだ者に対してその学習継続を奨励するための「政策」を提言していた。また、そもそも陸軍は、シドニー大学やニューサウスウェールズ州の中等教育機関における日本語教育の開始にも関与していたわけだから、陸軍の「日本語教育政策」の対象は、その当初より将兵だけに限られてはいなかったとも言えるのだが、陸軍の公的な機関が公文書において、その「日本語教育政策」の対象として将兵以外の者にも言及したのは、これが最初である。

つづけて「部会報告書」は、「第一等および第二等の日本語翻訳者・通訳者を確保するためには、選ばれた者に予備的な教育を施した後、日本または日本人社会が存在する他の国もしくは地域で3年間集中的に日本語を学ばせる必要がある」[(29)]としている。そして、その教育課程を、「(1) シドニー大学で6か月間の予備教育を受けさせる、(2) 日本または他の国で3年間日本人社会の一員として集中的に日本語を学習させる、(3) 帰国後は定期的に試験を受けさせる、(4) 日本または他の国で再訓練のための学習機会を与える」と4段階に分けて規定した[(30)]。

ここで、留学先として日本だけでなく、「日本人社会が存在する他の国もしくは地域」も挙げているのは、あまりにも多くの者を日本へ留学させると、日本が相互主義の観点から同じことをオーストラリアに要求してくるのではないかと恐れたからである。「草案」には「他の国もしくは地域」として、シンガポール、香港、上海、ホノルルの地名が記されている。

「部会報告書」が3年間の海外研修を含む上記のような教育課程を求めたのは、「クィーンズランド州、ニューサウスウェールズ州、ヴィクトリア州では、後期中等教育修了試験レベルまでの日本語教育が実施されている」[(31)]が、「これは将来的な日本語学習の基盤を提供するという点では意味があるが、軍が要求する水準からするとあまりにも初歩的な段階にとどまっている」[(32)]からである。「草案」の段階では、オーストラリアの日本語教育が「初歩的な段階にとどまっている」ことの証拠として、1937年にヴィクトリア州で実施された中等教育修了試験における日本語科目の結果が示されている。

【表2】ヴィクトリア州の中等教育修了試験における日本語科目の結果（単位：人）

	受験者	高得点合格者	低得点合格者	不合格者
前期中等教育修了試験	46	31	3	12
後期中等教育修了試験	30	26	0	4

また「草案」では、ハイスクールの生徒に対して日本語学習を奨励するため、

後期中等教育修了試験における日本語科目の得点を2倍にすることなどが提言されている。

さらに、「部会報告書」は日本語教師の養成についても触れている。それまでオーストラリア政府は日本語教師の養成には全く関心を寄せることがなかったが、「部会報告書」は、「日本語教育を施せるだけの語学力を得させるため、教師たちを海外に留学させる等の措置を講ずることも重要である」(33)と提言している。しかし、「草案」を見ると、もうひとつの意図が存在していたことが明らかとなる。そこでは、平時における日本語教師としての活用のほか、有事の際には日本語翻訳者・通訳者として徴用することが想定されている。

当時、高等教育レベルでは、シドニー大学のほか、メルボルン大学とブリスベンのクィーンズランド大学でも日本語教育が実施されていた。「草案」には高等教育レベルの日本語教育も「初歩的な段階にとどまっている」ことの証拠として、メルボルン大学の1937年と1938年における日本語試験の結果が掲げられている。

【表3】メルボルン大学における日本語試験の結果（単位：人）

	1937年12月		1938年12月	
	受験者	合格者	受験者	合格者
1年生	0	0	5	4
2年生	6	5	12	10
3年生	8	5	7	4
4年生	4	4	1	1
5年生	0	0	0	0

そして、「草案」は高等教育レベルの日本語教育を振興するため、次のように提言する。

「連邦政府から毎年600ポンドの補助金を得ているシドニー大学を別として、ブリスベンとメルボルンの大学では日本語教育があまり発展していない。メルボルン大学における大学の役割は、施設を提供し、図書館の利用を許可し、授業料を集め、それを少人数の学生に日本語を教えている日本人講師に支払うことなど、代理人としての役割にとどまっている。また、シドニー大学を除き、日本語科目はたとえば文学部などにおいて正規科目としての地位を得ていない。ただし、連邦政府の援助があれば、オーストラリアの各大学は言語や歴史を含む東洋学の科目を商学部または文学部の正規科目に取り入れることを検討するであろう。」(34)

この提言は、「部会報告書」にも次のような表現で引き継がれている。

「連邦政府から毎年600ポンドの補助金を支給されているシドニー大学を除き、どの大学も日本語科目を学位取得に必要な科目として認定していない。(中略) 連邦政府はオーストラリアの各大学がシドニー大学に存在するのと同様の東洋研究のクラスを開設できるようにするため補助金を支給すべきである。」(35)

その補助金の合計額は年間2,800ポンドと見積もられている。その内訳は、シドニー大学にすでに支給されている600ポンドのほか、クィーンズランド大学に500ポンド、メルボルン大学に600ポンド、アデレード大学に500ポンド、西オーストラリア大学に300ポンド、タスマニア大学に300ポンドである(36)。

また、高等教育レベルの日本語教育を振興するため、「部会報告書」は、「各州の後期中等教育修了試験で高得点をあげた者に対する賞金用の準備金として各大学に合計25ポンドを支給することとするが、その一部は大学での日本語学習で成績の良い者に対する賞金や特別な賞に充当することも可とする」としている(37)。

この「部会報告書」は、それまでのオーストラリアで最も包括的な「日本語教育政策」を提言した。しかし、報告書が完成した時にはすでに第二次世界大戦が始まっていた。検討部会は「部会報告書」を1940年1月11日付で国防会議に提出したが、そこには、「この報告書を最終的に完成することは、戦争中はあまり意味を持たないので、延期すべきである」(38)という言葉が付け加えられている。そして、国防会議も同年2月15日付で「最終報告書の完成を戦争終了後まで延期することに同意」(39)した。また、陸軍士官学校では日本語科目が廃止された。

当時はまだ日本との間では戦争が始まっていなかった。このため、「部会報告書」を基に国防会議の最終報告書を作成することは、「戦争中はあまり意味を持たない」と言うことができたのであるが、翌年12月に日豪開戦の事態を迎えると、検討部会そのものが「日本との間に戦争が起こった場合には重大な事態をもたらすであろう」と予想していたとおり、日本語能力を有する者の確保に軍は難儀することになる。その意味でこの「部会報告書」は少し早すぎた提言だったと言えるかもしれないし、Joseph Lo Bianco の言葉を借りるならば、「オーストラリアは昔から言語政策の立案には熱心だが、それを実行に移す能力を欠くきらいがある」(40) ことの、ひとつの例証と見なすこともできるかもしれない。

〈註〉

(1) Sadler の日本に関する著書には、『日本の生け花』(The Art of Flower Arrangement in Japan, 1933)、『茶の湯』(Cha-No-Yu, The Japanese Tea Ceremony, 1933)、『日本の外交関係に及ぼすその文化と伝統の影響』(The Influence of Japanese Culture and Tradition on her Foreign Relations, 1935)、『日本建築小史』(A Short History of Japanese Architecture, 1941) などがある。
(2) Frei, Henry p.(1991) p. 109.
(3) Frei, Henry p.(1991) p. 109.
(4) Frei, Henry p.(1991) p. 109.
(5) NAA A816, 44/301/9
(6) NAA B1535, 929/16/161
(7) NAA B1535, 929/16/161
(8) Clarke, Hugh (1997) p. 95.
(9) これに関しては、池田俊一 (1991) も次のように述べている。「一九二二年、アーサー・サドラー (Arthur Sadler) がマードックの後を継ぎ、一九四七年まで、より学究的な方針を推し進め、伝統文化や文学の研究に力を注いだ。」(345 頁)
(10) Zainu'ddin, Ailsa G. Thomson (1988) p. 60.
(11) NAA A816, 44/301/9
(12) NAA A816, 44/301/9
(13) NAA A816, 44/301/9
(14) NAA B1535, 929/16/161
(15) NAA A816, 44/301/9
(16) 陸軍参謀本部も、1937 年 8 月の時点で、陸軍士官学校で日本語教育を実施する必要性はもはやなくなったとしている。(NAA A816, 44/301/9)
(17) NAA A816, 44/301/9
(18) NAA A816, 44/301/9
(19) NAA A816, 44/301/9
(20) NAA A816, 44/301/9
(21) NAA A816, 44/301/9
(22) 松永外雄 (1942) 229 頁
(23) NAA A816, 44/301/9
(24) NAA A816, 44/301/9
(25) NAA A816, 44/301/9
(26) NAA A816, 44/301/9

（27）NAA A816, 44/301/9
（28）NAA A816, 44/301/9
（29）NAA A816, 44/301/9
（30）第三等の日本語翻訳者・通訳者の養成については、「オーストラリアの大学で少なくとも5年間日本語教育を施した後、定期的に試験を受けさせる」としている。（NAA A816, 44/301/9）
（31）NAA A816, 44/301/9
（32）NAA A816, 44/301/9
（33）NAA A816, 44/301/9
（34）NAA A816, 44/301/9
（35）NAA A816, 44/301/9
（36）第二次世界大戦前のオーストラリアには、シドニー大学（設立1850年）、メルボルン大学（同1853年）、アデレード大学（同1874年）、タスマニア大学（同1890年）、クィーンズランド大学（同1909年）、西オーストラリア大学（同1911年）の合計6大学があった。したがって、この「部会報告書」はオーストラリアのすべての大学に「東洋研究のクラス」を政府の補助金で設置すべきだと提言したことになる。
（37）NAA A816, 44/301/9
（38）NAA A816, 44/301/9
（39）NAA A816, 44/301/9
（40）Slattery, Luke（1993）

7.　シドニーの「日本人教師」たち

はじめに

1910～1920年代にシドニーで日本語教育と関わったのは、James Murdochとその後継者のArthur Sadler、あるいは陸軍士官学校教官のJ. F. M. Haydonだけではない。シドニー大学や陸軍士官学校、またニューサウスウェールズ州のハイスクールでは、MurdochやSadlerに招聘された日本人の青年たちも日本語クラスの教壇に立った。しかし、彼らの存在は今日ではほとんど忘れ去られており、管見の限り、この事実に触れている研究書は、Brewster, Jennifer（1996）と成田勝四郎（1971）だけである。それも後者においては、Murdochの「助手として、日本人講師としてはじめマードック教授の義兄《ママ》岡田六男氏（のちに東京駐在オーストラリア商務官付）が、次いで北小路功光が就任した。北小路講師が三年で離任後のポストは補充されなかった。なおこの当時の日本語講師としては、宮田峯一氏が一九一八年（大正七年）に、シドニーのフォート・セント《ママ》・ハイスクールから招かれている」[1]と記されているのみであり、また、彼らのその後については触れられていない。

本節ではこのような状況を踏まえ、1910～1920年代にシドニーで日本語教育と関わった日本人教師たちの足跡と帰国後の様子について見てみたい。

7-1　小出満二・宮田峯一

Murdochは1917年3月20日に陸軍士官学校の教壇に初めて立ったが、その半年後の9月には早くも訪日している。Murdochの訪日について、シドニー大学は同年9月21日付で内務省に対し、次のように連絡している。

「Murdoch氏は陸軍士官学校でも業務に携わっており、その全ての時間を本学における講師としての職務に費やすことができない状況にあります。このため、本学評議会は有能な日本語母語話者を採用し、Murdoch氏の助手を務めさせるとともに、同氏が本学を不在にしている間は日本語教育に従事させることを希望しております。日本人教師はリーダー（Reader）の呼称を与えられる予定ですが、この日本人教師を人選するため、本学評議会は国防省の許可を得て、Murdoch氏を日本に送り、候補者との面接および適任者への委嘱を行わせる予定にしております。Murdoch氏は10月24日にシドニーを出港する予定です。また、選抜された日本人教師は1918年3月から業務を開始する手はずとなっております。」(2)

Murdochの訪日に際しては、州内の初等中等教育行政を管轄するニューサウスウェールズ州教育省も彼にハイスクールの日本語教師にふさわしい日本語母語話者の求人を依頼した。1917年12月10日付でニューサウスウェールズ州教育省は連邦内務省に書簡を送り、「連邦政府はシドニー大学日本語講師のJames Murdoch氏に対して、同大学のリーダーを人選する目的からこの夏季期間中に訪日することを許可しましたが、それに関連して、同人は当州教育省管轄下の学校で日本語を教えることになる教師も人選する予定になっていることをお伝えいたします」(3)として、当該教師の入国に際しての便宜を求めている。

ニューサウスウェールズ州教育省がどのような経緯で、その「管轄下の学校」に日本語教育を導入することを決定するに至ったのかは明らかでない。しかし、すでに述べたように、国防省とMurdochの間で締結された雇用契約書に、Murdochの職務のひとつとして、ハイスクールに日本語教育を導入するための準備作業が盛り込まれていたことを考え合わせるならば、そこに国防省の意図が介在していたことは否定できない。

1918年3月13日、Murdochに選ばれた二人の「日本人教師」がオーストラリアに入国した。ひとりは小出満二、もうひとりは宮田峯一である。

小出は1879年に兵庫県養父郡伊佐村で生まれた。第一高等学校から東京帝国大学農科大学に進み、1910年から1914年にかけては農業教育学と植民政策研究のためドイツと英国に留学している。渡豪の4年前からは鹿児島高等農林学校の教授を務めていた。農業経済学が専門の小出がどうしてシドニーで日本語教育に従事することになったのか、その経緯はわからない。可能性のひとつとしては、Murdochも渡豪前は鹿児島に居住していたことから、両者の間に交流があったのではないかとも想像できるが、小出は「農業専攻の立場からでもあろうと思いますが、新渡戸稲造先生に師事」(4)しており、「オーストラリアに赴かれたのも、この先生の慫慂によったものであったとききました」(5)との証言もある。新渡戸は小出の「結婚の実質上の仲人」(6)でもあったという。

小出がオーストラリアでどのような日本語教育を営んだかは不明だが、彼はシドニー大学で2年間日本語教育に携わった後、1920年1月30日に帰国している。帰国後は農業経済学と農業教育の世界に戻り、九州帝国大学農学部教授、鹿児島高等農林学校長、東京高等農林学校長を歴任した。小出がその生涯で日本語教育と関わったのはシドニー滞在中の2年間だけだったようだが、満二の四女の小出詞子によると、第二次世界大戦中、詞子が「南方派遣日本語教育要員養成所」(7)への入学を希望した時に、「二つ返事で許してくれた」(8)という。詞子は同所を卒業後、日本軍政下のフィリピンで日本語教育に従事したのを皮切りに、戦後は国際基督教大学で1953年の大学設立から35年間にわたって日本語教育と日本語教師養成に携わったほか、姫路獨協大学外国語学部の日本語学科設立に関与した。

満二がシドニーで収集した、オーストラリア関係文献は鹿児島大学附属図書館に「小北文庫」として残されている。これは、「小出満二氏がシドニー大学に招聘された大正7–9年にかけて在シドニー日本人実業家北村寅之助氏の援助で収集」(9)した文献を収めた文庫（文庫名は小出と北村の一字をとって名付けられた）であるが、「今世紀初頭を含むこの時代のオーストラリア関係文献で、わが国最大・最良のコレクション」(10)であると評価されている。

一方の宮田峯一は、1922年12月27日までの約5年間シドニーに滞在した。彼は東京外国語学校の卒業生で、渡豪時には「文部省の尋常小学読本、A Text-Book of Colloquial Japanese based on the Lehrbuch der Japanischen Umgangssprache、日本地図、漢和辞典等を携え」(11)たという。

宮田ははじめフォート・ストリート・ハイスクールの教壇に立った。最初の日本語クラスには18名の生徒があった。帰国後に宮田が回想しているところによると、当時の「High School に於ては modern language として日、仏、独（但し戦争の影響として独語はなき学校多し）の中其一或は二を選ぶ事となって」(12)おり、「勿論必須科であって一週六時間授業」(13)だった。教材は宮田が持ち込んだ日本の尋常小学校の国語教科書が用いられた。また、Murdoch が週に一度学校を訪れ、日本語クラスの進捗状況を監督したようだ(14)。日本語はニューサウスウェールズ州の後期中等教育修了試験(15)の科目にも取り入れられていたという。

宮田はノース・シドニー・ハイスクールでも日本語教育に携わったほか(16)、1920年からはシドニー大学でも日本語を教えた。宮田の在職中、シドニー大学では週4時間の日本語教育が行われていた。また、「入学試験科目の中にも modern language として日本語、仏蘭語、独逸語の何れか二科目を選ぶ事となって」(17)いたという。ただし、そのような中で宮田がどのような日本語教育を営んだかについては明らかでない。

Murdoch が死去したのは宮田の滞豪中のことだった。宮田は『英語青年』に「故マードック先生を悼みて」と題する文章を寄せ、「日濠関係逐年密接を来し居る時同氏の如き両国の事情に通ずるの人を失ふのは痛嘆の至りに堪えない」(18)として、さらに次のように記している。

「New South Wales 州の High Scotland に、濠洲政府の士官学校に、シドニ大学に、此等の種は蒔かれたが其収穫を見ずして永眠しられた。誰れか外の人によりて刈取られなければならないが何処にマ氏の如き東洋の conditions, traditions, culture を真に濠洲人に通ずる人を求むる事が出来よう。マ氏の死は誠に広き Commonwealth of the British Empire 中に後任者なき vacancy を残した。」(19)

宮田は1922年12月27日に離豪した。帰国後は陸軍経理学校などで英語教育に従事したが、太平洋戦争が勃発するとオーストラリア関係の著書を次々と刊行するようになる。すなわち、1942年には『濠洲連邦』（紘文社）を著すとともに、『南十字星と濠洲』という翻訳本を育生社弘道閣から「新日本圏叢書」の第19巻として出版する。また、1944年には照林堂から『濠洲の資源と植民問題』という著書を発行している。

この時期、日本では「オーストラリアに関する文献は単行本だけでも数十冊も発行されている。かかる短期間にある国についてこのように多数の本が出版された時期は他に例を見ないのである」[20]が、それはオーストラリアを「太平洋国家として自覚させまたいづれは共栄圏の一部として含まれるべきであるという考え方から豪州事情紹介が盛んになされ」[21]たためであるとされている。宮田の著書もその例外ではなく、下記のような記述が見られる。

「思ふに北半球に棲息した白色人種は南半球を発見するや、その国固有の主人公たる有色人種を迫害殺戮し南半球固有の所有者であるが如くに振舞ってこれを開発して来たのである。その開発経営に当って払った精神的苦心や物質的消費の代償を認めまた発見者の権利を認めることは当然としても、十六世紀にポルトガル人が南半球を発見して以来約五百年の長年月を経過してゐるにも拘らず、白人の南半球に定住するに至った数は極めて微々たるものであって、その人口の密度を印度、支那、日本等亜細亜民族のそれと比較すると非常に差異があり、南半球はまだ莫大な人口を収容し得るのである。それ故今後南半球殊に濠洲及びニュージーランドはその固有の土地に有り余ってゐる人類即ち主として亜細亜人を入れてその土地を開発する義務があると同時に、かくして人類の交通不便な時代に生じた不自然の分布を矯正する必要があるのである。従来、南半球に生産された天然の資源は皆白人の独占に帰してゐたのであるが、今や交通機関は発展し、人智は愈々進み、人類の欲求が益々拡大し、世界人口は非常に増加したのであるから、人口の過剰をつげてゐる亜細亜民族をして南半球を利用さすべきことは自然の帰結である。

殊に濠洲及びニュージーランドは地政学上から見ても、当然、大東亜共栄圏内に入るべきものであるから、この両国をいつまでも白人の独壇場とすべきではない。

元来、新大陸とか新植民地とか云ふのは白人から見ての言葉であって、白人移住以前既に天は有色人種をこの土地に定住させてゐたのであるから、全人類から見れば新大陸でも新植民地でもなく、特に白人の独占を許すべきものではないのである。われわれは一日も早く万難を排して大東亜共栄圏の実現に邁進しなければならない。これが大東亜の盟主と自他共に許す日本の義務であり責任でもある。」[22]

宮田は、日本における「オーストラリア研究」の必要性も訴えている。それは、オーストラリアが「国防上の理由」から日本語教育を含む「日本研究」に着手して約四半世紀が過ぎた時代のことであったが、宮田によれば、日本が「オーストラリア研究」を必要としているのは、「日本対濠洲の関係は従来主に貿易関係にのみ止ってゐたが、近来政治的、外交的の関係にまで発展し、今日では、濠洲は果して東亜共栄圏に入るか何うかといふところまで進んで来てゐる」[23]からである。そして、このような認識の下に、かって「濠洲のニューサウスウェールズ州シドニー大学の講師と、フォート・ストリート・ハイ・スクール並びにノース・シドニー・ハイ・スクールの教師を勤めて永くシドニーに滞在し、その間濠洲各地を旅行し、其後も濠洲を訪問して、出来得る限り詳細に濠洲を研究した積りである」[24]ところの宮田としては、「従来われわれ日本人が比較的に無関心でゐた濠洲が、今や日本にとっては、看過すべからざる重要な国の一つとして、第一線に浮び上って来たのにも拘らず、前にも述べた通り、わが国の一般民衆の中には濠洲に関する知識が浅薄な人や皆無の人がまだ多数あるので、それ等の人々にいささかでも濠洲といふものを紹介して、将来の資に供したいといふ念願」[25]に燃えて、オーストラリアに関する著書を次々に出版する。その中には今日でも、「宮田の著作は地理学的バックグランドのもとに当時のオーストラリアの学問水準を消化して書かれているといえよう」[26]と評価されているものもあるが、それらの著作は時局が求めたものであった以上、「人口の過剰をつげてゐる亜細亜民族をして南半球を利用さすべきこと」が実現不可能となった時点で、宮田はオーストラリアに関する著作を停止することになる。戦後も宮田は英文学や英国社会に関する執筆や翻訳活動を続けるが、オーストラリアに関する著作はもはや見られなくなる。

7-2　岡田六男

小出・宮田に次いでオーストラリアに渡ったのは岡田六男である。

Murdoch は陸軍士官学校に対して、「士官たちに会話演習と文字練習を施すために若い日本人チューターが必要であると強調」[27]していたが、1918 年末に再び訪日した時、その「日本人チューター」として Murdoch が選んだのが岡田である。岡田は Murdoch の配偶者である竹子の実弟であり、「かって義兄マードックに伴はれてアバジーン大学に学んだ」[28]ことがあった。

岡田は予定どおりはじめは陸軍士官学校で日本語教育に従事した。しかし、1921 年 10 月 30 日に Murdoch がシドニーの自宅で死去すると、岡田はシドニー大学に転籍する[29]。彼は 3 年間の期間限定で講師に任命されたが、この委嘱契約は延長されたようで、1926 年末までシドニー大学に勤務した[30]。また、フォート・ストリート・ハイスクール、ノース・シドニー・ハイスクール、シドニー英国教会グラマースクール（Sydney Church of England Grammar School）などの中等教育機関でも日本語教育と関わった[31]。ただし、岡田がこれらの機関で、どのような日本語教育を営んだかについては、小出や宮田の場合と同様、不明である。また、対日関係における「国防上の理由」から開始された、陸軍士官学校の日本語教育に、彼がどのような感情を抱いて携わっていたのかについても、明らかではない。

岡田が日本への帰国の途についたのは1927年1月29日のことである。彼は帰国後もオーストラリアとの関わりを保ち、駐日オーストラリア通商代表部や日濠協会に勤務したが[(32)]、オーストラリアやその日本語教育については何も書き残していない。ただ、1938年に国際文化振興会が開催した「英帝国諸領」に対する「対外文化工作に関する協議会」に「濠洲政府代表事務官嘱託」の肩書で出席した岡田は、オーストラリアに対する「日本語普及」について次のように述べている。

「私も帰りまして十年からになりまして、大分古いことになりますけれども、今濠洲では大変日本語熱が盛になったといふ御話がありますから、この機会を捉へて振興会あたりから—この間の新聞などを読みますと、稲垣さんが本を拵へて、さういったもので普及して下さるといふことで大変結構なこと丶思ひますが、尚ほそればかりでなしに、振興会の方でももっと手取り早く簡単な本を、難かしいでせうけれども、出来れば日本語を教へる所の本を拵へて、成るべく安く、出来れば只で濠洲の熱心なる生徒に配ってやる。さうすれば向ふの生徒は何かしら難かしくて、どうせものにはならぬと思ひながら、出来れば易しい日常の用語を覚える。日本人に会ったら日本語を使って見よう。さう言ったことから日本語に親しみを持ち、さういふ人が殖えて来れば、随て日本に対する感情といふものが段々培はれ、さうして好くなって行きはしないかと思ひます。日本語といふものを普及させる為にさふいった易しい本をどんどん拵へて戴いて、さふして只で配ることが出来ることになれば大変好いのぢゃないかと私は思ふのであります。私なんか教へて居る時でも、教科書は高いといふやふなことが大分ありましたし、成べくなら易しい本を沢山拵へて只で配って戴きたいといふ意見を持って居ります。」[(33)]

岡田が上記の意見を述べた「対外文化工作に関する協議会」については、第2章であらためて考察する。

7-3 「いしわら・しょうぞう」・北小路功光

Murdochが招聘した「日本人教師」には、上述の小出・宮田・岡田のほかにもうひとり、「いしわら・しょうぞう」がいる。オーストラリア国立公文書館に保存されている資料によると、「いしわら」の滞豪期間は1921年1月10日から1923年12月22日までの約3年間であり、宮田の後任としてフォート・ストリート・ハイスクールで日本語教育に携わったとされている(34)。ただし、この「いしわら」の経歴については全くわからない。また、フォート・ストリート・ハイスクールでは、宮田峯一と「いしわら」のほか、「西洋人」(35)1名が日本語教育に従事していたが、1927年になると同校の教員名簿から日本語担当教員の名前が消える(36)。Ono, Kiyoharu（1972）によると、フォート・ストリート・ハイスクールで日本語教育が中止になった理由について、同校の校内誌『フォーティアン』(The Fortian）には何も記述されていないという(37)。ただし、ワシントン条約の発効に伴い、この時期には「日本語教育政策」を実行に移すことの意義をオーストラリア政府は見失いつつあり、たとえば陸軍士官学校では日本語科目の専任講師職が廃止されている。また、陸軍士官の日本留学計画も打ち切られた。そのような事情を考え合わせるならば、初等中等教育行政は州政府の管轄ではあるものの、フォート・ストリート・ハイスクールにおける日本語教育の中止も、かかる動きの一環と見なすことができよう。同校で日本語教育が再開されるのは、第二次世界大戦後の1946年のことである。

小出・宮田・岡田・「いしわら」の4名は、その人選にMurdochが関わっていたが、Murdochの後任のSadlerもひとりの「日本人教師」を招聘している。北小路功光である。北小路は他の4名からは遅れて1926年10月11日にオーストラリアに入国し、1928年末までの約2年間、シドニー大学で日本語を教えた。

北小路功光は、1901年4月、堂上華族の一員である北小路資武の長男として東京で生まれた。北小路家は藤原氏の流れを汲む公家で、江戸時代に北小路の称号を授けられ、また明治維新後には子爵に列せられている。功光の母は伯爵柳原前光の次女で、1900年に華族女学校を中退し、資武と結婚。翌年には功光を出産したが、1906年に資武と離婚している。そして、歌人を志して佐々木信綱の竹柏園歌会に入門し、「白蓮」と称した。

功光は生後すぐに祖母の北小路久子に引き取られ、その後は母の実家である柳原伯爵家で養育された。学習院へも同家から通い、学生時代には白樺派の人々とも親しくしていたという(38)。

一方、実母の白蓮は九州で炭鉱を経営する大正鉱業社長の伊藤伝右衛門と1911年に再婚したが、東京帝国大学の学生だった宮崎竜介と出会い、功光によると「竜介さんとの間の恋文運びを、息子の私にやらせたことも」(39)あったという。そして、1921年10月、白蓮は宮崎と駆け落ちをし、さらには伊藤に対する絶縁状を新聞紙上に公表した。

功光の渡豪はこの「事件」からちょうど5年後の1926年10月のことである。当時、功光は東京帝国大学を中退し、25歳だった。なぜ功光がオーストラリアに渡ることになったのかはわからない。可能性のひとつとしては、Sadlerが功光の母校である学習院に勤務した経歴を有することから、両者の間に交流があったのではないかと想像することができるが、「事件」の責任をとって白蓮の異母兄に当たる柳原義光は1922年に貴族院議員を辞任、また白蓮自身も1923年11月に華族から除籍されていることを考え合わせるならば、柳原白蓮の子に生まれ、「幼くして母に捨てられた公家の青年」(40)である功光には日本にいたくない理由があったのかもしれない。

北小路の場合も、オーストラリアでどのような日本語教育を営んだか不明である。彼は帰国後、日本語教育やオーストラリアともはや関わることはなく、南満州鉄道株式会社や「満州国」の中央銀行に勤めた。1942年7月には襲爵し、北小路子爵家を継いだが、白洲正子（1978）によると、「戦中戦後へかけて、窮乏生活に堪へ、ずゐ分辛い思ひをされた」(41)という。戦後は「作家」(42)として華道や香道についての本を著すとともに、歌人として『説庵歌冊』という歌集も出している(43)。ただし、シドニー時代の思い出については何も書き残していない。

おわりに

本節で紹介した、小出満二・宮田峯一・岡田六男・「いしわら・しょうぞう」・北小路功光の5名の渡豪は、オーストラリア政府ないしニューサウスウェールズ州政府の招聘によるものだった。また、その渡航旅費や給与も、オーストラリア政府やニューサウスウェールズ州政府が負担した。彼らの渡豪はオーストラリアの「日本語教育政策」の一環として実現したものであり、日本の対オーストラリア「日本語普及政策」と関わりを持つものではなかった。

また、管見の限り、彼ら「日本人教師」の人選に日本政府やその関係機関は関与していない。さらには、滞豪中の彼らに日本が関心を寄せることもなかった。当時の日本にはオーストラリアに「日本語普及」を図るための機構も枠組も存在しなかったのである。これは後の1930年代と異なる点である。

しかし、その1930年代にオーストラリア政府やニューサウスウェールズ州政府が日本から「日本人教師」を招聘することはなかった。同州ではオーストラリアの「日本語教育政策」に基づく「日本人教師」の招聘は、北小路功光が最後である。オーストラリア政府やニューサウスウェールズ州政府が「日本人教師」の招聘を打ち切った理由については、必ずしも明らかでないが、ひとつの推測としては、陸軍士官学校における日本語専任講師職の廃止、陸軍士官の日本留学の中止、フォート・ストリート・ハイスクールにおける日本語教育の中止などの場合と同様、その理由を日豪間の「緊張緩和」に求めることが可能なのではないかと思われる。戦間期におけるオーストラリアの「日本語教育政策」には、その実行面に「喉元過ぎれば熱さを忘れる」とでも言うべき、継続性の欠如という特徴が見られると言えるのではないだろうか。

〈註〉

(1) 成田勝四郎（1971）68頁～69頁

(2) NAA A1, 1928/3075

(3) NAA A1, 1928/3075

(4) 大賀一郎（1982）402頁

(5) 大賀一郎（1982）402頁

(6) 小出詞子（1997）15頁

(7) 1942年8月18日に閣議決定された「南方諸地域日本語並日本語普及に関する件」に基づき、「南方諸地域」に対する「日本語普及」は、陸海軍の要請を受けて文部省が担当することとなり、同省は「南方諸地域」に派遣する日本語教師の養成や教材制作等の事業に乗り出した。「南方派遣日本語教育要員養成所」はその一環として設立されたもので、応募者の選考と被選抜者に対する研修は日本語教育振興会が担当した。また、卒業生は軍属としてフィリピンやビルマに派遣された。南方派遣日本語教育要員については、木村宗男（1991）145頁～159頁、川村湊（1994）101頁～129頁、多仁安代（2000）174頁～195頁を参照。

(8) 小出詞子（1991）3頁

(9) 伊藤尚武（1979）39頁

(10) 伊藤尚武（1979）39頁

(11) ジョーンズ，コリンW.（1997）13頁

(12) 宮田峯一（1928）471頁～472頁

(13) 宮田峯一（1928）472頁

(14) Ono, Kiyoharu（1972）p. 25.

(15) 今日の「HSC」(Higher School Certificate)。なお、オーストラリアでは、後期中等教育修了試験は州・地域ごとに実施されており、その試験に合格した時に授与される資格の名称も州や地域によって異なる。現在、ニューサウスウェールズ州では「HSC」、ヴィクトリア州では「VCE」(Victorian Certificate of Education)、クィーンズランド州では「Senior Certificate」、西オーストラリア州では「WACE」(Western Australian Certificate of Education)、南オーストラリア州では「SACE」(South Australian Certificate of Education)、タスマニア州では「TCE」(Tasmanian Certificate of Education)、首都特別地域では「ACT Year 12 Certificate」、ノーザン・テリトリーでは「NTCE」(Northern

Territory Certificate of Education）という名称の資格が与えられる。
（16）NAA A1, 1928/3075
（17）宮田峯一（1928）471頁
（18）宮田峯一（1921）316頁
（19）宮田峯一（1921）316頁
（20）宮下史朗（1977）82頁
（21）宮下史朗（1977）84頁
（22）宮田峯一（1944）403頁～404頁
（23）宮田峯一（1942b）293頁
（24）宮田峯一（1942b）293頁～294頁
（25）宮田峯一（1942b）294頁
（26）宮下史朗（1977）89頁
（27）NAA A816, 44/301/9
（28）松本美穂子（1941）70頁
（29）オーストラリア国立公文書館に保存されている文書によると、1923年5月10日の時点で岡田は、「Sadler教授の下、日本語講師としてシドニー大学に勤務しているが、同時に彼は文学部の学生でもある」（NAA A1, 1928/3075）とされている。
（30）NAA A1, 1928/3075
（31）NAA A1, 1928/3075
（32）1935年1月30日、日濠協会は「正午日本工業倶楽部に於て理事会を開催」し、「岡田六男氏に幹事委嘱の件」を決定している。日濠協会・日本新西蘭協会編（1980）26頁
（33）国際文化振興会（1938b）8頁～9頁
（34）NAA A1, 1928/3075
（35）Ono, Kiyoharu（1972）p. 25.
（36）Ono, Kiyoharu（1972）p. 25.
（37）Ono, Kiyoharu（1972）p. 25.
（38）白洲正子（1978）無頁
（39）永畑道子（1982）101頁
（40）白洲正子（1978）無頁
（41）白洲正子（1978）無頁
（42）霞会館諸家資料調査委員会編（1982）455頁
（43）北小路功光は1989年2月27日に87才で死去した。朝日新聞社（1989）

第2章　日本の対オーストラリア「日本語普及政策」

1.　メルボルン大学と稲垣蒙志

1-1　稲垣の渡豪

後にメルボルン大学で日本語教育に従事することになる稲垣蒙志は、1883年11月に静岡県で生まれた。どのような青少年期を送ったのかは不明だが、オーストラリア国立公文書館に保存されている稲垣の「敵国人登録書」によれば、彼は1906年に渡豪している(1)。また、稲垣は1938年に「東京朝日新聞」の取材に対して次のように答えている。

「静岡中学から横浜の専門学校に学んだが病弱から気候の良い濠洲を目指して放浪の旅に出たのが二十四歳、木曜島、ブリスベーン、シドニーと転々してメルボルン市の図書館に雇はれ日本文学の翻訳に従事したが、当時『白人濠洲』のスローガンの下に東洋人を排斥してゐた濠洲人に日本を正しく認識させるためには日本語を教へるに如かずとゆたかでない生活の中から日本語教授のスタートを切った。」(2)

しかし、稲垣の渡豪は「二十四歳」の時ではなく、17歳の時だったという証言もある。1941年の日豪開戦後、稲垣は他の在豪日本人とともにタチュラ収容所に抑留されたが、同収容所の「情報週報」第27号（1943年7月2日12時～1943年7月9日12時）によると、ある日本人抑留者は稲垣について次のように述べたという。

「稲垣は静岡で生まれた。17歳の時に密航者として日本郵船の汽船で木曜島にやってきた。彼は上陸し、そのまま留まった。稲垣は少しばかりの金を持っていただけで、日本語以外の言語は全くわからなかった。現在はD地区に収容されている「かしわぎ」(3)が稲垣と親しくなり、彼に英語を教えた。その後、稲垣は木曜島のレストランでウエイターとして働いたが、やがてクリーニング屋を買った。稲垣が木曜島にやってきた当時は、日本郵船の船が真珠貝を採る潜水夫として働く日本人移民を連れてくるために木曜島に寄港したものだ。当時、稲垣は「いながき・せんきち」という名前だった。今この収容所にいる多くの人間がそのことを知っているが、稲垣はそれらの人々を無視している。」(4)

木曜島にいた稲垣がどのような経緯で最終的にメルボルンに居を構えるに至ったのかは不明だが、Zainu'ddin, Ailsa G. Thomson（1985）によれば、稲垣の長女Mura Inagakiの証言として、彼は事故のために希望していた医学を日本で学ぶことができなくなったことから、熱帯病に関心を持つ叔父とともにオーストラリアに渡ったが、その叔父が滞豪中に亡くなったため、寄る辺を失った稲垣はダーウィンで知り合ったアボリジニとともに奥地に入ったとされている。その後、同行したアボリジニの勧めで稲垣はブリスベンに出て、そこでスコットランド系の二人の女性と知り合い、彼女たちとメルボルンに移ったという(5)。

このMuraの証言はあまりに牧歌的だが、いずれにせよ、メルボルンに居を定めた稲垣はヴィクトリア州のアート・ギャラリーで西洋絵画を学び、そこで後に彼の配偶者となるRose Allkinsと出会った。また、生活費を稼ぐために画家のモデルをしたこともあったという(6)。

稲垣がRoseと結婚したのは1907年12月24日のことである。当時、Roseは25歳で教員をしていた。二人の結婚届には、稲垣の父親の名前として「さいとう・つねじろう」、母親の名前として「けい」とあり、稲垣姓を名乗ることになったのは祖母の養子になったためであるとの注が入れられている(7)。また、結婚に際して稲垣はオーストラリアへの帰化を申請したが、認められなかったらしい(8)。

1-2 メルボルンにおける日本語教育の開始

メルボルン大学では、1913年にドイツの大学における無給講師に相当する「リーダー」（reader）という職制を設けることが提議されたが、この時、いくつかのヨーロッパ語や中国語と並んで、日本語の教育を導入することも検討された。しかし、日本語は実務的な言語であり、個人教授によるか、ビジネス・カレッジやテクニカル・カレッジで教授されるべきで、大学の科目としては適当でないという議論があって見送られた(9)。

大学の動きとは別に、メルボルンでは長老教会派の牧師で、トリニティー・ウーメンズ・カレッジ（Trinity Women's College）の舎監を務めていたJollie Smithが独学で得た日本語の知識を1916年か1917年ごろから完全に無報酬で数人の学生に教えはじめていた。教科書としてはRudolf Langeの『日本語教本』

（Lehrbuch der Japanischen Umgangssprache）の英語版が用いられた(10)。

メルボルン大学で日本語教育導入の問題が再び取り上げられるようになったのは1918年のことである。第1章で述べたように、この年の6月、シドニー大学東洋学科教授のJames Murdochは陸軍参謀総長および陸軍士官学校長と面談し、その際、オーストラリアにおける日本語教育振興のために、「各州政府に対して情報を提供するとともに、協力を求める」(11)ことで合意していた。そして、おそらくはこの合意に沿っての動きと思われるが、同年7月、すでに日本語教育を開始していたシドニー大学の事務局長とメルボルン大学事務局長との間で情報交換が始まった(12)。また、翌月にはMurdochを招聘して、メルボルン大学は日本語教育の導入問題に関する聴聞会を開催している。Murdochはこの席上、彼自身がシドニー大学で実践していたように、オーストラリア人教師と日本人教師のペアによる教育が最上であると勧めた。その理由は、日本人にはこの言語の「難しさを体系化してヨーロッパ人に明快に説明することが困難である」(13)が、「ヨーロッパ人」は日本語能力こそ限られているものの、「文法やその他の難しい点を説明することができる」(14)からである。

同じ時期にメルボルン大学は、日本の名誉領事を務めるオーストラリア人に日本語教師の適任者について意見を求めてもいる。それに対してこの名誉領事は、メルボルンでは適任者が得られないので、訪日するMurdochに依頼して日本で候補者を捜してきてもらったらどうかと示唆した(15)。

そして9月には、メルボルン大学に日本語教育導入の決断を迫るかのように、連邦政府の首相代理がヴィクトリア州首相あてに下記の内容ではじまる書簡を送っている。

「小職は私の同僚である国防大臣よりオーストラリアで日本語教育を振興することの必要性につき貴兄の関心を喚起してほしい旨の要請を受けました。日本は近い将来わが国と貿易およびその他の面で密接な関係を持つに至ることと思われます。幾人かの優れた人材に日本語と日本文学の知識を得させることは連邦の利益につながる問題であります。」(16)

この書簡もMurdochと陸軍参謀総長・陸軍士官学校長の合意内容を具体化したものではなかったかと推測できるが、それと同時に首相代理の念頭に、「オーストラリアで日本語教育を振興することの必要性」、すなわち「連邦の利益につながる問題」として、「貿易」のほかに「国防上の理由」があったのではないかということも、これが国防大臣の要請で書かれたものであることを考え合わせるならば、容易に想像することができる。

しかし、メルボルン大学が日本語教育の導入を決断するに至った過程には、「日清、日露、世界大戦と勝ち進みながらじわじわとその勢力を南に伸ばして来る日本の脅威を、誇り高き象牙の塔といえども傍観していられなくなっていた」(17)ことのほかに、稲垣自身の「執拗な工作」(18)もあったのではないかと福島尚彦（1998）は推測している(19)。メルボルン大学がシドニー大学と情報交換を開始した1918年7月に、稲垣はメルボルン大学事務局長あてに「書簡を送り、熱心に日本語教育の必要性を説き、且つ自らの宣伝にも大いに務めている」(20)という。また、すでに個人教授の形態で日本語を教えていた「稲垣はかっての又はその当時の教え子達の中から年令的にも社会的にも発言力のありそうな者を数人選んで個々に稲垣支持の推薦状を」(21)大学あてに書かせてもいる。

1919年、メルボルン大学は日本語講座を開設した。卒業単位にはならない任意科目としての開講だった。その教師には予算上の問題からメルボルン在住者が採用されることになり、主任講師にはトリニティー・ウーメンズ・カレッジのJollie Smithが任命され、稲垣は助講師（Assistant Instructor）として採用された。その報酬は受講者の授業料で賄われたが、初年度の学生は13名、3年後の1921年は3学年合わせても12名に過ぎなかった(22)。

1921年、Smithの主任講師としての任期が終了した。メルボルン大学はその後任者を公募したが、それに応じた稲垣は応募書類において、「英語国民で完璧な日本語の知識を持った者を見付けることは、実に難しい」(23)とするとともに、Smithが担当した学生は、「はじめから終りまで、英語を仲介にして、日本語を学んでいる。そんなスタートをした学生の中には、どうしても悪いくせがなおらず、三年たっても初歩的段階を乗り越えられない学生もいる。彼等の使わされている初年度の教科書LANGEのテキストも最低である。英語国民が一番いいと信じているらしい教授法も、日本語を教える際には役に立たない。こんな現状が解決されない限り、せっかく始まった、わがメルボルン大学特設日本語講座の将来はない」(24)と記し、解決策は「日本語母語話者による直接教授法」(25)であるとして、暗にSmithの教え方を非難した。Smithもこの公募に応じたが、文学部教授会は稲垣を選んだ。

この時も稲垣は数人の教え子に推薦状を書いてくれるよう依頼している。稲垣の要請に応えて推薦状を書いた者の中には、陸軍情報部長や首相府太平洋局長を務めたEdmund Piesseもいる。ただし、彼は「日本語母語話者による直接教授法」や日本語の非母語話者による単独教授よりも、かってMurdochが推奨したように、オーストラリア人と日本人とのペア・ワークで日本語教育を行うべきだとした。

「ヨーロッパ人だけによる日本語教育が成功しないのは、それだけの日本語能力を備えたヨーロッパ人を見つけ出すことが難しいからです。また、日本人だけによる日本語教育が成功しないのは、この言語の文法やその他の難しい点を体系的に説明することが日本人にはできないからです。これは、現にシドニーで教えている、入念に選抜された高学歴の日本人でさえも越えることのできない限界です。」[26]

ただし、Piesse は 1917 年当時に彼が習っていた時の稲垣を、「注意深く熱心な教師であり、日本語会話の授業はとくに素晴しかった」[27]として、もしメルボルン大学が日本から教師を連れてくることを検討しているのであれば、その人選には細心の注意を払う必要があり、むしろ「オーストラリアに長く居住し、その生活ぶりがよく知られている日本人を選ぶ方が賢明である」[28]とした。

1921 年 12 月、メルボルン大学は稲垣に対して、翌年からは彼がただひとりの日本語講師であることを通知した。その報酬は日本語科目を選択した学生の受講料の 90%（10%は大学が管理費として徴収）と定められた[29]。メルボルン大学の日本語講座は学生の受講料だけで維持されたのである。大学側は資金を一切提供していない。また、前述のように、メルボルン大学における日本語教育の開始には、連邦政府の国防大臣も「要請」という形で関与したのであるが、シドニー大学の場合と異なり、メルボルン大学の日本語教育に国防省が資金を提供することはなかった。それはヴィクトリア州政府も同じである。メルボルン大学の日本語教育がオーストラリア政府ないしヴィクトリア州政府の「日本語教育政策」の対象となることは、戦間期においては最後までなかった。

なお、稲垣は 1922 年に文学部教授会を説得し、4 年目と 5 年目の講座[30]も開設することに成功している。4 年目は日本史、5 年目は日本文学（比較文学）の授業に当てられた[31]。

日本語を卒業単位につながる正規科目とすることについては、すでに Smith が 1921 年に大学当局に申し入れていたが、大学側は学部の意見として、時期尚早であると回答している[32]。稲垣も 1923 年に日本語を文学部の正規科目とすることを大学側に要請している。その際、稲垣は、「中国で日本人教師によって教えられている中国人のための日本語コースを除けば、英国、アメリカを抜いて、まさに我がメルボルン大学日本語講座はその水準に於て世界一といっていい程になっている」[33]と自負している。これに対して、メルボルン大学文学部は、

「何等かの理由をつけない限り、いつまでも時期尚早のみで逃げ続けられない状況を察して、外部団体の力を借りる」[34]こととし、ある機関に日本語講座の評価を依頼した。その評価報告書には次のように記されている。

「昨年度の試験問題を検討し、稲垣氏個人のコース説明会等も受け一応講座の内容がどんなものであるかは把握した。次にそれらの試験にパスした学生の実際の日本語能力について調べる為、何人かの学生に面接した。その結果、稲垣氏が学生の能力を過大評価しがちであるという印象を持つに至った。又、稲垣氏自身のインストラクターとしての能力に関しても若干疑問な点もあり、これをより客観的な何らかの方法で判定しない限り、委員会としては、日本語コースを積極的に支持することはできない。それにもかかわらず、大学が現在の日本語講座を文学部の正規科目として認めることになった場合には日本語コースの四年目を文学部の一年目と同等の程度として扱うことが、他とのバランス上、必要と思われる。」[35]

この報告書に基づいて、メルボルン大学文学部は次の決定をした。

「当学部としては、諸般の事情から判断して、日本語教育の重要性を認めるにやぶさかではない。しかし、現在の特設日本語コースをそのまま文学部の正規の科目として承認するか否かという問題に関しては、教授会としては、やはり未だ時期尚早との意見が圧倒的なので、よって多数意見に従うことにした」[36]

しかし、稲垣はこれであきらめたわけではなく、翌年の 1924 年にも日本語の正規科目化を大学側に訴えている。今度は日本語と同じく任意科目だったスペイン語の教師と一緒にである。しかし、文学部には日本語とスペイン語を正規科目化する意志はなく、将来的に商学部ができた時にその科目として取り入れられるかもしれないと示唆するにとどまった[37]。

この頃、稲垣はメルボルン大学のほかに個人教授でも日本語を教えていた。後に稲垣の人生とも深い関わりを持つことになる Peter Russo は、大学と個人教授の両方で稲垣から日本語を習っていた[38]。

1-3　対オーストラリア「日本語普及」事業の不在

稲垣が日本語をメルボルン大学の正規科目にしようと奮戦していた 1920 年代、

日本政府も日系企業も稲垣の日本語教育に関心を示さなかった。また、それを「援助」することもしなかった。しかし、日本政府や日系企業が「援助」しなかったのはメルボルン大学の日本語教育に対してだけではない。それはシドニー大学やニューサウスウェールズ州のハイスクールの日本語教育に対しても同じである。稲垣の日本語教育に関心を寄せなかったのと同様に、James Murdoch、Arthur Sadler、小出満二、宮田峯一、岡田六男、北小路功光の日本語教育に対しても、日本政府や日系企業は関心を示さなかった。

この時期、日本政府は外務省も文部省もオーストラリアに対する「日本語普及」のための機構や枠組を持っていなかった。また、「日本語普及」を目的にオーストラリアの教育行政機関や教育機関に接触することもしなかった。日系企業も、たとえばオーストラリア産羊毛の輸入業務を営むため1889年に「濠洲貿易兼松房治郎商店」として設立された兼松商店は、その創立者である兼松房治郎を記念する目的から、「因縁限りなく深い濠洲」(39)のシドニー病院に対して、1929年、25,000ポンドを寄付し、兼松病理学研究所（Kanematsu Memorial Institute of Pathology）を設立しているが、その兼松にしても、シドニー大学やメルボルン大学の日本語教育を「援助」することはしなかった。また、当時の日本で最大の財閥だった三井も、その創業者の一族に属す三井高維が、1923年9月、「日本語が非常に上手で日本文章の美文家」(40)である「Prof. Sadler 元学習院教授」(41)に案内されてシドニー大学のキャンパスを見学し、その帰国後に自費出版した旅行記に、「Sadlerは東洋史と日本語を教授して居われるそうである」(42)と記しているが、三井系の企業がシドニー大学の日本語教育に「援助」を申し入れた形跡は見当たらない。

また、在豪日本人による「日本人会」は、シドニー日本人会が1909年、メルボルン日本人会が1927年にそれぞれ設立されているが、事情は同じである。

1927年には東京で「日濠協会」が設立されている。日濠協会は、「濠洲に対する我国民の智識及観念は尚甚だ稚弱にして之が普及は今日に於て緊急且重要なりと思考せるのみならず濠洲に於ても少数の識者と貿易関係者を除き大部の濠洲人は本邦の事情に通ぜず之が一般的啓発は目下の急務なり」(43)という現状から、「日濠間に介在して広く濠洲の事情を研究調査し之を本邦に紹介し又本邦の事情を彼地に知悉せしめて日濠の親善関係経済関係の発展を助長し以て相互の福利を増進し聊か世界の文明に貢献せんことを期す」(44)ために設立された。また、その設立の経緯については、「当時貿易界で活躍中の安川雄之助氏（三井物産）、門野重九郎氏（大倉商事）、井島重保氏（三菱商事）、北村寅之助氏（兼松商店）、又外交界よりは特に濠洲に縁故ある徳川家正氏、清水精三郎氏、永滝久吉氏（三名とも元シドニー総領事)、堀田正昭氏(外務省欧米局長)、武富敏彦氏(外務省通商局長)、又学会よりは新渡戸稲造博士の如き錚々たる人士が昭和三年四月十八日、当時の日本倶楽部に会して日濠協会設立の必要性を認め直ちにこれを実行に移すこと」(45)にしたとされていることから、同協会は官民連携しての組織であったことがうかがわれるが、この日濠協会もオーストラリアの日本語教育を「援助」することはしなかった(46)。

ただし、同会はシドニー大学のSadlerとはつながりがあった。1929年11月に日濠協会は、「太平洋問題調査会濠洲代表シドニー大学教授A. D. サドラー氏を東京会館に招待し茶話会」(47)を開いている。この茶話会の「来会者は十五名。サドラー教授は曾つて我第六高等学校及び学習院に教鞭を執り在日十三年、深く我国の文物言語を研究し、平家物語の英訳を公刊せられたる篤学者にて、先きにシドニーに於て濠日協会(48)創立の首唱者として其組織に努力し現に其幹事を勤め居る人なり。阪谷会長は和英両語を以て歓迎の辞を述べ、京都に於てサドラー教授の開陳せられたる本邦優良商品を濠洲市場に売り広めるとの希望に関しては実業家の出席多き此機会に於て十分に協議せられんことを勧奨せられ、サドラー氏は之に対し深厚なる謝辞を述べ、且優良工芸品を持ち帰りて大学に備え日本文化発展講義の資料に供し牽いて有志者の嗜味を養い愛好購買の途を開きたき希望を開陳し、夫より主客の間に種々意見の交換等あり歓を尽して散会」(49)した。

このうち、「本邦優良商品を濠洲市場に売り広める」ことや「優良工芸品を持ち帰りて大学に備え日本文化発展講義の資料に供」することについては、「商品陳列館」の開設という形で検討されることになった。日濠協会は「濠洲シドニー市に商品陳列館開設の件に就き、幣原外務大臣並びに俵商工大臣宛建議書」(50)を提出するとともに、「右計画の内容に就き会長の名によりシドニー濠日協会へ照会すること並びに場合によりては応分の応援することを申合わ」(51)せている。また、これとは別に同協会は、「最近濠洲方面視察旅行より帰朝せられたる内田嘉吉氏に伝言により濠日協会より申出のシドニー大学校庭内に日本式庭園を築造寄附方に就きては、前項展覧会同様濠洲人の間に日本趣味を鼓吹する上に於て意義ある計画と思わるるに付是亦本協会にて適当の考慮を払う事」(52)を決定している。

このように、日濠協会は「シドニー市に商品陳列館」を開設することや「シドニー大学校庭内に日本式庭園を築造」することについては、「応分の応援」や「適当の考慮」をすることとしたが、Sadlerの日本語教育そのものを「援助」することは、「本邦の事情を彼地に知悉せしめ」る事業のひとつとして検討さえもされなかった。

もっとも、Sadlerのポストは国防省からの補助金で維持されていたので、日本政府や日系企業、あるいは日濠協会からの「援助」は必要としていなかった可能性もある。しかし、メルボルン大学の稲垣は必要としていたであろうし、実際、1930年代後半以降は日本からの「援助」を受けることになる。だが、1920年代にはオーストラリアの日本語講座や日本語教育機関を「援助」し、それによって同国に「日本語普及」を図るための機構も枠組も日本には存在しなかった。それらが誕生するのは1930年代に入ってからである。

〈註〉

（1）NAA A367/1, C73350
（2）東京朝日新聞社（1938）
（3）「かしわぎ」は稲垣について次のように述べている。「私は稲垣を1904年以前から知っているが、当時、彼は木曜島で私のおじの助手をしていた。」（NAA A367/1, C73350）
（4）NAA A367/1, C73350
（5）Zainu'ddin, Ailsa G.Thomson（1985）p. 337.
（6）Zainu'ddin, Ailsa G.Thomson（1985）p. 337.
（7）福島尚彦（1998）56頁
（8）Zainu'ddin, Ailsa G. Thomson（1988）p. 58.
（9）Zainu'ddin, Ailsa G. Thomson（1988）p. 48.
（10）Zainu'ddin, Ailsa G. Thomson（1988）p. 48.
（11）NAA A816, 44/301/9
（12）福島尚彦（1978）1頁
（13）福島尚彦（1978）3頁に紹介されている原文を筆者が訳した。
（14）福島尚彦（1978）3頁に紹介されている原文を筆者が訳した。
（15）福島尚彦（1978）1頁
（16）1918年9月17日付。福島尚彦（1998）57頁～58頁に紹介されている原文を筆者が訳した。
（17）福島尚彦（1998）57頁
（18）福島尚彦（1978）1頁
（19）福島尚彦（1978）1頁
（20）福島尚彦（1978）1頁
（21）福島尚彦（1978）1頁～2頁
（22）福島尚彦（1978）3頁
（23）福島尚彦（1979a）2頁（福島訳）
（24）福島尚彦（1979a）2頁（福島訳）
（25）福島尚彦（1979a）2頁に紹介されている原文を筆者が訳した。
（26）Zainu'ddin, Ailsa G. Thomson（1988）p. 49より引用。
（27）Zainu'ddin, Ailsa G. Thomson（1988）p. 49より引用。

(28) Zainu'ddin, Ailsa G. Thomson（1988）p. 49 より引用。
(29) Zainu'ddin, Ailsa G. Thomson（1988）p. 49.
(30) 当時のオーストラリアの大学は基本的に3年制。
(31) 福島尚彦（1979a）3頁
(32) Zainu'ddin, Ailsa G. Thomson（1988）p. 61.
(33) 福島尚彦（1979a）3頁（福島訳）
(34) 福島尚彦（1979a）3頁
(35) 福島尚彦（1979a）3頁（福島訳）
(36) 福島尚彦（1979a）3頁（福島訳）
(37) 福島尚彦（1979a）によれば、メルボルン大学は次のように回答したという。「大学当局としても、何とかして御両人の希望に添いたいものと色々な可能性を検討しております。例えば、文学部がだめなら商学部はどうだろうという案も出ております。」（4頁）（福島訳）
(38) Zainu'ddin, Ailsa G. Thomson（1988）p. 50.
(39) 兼松編（1950）103頁
(40) 三井高維（1924）124頁
(41) 三井高維（1924）124頁
(42) 三井高維（1924）125頁
(43) 日濠協会（1928）2頁
(44) 日濠協会（1928）2頁
(45) 日濠協会・日本新西蘭協会編（1980）3頁
(46) 日濠協会は1941年12月の日豪開戦後、「濠洲協会」と改称した。同協会の記録によると、1942年1月22日、「時局下国際情勢の進展に鑑み当協会の存廃研究の為め正午日本工業倶楽部に於て理事会開催。徳川会長以下十三名出席、爾今会名を濠洲協会と改め存続、日濠親善を旨とする従来の目的を改めて「濠洲各般の調査研究を行い以て国策の進展に資すること」と」なった。日濠協会・日本新西蘭協会編（1980）49頁
(47) 日濠協会・日本新西蘭協会編（1980）11頁
(48)「濠日協会」は1928年にシドニー、後にはメルボルンにも設立されている。シドニーの初代会長にはシドニー大学法学部長のJohn Beverley Pedenが、メルボルンの初代会長にはメルボルン大学総長のJames Barrettが就任した。成田勝四郎（1971）は「濠日協会」設立の経緯を次のように記している。

「第一次大戦の終局後、日豪間には外交、経済、貿易とあらゆる方面において交渉が頻繁となり、自然両国間を往来する知名の士も逐年増加し、両国間の親善友好に寄与する機会を多からしめた。しかるにオーストラリアにはこの日豪間人士の親善融和を促進するに適当なるなんらの機関も無いことは、当時あらゆる方面で遺憾とされたところであった。一九二七年、徳川家正シドニー総領事は特にこの点を強調し、日本には既に阪谷芳郎男爵を総裁とする日豪協会があって両国親善のために貢献するところが多いので、この姉妹協会とも称すべきものをオーストラリアに設けて、両協会相提携して活動するならば、両国間の友好関係を増進するに最も適切有効なるものがあるとして、総領事自ら日本側協会と連絡を保ち、オーストラリア側に対しては知名の同

志糾合して設立に奔走せられた結果、一九二八年八月シドニーにおいて日濠協会（Japan-Australia Society of Sydney）の設立を見るにいたった。当時の協会員は約五〇名であった。」（56頁）

（49）日濠協会・日本新西蘭協会編（1980）12頁
（50）日濠協会・日本新西蘭協会編（1980）13頁
（51）日濠協会・日本新西蘭協会編（1980）15頁
（52）日濠協会・日本新西蘭協会編（1980）15頁

2. 国際文化振興会

2-1　国際文化振興会の設立

結論から先に述べれば、日本がオーストラリアの日本語教育と関わるようになったのは、1934年に財団法人国際文化振興会が設立されてからである。同会の後身である国際交流基金の15年史は、国際文化振興会が設立された事情を次のように記している。

「文化交流活動の、わが国における源流を求めるならば、第1次世界大戦後に生まれた二つの機関が、それに当たると考えられる。第1は「力によらず理解に基づく平和の維持」という国際連盟の精神に基づいて1922年（大正11）にジュネーブで設立された知的国際委員会にわが国も参加し、同委員会の国内版として「知的協力国内委員会」が設立されたことである。当時の国際派華族グループにより構成され、大正15年（1926）に設立されたこの国内委員会は、諸国間の相互理解を目的とする文化交流の理念をわが国で最初に掲げた先駆者的存在であった。

第2の源流というべきものは、大正12年（1923）の対支文化事業特別会計の開設に伴い、外務省内に設置された対支文化事務局である。対支文化事業特別会計は、明治33年（1900）に華北を中心とする排外主義者たちによって起こされた義和団事件の代償として、中国政府からわが国に年賦で支払われる賠償金を基金とし、その運用益を中国向け文化・教育事業に充当する目的で設置された。対支文化事務局は、この特別会計から支出される資金（年間約300万円）をもって、中国人留学生の受入れ、中国における学術研究、医療事業等を実施するための窓口として設けられた。昭和2年（1927）、同事務局は文化事業部と改称され、外務省内の独立の部として、対支事業のみならず他のアジア諸国や欧米諸国向けの文化事業を手がけることになる。

1930年代に入るとこうした源流から、いくつかの公的文化交流機関が生まれることとなる。すなわち、昭和初期から第2次大戦終結までの時期において、わが国の対外文化交流事業の中核体としての役割を担った国際文化振興会（KBS）が昭和9年（1934）に誕生し、ついで留学生の国際交流の推進機関としての国際学友会、ならびに、諸外国との文芸・知的交流の窓口としての日本ペンクラブが10年（1935）に設立されて、前記外務省文化事業部を中軸とするわが国の公的文化交流の体制が形づくられていった。

こうした動きを推進した諸事情のうち最も大きな事件は、昭和8年（1933）の国際連盟からの脱退であったと思われる。6年（1931）の満州事変勃発以来、欧米列強の対日態度は年を追って硬化し、実情調査のため国際連盟から派遣されたリットン調査団の報告書の取扱いをめぐり、わが国は列強の代表と激論をたたかわしたすえ、ついに松岡全権は退場して、連盟脱退を通告する。これによって、わが国は、その対中国政策をめぐり国際的批判の矢面に立たされることを覚悟せざるをえなくなった。このような状況の中で政府上層部には、中国大陸におけるわが国の「特殊な立場」を欧米諸国に理解せしめるとともに、現状不拡大に努めることにより、諸外国との緊張の緩和を図りたいという考えが生じた。その一助として、対外文化工作を強化する必要があるとの認識が、政府部内で有力となった。その背景には、1920年代以降における国際情勢の中で、ファッショ勢力の台頭に伴い外交政策における文化活動の比重が増大し、国策文化機関設立への動きが顕在化したという状況があった。欧州の文化交流機関の嚆矢はアリアンス・フランセーズ（1883年設立）であったとされているが、フランスでは1920年代に外務省内の文化事業部門が拡充されて文化事業部が設立され、独、伊、スペイン等諸国では国立の文化交流機関が相ついで設立された。イギリスでは、ブリティッシュ・カウンシルの前身である英国対外関係委員会が1934年（昭和9）に設立されている。

このような情勢の下で、前記の「知的協力国内委員会」を中心とする国際派華族グループや政府上層部の間で、わが国の対外文化活動の強化策の検討が重ねられた結果、この際「有力、大型かつ独立した文化交流機関を官民協力の下に設立すべきである」という結論に達した。この結論は、昭和8年（1933）秋、同委員会の提言として広田外相に提出され、外相はただちに当該機関の設立準備方を指示した。かくして9年（1934）4月、わが国初の公的文化交流機関として、財団法人国際文化振興会（KBS）が発足した。

民間寄付金50余万円、政府補助金20万円の財政基盤をもって設立された同振興会は、その目的として、「国際間文化ノ交換殊ニ日本及東方文化ノ海外宣揚ヲ図リ、世界文化ノ進展及人類福祉ノ増進ニ貢献スル」ことを掲げた。会長には、近衛文麿（公爵）、理事長には樺山愛輔（伯爵）、常務理事に岡部長景（子爵）、黒田清（伯爵）といった国際派華族グループの有力者たちが名を連ね、当時としては画期的な機関であったといえよう。」[1]

この国際文化振興会の設立の経緯と事業に関する研究は、川崎賢一（1999）によれば、「きわめて最近発掘されたテーマ」[2]であり、「先行研究はわづかしかない」[3]状況にあったが、1990年代の後半あたりから主に国際関係論の分野で研究が蓄積されるようになった[4]。その研究者のひとり芝崎厚士（1999a）によれば、「国際文化事業を実施する組織の設立は、外務省の内局としての「国際文化事業局」設立構想、および学芸協力国内委員会（筆者註：「知的協力国内委員会」と同じ）での「国際文化」をめぐる議論というかたちで懸案化し、最終的に外務省と文部省が管轄する「民間」団体としての国際文化振興会の創設によって現実化した」[5]という。そして、外務省の内局として構想された「国際文化事業局」の「設置運動が展開された背景としては、まず短期的にみて、満州事変から国際連盟脱退に至る過程において深まってきた、日本の国際的孤立を国際文化事業という「国民外交」的方策によって回避する手段が必要だと考えられたこと、次に中期的には、戦間期以降いっそう盛んとなった各国の国際文化事業への対抗策が必要であると考えられたこと、最後に長期的な背景として、同種の活動を近代日本が日露戦争以降明確に意識するようになった「文化的使命」観の格好の実現手段として認識したこと、の3点に要約することができる」[6]としている[7]。

1933年12月8日、外務大臣の広田弘毅は、徳川頼貞、樺山愛輔、岡部長景、団伊能、郷誠之助、姉崎正治、山田三良、串田万蔵、福井菊三郎、大橋新太郎、小倉正恒の11名を「国際文化振興会設立準備委員」に指名した。そして、政府は1934年度補助金として国際文化振興会に200,000円を交付することを決定する[8]。ただし、外務省が「国際文化事業局」の予算として当初想定していたのは、「事業費180万円、事務費10万円余、合計200万円弱」[9]であり、それが、「大蔵省の第一次査定でその予算は10万円に削減され、第二次査定で10万円加増されて20万円となった」[10]という[11]。

こうして、国際文化振興会は、「予算は約10分の1となり、また形式上は「民間」団体として、主に連盟関係者や国際派華族が主要ポストを占める組織」[12]の形で、外務省および文部省より財団法人の認可を受けて、1934年4月11日に誕生した。1週間後の18日には、第1回評議員会を開催し、引き続いて、内閣総理大臣斎藤実、外務大臣広田弘毅、商工大臣松本烝治をはじめとする「各界名士300名出席のもとに盛大な発会式」[13]を行っている。また、5月25日には勅許を得て高松宮宣仁親王が総裁に就任している。設立当初における国際文化振興会の役員および幹部は下記のとおりである。

【表】1934年における財団法人国際文化振興会の役員・幹部一覧

総　裁	高松宮宣仁親王
会　長	近衛文麿
副会長	郷誠之助、徳川頼貞
理事長	樺山愛輔
理　事	姉崎正治、岡部長景、小倉正恒、門野重九郎、串田万蔵、黒田清、高楠順次郎、団伊能、浜田耕作、福井菊三、正木直彦、三原繁吉、山田三良
監　事	大久保利賢、大橋新太郎
主　事	青木節一

このうち、主事の役職は事実上の事務局長であり、上記の役員・幹部の中で唯一の常勤ポストだった。青木は1934年から1941年までその職にあった。

国際文化振興会の「設立趣意書」が外務省外交資料館に残されている。その『財団法人国際文化振興会設立趣意書、事業綱要及寄附行為』によれば、同会は次のような目的をかかげて出発することになった[14]。

「現代世界の国際関係が複雑を加ふるに従って難問重畳すると共に、其の間に微妙の動きあることは、国際事情を知る者の容易に看取し得る所なり。即ち政治的折衝又は経済的交渉の外に、国民相互の感情、学問芸術上の連絡乃至映画スポーツの交歓等が交通通信の発達につれて日に重要且つ密接に国際関係を左右するを見る。されば一国家が其の国際的位置を確保し伸張するには、富強の実力と相並びて自国文化の品位価値を発揮し、他国民をして尊敬と共に親愛同情の念を催さしむるを要すること亦多言を要せず。文化の発揚は一国の品位を世界に宣布する為に必要なるのみならず、又国民の自覚を喚起して自信自重を加ふる所似の力ともなるべし。世界の文明諸国があらゆる方面に亙りて、自国の文化を内外に顕揚し宣布する為めに広大の施設を整へ文化活動に努力して互に後れざらんとすること、是れ亦叙説を要せざる顕著の事実なり。

然るに我国民は、明治以来西洋文化の輸入に急なりし為め、自国文化の自覚に乏しく、近年に至りて覚醒の声大に起り来れるも、自覚自信は往々にして排外の気風を伴ふものあり。世界に対して自国文化の内容意義を堂々顕揚し、他国の文化と相並び相和して世界全人類の文化福祉に貢献せんとするの大度量に乏しきの憾あり。文化の国際的顕揚に関する設備に至りては殆ど認むべきものなく、大国の品位に相応せざるを見る。たとひ政治上には国際連盟を脱退するも、世界の文化人類の福祉の為めに我国の力を致すべき事業は却て益々多く、我国民の天職が此点に於て一層の重きを加ふべきは、炳として大詔に明なり。

且つ現時世界文化の危機に際し、西洋諸国に於ても、識者が眼を東方に注ぎ、人類の将来に対して東方文化の貢献を望み、其の為めに一層深く東方特に日本を研究せんとするの気運顕著なるものなり。此機に乗じ此傾向を促進して、我国並に東方文化の真義価値を世界に顕揚するは、啻に我国の為めのみならず、実に世界の為めに遂行すべき日本国民の重要任務たるべし。此事業たるや、多方面に亙り困難なるべきは勿論の次第にして、此が為めには鞏固なる機関を組織し、官民力を協せて事に当るを要す。我等が茲に財団法人国際文化振興会を組織せんとするは即ち此目的に出づるものにして、本会自ら必要の事業を遂行すると共に、汎く内外の団体個人と連絡を保ち、又適当の援助をなし、以て文化の国際的進運に資し、特に我国及び東方文化の顕揚に力を致さんことを期す。」[(15)]

この目的から、同会は、「著述、編纂、翻訳及び出版」「講座の設置、講師の派遣及び交換」「講演会、展覧会及び演奏会の開催」「文化資料の寄贈及び交換」「知名外国人の招請」「外国人の東方文化研究に対する便宜供与」「学生の派遣及び交換」「文化活動に関係ある団体若くは個人との連絡」「映画の作製及び其の指導援助」「会館、図書室、研究室の設置経営」をその事業とした[(16)]。このうち、「講座の設置、講師の派遣及び交換」に関する事業には、「外国に於ける主要大学に日本文化に関する講座の設置を図ること」および「我国と外国との間に講師の派遣及び交換を為すこと」のほか、「外国の学校に日本語講座の設置を図り若くは日本語学校の設置を図ること」という事業があった[(17)]。国際文化振興会はその設立当初より「日本語普及」を所掌事業のひとつにしていたと言える。しかし、「日本語講座の設置」あるいは「日本語学校の設置」という表現にあらわれているように、すでに「設置」されている日本語講座に対する「援助」は事業として想定されていなかった。

国際文化振興会は、外務省と文部省の認可を受けて設立された。しかし、その「事業の性質上外務省の監督のもとに事業の実施」[(18)]に当たった。また、同会は「外務省文化事業部の補助団体」[(19)]としての性格も有していたが、その外務省文化事業部は1935年の時点で、「対支文化事業及当分の間国際文化事業に関する事務を掌する」[20]とされており、さらに、「文化事業部に第一課、第二課及第三課を置く」[21]として、その所掌事務については、「第一課に於ては対支文化事業実施に関する事務」[22]、「第二課に於ては対支文化事業の庶務に関する事務」[23]、「第三課に於ては国際文化事業に関する事務」[24]を管掌すると分担された。国際文化振興会の担当は第三課であった[25]。その文化事業部第三課が管掌した「国際文化事業」の内容は次のとおりである。

（イ）　諸外国主要大学等に於ける日本文化講座及日本語教授機関の設置
（ロ）　内外学者並に学生の交換派遣招請
（ハ）　内外各種啓発施設に対する助成
（ニ）　各種本邦芸術紹介
（ホ）　各地に於ける日本文化研究所設立
（ヘ）　国際「スポーツ」振興助成
（ト）　国際文化事業団体に対する補助[26]

上記（イ）に見られるように、「日本語普及」は外務省文化事業部第三課においても、その管掌事業のひとつとされていた。しかし、「日本語教授機関の設置」という表現にあらわれているように、ここでも、すでに「設置」されている日本語講座に対する「援助」は事業として想定されていなかった[27]。

2-2　国際文化振興会の「日本語普及」

前述のとおり、国際文化振興会および外務省文化事業部第三課は、創設当初より「日本語普及」を所掌事業のひとつとしていた。また、その一環として1930年代の後半には、「外国に於ける日本語教授経験者、文学者、外国人を集めての協議会などを開いて、将来への準備を始めて」もいた。日本語教育振興会の常任委員を務めた松宮一也は1942年に次のように述べている。

「外務省文化事業部の内に第三課が新たに設けられて、支那以外の世界諸国に対する日本文化宣伝の事業が始められたのは、昭和十年であった。そして国際文化振興会を主な実施機関として、国際学友会の留学生の宿舎及び補導事業、その外、教授や学生の交換、日本紹介の文化資料の贈与などを行って来たが、その仕事の中に、日本語の海外普及も重要な一項目として採り上げられてゐた。日本の文化が広く世界各国に紹介されるに従ひ、各地に日本語学習熱が

急激に勃興して来たことも亦事実であった。（中略）

この情勢に直面して我方の対策はどうであったかと言ふと、殆んどそれに対する準備が整ってゐない。日本の美術だとか芸術だとかの方面については、外国語の書物が出来たり、講師を派遣したりしてゐたが、日本語については、未だそれ程の関心を示してゐなかった。たゞその頃に、日本語関係の仕事に主に当たってゐたのは、我が日語文化協会であったが、国際文化振興会でも外国に於ける日本語教授経験者、文学者、外国人を集めての協議会などを開いて、将来への準備を始めてゐた。（中略）

外務省の対外文化事業の基礎を建てた、初代課長の柳澤健氏が日本語海外普及事業のために、強力な委員会を外務省内に作らうとしたのもこの頃であった。最も直接に又永く真摯な努力を致されたのは同課の伊奈信男氏。熱情を以て泰国に対する事業、その他を敢行したのは吉岡武亮氏。この間、鈴木九（万）、市河（彦太郎）、両課長及び坪上（貞二）、岡田（道一）、蜂屋（輝雄）、三谷（隆信）、四部長の功績は永く記録されなければならない。

このやうに対外日本語普及について外務省の功績を特記するのは、日本語普及が重要な国策となって、著しく社会の関心を集めるに至った今日までに、外務省が数年前既にこの事業の重要なことに注目して、世間の拍手を浴びることを期待出来ない仕事に努力していたからである。今日、日本語の海外普及について、外務省を口にする者は殆んどないと言っても過言ではあるまい。官制上の変革があって、当文化事業部の仕事は興亜院と情報局に分割されたが、又たとへ他の省が日本語の普及を行ふにしても、この下積みの数年間の労力を忘れないやうに心懸けたいものである。」(28)

松宮が述べているように、国際文化振興会は早くも1930年代後半の段階で、「日本語海外普及に関する協議会」（後述）を開催するなどして、「将来への準備を始めて」いた。しかし、この段階では、国際文化振興会の全事業に占める「日本語普及」の割合はまだそれほど大きくない。田中純（1988b）は次のように述べている。

「一九四五年の敗戦までを一区切りとし、太平洋戦争開戦前を前期、開戦後、敗戦までを後期と呼ぶことにしよう。展覧会出品や映画、英文書籍、雑誌などの資料作成が中心だった前期と比べ、後期は日本語普及が俄然大きな役割を担ってくる。これに対応して『国際文化』（筆者註：国際文化振興会の機関誌）誌上でも、「日本語の共栄圏進出」が特集テーマ（第一九号）に取り上げられている。」[29]

田中が述べているように、国際文化振興会の事業において、「日本語普及が俄然大きな役割を担って」くるようになったのは、太平洋戦争の「開戦後、敗戦」までの時代である。この時代、すでに外務省文化事業部の業務は、「興亜院と情報局に分割」され、国際文化振興会の監督官庁も内閣情報局に移っており、「日本語の海外普及について、外務省を口にする者は殆んどないと言っても過言では」なくなっていたが、その一方でこの時代は、「日本語普及が重要な国策となって、著しく社会の関心を集めるに至った」時代でもあり、国際文化振興会においても、「日本語普及が俄然大きな役割を担ってくる」にようになった。

しかし、国際文化振興会は、「日本語普及」という「重要な国策」の中心的な実施機関だったわけではない。「日本語普及が俄然大きな役割を担って」きたとはいっても、それは国際文化振興会内部でのことであって、日本政府およびその関係機関全体で見た場合には、いくつかの日本語文法書や日本語読本を出版していただけの傍役に過ぎない。それに対して、たとえば文部省は、1939 年に台湾・朝鮮・関東州・満州・蒙古・蒙彊・華北・華中の日本語教育関係者を召集し、第 1 回国語対策協議会を開催。1941 年には前年に設立された日本語教育振興会をその傘下におさめ、同会を通じて占領地用の日本語教科書『ハナシコトバ』『日本語読本』を出版するとともに、1942 年には南方派遣日本語教育要員養成所を開設し、占領地に派遣する日本語教師の養成に乗り出している。

また、文部省がその傘下におさめた日本語教育振興会[30]との「力関係」については、1941 年 10 月 13 日に東京の学士会館で開催された同会の「創設披露会」において挨拶に立った国際文化振興会理事長の永井松三が述べた次の言葉に端的に表現されている。

「日本語教育振興会の設立は東亜に於ける日本語の普及を趣旨として居られるが、国際文化振興会に於ては満州中華を除く海外に我が文化を宣揚するため、先づ日本語を通して日本文化を認識せしめ日本語の学識が如何なる程度に進んで居るかを研究する要があり、又中華満州には触れず日本語の国際的普及の準拠を示す要があり、藤村博士を会長として委員会が出来その研究の結果基本語彙の研究を進めてゐる。これは外国人に日本語を教育するのに如何なる程度の語彙が必要かを調べる要があり、それから日本語の文法を研究する要があり、純粋の日本語の文法特に日本語を学ぶ外人に適当なる文法書と共に辞典を作ることが必要になる。そして文法書を英独仏何れかの語で作って置くとそれから西班牙語ポルトガル語にも和蘭陀語にも応用出来る。然し東亜が中心となる以上中枢の事業は日本語教育振興会で指導的にやって頂きたい。」(31)

こうして永井は、「日本語普及」の対象は「東亜が中心」であるとして、「中枢の事業」を日本語教育振興会に委ねるのである。この時代における「日本語普及」の主役は文部省とその傘下にあった日本語教育振興会であり、国際文化振興会は傍役に過ぎなかった。

しかし、傍役に過ぎない国際文化振興会が同じ時代に「日本語普及」の事業量を増大させていったのも事実である。そして、それと並行するかのように、国家施策全体の中に占める国際文化事業の位置づけにも変化が生じはじめた。芝崎厚士（1999b）によれば、「国際文化振興会の予算規模は、日中戦争を境に大幅に拡大」(32)したのであるが、1940年に外務省文化事業部が廃止され、新設の内閣情報局が国際文化振興会の監督官庁になると、同会は内閣情報局の「第三部「対外宣伝」中の第三課「対外文化事業」の管轄」(33)となり、「日本の対外文化政策の中での国際文化事業の位置づけそのものが、「対外宣伝」の一環としての「対外」文化事業へと変化した」(34)のである。

その「対外」文化事業における重点対象地域も変化した。国際文化振興会の職員だった稲垣守克は次のように述べている。

「対外文化宣伝の相手と方法とは之を行ふ国家の立場に応じて左右されるのであるから、満州事変以後皇紀二千六百年頃に至るまでの間は我国の対外文化宣伝の要點が欧米に向けられ、国際文化振興会の事業も此線に添ふて遂行されたのは当然である。（中略）

皇紀二千六百年を境として日本に関する国際政局の中心は東亜に移り、日本の対外文化宣伝の要點も欧米を去って東亜に向けられ、大東亜戦争勃発となって此傾向は決定的となった。大東亜に於ては日本を除き他の諸国家の組織体としての内容、並に独立国としての地位は欧米の諸国と大に趣を異にするのみならず、大東亜には独立国家を成さゞる地域も存在する。茲に於てかゝる地域を対象とする場合に用ひらるゝ文化事業なる文字は独立国家間の文化宣伝又は文化交流促進と云ふ事業の範囲以外に直接の文教或は厚生の事業を包含して解釈さるゝこと、即ち用語と観念とに於て不明確のことがある。国際文化振興会に課せられた任務は大東亜諸民族の結集の目的を実現する為めに彼等に八紘為宇の理想を知らしめることになる。本会は対外文化宣伝に於ける七年余の経験と事務力（職員百余名）とを直ちに対大東亜事業に向けることが出来た。」(35)

この時代、国際文化振興会の事業は、稲垣守克が述べているように、「欧米を去って東亜」に向けられたのであるが、この地域は「諸国家の組織体としての内容、並に独立国としての地位」が欧米と異なり、また「大東亜には独立国家を成さゞる地域も存在する」ことから、「大東亜事業」においては、「独立国家間の文化宣伝又は文化交流促進と云ふ事業の範囲以外に直接の文教或は厚生の事業を包含」しなければならず、その「文教」の一環としての「日本語普及」が「対外」文化事業において重要な位置を占めることになった。

こうして、国際文化振興会の内部では「東亜」と並んで「日本語普及」の位置づけが上昇したのであるが、日本政府およびその関係機関全体で見た場合は、「日本語普及」は「東亜が中心」であり、かつ「日本語教育振興会の設立は東亜に於ける日本語の普及を趣旨」としたものであったから、その「中枢の事業は日本語教育振興会で指導的にやって」いくことになり、国際文化振興会は傍役に甘んじることになる(36)。そして、傍役としての国際文化振興会は、「東亜」の中でも「満州中華を除く」地域への「日本語普及」に従事することとなり、たとえば1941年には「南方諸地域」に対する『日本語会話袖珍本』の刊行を計画し、「安南、ビルマ、タイ、マレー語などそれぞれの会話書」(37)を作成することになった(38)。芝崎厚士（1999b）によれば、これらは確認できるかぎりビルマ語版を除いてすべて刊行されたという(39)。

ただし、国際文化振興会の「日本語普及」は、すべて「東亜」のみを対象として計画あるいは実施されたわけではない。設立時の「事業綱要」に「外国の学校に日本語講座の設置を図り若くは日本語学校の設置を図ること」という項目が挙げられていたように、その初期の時代、すなわち「欧米」を主な事業対象としていた時代にも、「日本語普及」は計画された。また、同じ時期に国際文化振興会は、松宮の言うとおり、「将来への準備を始めて」もいた。

国際文化振興会は1937年から「日本語海外普及に関する協議会」を合計4回開催する。その第1回会議は同年9月21日に開催されている。出席者は、国際文化振興会役職員、外務省文化事業部事務官、文部省図書監修官、国語学者、国内の日本語教育関係者のほか、海外の日本語教育関係者として、「前ハワイ大学講師」「ハワイ大学東洋部助教授」「伯林大学東洋語学校講師」の3名が招聘されており、その被招聘者の所属機関名から判断する限り、この会で協議すべき「日本語海外普及」の主な対象が「欧米」であったことがうかがえる。

それでは、「欧米」を主対象とする「日本語普及」は、どのような理由から開始されたのであろうか。『日本語海外普及に関する第一回協議会要録』には次のように記されている。

「日本文化の国際的進出を阻む最大の障害は、日本語の非国際性に在ると言われゐる。日本語が果して本質的に非国際的言語なりや否やの問題は姑く措くとして、従来の外国語のみを以てする日本文化の紹介に隔靴掻痒の感があったのは否まれない。」(40)

また、第1回協議会の席上で国際文化振興会常務理事の黒田清は次のように述べている。

「日本語を外国人に教へる、さういふ事を本会で考へましたのは、事実現在の欧米に於きまして非常に日本語研究熱が盛になって参りまして、本会に日本語の文典及び会話の本を送って貰ひたい、或は教授を派遣して欲しいといふ希望が非常に多いのでございます。それがなくても、これは非常に理想的過ぎるかも存じませんが、一国の文化宣伝の根本と致しましてやはり其国の国語を一語でも多く世界に弘めるといふことが根本ではないかといふことは前々から考へて居りましたのですけれども、唯だこちらから日本語を教へようと言っても中々日本語といふものは外国人には難かしい国語でございますからさう簡単には習ふ人も沢山はないだろうといふ考もございました。然し、最近の情勢では益々日本語研究熱といふものが強く要求されて居る様であります。さういふ意味から日本語を進んでこちらから教へるといふことをモッと積極的に考へなくちゃならないのではないかといふやうなことが此会が日本語教授といふ事に就きまして皆様の御意見を伺ひたいと思ひます一つの理由でございます。」(41)

このように、「従来の外国語のみを以てする日本文化の紹介に隔靴掻痒の感」があり、また、「一国の文化宣伝の根本と致しましてやはり其国の国語を一語でも多く世界に弘めるといふことが根本」であることから、「日本語普及」を実施する必要があるとされる。しかし、「日本語の非国際性」、すなわち日本語が「外国人には難かしい国語」であることが、国際文化振興会をして「日本語普及」に本格的に取り組むことを躊躇させていた。ところが、「欧米に於きまして非常に日本語研究熱が盛に」なり、「日本語の文典及び会話の本を送って貰ひたい、或は教授を派遣して欲しいといふ希望」が多くなってきたことから、「日本語を進んでこちらから教へるといふこと」、すなわち「日本語普及」に本格的に取り組むことを「モッと積極的に考へなくちゃならない」という状況を醸成した。換言すれば、国際文化振興会は「一国の文化宣伝の根本」として「日本語普及」が重要であると従来から認識していながら、「日本語の非国際性」ゆえに躊躇していたのを、海外からの要請が増大したので本格化することにしたということになる。

「日本語普及」を本格化すると言っても、それはどのように行えばよいのか。国際文化振興会常務理事の岡部長景は次のように述べている。

「御承知の通り此の振興会に於きましては日本の文化の海外宣揚といふ事を三、四年に亘って努力して居りますので、海外では段々日本に対する関心を深められて参り、随て日本語といふ事に就ても要求が加わって来るやうに考へられます。所がどうも此の日本語の教授に就きましては未だ日本側に於て余り研究も十分にされて居らない点もあるやうに考へられますし、旁々此会と致しましても今後仕事をやって行きます一助として日本語の海外普及といふ事を色々研究をし又実行をして行かなければならぬといふことを痛切に感じます。」(42)

岡部が述べているように、「日本語の教授に就きましては未だ日本側に於て余り研究も十分にされて居らない点もある」ことから、「日本語海外普及に関する協議会」では、まず最初に「日本語普及」の方法論が議論された。第1回協議会では、冒頭、米国およびドイツの日本語教育事情が紹介されたが、その後は、日本語教師（日本語非母語話者を含む）の養成や日本語教材の開発など、「日本語普及」の方法に関する問題が議論の中心となった。しかし、それらの問題は議論を進めるにつれてある一点に収斂していく。会議の最後に、出席者のひとり谷川徹三は次のように述べている。

「此の問題は寧ろ一つの国内文化問題であって、国語の整理統一といふ事が重んぜられる其の文化問題として、国語の整理統一を、勿論これは国内的にも既に色々な気運がありまして其方へ向って居るのですが、斯う云った海外の人達に日本語を普及するといふことを国内に於ける文化問題の線に沿って其の気運を一歩促進し、又それを正しい方向に向けるといふ意義を有たせるといふことは必要であって、非常に意義のあることだと思ひます。」(43)

日本語の非母語話者に対する「日本語普及」が「国語の整理統一」の必要性を顕在化せしめたことは、イ・ヨンスク（1996）の指摘するところであるが、これは「日本語海外普及に関する協議会」でも同じだった。この問題は第2回協議会においても取り上げられている。

その第2回協議会は1937年12月20日に開催された。開催の目的について、国際文化振興会常務理事の黒田清は次のように述べている。

「実は国際文化振興会に於きましては、日本語を外国に普及したいといふ希望を予てから持って居ります。日本語を一字一語でも広く外国に知って貰ふと云ふ事は実は日本文化を外国に紹介する上に於きまして根本的の問題だと考へたのであります。然し外国人に日本語を是非修得して呉れと言って差出しましても、中々これを受容れて呉れるものではないのでございます。所が幸ひ近年外国に於きまして、日本語研究の要求が非常に盛んになって参りまして、日本語研究に対する初歩の文典を送って貰ひたいといふ希望が各方面からあるのであります。それのみならず、日本語の教師を派遣して呉れといふ希望が益々殖えて参りました。最近の日支事変に於きまして、遺憾ながらその要求は一時杜絶えて居りますけれども、今後尚ほこの要求は盛んになるのではないかと思はれるのであります。そこで日本語を海外に普及するといふことに付きまして、振興会も進んで研究しなければならぬと云ふ必要を痛感して居る次第で御座います。既に一回、日本語を海外に普及するといふことに関しまして協議会を開きました。それは親しく外国に於て日本語を教授された方々、及びその他言語学方面の方々にお集りを戴きまして、色々御意見を伺ひました、それで今日は少し方面を変へまして、もう少し文化的の方面から日本語を海外に普及するといふ問題に付いて考へて見たいと思ふのであります。」(44)

このように、第2回協議会では第1回協議会と異なり、「日本語普及」の方法論的な問題だけではなく、「もう少し文化的の方面から日本語を海外に普及するといふ問題」について議論することになった。しかし、ここでも結局は「国語の整理統一」という問題に行き着いてしまった。出席者のひとり、日本ペン倶楽部主事の勝本清一郎は次のように述べている。

「矢張りこの問題は、結局日本人自らが日本語をどういふ風に整理して行くか、どう確立して行くかといふことになって行く問題なので、日本人自らが先づきめなければならぬ日本語及び日本字の問題は非常に多いのです。併し日本語や日本字の整理が出来てからでなければ外国人に日本語を教へられないとなると、日本人の子供にもやはり教へては不可ない訳になってしまう訳になるんで……。むしろ外国人へ教へようとすることによって日本語の整理事業が促進されることになれば……。」(45)

勝本の発言の後も、この「日本語普及」のための会議は何度も「国語の整理統一」という問題に立ち戻る。このため、国際文化振興会常務理事の黒田は、「外国人にどういふ風に日本語を教へたらよいかと云ふ問題が、どうやら日本の国内問題になってしまったようですが」(46)との感想をもらしており、それを受けて出席者のひとり和辻哲郎は、「実際、国際文化振興よりも国内文化振興が必要ですね」(47)と発言している。しかし、この問題は国際文化振興会にとって未知の問題というわけではなかったようだ。黒田は次のように述べている。

「振興会の問題は何時もさうなのです。外国に日本文化を紹介するに当っていつも感じる事ですが、もっと国内に種々の文化問題が整理されて居るといゝのですが。然し今日の様な会合で皆様からうかゞう御意見が我国に於ける国内文化運動に何らかの刺激とか暗示とかを与へる事になれば非常に結構なことではないでせうか。」(48)

この第2回協議会の後も、「日本語海外普及に関する協議会」は合計2回開催された。第3回協議会では、「日本語には特殊のコンストラクションがある、それを今までのやうに、外国の文法で教へるとどうしても本当の日本語が分らなくなるのぢゃないか」(49)という問題が扱われた。また、教材や辞書について、「現在行はれてゐる日本人の為の読本から抜粋したりするよりは、外人の為に新たに作った方がよくはないか」(50)という問題や、「今ある和英辞典ぢゃどうも初めは工合が悪いのぢゃないかしら」(51)という問題も議論された。

第4回協議会の内容については、議事録が残されていないので、その詳細が不明だが、いずれにせよ、国際文化振興会はこれら一連の会議を経て、日本語文法書・辞書・読本の制作に着手することになった。1940年の時点でその事業計画は次のように記されている。

「われわれの文化が外国語によるより外に紹介の途がなかったといふ従来の不便から一日も早く脱したいといふ念願で日本語が一日も早く彼等外国人達に正しく、易しく覚えられるやうな工夫を心掛けて来た。その為め昭和十一年以降数次に亘って研究的協議会を催し、また試作、調査をも行って準備を整へて来たのであるが、本年一月を以て、いよいよ本事業に着手した。即ち向ふ七ヶ年を費して日本語辞典、日本語文典、並に日本語読本の編纂を企画し、それ等の基礎工事としてすでに、基本語彙調査、基本文典の編纂にその第一歩を踏み出した。

この事業の当面の目標は、勿論諸外国人の為に日本語学習の道を拓くに在るとは云へ、その実施に当っては当然現代日本語の整理といふ、尨大な国内問題に触れることにもなり、その困難は到底はかり得ないものがある。従って本会として重大な責任を感じない訳に行かない。

なほ本事業の大綱を記述すると、先づ基本語彙調査であるが、これは学習の合理化、能率増進の為に、読本、文典、辞書の編纂に際して、先行条件として欠くことの出来ぬものであり、海外進出を企図するならば是非とも持たねばならぬものであるが、従来わが国に於ては、この語彙調査は殆ど行はれてゐない。その第一段階として、語彙約二五〇〇前後を目標として選定することになって、今や殆んど完了に近づいてゐるが、この基本語を習得することによって、基本語で解説された日本語の辞書を使用し、独力でより高次の日本語にすゝむことが出来るのである。

次に文典の編纂であるが、ヨーロッパ語のものに基いて作られた従来の日本文法の不自然さを脱し、特に口語体の文法に留意することとし、先づ八ヶ月を以て基本語を対象とする基本文法を作り、更に之を基礎として、次の大文典の編纂に取掛ることになってゐるが、之もすでに着手された。

第三段階としては、読本の編纂は成人の外国人を対象とした読本を作ることを目標とし、教材としては、日本文化の内容を知らしめ得る程度のものを採り、用語は基本文法との連関の下に選定せられた基本語を以て書きをろす予定である。

最後に辞典の編纂、これは現行の国語辞典が古典語を主とするに対して、現代日本語をも完全に網羅するところの収容語約十五万乃至二十万語、六ヶ年を以て完成する計画である。」(52)

また、同じ1940年に国際文化振興会理事長の永井松三は、同会が日本語文法書・辞書・読本の制作に着手した理由について次のように述べている。

「現在の段階に於て、日本文化を海外に紹介するには、遺憾ながら相手国の言語に依らざるを得ない。が、徹底した日本文化の理解は日本語の習得にあるが故に、我が文化を会得せんとする外国人は日本語を学ぶべき筈であり、吾人も亦外国人をして日本語を学習せしめんが為に、文化宣揚事業の一部として日本語研究の便宜を提供するの責務なることを感ずる。少数の外国人日本研究者は、既に国語学習の門に入り、世界諸地方に於ける日本語研究熱の昇騰につれ、既存学習機関が、其の設備に於て未だ初歩不完備なりとは言へ、其の数の多きには何人も一驚を喫せざるを得ない。唯其の教授用書方法順序に於て規格に当らす整頓を欠きつゝあるの現状に鑑み、国際文化事業当事者は、速やかに標準学修方法を案出し之れを指針となすに歩を進むべきである。国際文化振興会が目下専門諸権威者の協力に由り、基本語彙を定め文典読本辞書の編纂に着手せるは、正に此の焦眉の急に応ずる工作として、その成功を祈らざるを得ない。」(53)

しかし、日本語読本の編纂にあたっては、「日本語自体の混乱状態に浅からざる苦杯を嘗めつゝありと伝へられ、整備した日本語の健全な育成は特に此方面に於ても急務として叫ばれて居る」(54)という状況にあったという。国際文化振興会における「日本語普及」のための教材制作は、「国語の整理統一」という「国内文化振興」から、その第一歩を踏み出さなければならなかった。

それでも国際文化振興会は、1942 年に『日本語基本文典』、翌 1943 年にその英語版『A Basic Japanese Grammar』、1944 年に『日本語表現文典』『日本語基本語彙』と日本語読本『日本のことば』の上巻を完成した。このうち、『日本語基本文典』『日本語表現文典』『日本語基本語彙』は、「大文典」や「収容語約十五万乃至二十万語」の現代日本語辞典の編纂など、将来的な課題に向けての「基礎工事」としての役割も担っていたが、基本的には「現代日本語の整理といふ、尨大な国内問題」に対応するものであった。また、『日本のことば』は、上巻以降、中巻と下巻も刊行される予定だったが、芝崎厚士（1999a）によると、実際に刊行されたかどうかは不明であるという(55)。さらに芝崎は、「国際文化振興会が作成したこれらの日本語普及のための教材がどれだけつくられ、どの程度流布したかは定かではないが、戦争末期であったことを考えると、実際にはほとんど大勢に影響はなかったと推測することができる」(56)としている。

そして、本書の主題に立ち戻るならば、これらの日本語文法書・基本語彙集・読本(57)が国際文化振興会の対オーストラリア「日本語普及」事業に活かされることもなかった。同会がオーストラリアの日本語教育と関わったのは、1930 年代の中頃から 1941 年 12 月までの期間だったが、当時はまだ上記の日本語文法書・基本語彙集・読本は完成していなかった。

それでは、国際文化振興会はオーストラリアに対してはどのような方法で「日本語普及」を図ったのか。その状況を次に見てみよう。

〈註〉

(1) 国際交流基金 15 年史編纂委員会編（1990）6 頁～ 7 頁

(2) 川崎賢一（1999）6頁
(3) 川崎賢一（1999）6頁
(4) 川崎賢一（1999）は、国際文化振興会に関する研究の「先駆的業績は、田中純東京大学助教授のもので、本格的なものは、芝崎厚士（東京大学大学院博士課程）氏のものが初めてといってもよいだろう」（6頁）としている。田中の業績については、田中純（1988a）および同（1988b）を、芝崎の業績については、芝崎厚士（1997）、同（1999a）、同（1999b）を参照。
(5) 芝崎厚士（1999a）63頁～64頁
(6) 芝崎厚士（1999b）131頁
(7) 1964年に出版された同会の30年史には次のように記述されている。「昭和年代の初期に西欧諸国に台頭した国家主義思想は、わが国にも影響を与え、国民に自己再発見の気運を促し、静かに祖国三千年の歴史を顧みさせた結果、そこにわが国独自の文化を再認識せしめるに至り、国内的には伝統文化の研究となり、国際的にはこれを世界に宣揚して、外国の対日認識の不備を是正しようとする動きとなった。（中略）国際連盟の学芸協力委員会と協力するため設けられた学芸協力国内委員会は、徳川頼貞侯爵、樺山愛輔伯爵、黒田清伯爵、岡部長景子爵、団伊能男爵、山田三良博士の諸氏を委員として、国際文化交流の問題を研究していたが、わが国の国際連盟脱退（昭和8年3月27日）後の情勢と、外務省におけるフランスその他欧州諸国の例にならった国際文化局設置の動きにかんがみて、有力かつ大規模の独立した文化交流機関を官民協力のもとに設置するよう提案し、政府もこれを助成することとなった。」国際文化振興会（1964）10頁～12頁
(8) この「国際文化事業費金二十万円」をめぐる、外務省と大蔵省の予算折衝の過程については、柳沢健（1960）170頁～172頁を参照。
(9) 芝崎厚士（1999b）132頁
(10) 芝崎厚士（1999b）132頁
(11) しかし、国際文化振興会の財源には、政府補助金のほかに民間からの寄付金もあった。国際交流基金15年史編纂委員会編（1990）によれば、国際文化振興会は、「民間寄付金50余万円、政府補助金20万円の財政基盤をもって設立」（7頁）された。芝田厚志（1999b）によれば、その使途は、「主に事業費を政府の補助金で、事務経費を民間からの寄付で」（133頁）賄うことになっていたという。
(12) 芝崎厚士（1999b）133頁
(13) 国際文化振興会（1964）13頁
(14) 田中純（1988a）は、「理念にとどまらず事業内容の点でも、国際交流基金は国際文化振興会設立時の枠組みから大きく抜け出してはいないと言えるだろう。いや、文化交流をとりまく議論のほとんど（「総合安全保障としての文化交流」といった）が一九三〇年代にさかのぼれるのである」（22頁）としている。
(15) 国際文化振興会（1934）1頁～3頁
(16) 国際文化振興会（1934）4頁～9頁
(17) 国際文化振興会（1934）5頁～6頁
(18) 国際文化振興会（1964）14頁
(19) 稲垣守克（1944）41頁

（20）外務省文化事業部（1936）238 頁
（21）外務省文化事業部（1936）239 頁
（22）外務省文化事業部（1936）239 頁
（23）外務省文化事業部（1936）239 頁
（24）外務省文化事業部（1936）239 頁
（25）外務省文化事業部に第三課が設置されるまでは、第二課が担当していた。
（26）外務省文化事業部（1936）240 頁
（27）ただし、1938 年頃からは、既存の日本語講座や日本語教育機関に対する「助成」事業も始まったようだ。外務省文化事業部（1938）141 頁および外務省文化事業部（1939）6 頁を参照。
（28）松宮一也（1942）338 頁～ 340 頁
（29）田中純（1988b）2 頁
（30）日本語教育振興会は、1940 年、松宮彌平と松宮一也の父子を中心に、財団法人日語文化協会を母体として設立されたが、翌年、文部省の傘下に入った。ただし、山下秀雄（1998）のように、両者を「別個の団体」（3 頁）と見なす研究者もいる。実際、日本語教育振興会は文部省の傘下に入った 1941 年に東京の学士会館であらためて「創設披露会」を開催している。
（31）日本語教育振興会（1941c）77 頁
（32）芝崎厚士（1999b）138 頁
（33）芝崎厚士（1999b）141 頁
（34）芝崎厚士（1999b）142 頁
（35）稲垣守克（1944）42 頁～ 43 頁
（36）芝崎厚士（1999b）は次のように述べている。「このころの国際文化振興会の活動には「下請け」的な性格が強かった。すなわち、国際文化振興会が主体的かつ新規に事業展開を行うというよりはむしろ、情報局や軍部と連絡を取り合って必要なものを準備する作業が比重を増してきたのである。（中略）国際文化振興会は、軍政が敷かれず、また建前上は政治的に独立しているがゆえに、自らの主体性がある程度発揮し得た仏印とタイ、および中国と満州国に関する文化事業に主な力点を置くことになった。これらの事業の大部分は、国際文化振興会が太平洋戦争以前に諸国に対して行っていた事業形態をそのまま踏襲している。国際文化振興会が主体的にかつ最も円滑に行い得る事業形態が、二国間の、少なくとも形式的には水平的な事業であったことを物語っている。」（145 頁～146 頁）
（37）国際文化振興会（1964）28 頁
（38）これに関連して、高橋力丸（1999）は、「国際文化振興会も、戦前期においては主として日本語教育用教材の作成を通じて、政府の日本語普及事業に関与していた」（74 頁）としている。
（39）芝崎厚士（1999b）163 頁
（40）国際文化振興会（1937f）「まえがき」
（41）国際文化振興会（1937f）6 頁～ 7 頁
（42）国際文化振興会（1937f）1 頁

(43) 国際文化振興会（1937h）69頁
(44) 国際文化振興会（1937h）1頁
(45) 国際文化振興会（1937h）16頁
(46) 国際文化振興会（1937h）27頁
(47) 国際文化振興会（1937h）27頁
(48) 国際文化振興会（1937h）27頁～28頁
(49) 国際文化振興会（1938c）35頁
(50) 国際文化振興会（1938c）43頁
(51) 国際文化振興会（1938c）46頁
(52) 国際文化振興会（1940）37頁～38頁
(53) 永井松三（1940）65頁～66頁
(54) 永井松三（1940）67頁
(55) 芝崎厚士（1999a）174頁
(56) 芝崎厚士（1999a）174頁
(57) 国際文化振興会が1944年に発行した『日本語基本語彙』は、国立国語研究所が1970年代後半から1980年代前半にかけて実施した「日本語教育のための基本語彙」の選定作業においても、その資料のひとつとして利用されている。詳細については、国立国語研究所（1984）11頁を参照。なお、国際文化振興会で制作された日本語文法書・基本語彙集・読本の概要については、新内康子（1997）102頁～103頁、関正昭（1997a）174頁～178頁を参照。

3.　国際文化振興会とPeter Russo

3-1　Latham使節団の来日

1920年代から1930年代にかけての「いわゆる戦間期の日豪関係は、豪側の潜在的な対日脅威認識は根強かったものの、実質的には相対的な安定期」(1)にあったとされている。また、日豪間では通商関係が拡大した。たとえば、この時期、日本の羊毛輸入額の約9割はオーストラリア産のものによって占められるに至っている。また、オーストラリア側から見れば、1920年代の後半に対日輸出は全輸出額の8％を占め、さらに世界大恐慌後の1931年～1932年には12％以上に拡大した。

しかし、1931年の「満州事変」勃発は、もともと「対日脅威認識」を抱いていた「オーストラリアの対日感情をさらに悪化させる」(2)結果となった。また、1933年の「日本の国際連盟からの脱退は、オーストラリアの対日イメージ形成に「決定的な衝撃」を与える」(3)ことになる。しかし、「豪政府とくに満州事変直後に発足したJ. A. ライオンズ内閣（統一党）は日本を刺激することを望まず、また日本の膨張が南進ではなく北進という形をとったことで安堵すら」(4)を覚えた。そして、「オーストラリアは、オーストラリアが英連邦に対する日本の敵意をすべて一手に引受けなければならなくなる日の来ることを恐れていたので、いきおい対日宥和外交の方に傾き、一九三〇年代の太平洋外交は、もっぱら、満州での日本の権益の承認を勝ち得ること、ならびに地域的安定をもたらしまたアメリカの協力を引き出せるようなそういう太平洋協定を確保する」(5)ということに向けられたという。

このような状況下で、1934年、オーストラリア政府は副首相兼外相のJohn Lathamを団長とする親善使節団(6)を日本へ派遣した。この使節団は、「濠洲連邦政府が最初に海外へ派遣せる外交的性質を帯びたる使節」(7)であり、日濠協会（1934）によれば、「我政府は準国賓を以て使節一行を迎へ、本年五月九日一行が神戸上陸以後同月二十一日長崎出発に至るまで、我外務省は特に接待委員二名を附して能ふ限りの便宜を供与し、上は皇室より優渥なる恩遇を賜はり、下は官民一致熱誠真摯なる歓迎を盛ん」(8)にした。そして、外務大臣の広田弘毅は、「屡々使節と会見し互に胸襟を開き、率直にして腹蔵なき意見の交換を行ひ意気相投合し」(9)たが、日本の「南進という脅威に直面するオーストラリアにとって最上の対外政策は、安全保障面での対英依存を続ける一方、日本との宥和をはかり、かつ可能なかぎり日本の膨張の動きを北方にとどめておくこと」(10)であったから、この使節団は、「対日貿易の安定化、日本の国際連盟復帰への働きかけを行なうとともに、日本は満州において「白紙委任状」をもっているとの保証さえ与えたともいわれ」(11)ている。また、Lathamは「極東視察旅行から帰国後、「極東における国際情況」と題する秘密報告書を著し、その中で、満州での日本の地位は承認されてしかるべきである、と主張」(12)した。竹田いさみ（2000）は、この日本訪問を通じてLathamは、「対日宥和政策こそが、日本の脅威を解消する道であると考えるように」(13)なったとしている。

Latham使節団に対する返礼として、翌年の1935年に日本政府は外務次官や駐米大使を歴任した職業外交官の出淵勝次を団長とする親善使節団をオーストラリアとニュージーランドに派遣することになった。そして、1934年に設立されたばかりの国際文化振興会はこの出淵使節団にひとりのイタリア系オーストラリア人(14)を同行させた。

日本の対オーストラリア「日本語普及」事業が始まるのは、このイタリア系オーストラリア人、当時、東京商科大学で英語講師を務めていたPeter Russoのオーストラリア派遣によってである。

3-2　Peter Russo

Peter Anthony Varquez Russoは、1908年にメルボルンで生まれた。中等教育をヴィクトリア州のバララットで終えた後、メルボルン大学の歯学部に進んだが、その後、文学部に転部した。文学部ではイタリア語と日本語を学んだという[(15)]。日本語を教えたのは稲垣蒙志である。そして、1930年にモリソン奨学金を得て[(16)]、ロンドン、パリ、ローマ、ベルリンの各大学で言語学と文学を専攻した後、Russo自身の言葉によれば、「奨学金授与の条件に基づき、日本に渡り、1年間勉学を続けたが、日本に対する関心と愛着が深まったため、奨学金の支給期間が終了した後も滞在延長の手続き」[(17)]をとり、東京商科大学に勤務することになった。同大学の後身である一橋大学の事務局に保存されている履歴書[(18)]によると、彼は1933年に予科の英語講師に委嘱され、翌年の1934年からは2～3年の有限契約で予科と附属商学専門部の英語教師を務めた。また、本科ではイタリア語を教えたこともあったようだ[(19)]。さらに、東京府立第九中学校と東京文理科大学附属中学校でも英語を教えた。東京商科大学との最後の契約は1940年4月1日から1942年3月31日までの2年間だったが、この契約は1年短縮され、1941年3月31日をもって終了している。

Russoは東京商科大学で英語教育に従事するとともに、同大学の上田辰之助の指導を受けて論文の執筆に取りかかった。上田の専門は経済学と社会思想史であるが、大学では西洋経済事情や経済政策のほか、英米文化論や商業英語の講義を担当していた。この上田の紹介でRussoは国際文化振興会の主事を務めていた青木節一を知ることになる[(20)]。そして、これが契機となって、同会は1935年4月12日に開催した「第三十回理事会」[(21)]で「東京商大ラッソー教授の濠洲に於ける講演に対する援助」[(22)]を決定する。その「援助」の内容は次のとおりである。

「ラッソー教授は今夏賜暇を以て濠洲に帰国する筈なるところ、予て議会、大学等に於て十数回の講演の約束あり、同氏が日本の理解者にして又卓越せる講演者なり又濠洲方面には従来何等連絡なきに鑑み出発より帰任までの期間同氏を嘱託に任命し同氏に対し日本文化紹介の為め講演の資料及参考品を提供し、且将来の日濠文化関係の設定につき斡旋方尽力を乞ふこととし資料蒐集其他の費用として金参千円支出方決定。」[(23)]

これによれば、国際文化振興会は、Russoが「予て議会、大学等に於て十数回の講演の約束」をしていたのを側面から「援助」しただけの印象があるが、同会が1935年6月7日付でRussoに送った書簡では、振興会の方からRussoに対して渡豪を要請しており[24]、また、同年5月25日付でRussoが在シドニー日本総領事に送った書簡にも、国際文化振興会の要請を受けて渡豪することになったと記されていることから[25]、彼の渡豪は振興会側の発案だった可能性もある。

上記の理事会決定にもあるように、国際文化振興会はRussoに対し、その渡豪に当たって、日本の書籍、美術品の複製、現代工業製品を展示用として携行し、しかる後に、それらをオーストラリアの適当な博物館・学校・機関等に寄贈することを求めた。さらに、振興会を代表してメルボルンでレセプションを開催することも要請している[26]。

この「オーストラリアでいくつかの講演会をしてほしいという国際文化振興会からの依頼を受けるべきだと上田辰之助教授が示唆した」[27]こともあって[28]、Russoは1930年にモリソン奨学生としてヨーロッパに渡ってから5年ぶりに帰国することになった。また、上田は東京商科大学長の上田貞次郎や出淵勝次と相談し、講演行脚が終わった後のRussoを出淵使節団に随行させることにした。

3-3　Russoの渡豪

1935年4月24日の「東京朝日新聞」は、「講師は在留二外人："文化日本海外版"」というタイトルの下に、「在留外人で日本研究の二権威がアメリカのコロンビア大学とオーストラリアのメルボルン大学で日本講座の開講に当り講座を持つこととなった」[29]として、Russoと駐日英国大使館顧問のGeorge Samsonがオーストラリアと米国にそれぞれ国際文化振興会から派遣される予定であることを報じている。それによれば、Russoは、「一九三〇年オーストラリアのメルボルン大学からモリソン極東奨学資金を授与され、日本へ来てから丸三年となったが日本歴史、文学、社会学の研究では著しい進歩を見せ、国際文化振興会でも驚嘆し今度特に同会から頼まれて母校のメルボルン大学他各大学で、日本文化と日本美術、日濠通商関係などにつき約四ケ月の講座を持つこと」[30]になったとされている。

日濠協会もRussoの派遣には関心を寄せた。1935年6月4日、同会は「東京商科大学教授たるピーター・ラッソー氏は本月中旬国際文化振興会の依嘱を受け日本事情を濠洲に照《マ》会《マ》の為め渡濠せらるるを以て日本工業倶楽部に於て当協会主催の午餐会に招待」[31]している。この会には、「男爵阪谷会長外理事其他十五名」[32]が出席し、その「席上に於てラッソー氏は日本語を以て挨拶を」[33]した。

1935年6月14日、Russoは神戸から「熱田丸」でオーストラリアに向かった[34]。その際、Russoは、日本絵画（山水画・鳥獣戯画・仏画・浮世絵）の複製品6

点、各種工芸品48点、日本音楽のレコード10枚のほか、国語辞書や小学校の国語教科書を含む各種書籍48種類を携行している[35]。このうち書籍は原則1冊ずつだったが、国語教科書は30組ずつ合計360冊を携行した。

Russoの渡豪には外務省と在シドニー日本総領事館も協力をした。在シドニー総領事の村井倉未は国際文化振興会を代行して、1935年6月28日付でメルボルン豪日協会（事務局は三井物産メルボルン支店に置かれていた）とメルボルン在住の日本名誉領事にRussoへの便宜供与を依頼するとともに、「Sydney Morning Herald」をはじめとする有力新聞7社の編集長に書簡を送り、「日本文化を広く知らしめようとする国際文化振興会の努力」[36]に対する取材を要請している。

滞豪中Russoは、「日本史の概要」「日本に対する外国の影響」「明治時代」「現代日本」「日豪間の関係改善」等をテーマに講演する予定になっていた。また講演会は、メルボルン大学で2回ないし3回、新聞協会で1回、商業会議所で1回、各種学校・クラブで12回以上開催されるほか、ラジオでも2回放送されることになっていた[37]。ただし、これらの講演会は基本的にメルボルンを中心に開催されることになっていたことから、シドニーに駐在する村井は不満を抱いたようで、7月6日付で「熱田丸」船上のRussoに電報を送り、「講演会と展示会はメルボルンでのみ開催される予定になっているが、オーストラリアに日本文化を紹介するかかる貴重な機会に際して、シドニーをはずすべきではないと思われる」[38]と述べている。

「熱田丸」は7月13日にシドニー港に入った。後にRussoを悩ますことになる公安当局が彼と初めて接触したのは、オーストラリア国立公文書館の保存文書を見るかぎり、この時が最初である。ただし、それは公安当局がすでにこの時点でRussoを「親日家」[39]と見なしていたからではなく、外国よりの帰国者から入港した客船上で各種情報を入手するための方法を探っていた時だったからである。公安局の捜査官はRussoを「表敬訪問」[40]し、彼のオーストラリア滞在中、公安当局はいかなる方法においても彼を援助する用意があると述べた。それに対して、Russoは捜査官の「表敬訪問」に謝意を述べるとともに、援助を必要とする時は彼の方から公安局の支局を訪ねる旨、応じている。

Russoはオーストラリアで合計25回の講演を行った。8月9日にはメルボルン大学で「日本の心」と題する講演会を開催するとともに、日本の絵画・人形・書籍の展示会および日本音楽のレコード演奏会を併せて実施した。この時の講演会の司会は、前年親善使節団の団長として日本を訪問し、当時は大審院の院長とメルボルン大学の総長を兼ねていたLathamが務めた。

また、日本総領事館の要請が効いたのか、Russoは新聞紙上にもたびたび登場した。7月15日の「Sydney Morning Herald」では、「日本をその背景と文化を含め研究することは、すべてのオーストラリア知識人にとって義務である」(41)とRussoは述べている。

一方、出淵使節団は7月に日本を出発し、はじめにニュージーランドを訪問した後、9月4日にシドニー港に到着した。Russoが使節団と合流したのはこの時である。Russoの資格は、出淵の「個人秘書兼アドバイザー」(42)とされていた。

出淵使節団はシドニーからキャンベラに向かい、連邦政府要人との会見、戦争記念館訪問等の行事をこなした後、9月6日、メルボルンに到着。9月10日にはメルボルン大学を訪問している。出淵使節団がオーストラリア滞在中に大学を訪問したのは、メルボルンにおいてだけである。9月11日には再びシドニーに向かっているが、シドニー大学は訪問していない。使節団はこの後、ブリスベンに向かい、9月20日には同地から帰国の途に着いた。

出淵使節団のオーストラリア訪問は、日本にとっていくつかの成果をあげた。その最大のものは、オーストラリア政府が日本のアジア政策を支持し(43)、Latham使節団の訪日時と同じく、「少なくともオーストラリアは、満州において日本が白紙委任状を保持していることを保証する旨、出淵に対して申し出た」(44)ことであろうが、本書の主題に関係する事項としては、ヴィクトリア州の中等教育修了試験の科目に翌年から日本語が取り入れられることが決まったことである。帰国後にRussoが述べているところによれば、これは、「日本語がオーストラリアの学校教育の場において将来的にドイツ語やフランス語と同等の地位を得ることを意味し、英語圏では前例のないこと」(45)であり、「ますます強固になる日豪間の絆および新しい「太平洋時代」に対する意識がオーストラリアで日本語に対する関心を増している」(46)ことの結果であるという。

しかし、ニューサウスウェールズ州では、すでに1910年代の後半にフォート・ストリート・ハイスクールやノース・シドニー・ハイスクールで日本語教育が開始されており、その中等教育修了試験の科目にも日本語が取り入れられていたから、Russoが言う「前例のないこと」というのはヴィクトリア州内にとどまるのであるが、同州では、メルボルン大学教育学部教授のGeorge Browneと同大学商学部教授のDouglas Coplandが日本語を中等教育修了試験の科目に導入するために動き、実際、1年後に日本語は前期中等教育修了試験(47)と後期中等教育修了試験の科目として認定されるに至った(48)。

これらの動きにRussoがどの程度まで関わっていたのかは不明である。ただし、翌年の1936年に在シドニー日本総領事の村井がメルボルン大学総長のLathamに送った書簡には、「本官は、Peter Russo教授より、昨年彼がオーストラリアに滞在していた時にヴィクトリア州当局との間で、日本語教育について、また日本語を試験科目に導入することについて、調整を行なったとの報告を受けております」[49]と記されており、Russoがこれらの動きを主導したわけではないにせよ、BrowneやCoplandなどの関係者に何らかの「働きかけ」を行った可能性は否定できない[50]。

3-4　Russoに対する国際文化振興会嘱託の委嘱

滞豪中のRussoには当初の予定を越えた数の講演依頼が寄せられたらしく、出淵使節団が帰国した後も彼はオーストラリアに残って講演をこなすことになった。Russoは日本を出発するまでオーストラリアで日本はそれほど関心を持たれていないと想像していたが、それが誤りであることを、この1935年の一時帰国を通じて知ることになったと後に述懐している[51]。

国際文化振興会もRussoを支援した。同会は9月13日の理事会で、「濠洲派遣員ラッソー教授滞在延長の件」[52]を次のとおり決定している。

「本会の委嘱により濠洲に於て目下日本文化講演をなしつゝあるラッソー教授に対して各方面より講演の希望あり、同氏は商大の許可あらば一ヶ月位滞在延長可能なる趣申越せり。在シドニー領事の意見によりては本会より右滞在延長を依頼し滞在費二千円以内を支給することに決定せり。」[53]

当初予定していなかった数の講演までこなすことになったRussoのオーストラリア派遣は、資金を提供した国際文化振興会にとっても、満足すべきものであったろう。同会の『昭和十年度事業報告書』は、Russoのオーストラリア派遣を次のように総括している。

「濠洲と日本とは経済上極めて重要な関係にあるが、文化的方面の接触は今日迄皆無であって、先年メルボルンの大審院長ジョン・レーサム卿の来朝により、纔に友好関係が開かれたといふものゝ、それも極めて局限された一部の間であった。この現状に鑑み、本会は濠洲一般に日本文化を知らしめる目的を以て、日本に在留の東京商科大学講師ラッソー氏（P. V. Russo）が夏季休暇に帰国するのを機会に、日本文化の紹介を委嘱した。

ラッソー氏は東京商科大学の講師であるとゝもに、メルボルン大学のモリソン奨学金によって日本文化研究のため同大学より派遣されてゐる学徒でもある。氏は日本出発に先立って、メルボルン大学、放送局、新聞社等の協力を得て一切の準備を整へたが、本会はまた氏に日本文化紹介の資料として、書籍、美術工芸品等を多数提供し、展覧等に使用後は然る可き大学或は公共団体に寄贈せしめることゝした。

メルボルンを始め濠洲各地におけるラッソー氏の活動は頗る成績よく、殊にメルボルン大学に於ける講演は、大審院長レーサム卿が司会し、非常な好評を博し、展覧した美術工芸品は、濠洲の人々に多大の興味を与えたことが報告された。ラッソー氏は予定の講演の後は、当時日本政府から派遣された親善使節前駐米大使出淵勝次氏の案内役として使節とゝもに濠洲各地、ニュージーランドを歴訪した。

ラッソー氏を濠洲に派遣した最も大きな収穫は、メルボルン大学に於て、一九三七年より日本語講座が必修課目として設置されたことである(54)。濠洲の大学は英語がその基本語であり、仏語及び独語が之に準ずる課目とされてゐるのであるが、昭和十二年から日本語がこの課目中の一つとなったのである。現在の日本語講師は同大学の嘱託稲垣蒙志氏であるが、本会はこれを機会に稲垣氏に非公式の連絡員たることを委嘱した。」(55)

稲垣が国際文化振興会の「非公式の連絡員」に委嘱された経緯については、次節で述べることとして、ここでは Russo が同会の嘱託になった事情について触れておこう。国際文化振興会は 1935 年 12 月 13 日に開催した理事会で次のとおり決定している。

「六、濠洲派遣員ラッソー教授を本会嘱託任命の件　本年夏本国濠洲に帰国の序を以って本会にて講演、展覧をなさしめ将来の文化協力関係を設定することを委嘱せり。結果頗る良好なるにより、明年設けるべき濠洲の中等学校に於ける日本語教授に対する材料の供給其他連絡事務の為め同氏を嘱託に任命することを決定。」(56)

この決定を受けて、国際文化振興会理事長の樺山愛輔は 12 月 20 日付で Russo に書簡を送り、彼が滞豪中に大きな成功を収めたことに対して祝意と謝辞を述べるとともに、「これは全く新しい職種なのでその地位の名称はまだ決まっていないものの、オーストラリアおよびニュージーランドに対する事業に関して、振興会の主事を補佐し、アドバイスする」(57)仕事をオファーしている。この当時、Russo は日本にはあと 2 年程度滞在し、その後は英国外務省に職を得たいとの希望を持っていたようであるが(58)、結果としては振興会のオファーを受けることになった。Russoの指導教授であり同僚でもあった上田辰之助は、国際文化振興会がRussoにこの種の職務をオファーしたのは、彼が「あまり重要でない英国植民地」[59]の出身者であるからだと指摘した。

オーストラリア国立図書館に保存されている資料によれば、Russoの職務は「オーストラリアおよびニュージーランドとの文化関係に関するアドバイザリー・アシスタント」(Advisory Assistant for Australian and New Zealand Cultural Relations)というものだった[60]。国際文化振興会理事会はRussoを「嘱託」に任命する目的について、「濠洲の中等学校に於ける日本語教授に対する材料の供給其他連絡事務の為め」としていたが、Russoが「嘱託」としての立場で関わった対オーストラリア事業は、「日本語普及」以外の事業の方が多かった。どうもRussoに対する「嘱託」の委嘱は、国際文化振興会がオーストラリアに対する「日本語普及政策」の立案や「日本語普及」事業の実施に本気になって取り組もうとしたことを意味するものではないようである。

Russoの国際文化振興会における最初の仕事は鶴見祐輔をオーストラリアに派遣することだった。ただし、これはRussoの発案に基づいて企画された事業ではなく、オーストラリア教育研究協議会(The Australian Council for Education Research)からの要請によるものだった。同協議会は大審院長でメルボルン大学総長でもあったLathamと在シドニー日本総領事の村井の示唆に基づき、1936年5月4日付でRussoに書簡を送り、翌年8月にオーストラリアで開催される国際教育会議に国際文化振興会の助力が得られるかどうかを打診している。それによると、オーストラリア教育研究協議会は、この会議に7～8か国から少なくとも20名の参加者を期待しており、とくに中国と日本からの参加を希望するとして、このうち日本からの参加者の推薦をRussoに依頼した[61]。

鶴見の名前を挙げたのがRussoであったか、それとも国際文化振興会の他の役職員であったかは不明だが、同会は鶴見をオーストラリア教育研究協議会に推薦するのみならず、資金的な「補助を以て」[62]オーストラリアに派遣することになった。国際文化振興会は1937年8月13日に開催した理事会で「鶴見祐輔氏今夏濠洲に開催の新教育国際会議に出席に付補助」[63]することを決定している。

「濠洲連邦教育局主催にて八月中旬新教育国際会議を開催するにつき本邦代表の推薦を依頼し越したるにより鶴見祐輔氏を紹介したる結果、同氏日本代表として招請せられ既に出発せられたり。会議後同氏は各地に於て日本事情に関し講演の予定なるが常務理事会の決議を以って金三千円を補助せり。之を承認す。」[64]

このように、国際文化振興会が鶴見の渡豪を助成したのは、彼が国際教育会議に出席するだけでなく、オーストラリア各地に「日本文化の講演行脚」(65)をすることになっていたからだった。日濠協会会長の阪谷芳郎は鶴見の渡豪送別茶会において次のように述べている。

「著述家で講演者として世界的に有名なる鶴見氏が今回渡濠せらるゝ事は日濠親善の為め誠に喜ばしき事である。殊に各地に旅行せらるゝこととて出来る丈け日本の事を紹介し日濠両国相互の了解を来し将来両国は益々親密なる様努力せられ度い、終りに濠洲人は米国人と異り非常に神経的なれば其の辺は充分御注意あり度し。」(66)

これに対して、鶴見は、「此度濠洲の国際教育会議の招きに依り渡濠することゝなり、シドニー、ブリスベン、アデレイド、パースの各大学に講演し濠洲には八月二日より九月二十日迄滞在の予定であるから出来る限り日濠親善の為めに努力致し度い」(67)と挨拶した。

1937年7月29日、鶴見は長女の和子と長男の俊輔を伴って門司港から「東京丸」で出発した。滞豪中、鶴見は数多くの講演をこなしたが、国際文化振興会も、彼の渡豪に合わせてメルボルン大学に写真や雑誌のセットを寄贈するなどして(68)、その講演を支援した(69)。鶴見はラジオでも講演している。

「皆さんにとって、日本は奇妙な習慣と異様な風習を持つ、非常に遠い国かもしれません。しかし、地図をご覧になれば明らかなことですが、われわれはほとんど隣人と言ってもいい関係にあります。実際、オーストラリアが国際連盟から統治を委任されているニューギニアは日本の南洋諸島と境を接しております。また、高速汽船に乗れば神戸からブリスベンまで11日以内に到着します。

日本人の生活、とくに教育を受けた日本人の生活はあなたがたの生活とほとんど変わりがありません。日本のオフィス・ビルは西洋の建築様式によって建てられておりますし、その中で働く人間は西洋式の服を着て、また西洋式の食事をとっています。家に帰ると和服に着替えますが、これは寛ぐのに適しているからです。また家では日本食を食べますが、昼間の生活様式はほとんど西洋式のものです。

中等教育では英語が必修科目になっておりますので、教育を受けた日本人はそのほとんどが英語を読むことができます。話す時は本場の英語とは少し違う英語を話すことになりますが、アクセントや文法の点でわれわれは改善に努めてまいりました。

世界が小さくなり、また国の違いがなくなりつつあるということを認識するのは重要なことです。われわれ日本人にとってオーストラリア人を理解するのは容易なことです。今回の訪豪に当たって、私は娘と息子を連れてきました。いずれも10代です。二人にとって今回の旅行は初めての外国旅行ですが、すぐに慣れ、当地での生活を楽しんでおります。それは、二人がここに来る前にすでにオーストラリアのことを勉強しており、また英語が話せるからです。

ところで、オーストラリアではどうでしょう。みなさんは日本のことをどのくらい知っていますか。また、日本では誰でも知っていることですが、20世紀が太平洋の時代であること、そして、オーストラリア、日本、中国、米国、ロシアのような国々は、この太平洋を舞台にした壮大なドラマの中で指導的な役割を演じるよう運命づけられていることをご存じでしょうか。

前の米国大統領 Theodore Roosevelt は、米国の将来は太平洋にあるとよく言っておりました。オーストラリアの場合はなおさらです。太平洋の広大さを考えてみて下さい。それは大西洋の2倍、地中海の7倍の広さを誇っています。その沿岸の国々に住む何億もの民や、またその底に眠っている無尽蔵の天然資源のことを想起してみてください。太平洋の時代においては、西洋文明と東洋文明がここで出会い、新しい形の高度な文化を創り出していくのです。このことだけでも人々のイマジネーションをかきたてるのに充分ではありませんか。

今まで太平洋と言えば北太平洋のことでした。貿易ルートも主に東と西を結んでおり、日本は米国や中国と通商してきました。しかし、最近では状況が激変いたしました。北と南の関係が重要になってきたのです。日本は米国や中国との貿易量よりも、南洋、オーストラリア、インド、アフリカとの貿易量の方が大きくなりました。貿易上の観点における南太平洋の重要性の高まりは、文化や政治の上でも南太平洋が重要になってくることの明らかな徴候であります。

太平洋におけるオーストラリアの位置は、皆さんが想像されておられるよりもはるかに速いペースで、その重要性を増しつつあります。日本がオーストラリアに欲しているのは、羊毛や小麦だけではありません。日本の文化に対する理解や政治的な協力関係も求めています。

現在、日本は国内外できわめて困難な状況にあります。その原因は急激な人口増加にあります。神の恵みに満ちた大陸にお住まいの皆さんには、たとえば日本の農民の悲惨さは想像すらできないかもしれません。日本の国土はオーストラリアの20分の1に過ぎませんが、日本は山国ですので、農業に適した土地はその国土のさらに15%ほどしかないのです。日本の農民の平均的な耕作面積はわずか1エーカーです。彼らはこの本当にわずかな土地を耕すことで生活していかなければならないのです。日本の人口は毎年100万人ずつ増加しています。出生率は低下していますが、死亡率はそれよりもさらに低下しています。

このような問題を解決するには工業化しかありません。しかし、われわれの国土には天然資源がありません。また、外国は日本に対して門扉を閉ざそうとしています。正直に申し上げて、日本は困難な世界に生きています。先見的な見識が求められるのは、まさにこの点においてであります。われわれが太平洋の国々に求めているのは、他国の現状に対する真の理解とそれを平和的に解決する手段を発見することです。その糸口は貿易の完全な自由化にあるように思われます。

今回の訪豪でうれしかった発見は、日本語教育の状況に関してのものです。オーストラリアではいくつかの中等教育機関や大学で日本語が教えられています。また、ラジオでも日本語が教えられています。日本語クラスを運営しておられる幾人かの方々は、日本人の手助けは全く受けていないとのことでした。私が知っている限り、世界の国々の中でオーストラリアほど日本語教育を大規模に、しかも真剣に実施している国はありません。

私は人生のほぼ半分を費やして世界中を旅し、日本に関する知識を深めてもらおうと、そして東洋と西洋の相互理解をより良いものにしようと、私なりの方法で努めてきました。しかし、西洋の国々では日本に関する知識が欠如していることに、いつも驚かされてきました。われわれが西洋のことをよく知っているのに対し、西洋には東洋についての知識が全くないのです。たしかに、西洋は科学と産業の両面で著しい発展をし、東洋はそれを必死になって学ぼうとしてきたという経緯があります。しかし、西洋は東洋からほんのわずかしか学んできていないということが忘れられているように思われます。

言語を知らなければ、他の民族を完全に理解することはできません。言語は単なる伝達手段ではありません。それはその民族の魂が宿っている所です。他の民族の精神を感じ取ることは、その言語を学ぶことでしか実現しません。

民族間の相互理解を阻むもののひとつに、言語という障壁があります。日本は西洋の国々について知識を得ようと努めてきました。私はオーストラリアにおける日本語教育の先駆者たちに深く頭を垂れるものであります。

東洋と西洋の新たな接触という面で、オーストラリアがその若々しい活力で西洋の国々をリードすることになるのではと想像するのはとても愉快なことです。運命によってオーストラリアはその理想的な立場に置かれています。あなた方の国家政策をその方向に転じることによって、オーストラリアは日本を、北半球に位置するはなはだ古い国を、その太平洋との関係という点で助けてくれることができるのです。」(70)

鶴見のこの講演がオーストラリアの聴衆にどのように受けとめられたかは不明だが、日本の有力者がラジオというメディアを利用してオーストラリア人に日本語学習の必要性を直接訴えたのは、これを嚆矢とする。このことだけでも、国際文化振興会の鶴見の渡豪に対する「補助」は成果があったと言えるだろう。ただし、鶴見の渡豪に至るまでの経緯を考え合わせるならば、それは国際文化振興会の「日本語普及政策」に沿って、あるいは同会と入念に打ち合わせをした上でのことというよりも、鶴見自身の発意であったろうと思われる。

なお、鶴見は、オーストラリアが「日本語教育を大規模に、しかも真剣に実施している国」であることを「発見」したことが、よほど「うれしかった」らしく、帰国後、日本外交協会の例会で行った講演で次のように述べている。

「世界中で濠洲だけであると思ふが、中学校で正科として日本語を教へて居る。ベルリンあたりのやうに大学生や大学卒業生が習ふのならば兎も角、ヴィクトリア州では中学校で日本語を教へて、しかも大勢の生徒が習って居る。(中略)

その理由を聞いて見ると面白い。従来外国語と云へば我々はフランス語を習ったが、幾ら習ってもフランス語は使ひ途がない。パリに行って使って見てもフランス人に通じない。斯んな役に立たないフランス語はよして、日本語を習ふ。日本なら之から、始終行けるし、日本の事も知りたいから、日本語が宜からうと云ふので始めた。初めの年は日本語とフランス語を中学生の選択科目にしたところ、日本語を希望した者が四百人あって、しかも四年間習って居る。メルボルンを中心にしたヴィクトリア州では、毎週夜間、メルボルン大学で日本語の教授をして居る稲垣君の放送を聴きながら日本語を習って居る。

ブリスベーンでも今度日本語の先生が行って教へることになって居る。アデレードの町の如きは、日本人は全然ゐない所であるが、六十人ばかりの濠洲人が集まってお互いに独学で日本語の研究を始めた。だから随分珍しい日本語を喋べって居る。発音は放送で稽古して居る。例へば食卓などで手近の物を貰った時、「あなたのご親切は死んでも忘れませぬ」と言ふ。ちょっとした事に「御親切は死んでも忘れませぬ」を連発する。つまり本当の日本語ではない。本に書いてある中から面白いのを覚えて居る。それを二年も続けて居る。（中略）

それくらゐ濠洲人が日本語に対して興味を持って居るのはどう云ふ訳かと云へば、一つは、日本語を覚えて居れば将来きっと商売の実用になるだらうと云ふのと、今一つは好奇心からである。まだ誰もやらない日本語をやって居れば、将来日濠間の文化の交流に大いに貢献出来ると云ふ意味でやって居る。

現在でも日本語を本当に稽古して居る者が三四千人は居るであらうが、個人教授料は一時間十シリング、日本の金で七円である。一週間に十人教へれば七十円、一ヶ月に少なくとも二百八十円の金が入る。日本語の先生をしても濠洲で食ひっぱぐれのない時代が遠くない。（中略）

現在六百七十万の人口ではあるが、将来何かの変化でこの人口が倍の千四百万になり、或は二百年も経ったら一億になると云ふ大きな計算をして居る人もあるが、さうはならぬにしても、仮に三四千万の人口になり、しかも一人々々の富の程度は高いのであるから通商の相手としても大きいのであるが、その濠洲人の中で五六万の者が完全に日本語を話せると云ふことになれば、濠洲は本当に日本と因縁の深い国になるのではなからうかと感じた。」(71)

オーストラリアの「勃興し始めた日本語熱」(72)を日本に紹介したという点でも、国際文化振興会の鶴見に対する「補助」は成果があったと言えるのだが、これについては、第7節で述べる。

さて、話をRussoに戻すと、彼は鶴見のオーストラリア派遣以外の事業においても、国際文化振興会に貢献した。そのひとつに、鶴見が「ブリスベーンでも今度日本語の先生が行って教へることになって居る」という言葉で触れている、清田龍之助のクィーンズランド大学への派遣（本章第6節を参照）があるが、Russoはそのイタリア語能力を活かして、『万葉集』のイタリア語訳の監修も務めた(73)。そして、彼はこの功績により1940年にイタリア政府から王冠騎士勲章を授与されている(74)。しかし、このことは、やがてRussoをオーストラリアで不利な立場に追い込むことになる。

〈註〉

(1) 後藤乾一（1999）77頁

(2) 竹田いさみ・森健編（1998）292頁

(3) 後藤乾一（1999）71頁
(4) 後藤乾一（1999）78頁
(5) メイニー，ネヴィル（1981）16頁
(6) この使節団に随伴した報道関係者のひとりF. J. Murrayは、「シドニー・テレグラフ紙記者なるが、會って軍籍に在り陸軍士官学校時代日本語を学びたることあり」とされている。日濠協会（1934）146頁
(7) 日濠協会（1935）3頁
(8) 日濠協会（1934）2頁
(9) 日濠協会（1934）2頁
(10) 後藤乾一（1999）80頁
(11) 後藤乾一（1999）79頁
(12) メイニー，ネヴィル（1981）16頁
(13) 竹田いさみ（2000）173頁
(14) オーストラリアで「国籍・市民権法」が制定されたのは1948年、それが発効したのは1949年1月26日のことである。法律上はこの時はじめて「オーストラリア国民」が誕生したのであるが、それ以前にもオーストラリアでは、オーストラリアに在住する「英国国民」を「Australian」と表現することは一般的だった。このため、本書では「Australian」に相当する語として、「オーストラリア人」あるいは「オーストラリア国民」という表現を便宜的に使用する。
(15) Zainu'ddin, Ailsa G. Thomson（1988）p. 50.
(16) 当時、モリソン奨学金はメルボルン大学の「最終学年にある日本語履修者1名に対して6年ごと」に支給されていた。奨学生は「日本の大学に1年間留学すること」が義務づけられていた。(NAA A816, 44/301/9)
(17) NAA C443, J20
(18) この履歴書の入手に際しては、一橋大学大学院言語社会研究科の糟谷啓介教授のお世話になった。記して感謝申し上げたい。
(19) 一橋大学学園史刊行委員会（1986）1112頁
(20) Russo, Peter（1962）p. 3.
(21) 外務省外交資料館に保存されている国際文化振興会の議事要録には「第三十回理事会」と印刷されているが、前後の関係から、これは「第二十回理事会」の誤りだと思われる。
(22) 国際文化振興会（1935c）210頁
(23) 国際文化振興会（1935c）210頁
(24) オーストラリア国立図書館保存文書（以下NLAと表示）MS 8202, Papers of Peter Vasquez Russo, BOX 16
(25) NAA C443, J20
(26) NLA MS 8202, Papers of Peter Vasquez Russo, BOX 16
(27) NAA C443, J20
(28) Russo, Peter（1962）p. 3.
(29) 東京朝日新聞社（1935a）
(30) 東京朝日新聞社（1935a）

（31）日濠協会・日本新西蘭協会編（1980）28 頁
（32）日濠協会・日本新西蘭協会編（1980）28 頁
（33）日濠協会・日本新西蘭協会編（1980）28 頁
（34）Kokusai Bunka Shinkokai（1935）p. 48.
（35）NAA C443, J20
（36）NAA SP1714/1, N45868
（37）NAA C443, J20
（38）NAA C443, J20
（39）NAA BP242/1, Q24136
（40）NAA SP1714/1, N45868
（41）NAA SP1714/1, N45868
（42）NLA MS 8202, Papers of Peter Vasquez Russo, BOX 16
（43）Frei, Henry p.（1991）p. 123.
（44）フライ，ヘンリー（1980）110 頁
（45）NLA MS 8202, Papers of Peter Vasquez Russo, BOX 16
（46）NLA MS 8202, Papers of Peter Vasquez Russo, BOX 16
（47）今日では、どの州・地域でも前期中等教育修了試験は実施されておらず、10 年生を終えた生徒は学校での成績に基づいて前期中等教育修了資格を授与されることになっている。石附実・笹森健（2001）40 頁を参照。
（48）1935 年 10 月 24 日の「東京朝日新聞」は次のように報じている。「外務省には村井在シドニー総領事からメルボルン大学、同ハイスクールの外国語必須課目として「日本語」が採用された上、日濠の学術的提携のため政府ではブリスベーン市クイーンスランド大学教授メルボルン博士並にメルボルン大学教授コプラウンド博士を近く日本に派遣することになったとの快報も飛び込んで来て両国の親善活気の濃厚さを思はせてゐる。」東京朝日新聞社（1935b）
（49）NAA C443/P1, J421
（50）ヴィクトリア州政府が日本語科目を中等教育修了試験に導入することを決定した旨を、Browne は 1935 年 11 月 7 日付の書簡で Russo に連絡している。（NLA MS 8202, Papers of Peter Vasquez Russo, BOX 16）
（51）Russo, Peter（1962）p. 4.
（52）国際文化振興会（1935b）327 頁
（53）国際文化振興会（1935b）327 頁
（54）これは誤報である。メルボルン大学で日本語が「必修課目」となることはなかった。
（55）国際文化振興会（1936）47 頁～48 頁
（56）国際文化振興会（1935d）1 頁
（57）NLA MS 8202, Papers of Peter Vasquez Russo, BOX 16
（58）NAA BP242/1, Q24136
（59）Russo, Peter（1962）p. 5.
（60）NLA MS 8202, Papers of Peter Vasquez Russo, BOX 16
（61）NLA MS 8202, Papers of Peter Vasquez Russo, BOX 16

（62）外務省文化事業部（1937）163 頁
（63）国際文化振興会（1937b）558 頁
（64）国際文化振興会（1937b）558 頁
（65）日濠協会・日本新西蘭協会編（1980）35 頁
（66）日濠協会（1938）19 頁～20 頁
（67）日濠協会（1938）20 頁
（68）NLA MS 8202, Papers of Peter Vasquez Russo, BOX 16
（69）後に鶴見はメルボルン大学から名誉文学博士号を授与されている。Russo, Peter（1962）p. 6.
（70）Tsurumi, Yusuke（1937）p. 10–p. 11.
（71）鶴見祐輔述（1937）33 頁～38 頁
（72）鶴見祐輔述（1937）33 頁
（73）NLA MS 8202, Papers of Peter Vasquez Russo, BOX 16
（74）NAA BP242/1, Q24136

4.　国際文化振興会と稲垣蒙志

4–1　国際文化振興会「在濠連絡事務員」

1934 年に設立された国際文化振興会は、海外各地に「多くは現地に滞在する日本人のなかから適当な人物に委嘱する」(1) というかたちで「連絡員」を置いた。この連絡員は、振興会から下記の業務を期待されていた。

1. 外国に於ける文化事業団体及其の活動に関しての調査
2. 外国諸大学其他の教育施設に於ける日本及東洋研究の講座及び日本語講座あるや否やの調査
3. 諸外国に於ける日本研究者の調査
4. 外国に於ける日本或は東洋に関する図書館の調査
5. 外国に於て日本文化資料を陳列せる博物館の調査及如何なる文化資料を陳列しあるやの調査
6. 外国に於ける日本に関する出版物の調査及び今後日本に関する新刊書ありたる時は直ちに之を報告すること
7. 日本が今日迄外国に対して為したる日本紹介の事業及び其の効果に就いての調査
8. 諸外国が日本との文化交換に関して如何なる要求を為しをるや、また日本が諸外国に対して為すべき最も必要にして且つ効果的なる事業の研究(2)

これらの業務を期待されていた各地の連絡員は、「現地の各種団体、新聞、雑誌ラジオなどとの連絡折衝に当たるのみならず、あるいは講演を行ない、ニュースを提供し、あるいは本会（筆者註：国際文化振興会）主催展覧会の指導宣伝に当たり、会議に参加し、交換教授、芸術家、スポーツ選手の活動を助け、対日文化団体の設立を助成し、日本語講習会を組織し、各地の大学に日本文化講座の開設に努力するなど多方面の活動」(3)をした。

この「連絡員」とは別に、国際文化振興会には「連絡事務員」という制度があった。「連絡事務員」とは「非公式の連絡員」(4)である。そして、1936年に稲垣蒙志は同会の「在濠連絡事務員」(5)に任命された。1935年12月13日に国際文化振興会の理事会は次のように決定している。

「濠洲とは将来更に密接に連絡を図るの必要あり。但し当分の間連絡員を置く程の事業もなければ連絡事務を嘱託することにて足る。メルボルン大学日本語教師稲垣氏は二十年間同地に在り、濠洲人間に知己多し、ラッソー教授も之を推薦するにより試みに同氏に対し一ヶ年間連絡事務を委嘱することに決定、嘱託費年額千円。」(6)

ここに記されているように、稲垣が「在濠連絡事務員」に任命される過程には、Russoの関与があった。国際文化振興会理事長の樺山愛輔は、上記理事会1週間後の12月20日付でRussoに送った書簡の中で、「国際文化振興会は稲垣氏に対し、この任命を公式に通知する予定であるが、おそらく貴君はこのことを彼に個人的に伝えたいでしょう」(7)と記している。また稲垣は、国際文化振興会が彼に対する「在濠連絡事務員」の任命を正式決定する2か月前の10月15日付でRussoに書簡を送り、「ご親切にもあなたが私をご指名くださった」(8)職務を喜んで引き受けると謝意を述べている(9)。

Zainu'ddin, Ailsa G. Thomson（1988）によれば、Russoが稲垣に連絡事務員の職務を提供しようとしたのは、出濠使節団の一員としてメルボルンを訪問した時に、恩師である稲垣が不安定な経済状況と社会的な孤立の中にいることを知り、少しでも援助しようとしたからであるという(10)。もしそうだとしたら、この委嘱も国際文化振興会が対オーストラリア「日本語普及政策」の立案に本気になって取り組みはじめたことを意味するものではないことになるのであるが、稲垣は国際文化振興会と関わりを持ったことで、後に不利な立場に立たされることになる。これについては、第5章で紹介したい。

4-2　ヴィクトリア州の日本語教育

ここで、当時のヴィクトリア州における日本語教育事情を見てみよう。

メルボルン大学では、あいかわらず「日本語は学位に結びつく科目ではなかった」(11)し、「夜間講座として設置されている」(12)に過ぎなかったが、中等教育レベルでは、稲垣が国際文化振興会の連絡事務員に委嘱されたのと同じ1936年に、前年の出淵使節団の訪豪が契機となって、日本語が前期中等教育修了試験と後期中等教育修了試験の科目に導入されている。その試験官は稲垣が務めた。また、稲垣の長女 Mura はメソジスト・レディーズ・カレッジ（Methodist Ladies' College）(13)で日本語を教えていた(14)。さらに、ヴィクトリア州教育省は、1935年、マックロバートソン・ガールズ・ハイスクール（MacRobertson Girls' High School）に日本語の土曜講座を設けた。稲垣はこの土曜講座の講師も務めた。

ヴィクトリア州の有力新聞「Herald」（1936年7月25日）は、「日本がメルボルンにやってくる」（Nippon comes to Melbourne）というタイトルの下、この土曜講座の日本語教育を取り上げている。その記事では、「東洋と西洋はマックロバートソン・ガールズ・ハイスクールで出会った」(15)とされ、「メルボルンの少年少女たちは日本語を熱心に学んでおり、そこでは漢字が急速に普通の言葉となりつつある」(16)と紹介されている。そして、同ハイスクールでは、「日本語の授業は毎週土曜日の午前中に実施されている」(17)のであるが、「40名から50名ほどの若人たちが真面目にこの難しい言語と取り組んでいる」(18)とされ、さらに、この記事はつづけて同講座の概要を次のように記している。

> 「クラスは3つに分かれている。ひとつは男子生徒のための中級クラス、ひとつは女子生徒のための中級クラス、そしてもうひとつは男女共学の上級クラスであり、この上級クラスのレベルは後期中等教育修了試験の水準と同じである。(中略)
>
> マックロバートソンの中級クラスは、メルボルン大学の1年生の水準に少し欠ける程度、上級クラスはそれを上回るレベルである。したがって、もし日本語がメルボルン大学の文学部か商学部の科目になり、これらの少年少女たちが大学でも日本語学習を続けるとしたら、彼らはすでに価値あるスタートを切っていることになる。」(19)

土曜講座に「日本語クラスを開講しようというアイディアは2年前にメルボルン大学日本語講師の稲垣氏から出た」(20)という。おそらく稲垣は、「これらの少年少女たちが大学でも日本語学習を続ける」こと、すなわち、大学に既習者を迎え入れることで、その日本語教育のレベルを上昇させ、将来的に「日本語科目がメルボルン大学の文学部か商学部の科目」に認定されることを企図していたのではないかと思われる。すなわち、稲垣はメルボルン大学の日本語講座を正規科目とするため、あるいは少なくとも大学での日本語履修者を早い段階で確保するため、土曜講座の日本語教育にも力を注いだのではないかと考えられる。

この日本語クラスを維持するため、ヴィクトリア州教育省は3名の日本語教師を雇用した。稲垣蒙志、Irene C. Ryan、Amelia M. Pittmanの3名である。Ryanの経歴と日本語学習歴は不明だが、Pittmanは「メルボルン大学に於て五箇年日本語を専攻」(21)した経験を有していた(22)。

ヴィクトリア州教育省が、この日本語土曜講座の運営にあたって、その講師給与を含め、どの程度の経費を負担していたのかは明らかでない。しかし、土曜講座に「日本語クラスを開講しようというアイディアは2年前にメルボルン大学日本語講師の稲垣氏から出た」ものであること、そして、講座の運営を主導したのも稲垣自身であったことを考え合わせるならば、この日本語土曜講座の開設に当たって、当時のヴィクトリア州政府に明確な目的意識と確固たる「日本語教育政策」があったとは考えられない。

ヴィクトリア州教育省は、同じ1935年にイタリア語の土曜講座も開設している。しかし、これもヴィクトリア州政府に確固とした「イタリア語教育政策」があったからではなく、イタリア政府の働きかけによって実現したものだった。同年、イタリア政府のダンテ協会（Società Dante Alighieri）はヴィクトリア州政府に対して、同州の学校教育へのイタリア語科目の導入を要請している。これに対して、ヴィクトリア州政府はその管轄下の公立学校からも意見を徴した上で、最終的に土曜講座でイタリア語教育を実施することにした(23)。イタリア語の土曜講座が開設された後、ダンテ協会は同講座に教師を派遣してもいる(24)。

出だしは順調だったようだが、土曜講座における日本語とイタリア語の受講者数は、戦雲が垂れこめるにつれて減少した。このため、1939年から1940年にかけてヴィクトリア州教育省の内部では、土曜講座の閉講を求める声もあがった。しかし、同州教育長のJohn Arnold Seitz(25)が、「オーストラリア人は日本語とイタリア語の知識を深めるべきだ」(26)との見解から、その閉講に反対し、日本語とイタリア語の土曜講座は存続することになった。

Seitzが「オーストラリア人は日本語とイタリア語の知識を深めるべきだ」と考えるに至った理由はわからない。しかし、土曜講座の存続決定と日独伊三国同盟の締結とが時を同じくしていることを考え合わせるならば、Seitzの判断の背景として、オーストラリアの「国防」が意識されていたのではないかと想像することができる。そして、この想像が的外れでないとするならば、ヴィクトリア州政府は1940年の時点ではじめて明確な「日本語教育政策」を打ち出したと言うことができるし、その「日本語教育政策」は、オーストラリアのそれまでの「日本語教育政策」の多くがそうであったように、「国防上の理由」から立案されたものであったとすることもできる。むろん、ヴィクトリア州政府の「日本語教育政策」は、既存の日本語講座を廃止しないという、あまり積極的なものではなかったが。

Seitzの判断により日本語土曜講座は存続することになったが、1941年12月の日豪開戦後、稲垣はタチュラ収容所に抑留された。また、1942年2月にはマックロバートソン・ガールズ・ハイスクールの建物が米軍施設に供されるため接収されている。しかし、日本語とイタリア語の土曜講座は、ユニバーシティー・ハイスクール（University High School）に移転して、戦争中も開講されつづけた。そして戦後まで存続し(27)、今日のヴィクトリア州立言語学校（The Victorian School of Languages）の前身となった。

ヴィクトリア州立言語学校は、学びたい言語科目が自分の所属校に開講されていない生徒や、身体的あるいは地理的な理由から学校に通うことが困難な生徒を対象に、土曜講座や通信教育の形態で様々な言語の教育を実施している。2002年現在、同校の土曜講座では、合計14,000名以上の生徒が日本語を含む42言語を学んでいる。日本語の学習者数は684名である。また、通信教育部門では7言語（フランス語・ドイツ語・インドネシア語・イタリア語・日本語・現代ギリシャ語・ラテン語）の教育を実施しており、日本語は225名が履修している。今日、同校はオーストラリアの多文化主義（Multiculturalism）を象徴する存在のひとつになっている。

さて、1936年のマックロバートソン・ガールズ・ハイスクールに話を戻すならば、その日本語土曜講座の「中級」の授業内容は、「先生が英語で言葉を与えると生徒たちはそれに相当する日本語の表現を返してよこす」(28)というもので、「先生が「Excuse me」と言えば、生徒たちは声をそろえて「ごめんください」と言い、「I thank you」には「ありがとうございます」、「Goodbye」には「さようなら」と答える」(29)方法がとられていた。

この「日本語と英語で同じ意味の表現がこだましあう」(30)教室で使用されていた日本語教材は、「Herald」の記事によると、「日本の学校の1年生から6年生までが使っているもの」(31)で、「日本の親切なプリンスが寄贈してくれたもの」(32)だったとされているが、この場合の「プリンス」は「王子」の意味ではなく、

「公爵」のことだろう。稲垣が連絡事務員を務めていた国際文化振興会は、1936年、「文化資料寄贈」事業の一環として、「「メルボルン」大学初等教育局に対し日本語教授用として邦語「タイプライター」一台及国定教科書其他参考図書」[33]を寄贈している。おそらくこの教材寄贈の際に国際文化振興会は、会長であり公爵でもある近衛文麿の名前で寄贈したのだろう。第2節で述べたように、国際文化振興会はその設立時においては、既存の日本語講座や日本語教育機関に対する「援助」は事業として想定していなかったのであるが、また、ダンテ協会と異なり、国際文化振興会はヴィクトリア州教育省に対して、「日本語普及」を直接的に働きかけることはしなかったが、同会はこのような形で、マックロバートソン・ガールズ・ハイスクールの日本語土曜講座と関わった。

日本語土曜講座を紹介した「Herald」の記事は、その最後を次のように締めくくっている。

「これらの若いオーストラリア人たちがやっていることは疑いようもなく重要なことだ。むろん全ての生徒が日本語をマスターするまでの長期間その情熱を持ち続けるわけではないだろう。なぜなら日本語はヨーロッパ人がマスターするのに何年もかかる言語だからである。しかし、何人かは情熱を持ち続けるだろうし、やがて彼らがオーストラリアにおいて日本語を話すことのできる人材の中核を成す日が来ることだろう。歴史が証明しているように、日本とオーストラリアの関係は、太平洋における隣国同士として、疑いようもなく更にその親密の度を増していくだろう。若い人たちにとって日本語能力はだいじな財産となるだろうし、それは重要なポストへのパスポートともなろう。確かなことは、われわれは日本人の思考や行動を更によく理解する必要があるということだ。そしてそのための最良の方法は、日本語と日本人の思想や文化を熟知している同胞を介して行うことなのだ。」[34]

この記事が「Herald」に掲載された1936年は、稲垣にとって、国際文化振興会の連絡事務員に任命され、またヴィクトリア州の中等教育修了試験には日本語科目が導入されるなど、それまでの苦労が報われた年だったのではないかと思われる。また、このころには、オーストラリア国営の3LOラジオ局[35]による通信教育学校（Correspondence School）のカリキュラムにも日本語科目が導入されていたが、稲垣はその講師も務めた。中等教育レベルで日本語教育が実施されていることと、最新の情報メディアが日本語教育に利用されていることは[36]、今日でもオーストラリアの日本語教育を特徴づける事柄であるが[37]、稲垣はすでに 1930 年代にそれらと関わっていたことになる。

後に、この通信教育学校と土曜講座の日本語教育は、Fred G. East という人物によって継承される。East は 1897 年の生まれで、第一次世界大戦中は騎兵隊に勤務し、1926 年から州立学校の教壇に立っていた。日本語は稲垣から初めは通信教育によって、後にはメルボルン大学で学んだ(38)。通信教育学校で稲垣の助手を務めた後、同校や土曜講座の日本語教師になったのであるが、やがて East は稲垣と対立し、彼を不利な立場に追い込んでいくことになる（第 5 章第 4 節を参照）。

ところで、稲垣は国際文化振興会と関わりを持ったことで、その存在が日本でも知られるようになった。たとえば、1936 年 11 月 10 日の「東京朝日新聞」は「濠洲日本語熱の標本：手筋誇って来朝」と題して、「僅か十四ケ月で日本語の会話・読み書きは勿論難かしい漢字五六百字まで覚えた珍らしい日本語熱のお医者さんメルボルン市の外科医タマス・ライト博士」(39)が来日したことを伝えているが、それによると、前年春に 10 日ほど日本に滞在した経験のある同氏は、「日本の素晴しさを理解するには日本語を先づ習はなければならない」(40)として、帰国後、稲垣に日本語を学ぶことにしたという。

「メルボルン市に帰ると直に同市に三十年間居住してメルボルン大学日本語講座の先生を勤めるかたはら日本語の普及に努力してゐる稲垣蒙志氏に入門、丁度稲垣氏の夫人は濠洲婦人でその家とライト博士の家とは極く近所だったので、毎晩『サイタ、サイタ、サクラガ、サイタ』の猛練習、特に今春から世界最初の『日本語ラヂオ講座』がヴィクトリア州政府の肝煎りで開設、国立放送局から連続放送されたので博士の勉強は益々躍進し、遂に正味十四ケ月間で片仮名、平仮名は勿論、難しい漢字を完全に修得、堂々と意見を発表する域にまで到達した。

この日本語スピード学習の世界的記録をつくった博士は、愈本場で最後の磨きをかける目的から先月三十一日神戸着、数日前にヒョッコリ帝国ホテルの帳場に現はれるや鮮かな日本字の宿帳記入で居並ぶクラーク達をあっと吃驚させた。一年前に来た時には『コンニチハ』も知らなかったこの紳士が漢字で『濠洲メルボルン市』とハッキリ書いたのだから驚くのも尤もだ。博士の専門は『犯罪と医学』の研究で今回の東京訪問には完全な日本語を使って見学したいといふので外務当局及び国際文化振興会では『日本語の世界普及』の奇特者として大いに歓待する事になり十日は帝大附属病院、十一日は小菅刑務所と視察プログラムを決定した。九日正午帝国ホテルでライト博士は語る。

私は昨年日本訪問から濠洲に帰るまでは日本語を全然知りませんでした。それが稲垣氏のお陰でどうやら一人前になったのです。外国人にとって日本語は確かに難しいものです。その証拠には日本に長年居住する外国人でも日本語の読み書きは不自由な様ですね。しかし若し組織的なよい文法の本さへあれば、日本語の勉強は決して困難ではありません。稲垣氏の新案の日本語文法の力で私は楽に勉強出来ました。私自身が立派な証拠ではありませんか。いまメルボルンの日本語放送は毎週金曜六時から行はれ稲垣氏を先生に約三千人の熱心な聴講者があります。」(41)

この記事には稲垣の宣伝臭が感じられるが、日本の新聞にも稲垣の活動が紹介されるようになったのは、彼が国際文化振興会とのつながりを得たからだろう。そして、1938 年に稲垣は同会の招聘により、12 年ぶりに日本へ一時帰国することになる。

4-3　オーストラリアに対する「日本語普及」

稲垣の一時帰国にも Russo が関与していた。Zainu'ddin, Ailsa G. Thomson（1988）によれば、学生たちが稲垣の教授法に不満を抱いていることを感じた Russo は、稲垣を優秀な教師と認めつつも、その教授法を改めるよう説得することを試みたという(42)。稲垣の教授法の具体的な内容や、それに対する学生の不満の中身については、必ずしも明らかではないが、いずれにせよ、稲垣は約 20 年間続けてきた自分のやりかたを正しいと信じていたことから、Russo は国際文化振興会の経費負担によって稲垣を帰国させ、彼に新しい知識を吸収させようとした。

国際文化振興会は、1937 年 2 月 12 日に開催した第 43 回理事会で、「濠洲連絡員稲垣蒙志氏賜暇帰朝」(43)を決定し、あわせて「旅費補助として三千円支出すること」(44)とした。

「在濠稲垣連絡員は長く海外にあり然も日本語普及の上に大いなる貢献をなしつゝあり、最近の本邦事情に通ぜしめ、且つ今後の事務上の連絡を期する為め同氏を帰朝せしむることに決定。」(45)

経緯は不明であるが、この頃までに稲垣は非公式の「連絡事務員」から公式の「連絡員」に昇格していたようである。そして、国際文化振興会連絡員としての稲垣は、オーストラリアで「日濠関係に関する懸賞論文」(46)の募集を行う。ただし、これは国際文化振興会の意向を受けてというよりも、稲垣自身の発案を後になって同会が支援したもののようだ。振興会は1937年9月10日に開催した理事会で次のとおり決定している。

「在濠洲稲垣連絡員日濠関係を主題とせる論文を懸賞募集せる処成人、大学学生、少年等より七百に上る応募あり、予選の結果百十一の論文の送附を受けたるにより選詮委員を設け優等を定め、賞品を送ることに決定。」(47)

そして、稲垣が来日した1938年2月に国際文化振興会は、「一等一名、二等十三名、三等十八名、四等五十一名、五等四十二名、六等（児童）二名を選定」(48)し、「之等に対し夫々賞品を授与すること、し、又優秀論文は発表すること」(49)としたが、この「日濠関係に関する懸賞論文」をめぐっては、メルボルンにいた稲垣と東京にいたRussoの間に、あるいは稲垣と国際文化振興会の間に齟齬が生じたようだ(50)。これについては、第5章であらためて触れるが、国際文化振興会は1937年ごろから稲垣に対して少なからず不満を抱いていた形跡がある。このため、たとえば1938年11月12日に開催された理事会において、ニューヨーク、ブエノスアイレスの連絡員と並んで稲垣の連絡員としての任期更新が諮られた時、前者2名は「そのまゝ更に一ヶ年間任期継続」(51)することが決まったが、稲垣については、「一応外務省を通じ在濠洲本邦総領事の意見を徴したる上にて審議決定すること」(52)となった。

国際文化振興会の稲垣に対する不満の中身がいかなるものであったかは不明だが、オーストラリアに対する「日本語普及」という点では両者は利害が一致していた。国際文化振興会はオーストラリアにおける日本語教育の現状に関心を抱き、その実態調査も行っている。ただし、これは稲垣を通じてではなく、在シドニー日本総領事館を経由してであった。

1936年7月29日、在シドニー日本総領事館は、「日本のしかるべき機関がオーストラリアの日本語教育に関する情報を欲している」(53)として、各地の関係者に、(1) 日本語教師の人数およびその国籍、(2) 日本語学習者数、(3) 使用教材名、(4) 教授法、について照会している。照会を受けたのは、クィーンズランド州、西オーストラリア州、南オーストラリア州に在住の日本名誉領事、教育機関は、シドニー大学、メルボルン大学、ベルリッツ・スクール（Berlitz School）の3校である。また、メルボルン大学と各地の日本名誉領事に対しては、上記機関以外にも日本語教育を実施している機関が存在するか否かについてと、日本語教育の将来的な見通しについても照会している(54)。

これに対して、各地の名誉領事や教育機関がどのような回答を寄せたのかは定かでない。ただし、同年8月7日付で在シドニー日本総領事がシドニー大学のArthur Sadlerに送った書簡によると、Sadlerはシドニー大学と陸軍士官学校における日本語教育の現状について回答したようだ(55)。

国際文化振興会はオーストラリアの教育機関に「日本語普及」を直接的に働きかけてもいる。同会主事の青木節一は1937年2月8日付でメルボルン大学副総長のR. E. Priestleyに書簡を送り、振興会が稲垣の招聘を決定したことを通知するとともに、この訪日によって、「稲垣氏が日本の最新動向と文化的発展を知ることができるとともに、その成果を帰国後の職務に生かすことを、国際文化振興会理事会は希望しております」(56)と記しているが、それにつづけて青木は次のように書いている。

「今回の決定は、ヴィクトリア州教育省、メルボルン大学、オーストラリア放送協会が日本語学習に対して示した奨励的施策に大きな影響を受けております。さらに、閣下が当振興会の目的にご関心をお寄せくださり、また、両国間の今日における幸福な文化関係が今後も維持発展するであろうことを確信しておられることに、私どもは感銘を受けております。

稲垣氏が前期中等教育修了試験と後期中等教育修了試験の初めての日本語試験問題を送ってくださり、われわれはそれを詳細に検討させていただきましたが、とても素晴しいものであると思いました。私どもは、そう遠くない将来において日本語科目が貴大学の文学部と商学部の正規科目に採用されますことを心より希望いたしております。」(57)

管見の限り、これは国際文化振興会がオーストラリアの教育機関に「日本語普及」を直接的に働きかけた唯一の例であるが、福島尚彦（1979b）によれば、稲垣は振興会を利用してメルボルン大学における日本語科目の地位向上、すなわち正規科目化を図ろうとした形跡があるという(58)。そうだとしたら、この唯一の直接的な働きかけも稲垣の意を受けてのものだった可能性がある。

青木の書簡に対し、Priestleyは3月9日付で次のように回答している。

「私は日本語講座の新しいコースが満足すべきものであることを喜んでおります。また、本学が日本語教育だけでなく、日本人の生活と文化に関する他の諸相についての教育をも拡大できることを希望しております。現在、本学は全学的に開設科目の見直しを行っております。その必要条件に関し、私は外国語学科の各主任に対して、調査をするよう指示するつもりでおります。その際には日本語科目も無視されることはないでしょうし、また、本学において日本語教育を代表する立場にある稲垣氏も助言を求められることでしょう。

私は貴振興会が前期中等教育修了試験と後期中等教育修了試験の最初の日本語試験問題にご満足なさったということをうれしく思います。また、そう遠くない将来において日本語科目が本学の文学部および商学部の正規科目に採用されることをご希望なさっておられることに、私も同感いたします。しかし、それを妨げているのは、他の問題の場合と同様、ひとえに財政的な障害であります。私は、1年ないし1年半の間にヴィクトリア州政府に対し、大学予算の大幅な増額を要求するつもりです。私は大学のすべての学科を等しく発展させたいと考えております。言語と文学は現代のそれも古代のそれもきわめて重要でありますから、大学の拡張が可能になった暁には、必ずやこれらの分野も益を得ることになるものと考えております。」[(59)]

このようにPriestleyは、日本語の正規科目化について、「財政的な障害」を理由にやんわりと拒否しているが、稲垣に対しては、国際文化振興会の招聘に応ずるよう勧めた。Zainu'ddin, Ailsa G. Thomson（1988）によれば、Priestleyは稲垣が大学から去ることを望んでいたようだという。一方の稲垣は、訪日中に彼の仕事を代行してくれる人間の確保、あるいはその人間が彼の仕事を奪ってしまうことを心配したが、Priestleyは日本語の正規科目化を支持するような発言をしたらしく、そのことが稲垣に希望を与えた[(60)]。

しかし、結局のところメルボルン大学で日本語は正規科目にならなかった。それは、「財政的な障害」によってだけではない。青木への書簡にもあるとおり、Priestleyは「全学的に開設科目の見直し」を行うため、その一環として、フランス語学科のA. R. Chisholmとドイツ語学科のA. Lodewyckxに対し、正規科目化を要求している言語科目の教育状況について調査するよう指示したが、Chisholmが日本語講座の状況を調査したところ、「この東洋人（筆者註：稲垣）の日本語に対するアプローチの仕方は彼の日本語教育をヨーロッパ人には難しいものにしている」[(61)]との結論に達し、「ヨーロッパ人」によって日本語講座を監督する必要があるとした。また、日本語を正規科目とすべきでない理由を次のようにも記した。

「本学における日本語教育がここまで発展してきたのは、ひとえに現任者である日本人講師の熱意の賜物である。したがって、日本語を正規科目にするのとひきかえに彼を辞めさせるのは正当ではない。」[62]

4-4　稲垣の訪日

メルボルン大学は、1937年4月8日付で稲垣に書簡を送り、彼が同年12月上旬から1938年3月末まで国際文化振興会の招聘により訪日することを許可した。そこには続けて次のように記されている。

「この許可を出すにあたり、私は大学評議会より、貴兄の過去18年におよぶ本学に対するご尽力に対して謝意を述べるよう求められましたので、お伝えいたします。」[63]

稲垣は配偶者のRoseと長女のMuraを同伴し、1937年12月25日に日本郵船の「賀茂丸」でオーストラリアを発った。この日は稲垣にとって30回目の結婚記念日だった。また、この渡航はRoseとMuraにとっては初めて日本の土を踏む旅行だった。しかし、国際文化振興会が招聘したのは稲垣だけだった。彼はRoseとMuraを同伴させるため、振興会から与えられた一等客室のチケットを3枚の三等チケットに代えていたのである。このため、稲垣はもう少しで国際文化振興会とのつながりを失うところだったという[64]。

1938年2月1日、「賀茂丸」は横浜に入港した。稲垣の滞日中に国際文化振興会は、「英帝国諸領」に対する「対外文化工作に関する協議会」（次節参照）と「稲垣濠洲連絡員招待打合会」[65]を開催した。稲垣の歓迎会も開催されたが、Russoによれば、これは「夕食会ではなく昼食会」[66]であり、「振興会の規程では第五等の待遇」[67]に過ぎなかったという。また、Roseは日本滞在中「ぞんざいに扱われて」[68]いると感じた。彼女によれば、稲垣自身もこの訪日には「少し失望」[69]し、「オーストラリアに戻ってむしろ喜んで」[70]いたほどだったという。

たしかに、日本滞在中には稲垣を失望させることもあったろう。それは歓迎会が「夕食会ではなく昼食会」であったことだけではなく、オーストラリアに対する「日本語普及」の考え方の上で、国際文化振興会やその他の関係者と彼自身との間にズレがあることを発見したからではないかと思われる。とくに上記の「英帝国諸領」に対する「対外文化工作に関する協議会」はそれを痛感させられた場ではなかったろうか。これについては次節で紹介するが、その一方で、この訪日は稲垣にとって益するところもあった。そのひとつは、「今回の帰朝を機会に本会（筆者註：国際文化振興会）の斡旋の下に日本語教科書を印刷出版すること」[71]が決まったことである。

稲垣はその数年前から日本語教科書を執筆していた[72]。そして、その原稿を稲垣は訪日に際して携行し、国際文化振興会の関係者に出版の可能性を打診した。振興会は同会出版物の販売代理店を務めていた教文館を紹介した。

1938年2月7日の「東京朝日新聞」は、「長年の体験結晶：濠洲人向きに日本語新読本」と題して、稲垣が執筆した日本語教科書を次のように紹介している。

「濠洲の『日本語の父』として長年間、ヴィクトリア州の首都メルボルン市で日本語教授に努力して来たメルボルン大学日本語講座主任稲垣蒙志氏（五五）は最近日本語普及につき外務当局及び国際文化振興会と打合せのため濠洲生れのローズ・カロリン夫人と一粒種のむら子さん（二六）を同伴、帰朝したが、愈々同氏永年の苦心と経験の結晶たる日本語読本『ナショナル・ランゲーヂ・オブ・ニホン』を今春三月振興会より出版する事に決定、来る十四日横浜出帆の加茂丸で再び濠洲へ帰任する事になった。

同氏は静岡中学から横浜の専門学校に学んだが病弱から気候の良い濠洲を目指して放浪の旅に出たのが二十四歳、木曜島、ブリスベーン、シドニーと転々してメルボルン市の図書館に雇はれ日本文学の翻訳に従事したが、当時『白人濠洲』のスローガンの下に東洋人を排斥してゐた濠洲人に日本を正しく認識させるためには日本語を教へるに如かずとゆたかでない生活の中から日本語教授のスタートを切った。

以来約三十年小学校教員出のローズ・カロリン夫人及び長女むら子さんを助手に日本語の普及に努力、一九一九年メルボルン大学に日本語講座の開設と同時に教授に迎へられ次いで一昨年よりヴィクトリア全州百五十の中等学校には日本語を独、仏語同様に補助外国語として正課に採用せしめるに至った。

今回の日本語読本は濠洲政府より派遣され滞京中の東京商大講師ピーター・ラッソー氏の協力により完成されたもので、一巻二百ページ、片仮名、英語、ローマ字の三通りで日本語の基本から独特の方法で『読み』『書き』『話』を並行して修得する目的、全六巻で我国の小学校の全課程を終了する予定である。濠洲学生の便宜のため大体一冊五十銭位の廉価で頒布する。

同氏は語る。この三十年間に私の教へた日本語のお弟子さんは六、七百人に達します。現在はメルボルン大学の日本語講座の学生が四十二人。この他に娘むら子が二つのカレッヂで教へてゐる生徒が五十二人、その他通信で勉強してゐる生徒など沢山あります。」[73]

この「東京朝日新聞」の紙面には、稲垣の「永年の苦心と経験の結晶」である『日本語読本』(74)の印刷前の表紙原稿を撮った写真が掲載されている。そこには著者名として「By M. Inagaki, P. Russo」と記されているが、実際に出版された『日本語読本』の表紙には稲垣の名前のみが記されている。

また、上記の記事には「東京商大講師ピーター・ラッソー氏の協力により完成された」とあるが、この教科書を実際に執筆したのは稲垣だけであり、Russo は関与していない。Russo が関与したのは、「世に出すという意味」(75)においてのみだった。それにもかかわらず、稲垣が初めの段階で Russo の名前も入れたのは、自分を国際文化振興会の連絡事務員に委嘱してくれた上に、さらに今回は一時帰国も実現してくれた Russo に対する配慮だったのか、あるいは稲垣が Russo との共著でこの教科書の出版を希望していたのを Russo が拒否したのか、その辺の事情は不明である

1972 年に解散した国際文化振興会の財産を継承した国際交流基金の図書館に、「メルボルン大学日本語講師稲垣蒙志著」の『日本語読本』(76)の「巻一」から「巻三」までが保存されている。発行日は「巻一」が 1938 年 10 月 15 日、「巻二」が 1939 年 4 月 25 日、「巻三」が 1940 年 12 月 15 日で、発行所はいずれも教文館である。3 巻を通じて「まえがき」も「あとがき」もない、実にそっけない体裁である。Zainu'ddin, Ailsa G. Thomson（1988）によれば、日豪関係史の研究者である David Sissons は、この『日本語読本』の「巻一」について、「信じられないほど混乱して」(77)いるとコメントしたという。また、後に Russo はこの教科書について、「オーストラリアの学生に日本語を教える」(78)という目的に「この教科書はかなって」(79)いるかと質問されたのに対し、「それは学生次第」(80)だと答えている。

しかし、稲垣は国際文化振興会が『日本語読本』の出版を斡旋したことから、自己の教授法の正しさを再認識することになり(81)、それを変える機会を失ってしまった。このことは結果として、後に稲垣自身が「その教育活動において意図的にオーストラリアの日本語学習を妨害した」(82)と見なされることになっただけではなく、「オーストラリアの日本語教育を妨害することは日本の国策の一部かもしれない」(83)とされることにつながった。国際文化振興会が『日本語読本』の出版を斡旋したのは、オーストラリアにおける「日本語普及」のためであったにもかかわらず、結果としては、「オーストラリアの日本語教育を妨害することは日本の国策の一部かもしれない」と見なされるに至る原因のひとつを作り出してしまったのである。これについては、第 3 章で詳述する。

なお、稲垣は『日本語読本』の「巻四」以降の出版も企図し、そのための原稿

も執筆していたようだが、この原稿は日豪開戦に伴い稲垣がオーストラリアの捜査当局に逮捕された際に失われてしまったという[84]。

さて、今回の訪日期間中に、稲垣とその家族および彼らの日本語教育は、日本の報道機関にも取り上げられた。前掲の「東京朝日新聞」の記事もそのひとつであるが、英字紙の「Japan Times & Mail」（1938 年 2 月 13 日）では、「稲垣家の人々とオーストラリアの日本語教育」（The Inagakis and Japanese Studies in Australia）というタイトルの下、「日本語教師」としての Rose と Mura が紹介されている。この記事は、「多くの場合、海外では日本語と日本文化の普及は男性によって担われているが、オーストラリアはその例外」[85]であるとして、「メルボルン大学教授で国際文化振興会の現地代表者でもある稲垣蒙志氏の夫人とその娘 Muriel Inagaki 嬢」[86]を「正規の教育を受けヴィクトリア州教育省に登録された日本語教師である」[87]と紹介するとともに[88]、オーストラリアの日本語教育について、次のように記している。

「稲垣家の人々によると、日本語はオーストラリアで人気があり、男性ばかりでなく、多くの女性が日本語を学んでいる。女《マ》子校《マ》では、長老教会レディーズ・カレッジ（Presbyterian Ladies' College）、メソジスト・レディーズ・カレッジ（Methodist Ladies' College）、英国国教会ガールズ・グラマー・スクール（Church of England Girls' Grammar School）、ジーロング・パブリック・スクール（Geelong Public School）で日本語が教えられているが、その教師は、多くの場合、女性である。またいくつかの女子修道院でも日本語が教えられている。

上流階級のご婦人方も日本語を学んでいる。なかでも東京で開催された第 15 回国際赤十字会議にオーストラリアを代表して出席した Carlyle Smythe 夫人は熱心である。女子修道院の修道女にも日本語教師養成講座を受講している者がいる。これらのことはオーストラリア人女性の間で日本語学習がブームになっていることを示している。

日本語と日本文化は幾つかの公立学校でも 8 才から 16 才までの子供たちに教えられている。学校を卒業すると子供たちは大学に進学することになるが、そこでは稲垣教授が多くのクラスを受け持っており、その履修者数は他のどの外国語の履修者数よりも多い。稲垣教授は大学のほか全豪の日本語学習者を対象に通信教育でも、またラジオ放送でも日本語を教えている。

ラジオ放送による日本語講座が開始された時、その聴講者はわずか 20 名しかいなかった。しかし、その数は最初の実験放送週間が終わる前までに 68 名となり、本放送の第1週目が終わる頃までには160名に増加し、第3週が終わる時には500名に達した。このため、放送局は毎週届く解答用紙を添削するスタッフをあらたに4名雇わなければならなくなったほどだ[89]。

国際文化振興会はその現地代表者である稲垣教授を通じてオーストラリアでエッセイ・コンテストを実施した。テーマは「いかにして豪日間の友好関係をよりよくするか」というものだったが、寄せられたエッセイの数は膨大だった。8才から80才までの応募があり、最良のエッセイは8才の女子児童が書いたもので、間違いなくその子は受賞するだろうとのことだ。」[90]

稲垣とその家族は日本に約3週間滞在した。そして、2月14日に東京から神戸に向かい、同地から日本郵船の「賀茂丸」でオーストラリアに戻った。

この3週間の稲垣の訪日について、外務省文化事業部の執務報告書には、「稲垣連絡員を本年二月帰朝せしめ、連絡事務に関し打合の上、同月帰任せしめたり」[91]とのみ記載されているが、この3週間は稲垣のその後の人生にマイナスの影響を与えることになる。これについては後述することにして、その前に、稲垣も出席して2月9日に開催された「英帝国諸領」に対する「対外文化工作に関する協議会」について見てみよう。

〈註〉

（1）芝崎厚士（1999a）95頁
（2）芝崎厚士（1999a）95頁
（3）国際文化振興会（1964）21頁～22頁
（4）国際文化振興会（1936）48頁
（5）国際文化振興会（1935d）8頁
（6）国際文化振興会（1935d）8頁
（7）NLA MS 8202, Papers of Peter Vasquez Russo, BOX 16
（8）NLA MS 8202, Papers of Peter Vasquez Russo, BOX 16
（9）NLA MS 8202, Papers of Peter Vasquez Russo, BOX 16
（10）Zainu'ddin, Ailsa G. Thomson（1988）p. 51.
（11）NAA A816, 44/301/9
（12）NAA A816, 44/301/9
（13）同校は、英国国教会ガールズ・グラマー・スクール（Church of England Girls' Grammar School）や長老教会レディーズ・カレッジ（Presbyterian Ladies' College）と並ぶ、メルボルンの名門女子校とされていた。詳細については、バーカン，アラン（1995）259頁を参照。なお、オーストラリアでは、英国植民地となった初期の時代から、キリスト教各派が初等中等教育の分野で重要な役割を担った。1810年代までには、英国国教会、メソジスト、カトリック、長老教会の各派が学校を設立し、教育活動を始めている。詳細については、石附実・笹森健（2001）96頁を参照。

（14）Zainu'ddin, Ailsa G. Thomson（1985）p. 343.

（15）Herald（1936）

（16）Herald（1936）

（17）Herald（1936）

（18）Herald（1936）

（19）Herald（1936）

（20）Herald（1936）

（21）日濠協会（1939）31頁

（22）RyanとPittmanの両名は、1939年に日本の鉄道省国際観光局の招聘によって訪日している。詳細については、本書第5章第1節を参照。

（23）Merlino, Frank（1988）p. 10.

（24）Merlino, Frank（1988）p. 10.

（25）Seitzはヴィクトリア州教育省で、1929年から1936年まで中等教育部門主任視学官を、また1936年から1948年まで教育長を務めた。

（26）Merlino, Frank（1988）p. 11.

（27）これらの土曜講座を基盤として、1966年、メルボルン現代語土曜学校（The Melbourne Saturday School of Modern Languages）が設立された。同校は1987年にヴィクトリア州立言語学校（The Victorian School of Languages）と改称している。

（28）Herald（1936）

（29）Herald（1936）

（30）Herald（1936）

（31）Herald（1936）

（32）Herald（1936）

（33）外務省文化事業部（1936）276頁

（34）Herald（1936）

（35）3LOラジオ局は1924年10月にメルボルン市のローカル局として開局した。当初は民間企業の支配下にあったが、1932年にオーストラリア放送協会（The Australian Broadcasting Commission）が設立されたのに伴い、国営に移行した。2000年には名称を「774 ABC Melbourne」と変更している。

（36）山口誠（2001）によれば、当時の日本の「植民地」では、台湾放送協会が1930年に「国語教育講座」を、京城放送局が1933年に「国語講座」を、それぞれラジオ放送を利用して開始している。

（37）国際交流基金（1998a）を参照。

（38）Zainu'ddin, Ailsa G. Thomson（1988）p. 52.

（39）東京朝日新聞社（1936）

（40）東京朝日新聞社（1936）

（41）東京朝日新聞社（1936）

（42）Zainu'ddin, Ailsa G. Thomson（1988）p. 52.

（43）国際文化振興会（1937g）無頁
（44）国際文化振興会（1937g）無頁
（45）国際文化振興会（1937g）無頁
（46）国際文化振興会（1937c）582 頁
（47）国際文化振興会（1937c）582 頁
（48）国際文化振興会（1938a）720 頁
（49）国際文化振興会（1938a）720 頁
（50）NAA A367/1, C73350
（51）国際文化振興会（1937d）643 頁
（52）国際文化振興会（1937d）643 頁
（53）NAA C443/P1, J421
（54）NAA C443/P1, J421
（55）NAA C443/P1, J421
（56）メルボルン大学公文書館保存文書（以下「UMA」と表示）M. Inagaki Collection
（57）UMA M.Inagaki Collection
（58）福島尚彦（1979b）3 頁
（59）UMA M.Inagaki Collection
（60）Zainu'ddin, Ailsa G. Thomson（1988）p. 52–p. 53.
（61）Zainu'ddin, Ailsa G. Thomson（1988）p. 53.
（62）Zainu'ddin, Ailsa G. Thomson（1988）p. 53.
（63）UMA M.Inagaki Collection
（64）Zainu'ddin, Ailsa G. Thomson（1985）p. 339–p. 340.
（65）国際文化振興会（1938a）719 頁
（66）NAA A367/1, C73350
（67）NAA A367/1, C73350
（68）NAA A367/1, C73350
（69）NAA A367/1, C73350
（70）NAA A367/1, C73350
（71）国際文化振興会（1938a）720 頁
（72）いつごろから執筆を開始したのかは不明だが、1937 年 4 月までにはある程度完成していたようだ。同年 4 月 17 日、稲垣はオーストラリア連邦著作権局に対し、『日本語文法演習』（Japanese Grammar and Exercises）と題する日本語教科書の著作権を申請している。しかし、この申請は書類不備を理由に却下された。（NAA A1336/1, 29826）
（73）東京朝日新聞社（1938）
（74）英語名は「Reading Book, National Language of Ni-hon」とされている。
（75）NAA A367/1, C73350
（76）英語名は「Language Text of Nippon」とされている。また、稲垣蒙志の職名は「Instructor and Lecturer in Japanese, University of Melbourne」と記されている。
（77）Zainu'ddin, Ailsa G. Thomson（1988）p. 61.
（78）NAA A367/1, C73350

（79）NAA A367/1, C73350
（80）NAA A367/1, C73350
（81）Zainu'ddin, Ailsa G. Thomson（1988）p. 54.
（82）NAA A367/1, C73350
（83）NAA A367/1, C73350
（84）福島尚彦（1979b）5頁
（85）Japan Times & Mail（1938）
（86）Japan Times & Mail（1938）
（87）Japan Times & Mail（1938）
（88）RoseとMuraが「正規の教育を受けヴィクトリア州教育省に登録された日本語教師」と紹介されていることに関し、オーストラリア陸軍の南部方面軍司令部は1941年7月7日付でヴィクトリア州教育省にこの記事の写しを送付するに際して、両名のその「主張に関心を持たれることでしょう」と記している。NAA A367/1, C73350
（89）オーストラリア国立公文書館に保存されている文書には次のような記述が見られる。「州教育省の事務官たちは日本語教育に関連して稲垣と長年接触しているが、彼は誠実さに欠けると見なされている。たとえば、稲垣は累計で2,500人もの人々が彼のラジオ講座で日本語を学んだと主張しているが、実際は400人程度である。（中略）ラジオ日本語講座の一回あたりの聴取者は平均して約80人であり、1939年にABCがその放送を終了するまで、その数が90人を超えることはなかった。」（NAA A367/1, C73350）
（90）Japan Times & Mail（1938）
（91）外務省文化事業部（1938）165頁

5.　対外文化工作に関する協議会

国際文化振興会は1937年より、「本会の海外活動を強化する参考として各国別に文化工作の方針及方法に就き外交官、実業家、学者其他の人々を招き意見交換」(1)をすることとした。同年9月10日に開催された理事会は次のとおり決定している。

「執るべき対外文化工作は国により異なるにより将来の本会の対外事業遂行の上国別の研究をなすこと必要なり。依ってその国関係の本邦学者、実業家、軍人、官吏、芸術家其他の出席を求めて協議会を催しその意見提案を求むることに決定。」(2)

この「対外文化工作に関する協議会」は国別に合計10回開催された。芝崎厚士（1999a）によれば、これは「日中戦争への対応策の一環」(3)だったという。そして、1938年2月9日には東京倶楽部で「英帝国諸領」に対する「対外文化工作に関する協議会」が開催された。この会では、オーストラリアのほかに、ニュージーランド、カナダ、南アフリカ、エジプト等の「英帝国諸領」に対する「文化工作」の在り方が議論された。はじめに、国際文化振興会理事長の樺山愛輔に促されて「最近濠洲から御帰りになった」(4)ばかりの稲垣蒙志が発言する。稲垣は「本会在濠洲連絡員」としての立場でこの協議会に出席していた。

「皆さんも御経験でございませうが、どうも一人で長く同じ土地に居りますより、外から一寸その土地に参りますと目がつくやうなもので、余り慣れますと段々分らなくなるのでありまして、取立てゝお話するほどのことも気が付きませぬ。私として一番初めに感じましたのは、濠洲の思想を研究するのが第一かと存じまして、それに務めました。少し経ちますと、私も当時小学校の教員をして居りました濠洲婦人と、結婚致しましたが、家内の学校の異動の為めに、処々方々に旅行し、後に子供が出来まして、かうして子供や家内の為に、濠洲の思想を知る上に非常に便利を得ました。御存知の通り濠洲は大きな国でありますが、その割に人口は僅なのであります。殆ど東京市の人口と同じ様なものであります。ですから至って悠々として居ります。そして気楽な考へを持って居ります。それと同時に濠洲気風といふものがそこにあります。こんな大きな国に僅な国民が、住んで居りますから、悠々とすると同時に、質朴温順で能く国法を守る国民だと私は思ひます。大体に於てそう云へませう。さうして御承知の通り濠洲に於ては自由主義で、男女二十一才に達し、一年以上同一の場所に居住すれば選挙権を有する。それですから猫も杓子も選挙権を有する。資本家でも、実業家でも、資産家でも、又労働者でも皆同じやうな権利を有する所でございます。と同時に資本家に対する労働者階級の連中が比較的多い。その多い連中が同じ選挙権を有するので、何となく一方の方面を圧迫するやうな所あるやうに私は感じました。ですからさういふ方面に於て、多少又我儘のやうな感情もあると私は感じたのであります。さうした人達に日本語だとか、日本の文学だとかいふものを注入しようと致しますと、多少デプロマシーを要するかと存じます。私は主としてそのデプロマシーを以て成たけ早く日本の文化及び国民思想を注入致させよう、そして彼等が一日も早く理解して日濠の修交に資すれば結構であると考へて奮闘を致したのであります。」(5)

このように、オーストラリア事情の紹介から始めた稲垣は、つづいて、オーストラリアにおける「日本語普及」の難しさについて述べる。

「この日本語教授に付きましては、中々困難があるのであります。他の外国語、例えば仏語、独語、伊語等の教授達やその生徒達の間に多少の競争があります。その競争はどういふ訳かといふと、一方では、吾々は英国民又は英国の領地である。だから吾々英国人として第一に研究すべきものは、欧州語であるのが然るべきだといふやうな観念もありますし、又一方ドイツ語、フランス語、スペイン語、或は伊語等を普及する連中も、外国語としては東洋語は兎に角として第一に欧羅巴のことを諒解するのが当り前ではないかといふやうな方面から、多少の競争的な観念が起ってゐるのであります。そして東洋語として只今までありましたのは日本語だけであります。ですから教授だとか、説明だとかいふ方面に至っては別に誰と相談致さうといふ人も殆どなく、假令そこに多少の日本人諸君が居住して居られても、その人達の多忙の為に御厄介を掛けるといふのは失礼であると考へて、自然と遠慮をすると云ふ訳です。そこで如何なる手段を以て日本語を勧めやうかと考へましたが、結局先づあなた方の言葉は欧羅巴語と終始関係を持って居るのであるから、さういふ語学は殆どもう半分以上あなた方は何時でも研究が出来るぢゃありませぬか。それに反して日本語といふのは私から言へば非常に肝要な語学ではないかと思ふ。といふのは由来東洋に於て平和を保つといふのは日濠共同してこの平和を維持せんければならぬかと私は自信して居る。あなた方は何もなまじっかに日本語を研究しなくても、日本は外国語は、特別英語は進んで居るのだから、英語で言へば万事通ずる訳だから、却て日本語なんか勉強しなくても好いといふやうなことを始終仰しゃるが、併しそれでも用も足りませうが、偖てあなた方が日本語を假令一言なり二言なり習って御覧なさい。それを日本人に会って御話すれば、話された日本人はどんなに喜びの感情を得られませうか。例へば日本人がやって来まして、あなた方が英語でやって呉れるかどうか分らぬといふ疑念を持って居る時に、突然その日本人が相当な英語で以てあなたに話掛けられたら、あなたはどういふ感じがしませうか。成程悪くないといふ考を直ぐ持つでせう。詰りそこにあなたの愛情といふものが知らず知らず生れるものである。であるからそれと同様に特別吾々にとってあなた方から日本語を使はれるといふことは非常に喜ばしいことであって、そこに知らず知らず愛情が生まれる。一つ大いにやるべきであると説いたのであります。同時に今日の日本の発達は実に進んで来てゐるから、それを研究する上にも日本語は必要だと説明したのであります。」(6)

このように稲垣は、「第一に研究すべきものは、欧州語であるのが然るべきだ」

と認識している「英国民」のオーストラリア人に、「東洋語」である日本語を普及することの困難さを指摘する。そして稲垣はつづけて、ヴィクトリア州における日本語教育の現状について述べる。

「今日メルボルンに於ける日本語の立場は、国際文化振興会に対して御報告申しました通り、一九三六年の二月から学校に於ける正科になって居ります。それと同時に私が急いでメルボルンに帰りたいといふのは、私に取っては実に肝要な時機でありますし、又国際文化振興会の方に取っても肝要な時でありますから、若しこれから私が帰りまして大学の正科になりましたならば、私も愈々一安心出来る訳であります。」(7)

メルボルン大学における日本語科目の正規科目化については、稲垣やその前任者の Jollie Smith が、1921 年以来、大学当局に訴えてきていたが、それから 17 年たったこの時代に至るまで実現することはなかった。しかし、同大学副総長の Priestley が稲垣の渡日に当たって日本語の正規科目化を支持するような発言をしたことに希望をつないだのか、あるいはそれを国際文化振興会との関係において達成できると考えたためか、稲垣はメルボルン大学の日本語教育の将来を左右する「肝要な時機」が到来したと認識していたようだ。

稲垣はつづいて、対オーストラリア「日本語普及」事業の在り方について、次のように述べる。

「私の見る所では、日本の文化、或は日本国民の思想、或は状態を示すには振興会で先週御見せ下さったフイルムや書籍のやうなものが一番好いことぢゃないかと私は存じます。どうぞその点に御尽力を願ひたいと思ひます。この外日本語といふものが発展の緒に就きましたのは、第一にメルボルン大学のお歴々の連中の尽力を得ましたことで、先づ大学に於てはレジストラー及商学部長のコープランド教授のやうな連中、その外日本にも一昨年でしたか参りましたサー・ジョン・レーサム、その他の方々の尽力を得ました。同時に新聞の方の支持も非常に私は得たのでございます。今回の北支の事変の際には例へばメルボルンのヘラルド、サン・ニュース、アーガスト、エージといふやうな新聞は日本に不利なニュースを出しまして、実に遺憾に思ひましたが、然し昔のことを想ひ見ると、非常に吾々の為に尽して呉れたのですから、余り今回の事変に付て新聞の態度を悪く思ふといふことも出来ないかと存じます。それで今後出来るだけ努めて各州に於ける日本語の発展を見たいと思って居ります。幸ひに今回は清田さんが御出でになり、クインスランド大学で日本語の教授が始まるといふやうな具合であり、その他ニューサウスウエールズ・ヴイクトリアには既に行渡ってをりますから南濠洲のアデレイド方面、それから更に南下してタスマニアからニュージーランドの方面にも発展させることが出来たら好いと思って居ります。」[8]

この協議会のはじめにおいて稲垣は饒舌である。全体で 80 頁の議事録のうち最初の 7 頁は稲垣の発言によって占められている。1919 年からの約 19 年間、「第一に研究すべきものは、欧州語であるのが然るべきだ」と認識しているオーストラリア人を対象に、「日本人の同僚などもなく、日本との接触もほとんどない環境下」[9]で日本語教育に従事してきた稲垣にとって、国際文化振興会理事長で伯爵の樺山愛輔や外務省文化事業部の担当官も出席しての公的な場で、自分が今までしてきた「奮闘」の中身を披露するのは、晴れがましいことであったろう。

最後に稲垣は次のように述べて、その長い発言を終える。

「尚ほ一寸御話して置きたいことは、南濠洲詰りアデレード市には商人連中でありますが、今日まで日本語を研究して居られるそうで、その中には私の通信生も居りますし、中には一二の特別な生徒も居ります。私の方にも何か材料を呉れと買いて寄越しました。私はそれを送って差上げましたが、詰り日本の今日の国力の高まると同時に、さういふ機運も発達すると思ひます。その国勢の発達するのは、詰り日本内地の諸君の御尽力に依って今日までになられたので、今後益々発達すると思ひますが、これに対しては吾々大いに感謝して居ります。」[10]

稲垣がこの「対外文化工作に関する協議会」で発言したのは、会議冒頭の前掲部分だけである。以後、稲垣は自ら発言することも、また発言を求められることもなかった。

稲垣につづいて樺山から発言を促されたのは、かって義兄の James Murdoch に招かれてオーストラリアに渡り、陸軍士官学校やシドニー大学で日本語教育に従事した経験を有する岡田六男である。岡田は「濠洲政府代表事務官嘱託」[11]という肩書でこの協議会に出席していた。

「私も帰りまして十年からになりまして、大分古いことになりますけれども、今濠洲では大変日本語熱が盛になったといふ御話がありますから、この機会を捉へて振興会あたりから―この間の新聞などを読みますと、稲垣さんが本を拵へて、さういったもので普及して下さるといふことで大変結構なこと丶思ひますが、尚ほそればかりでなしに、振興会の方でももっと手取り早く簡単な本を、難かしいでせうけれども、出来れば日本語を教へる所の本を拵へて、成るべく安く、出来れば只で濠洲の熱心なる生徒に配ってやる。さうすれば向ふの生徒は何かしら難かしくて、どうせものにはならぬと思ひながら、出来れば易しい日常の用語を覚える。日本人に会ったら日本語を使って見よう。さう言ったことから日本語に親しみを持ち、さういふ人が殖えて来れば、随て日本に対する感情といふものが段々培はれ、さうして好くなって行きはしないかと思ひます。日本語といふものを普及させる為にさふいった易しい本をどんどん拵へて戴いて、さふして只で配ることが出来ることになれば大変好いのぢゃないかと私は思ふのであります。私なんか教へて居る時でも、教科書は高いといふやふなことが大分ありましたし、成べくなら易しい本を沢山拵へて只で配って戴きたいといふ意見を持って居ります。それからもっと進んだカルチュアをされた人、詰り語学には左程興味はないけれども、日本人に親しみたいといふやうな人は、一番好いのは、私達の考では、普通濠洲人の興味を持って居るのは庭園ぢゃないかと思ひます。それで難かしいことを書かずに成べく絵で説明して戴く。例えば幻燈板などを沢山配って戴く。それから絵画も好いと思ひます。色々さういふ方面に興味を持って居る人が沢山あると思ひます。成べくやさしい本とか絵を主とした物を沢山送って戴いたら好いのではないかと思ひます。難かしいものはいけない、濠洲人は読まないと思ひます。」(12)

ここで岡田が念頭に置いている「日本語普及」とは、「出来れば易しい日常の用語を覚え」させるレベルの「日本語普及」である。そして、そのために彼は、稲垣の『日本語読本』よりも「もっと手取り早く簡単な本」を国際文化振興会が「拵へて、成るべく安く、出来れば只で濠洲の熱心なる生徒に配ってやる」ことを希望する。ここには、稲垣が指摘していた、「欧羅巴語」を学ぶのが常識であるオーストラリア人に「東洋語」である日本語を普及することの困難さに対する認識も、その困難さを認識してもなおオーストラリア人に日本語学習を「一つ大いにやるべき」だと奨励しようとする意欲も見られない。そればかりか、「出来れば易しい日常の用語を覚え」させるレベルの「日本語普及」を越えた「文化工作」、すなわち、「もっと進んだカルチュアをされた人、詰り語学には左程興味はないけれども、日本人に親しみたいといふやうな人」に対する「文化工作」は、

「日本語普及」ではなく、他の方法で実施すべきだという。そして、その場合にも「成べくやさしい本」が希望されるとする。なぜなら、「難かしいものはいけない、濠洲人は読まない」からである。

協議会はこの後、オーストラリア以外の「英帝国諸領」に対する「文化工作」に話題が移り、再びオーストラリアに対する「文化工作」が取り上げられるのは会議の後半になってからなのであるが、それは、外務省情報部に勤務する太田三郎という人物の次の発言からはじまった。

「これは申すまでもないことでありますが、文化工作の根本と致しましては、これは根本論になる訳でありますが、どういふ国に参るにしましても、相手の国がどういふことをやって居るかと云ふことと日本がどういふことをやりたいかといふこととが中々合致しないと難かしいのではないかと思ひます。そこにうまい具合に行かないことが中々あるのぢゃないかと思ひます。私の感じて居ります所では、大体濠洲には文化といふやうなものは殆どないと思ひます。濠洲人は文化的に言ったら世界の文化史の中には入らない国だと私は思ふのであります。それはカルチュアといふものが濠洲にはない。非常に低いものだと私は思って居ります。又さういふやうなカルチュアを鑑賞し得るやうな能力を持った濠洲人は非常に少いのではないか。何れに致しましてもこれは植民地の通弊であると思ひますが、余り高い程度のことをやらうとしても、濠洲に日本の芸術を紹介しようとしても、濠洲人には中々取っつきにくいといふ感じを私は持ったのであります。先程も岡田さんが言はれたのですが、庭園なんか非常に好いのぢゃないか、非常に結構なことであると思ふ。さういふものを紹介する機関を濠洲なんかで拵へることが出来たら非常に面白いことだと思ひます。（中略）

シドニーの大学で非常に有名な、それから日本研究家としては英国々民の間に有名なサドラー、この人は濠洲の中でカルチュアを解し得る非常に僅な濠洲人であって、先生は日本の文化といふものを本当に理解して居る。迚も駈出しの日本人は逆立ちしても追い付かない。お茶に関する本も書き、生花の本も書き、家康の本も書いて居る。今度は大日本国民史の英訳を試みつゝあるといふ人で、かういふ人を日本に呼んでやることが出来たら好いと思ひます。これは私はサドラーに頼まれて、実は色々奔走してまだ出来上がらないのでありますが、大日本国民史の英訳を文化振興会などで援助して大成さして戴いたら非常に私は喜ばしいと思っております。それからその次に先程申上げましたやうに、高遠なカルチュアは無理でありますから、シドニーで一度日本の芸術品よりも工芸品の展覧会をやって見たらどうか。私が在勤して居りました時に、シドニーの今申しますプロフェッサー・サドラーのお世話に依りまして、シドニーの日濠協会が幾らか手伝ひを致しまして濠洲の在留邦人が持って居ります色々な工芸品を集めまして、シドニーで一番大きな百貨店で展覧会をやったことがあります。これは非常に成功した。これは詰らないもので、皆お茶の道具とか、極くありきたりの本当に毎日使って居るものを出したのですが、非常に評判が好かった。さういふことを今度組織的にやって見たらどうかと思ひます。竹細工なんかは非常に面白いのではないか。さういふものを集めましてやって見たらどうかと思ひます。」(13)

このように太田は、「カルチュアといふものが濠洲にはない」し、「カルチュアを鑑賞し得るやうな能力を持った濠洲人は非常に少い」から、「余り高い程度のことをやらうとしても」効果がなく、岡田が指摘した「庭園」などが「文化工作」の方法としては適当であるとする。その一方で、シドニー大学教授のArthur Sadlerは「カルチュアを解し得る非常に僅な濠洲人」であり、「文化工作」の対象として適当であるとする。

Sadlerを「文化工作」の対象として「日本に呼んで」やったらどうかという太田の提言に対しては、岡田が次のように反論している。

「私もサドラーさんと一緒にやって知って居りますが、太田さんは濠洲人の様に話されましたが、あの人は実は英国人なんです。日本に長いこと居られたが、その後マードックが死んで、それで英国大使が誰をやらうか、サンソムをやらうか、サドラーをやらうかといふ問題になったが、結局サドラーが行くことになったのでありますが、同時にサドラーが教へて居る生徒の中に日本を諒解して居る人が居るやうです。女の人も男の人もあるやうですから、サドラーは自分の費用でも来られるでせうから、さういふ人を振興会あたりに招んで戴きたいといふやうな希望を私は持って居ります。」(14)

岡田の「サドラーが教へて居る生徒」を日本に招聘したらどうかという提言に対しては、太田も次のように賛意を示している。

「それは非常に結構です。サドラーさんの弟子で生花をシドニー大学の女の生徒に教へて居る。さういふ人なんか招んでやると非常に面白い。僕は名前は知りませぬが手芸の先生です。」(15)

太田が述べた「カルチュアといふものが濠洲にはない」という前提は、外務省欧亜局第三課の東光武三によっても支持されている。

「僕が二年足らず在勤して得ました感じは、濠洲といふ国は日本の文化宣伝として最も効果があり、且つ宣伝のし易い国だといふ印象を受けた訳です。詰り建国が浅くて自らの文化を持って居りませぬから、他の高級な文化に対する憧憬と言ひますか、吸収力が割合にある訳であります。何か珍しいものを持って行けば飛付いてそれを見る。尤もそれを深く鑑賞するとか何とかいふ能力は割合にないにしても兎に角新しいものに憧憬れる。自分よりも高い文化のものを知りたがる。さういふ気持は非常に強いのではないかと思ひます。それは地理的の関係から言ひましても太平洋の国であるし、日本に対してはこれは非常な関心を持って居る訳で、日本語熱があゝいふ国で非常に盛だといふのはちょっと意外に感ずる位なんです。それで色々何をやっても僕は相当な効果があると思ふ。絵を見せても好いし、美術工芸品を見せても好いし、何をやっても相当効果があると思ひますが、特に従来割合に閑却されて居るのは、知識階級に対する宣伝工作はやりよくて又難かしい。所謂労働者階級であるとか、一般民衆に対する働き掛けは比較的少なかったのではないかと思ひます。これは一番むずかしい問題でせうけれども、今後に残された分野であって、濠洲人は経済的に豊かであるし、イージー・ゴーイングの国民だからスポーツを持って行くとか、何かすれば非常に効果があるのではないかと思ひます。私の居ります時に水泳の選手が来ましたが、これなんか非常に効果的で、日本を紹介するに於ては非常に好い訳です。フットボールの選手をやるとか、庭球の選手を送るとか、さういふ方面などは濠洲に対しては効果があると思ひます。活動なんか非常に好いと思ひます。兎に角非常にやってやり甲斐のある国であるといふ印象を受けて居るのであります。外の国のことは私は能く存じませぬけれども、割合に経済力が豊かで、金があったら何処かへ旅行しようといふ国民ですから、平生からうんと宣伝して置けば日本にもやって来ようといふ気が非常に起る訳です。もっと日本へ来る船便なんかゞ安くて、今のやうに二十五日も掛らないで、二週間で行けるやうにとか、非常に簡単になれば日本にやって来る人も植えると思ひますから、兎に角交換教授も好いし、何をやられても僕は非常に面白い国だといふ印象を持って帰った訳です。」(16)

このように東光は、オーストラリアは「建国が浅くて自らの文化を持って居りませぬ」から、「何をやっても相当効果がある」とする。ただし、彼はオーストラリアを「地理的の関係から言ひましても太平洋の国であるし、日本に対してはこれは非常な関心を持って居る」としながらも、そのオーストラリアで「日本語熱」が「非常に盛だといふのはちょっと意外に感ずる」として、オーストラリアで日本語が学ばれている事実をどのように評価していいのか途惑っている(17)。この東光の途惑いは稲垣を除く他の出席者にも共通のものであったかもしれない。実際、この協議会の席上で「日本語普及」の問題を取り上げたのは、会議の冒頭で発言した稲垣とそれに続いて発言した岡田の二人だけである。

東光につづいて発言したのは、日本郵船に勤務する山田朝彦だが、山田も「日本語普及」に触れることはなかった。

「私濠洲に居りましたのですけれども、民衆に対しては日本の文化は割合に早くアッピールするのではないか。太田さんは非常に高級の方の文化を申されましたけれども、日本の文化を、例へば竹細工でも何でも宜しうございます。或は品物なり、景色なり持って行って、日本といふのはこんなものである。文化的なものを持って行ってこんなものだと示した時に、非常に向ふは素朴な正直な民衆でございますから、非常に好奇心を以て段々理解して来るのではないか。かふ思ふのであります。成べくさういふ方でも日本に来るやうな便宜を作ってやる。さういふ訳で私の方でも一生懸命にやらなくてはならぬと考へて居る次第であります。それで尚ほ人間の往復のみならず、先程から映画とか、或は写真とはいふもの丶宣伝に依る方法も御話が沢山出ましたけれども、さういふものでも私の方で例へばシドニー辺りは船の泊る所が町に直ぐ近くにあります。私の方の船なんかを御利用になって、日本の活動写真をやるとかいふことになると、或は映画館に廻すよりも効果があるかも知れぬ、さういふことを寧ろ私の方では文化振興会あたりからの色々の御註文を承りまして、色々御協力を申したいと存じて居ります。」(18)

このように、「カルチュアといふものが濠洲にはない」ということを前提として、オーストラリアに対する「文化工作」の方法としては、「庭園」「竹細工」「スポーツ」などが挙げられた。あるいは、それを前提として「何をやっても相当効果がある」との意見も出された。しかし、「日本語普及」については、稲垣と彼につづいて発言した岡田以外の出席者からは全く取り上げられなかった。ましてや、「英国民」であるところのオーストラリア人に「東洋語」である日本語を普及することの困難さに対する認識や、その困難さを認識してもなおオーストラリア人に日本語を普及しようという意欲については、誰からも示されなかったばかりか、「日本語熱があゝいふ国で非常に盛だといふのはちょっと意外に感ずる」として、オーストラリアで日本語が学ばれている事実をどう考えていいのか途惑う者もいた。稲垣は「日本語普及」のために今までしてきた「奮闘」が他の出席者から評価されなかったばかりか、そのことの意味すらも理解されなかったことに失望感を抱いたのではなかろうか。

この協議会には、シドニーで日本語教育に従事した経験を有する岡田、メルボルンで日本語を教えていた稲垣の他に、やがてオーストラリアで日本語教育と関わることになる人物がもうひとり出席していた。「東京商科大学予科教授、クインスランド大学へ講師として赴任」(19)と紹介された清田龍之助である。この清田も稲垣に負けず饒舌であるが、彼はオーストラリアに赴任するに当たっての「覚悟」を次のように述べている。

「それから私のことでありますが、これは非常に責任の重い問題でありまして、大分時間が掛って恐縮でありますが、私の心の用意に付て、お前はどれだけの覚悟があるかといふ質問が皆さんの胸中にあるかと思ひますから、それに付てちょっと告白をしたいと存じます。一番初めに外務省へ来た手紙のコッピイを文部省を経て私に示された時は、日本文化史といふ講座のやふに書いてある。日本は宮中の記録を基礎とした政治歴史はありますけれども、国民の歴史、人民の歴史は未だ書かれたものはありませぬ。カルチュアを向ふに紹介する目的はどこにあるかと考へますと、濠洲は日本の文化に対しては未開拓の所であるから、お前の仕事に非常に興味を持って居るぞといふことを青木主事が私に申された。これは非常に深く私にこたへたのであります。それからもう一つは濠洲が何が故に日本の文化史を研究する為に外務省に相談して人を招ぶかといふことを私は考へた。結局濠洲は先程皆さんから申されたやうに、まだ文化の建設されてない国だ。労働者は無関心であらうが、一般の人が理解がなからうが、兎に角そこは心ある政治家は考へて居る。唯羊を売れば宜い、羊毛を売れば宜い。小麦を売れば宜いといふのが政治家の考ぢゃない。あれが段々独立自治の国となってといふ一つのアスピレーションを持って居る国であるから、日本の文化も早く吸収して青年を養ひたいといふ精神があるに違ひない。斯う思ってゐるから文化史を講義することに依って日本の民族史、文明史に興味を持たすやうにしたい、又さうなれば折角私が行く値打がない。日本の歴史を講義するのならば、それはサドラーでも、その他英語で書かれた本を読んで講義すれば、それで宜いのです。態々日本人が行く限りは下手な英語ばかりで抽象的な記録を述べたのではなんにもならない。有難いことには文化史といふ名指しがあるならば日本の文化の紹介になるものを持って行くことだ。色々考へると結局私がやって見たいプランは、立体的であって総合的なものにしなくちゃいかぬ。彼等の目耳にアッピールして多少でも興味を持たせ得たならば、その文化を産んだ日本民族に今までよりはもう少し魅力を感ずるであらうと思って居ります。ところが幸ひに最近にクインズランド大学の学長から来た手紙には詳しく講座の名前を言って来まして、ヒストリー・オブ・ジャパン・カルチュア・アンド・エクエアブルといふのだ。さうすると私が希望した通りに全般に亘るフイルドを示してゐる。で結局その立体式といふのは或は教育とか建築に関する模型とか、或は刀剣であるとか能面であるとか琴、三味線に至るまで、さういふものを見せる、興味を持たす。絵画は無論のことである。それから耳にアッピールしなければいけない。だからレコードを大分文化振興会からお世話になって居りますが、その外私自身でも幾らか旅費は倹約しても宜いから、貨物船に乗っても宜いから、成べく多くのさういふ物を持って行きたい。抽象論はどうでも、物は例へばレコードの如き物でも五十枚か百枚でも持って行きたいと思ひます。そして実は文化振興会には色々お世話になって居るので余り無理なことは私自身お願ひしてはいけないと、多少遠慮深く考へて三井さんとか岩崎さんとか、さういふ方面に折触することは御遠慮しなければならぬ。そこで私の友人には左傾の人もあるし右傾の人もありまして、その中で国粋論の方の友人が「一体お前行くのにどれだけの用意があるか」斯う私に聞いたから「実は僕は持って行きたい物が沢山ある。鎧兜は無論のこと。良い刀剣も持って行きたい。人形も持っていきたい」、「それぢゃ大分金が掛るぢゃないか、お前は頭山翁と仲が良い。頭山さんに君が一つ頼めばなんでもない。頭山さんは文化などに関係はないけれども、あの人に口をきいて貰へば一肌脱ぐ人がある」といって二三の方の名前を出した。斯ういふことを言ったものですから、お叱りを受けるかも知れぬが、愈々出発の時期が来ましたから、この間頭山さんの所に遊びに行った。「今日はなんの用事だ」といひますから、実は大分買ひたいものがあります。なんとかこれを自分で持って行きたい。といふのは私の強敵はサドラーだと思って居ります。サドラーといふ人は相当権威を持って居る。元来あのオーストラリヤといふ所は州と州との間に激烈な競争心がある。昔は州と州との間に関所があった。その位競争心と嫉妬心の強い所である。だからサドラーに負けると面目を失ふ。私が行く以上はサドラー以上の成績を挙げなければならぬ。それには物を持って行かなければならぬ。私はその事を頭山翁に言ひました。何とか金を寄附して貰って物を持たして呉れろ。すると「お前幾ら要るか」「私は一万円要ります」「一万円をどうするか」「刀も精巧な刀を持って行きたい。今インチキなのが沢山あって、飾は立派だけれども中がいけない。これは下手をすると私よりもモッと日本の刀剣に対して詳しい人がイギリス人やドイツ人やフランス人にあるかも知れない。色々な物を持って行きたい。それは無論私だけで完成は出来ないが、それを向ふに置いておくことに依って種を蒔いて置きたい。少くも初めはジャパニーズ・ライブラリーといふ名前でもよし、ジャパニーズ・ミューゼアムでもいゝ、何か作って、あとから誰かに完成して貰へば宜い。」と言った。すると頭山さんはそんなに急いで物を買って行かぬともよい。お前が行く前に準備が出来なくても宜しい。連絡は色々執る方法がある。大体君の気持は能く分ったから、その積りで出発したら宜からう。斯ういふやうな忠告を受けて非常に教育されたのであります。どうかその点は一つの宿題として皆さんに御留念を願って置きます。向ふでも私への手紙は要る物は相当考慮する、講義の材料として要る物は考慮するからその積りで来て貰ひたい、斯ういふことになって居ります。」(20)

この発言を見る限り、清田も「日本語普及」には関心を持っていなかったとすることができるのだが、その一方で彼には、オーストラリアの一部には「日本の文化も早く吸収して青年を養ひたいといふ精神があるに違ひない」という確信があった。そして清田はその確信とともに、この「対外文化工作に関する協議会」が開催されたのと同じ1938年2月に東京商科大学を退職し、オーストラリアに渡ることになる。次節ではその渡豪までの経緯と清田がオーストラリアで果たした役割について見てみたい。

〈註〉

(1) 国際文化振興会（1937a）494頁～495頁
(2) 国際文化振興会（1937c）581頁
(3) 芝崎厚士（1999a）133頁
(4) 国際文化振興会（1938b）1頁
(5) 国際文化振興会（1938b）1頁～2頁
(6) 国際文化振興会（1938b）2頁～4頁
(7) 国際文化振興会（1938b）5頁
(8) 国際文化振興会（1938b）6頁～7頁
(9) 野口幸子（1997）4頁
(10) 国際文化振興会（1938b）7頁
(11) 国際文化振興会（1938b）「出席」
(12) 国際文化振興会（1938b）7頁
(13) 国際文化振興会（1938b）44頁～45頁

（14）国際文化振興会（1938b）48 頁
（15）国際文化振興会（1938b）48 頁
（16）国際文化振興会（1938b）48 頁～ 50 頁
（17）ただし、東光武三は、オーストラリアの日本語教育事情を全く知らなかったわけではない。この頃、外務省文化事業部は、「国際文化事業講座」というラジオ番組を持っていたが、東光武三は、その一環として放送された、「羊とカンガールの国—濠洲の話—」と題する講演の中で、「最近の日本研究熱殊に日本語に対する研究は仲々盛んで、日本人の殆どゐない南濠洲の首府「アデレイド」と云ふ所に日本語で喋べる会があると聞いてゐる程であります」と述べている。東光武三（1938）15 頁
（18）国際文化振興会（1938b）55 頁～56 頁
（19）国際文化振興会（1938b）「出席」
（20）国際文化振興会（1938b）74 頁～78 頁

6.　清田龍之助の渡豪

6-1　Alexander Melbourne

清田龍之助の渡豪は、クィーンズランド大学準教授の Alexander Melbourne の提案から始まった。

Melbourne は、アデレード大学で学士課程と修士課程を終え、1913 年、クィーンズランド大学に歴史学の助講師として着任した。1914 年から 1918 年までの第一次世界大戦中は、はじめ一兵士として従軍したが、トルコのガリポリ半島上陸作戦の際に負傷したことから、大戦の後半は検閲業務に従事した。復員後は大学に戻り、講師に昇格している。1928 年にロックフェラー財団の奨学金を得て英国に留学し、1930 年にはロンドン大学から博士号を授与された。その後、クィーンズランド大学に戻り、準教授に昇格している。

彼が日本と関わりを持つようになったのは、オーストラリア製品の対アジア輸出拡大の可能性を探るため、1931 年に政府の委嘱を受けて中国と日本に出張してからである(1)。

この出張から帰国した後、Melbourne は、日本と中国はオーストラリアの有望な市場であるとの観点から(2)、両国との知的交流およびオーストラリアにおけるアジア研究振興の必要性を訴えた(3)。また、「白豪主義」の廃止は唱えなかったものの、貿易、学術、観光を目的として来豪する日本人と中国人に対しては、入国制限を緩和すべきだとした(4)。

「満州事変」に際して、オーストラリア政府は日本が「南進」ではなく「北進」したことに安堵するとともに、その政策を支持する姿勢を示したが、

Melbourne はオーストラリア政府のそのような対日政策を彼自身の持論から支持した。Melbourne の持論とは、太平洋に位置するオーストラリアの「国益」とヨーロッパに位置する英国の「国益」は必ずしも一致しないというものだった。彼はその見地からオーストラリア外交の英国外交からの独立を主張し(5)、そして安全保障の上では、対日宥和策こそがオーストラリアの「国益」に最も適っているとした。Bolton, Geoffrey（1995）によれば、Melbourne は、たとえ英国の「国益」を犠牲にしたとしても、オーストラリアは隣国との関係に留意を払うべきだと主張したという(6)。

また Melbourne は、1938 年 12 月、連邦首相の Lyons に 2 通の私信を送り、「最初の私信のなかで、イギリスの反日親中政策が日英戦争を誘発させる危険性を孕み、その場合、オーストラリアはイギリスの援助をほとんど期待できない。したがって、イギリスの極東政策決定に積極的に関与するとともに、日豪関係の改善に努めるべきことを主張した。一週間後の第二の私信では、その主張をさらに一歩進め、大多数の日本人がオーストラリアに敵対感情を抱いていないにもかかわらず、イギリスの極東政策に盲従することによって、かえって日本との不必要な戦争の危険性を増大させていると警告」(7) した。Lyons は、「メルボルン教授が指摘した問題の重大性に鑑み、全閣僚にコメントを求めた」という(8)。

その Melbourne は 1936 年に二度目の訪日をしている。これは日豪間の文化交流と大学間交流の促進を目的としたもので(9)、クィーンズランド大学の派遣によるものだった。彼は東京帝国大学や京都帝国大学を訪問し、講演も行ったが、日本の大学との連絡・調整は、すべて在シドニー日本総領事館が外務省経由で行っており(10)、日本政府にとっても Melbourne は重要人物であったことがうかがえる。

日本から帰国した Melbourne は日本語教育の導入をクィーンズランド大学に提案した(11)。在シドニー日本総領事館が国際文化振興会の意を受けて 1936 年 7 月に実施した日本語教育の実態調査に対する回答の一部と思われるが、クィーンズランド大学は同年 9 月 23 日付でブリスベンの日本名誉領事あてに次のような内容の書簡を送っている。

「8 月 1 日付の貴信に関し、クィーンズランド大学は現在のところ日本語教育を実施しておりません。ただし、大学評議会は日本の大学を訪問して最近帰国した Melbourne 博士からの提案を検討しようとしているところです。評議会における決定はすぐになされることでしょう。

Melbourne 博士の提案というのは、日本語および日本の歴史・芸術・文化に関する教育を大学のカリキュラムに導入するというものですが、同時にハイスクールにも日本語教育を導入するため州教育省と協力することが重要だとしています。大学としては計画がまとまりしだい日本の教育当局にもアドバイスと協力を求めたいと考えております。」(12)

Melbourne が日本語教育の導入を提言した理由は明らかでないが、前述のように、彼は地理的な要因からオーストラリアと英国の「国益」は必ずしも一致しないと考えていた。また、外交面や貿易面で極東との関係を重視していた。したがって、彼の提言の背景には、太平洋に位置する国家としてのオーストラリアの「国益」が意識されていたとすることができるのだが、その「国益」とは Melbourne という一歴史学者が考えた「国益」に過ぎなかった。したがって、クィーンズランド大学の日本語教育は、シドニー大学のそれとは異なり、オーストラリア政府の「日本語教育政策」に基づくものではなく、連邦政府からは支援を受けなかった。

オーストラリア政府からは支援を受けなかったが、Melbourne はクィーンズランド大学で日本語教育を開始するに当たり、日本政府の支援を期待した。1937 年に同大学は、在シドニー日本総領事館を経由して国際文化振興会に日本語教師の人選を依頼している。同会の 1937 年 7 月の執務記録には、「濠洲クヰーンスランド大学より日本人講師招聘希望につき斡旋方依頼出あり、研究中」(13) と記載されている(14)。

クィーンズランド大学から国際文化振興会に寄せられた要望によれば、同会が人選すべき「日本人講師」は大学で日本語と日本文化の教育に従事するのみならず、クィーンズランド州のハイスクールにおける日本語教育開始のための基盤整備を支援することも求められていた(15)。そのような要請を受けた振興会がなぜ清田龍之助を選んだのかは不明であるが、同会の「オーストラリアおよびニュージーランドとの文化関係に関するアドバイザリー・アシスタント」であり、清田と東京商科大学で同僚でもあった Peter Russo がその人選に関わっていたことは間違いなかろう。1938 年 2 月 1 日付で Russo が John Latham にあてた書簡には、「清田氏は日本の著名な東洋学者であり、私の先導者、哲学者、滞日中の友人でもあって、私の極東における最初の時期に大いに援助をしてくれた」(16) と記されている。

6-2 清田龍之助

清田龍之助は 1880 年 3 月に東京で生まれた。立教中学校から立教学院専修科に進学。その後、米国のケニオン大学とエール大学大学院に留学した。専攻は英語英文学だった。1908 年に帰国した後は、日本電報通信社の外国通信部長や国際新聞協会の名誉書記を務めたが、1911 年に東京高等商業学校の講師となった。1913 年には教授となり、併せて高等官六等に叙せられている。

1920 年、東京高等商業学校が東京商科大学に昇格したのに伴って、清田は同大学附属商学専門部と予科の教授となったが、東京商科大学の後身である一橋大学の事務局に保存されている清田の履歴書(17)によると、同年 5 月には「依願免本官」となっている。

大学を退職したのは実業界に身を投じるためだった。当時の学長佐野善作は、「清田教授の俊才を思い、その商大の教官をやめ実業界にはいることに非常な哀惜の意を洩らした」(18)という。

しかし数年後、清田が総支配人として勤務していた浜口商事株式会社はその経営が破綻した。このため、彼は 1931 年に予科講師として東京商科大学に戻ったが、その数年後には再び大学を退職している。一橋大学に保存されている清田の履歴書は、1937 年の項に「年報酬金千二百五拾円を給す」とあるのを最後に終わっている。東京商科大学を退職したのは、「オー《マ》ストラリ《マ》ア政府の要請により外務省の推薦を受けて渡豪し、ブリスベーン大学で日本文明講座を開講」(19)するためだった。

オーストラリア国立公文書館に保存されている清田の入国記録によれば、彼は 1938 年 3 月 12 日、「きゃんべら丸」でブリスベンに到着した。本人記入の「関係人欄」には John Latham の名前が挙げられている。当初は単身赴任だったが、3 か月後の 6 月 13 日には長女の清田澄子も入国している(20)。澄子は 1940 年から 1941 年までクィーンズランド大学で清田の「助手」(assistant teacher of languages)(21)を務めた。

6-3　クィーンズランド州での清田龍之助

清田の到着をクィーンズランド州の日刊紙「Courier Mail」(1938 年 2 月 28 日)は次のように報じている。

「東京商科大学教授の清田龍之助氏が、3 月 12 日、ブリスベンに到着する。これにより、クィーンズランド大学と州教育省は、高校生・大学生等に対する日本語教育を開始する。

昨日、クィーンズランド大学準教授の A. C. V. Melbourne 博士は、清田氏の来豪がクィーンズランド大学における東洋学科設立の基盤作りにつながることを希望すると述べた。清田氏の役割は三つある。ひとつは、ハイスクールに初級から後期中等教育修了レベルまでの日本語教育を導入することである。これには4年かかると見込まれている。そして、4年後にクィーンズランド大学は日本語を文学部の正規科目に取り入れるかどうかを検討する予定である。日本語学習を希望する成人はクィーンズランド大学において現代語研修所の監督下に清田氏によって運営される日本語講座に参加することができる。

清田氏は大学スタッフの一員となる予定である。大学では日本の歴史・文化・制度を講義する。

清田氏は東京《マ》帝国大《マ》学とエール大学の卒業生で日本では英語学の教授だった。最近まで東京商科大学の講師を務めていた。Melbourne教授によると、清田氏の来豪は、クィーンズランド大学、州教育省、日本政府、国際文化振興会の協力によって実現したものである。教育内容の最終調整は清田氏のブリスベン到着を待って開始される。」(22)

クィーンズランド大学は1934年に「現代語研修所」(Institute of Modern Languages) を開設している。この研修所に設けられていた外国語講座はどの科目も卒業単位にならない任意科目の扱いだったが、清田の赴任に伴って1938年に新設された日本語講座も同様の位置づけとされた(23)。

清田の到着は歓迎されてばかりいたわけではない。オーストラリア連邦捜査局は到着初日から清田の動向を監視している。その理由のひとつは、清田の渡豪が「Melbourne博士の努力が結実したもの」(24)だったことにある。外交面における英国からの独立を唱えるMelbourneは捜査当局から「親日家としての容疑」(25)をかけられていたが、その彼が招聘した清田も捜査当局には警戒の対象だった。

一方、国際文化振興会は清田の活動を支援した。1938年4月19日付で在シドニー日本総領事の若松虎雄はMelbourneに次のような内容の書簡を送っている。

「清田教授の日本語授業で使用される教科書に関しましては、国際文化振興会が清田教授の要請どおり取り揃え、4月11日に日本を出航する「北野丸」で当地に送付することになったとの電報を東京の外務省から接受しましたのでお伝えいたします。」(26)

これに対して、Melbourneは4月26日付で若松に次のような書簡を送っている。

「教科書が東京から送付予定とのご連絡に接し、たいへん嬉しく感じております。それらは清田教授の置かれている状況を改善することでしょう。私は数週間前、樺山伯爵に書簡を送り、現状を説明いたしましたが、それに対して樺山伯爵と青木主事は教科書を寄贈してくれると約束して下さいました。これらの教科書はご存じのとおりオーストラリアでは購入できないものです。」[27]

この交信によると、国際文化振興会は清田がオーストラリアに到着した1938年にクィーンズランド大学へ「教科書」を寄贈したことがわかるが、同会は翌年の1939年にもその「資料の頒布寄贈」事業の一環として、「濠洲「クィーンズランド」大学講師清田龍之介氏へ茶の湯道具一式並に国定教科書六〇〇冊」[28]を寄贈している。

なお、1938年2月に国際文化振興会が東京で開催した「英帝国諸領」に対する「対外文化工作に関する協議会」の席上、清田は頭山満との関係を誇示していたが、清田が「立体的であって総合的」な授業をするのに必要とした「色々な物」を取り揃えるため、彼と「仲が良い」頭山満が実際に「金を寄附」したかどうかは不明である。

日本で「英語学の教授」を務めていた清田がオーストラリアでどのような「日本語教師」であったかは、よくわからない。ただし、ブリスベン警察の1940年8月23日付の捜査資料には次のように記されている。

「清田教授はクィーンズランド大学の日本語教師である。同氏がこのポストに就いたのは日本から到着した1938年3月12日のことである。大学で捜査したところ、清田教授がその講義においてオーストラリアに対して不誠実な発言をしたという証拠は得られなかった。ただし、清田教授は日本語授業の最後を日本に関する短い講話で締めくくるのを常としており、この講話ではいつも日本人が高度に文明の進んだ人々であることが言及され、たいてい日本のプロパガンダで終わるとのことである。」[29]

連邦捜査局は、学生を使って清田の講義概要を集めてもいる[30]。また、学生からは清田が「親独的であり、Hitlerの方法や行動を是認している」[31]との証言を引き出しているほか、クィーンズランド大学に赴任したのは、彼自身がこのポストに応募したわけではなく、天皇の命令によるものだと清田が述べた旨の証言も聞き出している。さらに、1938年に「清田のクラスの受講者数は初め70名で、最後は30名に減ったが、彼は何人かのまだ基礎の固まらない女子学生を親日的な物の見方に導くことに成功した」[32]ともしている。

捜査当局は、「Courier Mail」の記者にも接触し、「清田は日本のプロパガンダを口頭であるいは他の考えられうる全ての方法で広めるためだけにオーストラリアに滞在している」[33]との証言を得ている。清田を招聘したMelbourneにも接触したらしく、1938年5月9日付の連邦捜査局文書によると、Melbourneは捜査員に対して、「清田教授は普通の語学教師が持つ以上の影響力を有している」[34]と述べたという。

捜査当局は清田の人物像を次のように描いている。

(1) 清田は親独的であり、ドイツが勝利を収めるであろうと考えている。
(2) 清田は限られた範囲でではあるが、オーストラリアに対して友好的である。
(3) 清田は太平洋における日本の使命を信じている。
(4) 彼はどうやら理想主義者のようである[35]。

これらの記述は、その文書の性格上、すべてをそのまま信じることはできない。また、清田の「外務省」や「国際文化振興会」との関係が、いつしか「情報省」(Japanese Intelligence Department) との関係と誤って伝えられ、オーストラリア国立公文書館に保存されている年月日不詳の文書によれば、「清田は日本の情報省とも何らかの関係がある」[36]とされたように、捜査当局の清田に対する視線が素直なものでなかったことも確かである。しかし、1938年2月に国際文化振興会が東京で開催した「英帝国諸領」に対する「対外文化工作に関する協議会」の席上における清田の発言を思い起こすならば、オーストラリアの捜査当局が描いた人物像は、あながちそのすべてが的外れであったとも言い切れない。

さて、当時、ブリスベンには日本人の団体として、「同志会」と「日本人会」の二つがあった。前者はクリーニング店や果物店の店主など長期滞在者から成る団体で、1939年2月の段階で約30名の会員がいた。後者は日系企業の駐在員など短期滞在者を中心とした団体で、同じく30名程度の会員がいた。清田はこの「日本人会」の会長を務めた。当時、ブリスベンには日本の在外公館は存在しなかったし、清田は東京商科大学教授として「高等官」[37]の経歴を有していた上に、「従五位」[38]でもあったから、彼がブリスベンの日本人社会で重視されたのは、ある意味で当然だった。1939年2月の時点でクィーンズランド州警察がまとめた「クィーンズランド州における日本人の人数と活動に関する調査報告書」によれば、「清田はブリスベン地区のみならずクィーンズランド州全体における日本人社会の指導者」[39]であり、また、彼は「クィーンズランド大学の日本語教師であるが、駐在員や羊毛バイヤー等から成る当地の日本人社会における彼の地位は通常の大学教授以上のものがある」[40]とされている。

清田は「同志会」の会員ではなかったものの、同会でたびたび講話をしている。「同志会」の会員たちはもともと日中戦争にあまり関心を寄せていなかったが、清田の働きかけにより、日本赤十字社に少なくとも6か月にわたり毎月70ポンドを寄付するまでになった。また「日本人会」も在シドニー日本総領事の若松虎雄の意を受けた清田の働きかけによって、同じく日本赤十字社に寄付をした。その具体的な金額は不明であるが、捜査当局からは「同志会」の寄付金の2倍以上と見なされた[41]。

このように清田は、日本の「国益」のために、「日本語教師」としての職務を越えた役割を果たしたのであるが、同時にその日本語能力をオーストラリアの「国益」のために提供してもいた。彼はMelbourneに依頼されて、1940年から州検閲局で翻訳の業務にも従事した[42]。しかし、「たとえ単なる翻訳者としての雇用であったとしても、それを監視する検閲官に日本語能力がなければ、清田は実質上の検閲官」[43]であり、「日本のプロパガンダを口頭であるいは他の考えられうる全ての方法で広めるためだけにオーストラリアに滞在している」と見なされていた清田を検閲局に勤務させることには批判もあった。陸軍省は検閲局に対し、清田を解雇するよう要請している。しかし、検閲局には清田を解雇できない理由があった。それは、「言うまでもなく日本語の知識を有する人材が不足していること」[44]であった。

これに対して、陸軍省は日本語能力のある者がブリスベンで見つからないのなら、他の都市から適任者を連れてくるか、日本語能力のある中国人をシンガポールから連れてくるべきだとして、さらにそれさえもできないのであれば、日本とオーストラリアの間の交信は英語に限るべきで、他の言語で書かれた郵便物は破棄すべきだとした[45]。この時代までにオーストラリアでは、「日本語教育政策」が立案されはじめてから、それも「国防上の理由」で立案されはじめてから、すでに20年ほどが経過していたのであるが、ここには、それらの「政策」が結果として充分な実効性を伴わなかったことの矛盾があらわれている。

1939年にオーストラリア政府は日本への公使派遣を発表したが、Melbourneはこれにも関わっていた。同年4月28日付で彼が在シドニー日本総領事の若松に送った書簡には次のように書かれている。

「新しく任命された首相（筆者註：4月26日に就任したMenziesのこと）が

日本へ公使を派遣することを決定した旨の報道をすでにお聞きおよびのことと思います。私はこの決定をとりわけ嬉しく感じております。と申しますのも、ご存じのとおり私はそのためにこの数年間努力を傾けてきましたし、Lyons 首相の逝去によりこの努力が全て無に帰するのではないかと心配していたからです。私は昨年 12 月から幾通もの書簡で Lyons 首相に公使派遣の必要性を訴えてまいりましたし、首相は逝去される数日前に、この問題は早期に決着するだろうと私に書いてよこしてさえいました。首相の逝去で私がどんなに大きな失望を感じたか、ご理解いただけることと思います。

日本への公使派遣には多くの反対意見もあります。それらの反対意見は、オーストラリアが太平洋および東アジア地域に大きな利害関係を有しているということに同意しない人々から発せられています。われわれは今回の決定によって前進に向けての偉大な第一歩を記し、また日豪関係は更に頑丈な基盤を得ることになったと思います。私は Menzies 新首相に対して、それが私にとっていかに嬉しい決定であったか、またオーストラリアの世論は彼を支持するであろうと書いて送るつもりです。」(46)

日本もオーストラリアへ公使を派遣することとなり、1941 年 1 月 8 日、外務省情報部長の河相達夫がオーストラリア駐箚の初代特命全権公使に任命された(47)。河相は 3 月 13 日にキャンベラに到着したが(48)、皮肉にも河相の最初の大きな仕事は在豪邦人を日本に引き揚げさせることだった。

河相は清田にも帰国を勧めた。同年 8 月に日本郵船の「鹿島丸」が邦人引揚船としてオーストラリアを出る予定になっていたからである。しかし、清田は 8 月 8 日付で河相に電報を送り、現在の情勢を勘案した場合、大学における自分の役割を今後も果たすべきであると考える旨、回答するとともに、いずれにせよ帰国準備をするには時間がなさすぎるとした(49)。日豪開戦の 4 か月前のことであった。

〈註〉

(1) この Melbourne の訪日時に、日濠協会は彼を交えて「日濠貿易発展策」に関する座談会を開催している。その詳細については、日濠協会・日本新西蘭協会編（1980）18 頁～19 頁を参照。

(2) 後に Melbourne は連邦政府とクィーンズランド州政府の極東貿易に関する審議会の委員を務めている。

(3) Bolton, Geoffrey（1995）p. 116.

(4) Bolton, Geoffrey（1995）p. 117.

(5) オーストラリア外交に関するMelbourneの見解については、Melbourne, Alexander C. V.（1935）を参照。
(6) Bolton, Geoffrey（1995）p. 117.
(7) 佐藤恭三（1981）89頁
(8) 佐藤恭三（1981）89頁
(9) 訪日中の1936年4月23日、Melbourneは日本工業倶楽部で開催された日濠協会の第8回定期総会に招待され、次のように挨拶している。「私は此度歴史を研究する目的を以て再度の御訪問を致しました、蓋し濠洲人は日本を理解してゐない者が相当沢山居りますし、又日本人で濠洲を正しく認識して居らない方も相当多いのでありますから、日本の各大学を訪問して知識の交換を行ったら御互いによりよく理解が出来るだらうと思ったからです。」日濠協会（1937）12頁
(10) NAA C443, J45
(11) Thomis, Malcolm I.（1985）p. 133.
(12) NAA C443, J45
(13) 国際文化振興会（1937e）591頁
(14) 在シドニー日本総領事の若松虎雄が7月6日付でMelbourneに送った電報には、「日本政府が現在講師の人選をしている」と書かれている。（NAA C443, J45）
(15) Russo, Peter（1962）p. 6.
(16) NAA BP242/1, Q24136
(17) この履歴書の入手に際しては、一橋大学大学院言語社会研究科の糟谷啓介教授のお世話になった。記して感謝申し上げたい。
(18) 一橋大学学園史刊行委員会（1986）1088頁
(19) 一橋大学学園史刊行委員会（1986）1088頁
(20) NAA BP9/3, Japanese
(21) NAA MP529/8, INAGAKI/M
(22) Courier Mail（1938）
(23) Thomis, Malcolm I.（1985）p. 132.
(24) NAA BP242/1, Q24301
(25) NAA BP242/1, Q24301
(26) NAA C443, J45
(27) NAA C443, J45
(28) 外務省文化事業部（1939）41頁
(29) NAA BP242/1, Q24301
(30) NAA BP242/1, Q24301
(31) NAA BP242/1, Q24301
(32) NAA BP242/1, Q24301
(33) NAA BP242/1, Q24301
(34) NAA BP242/1, Q24301
(35) NAA BP242/1, Q24301
(36) NAA BP242/1, Q24301

（37）一橋大学事務局に保存されている清田の履歴書による。
（38）一橋大学事務局に保存されている清田の履歴書による。
（39）NAA BP242/1, Q24301
（40）NAA BP242/1, Q24301
（41）NAA BP242/1, Q24301
（42）オーストラリア国立公文書館に保存されている、クィーンズランド州税務局の資料（1944年8月16日付）には、清田龍之助について、「クィーンズランド大学で日本語講師を務めるとともに、日本との開戦前は検閲審議会（Censorship Board）にも勤務していた」と記されている。（NAA 1379/1, EPJ1497）
（43）NAA BP242/1, Q24301
（44）NAA BP242/1, Q24301
（45）NAA BP242/1, Q24301
（46）NAA C443, J45
（47）キャンベラに日本公使館が開設されたのは1941年2月5日。河相は2月27日に東京を発って、3月13日にキャンベラに到着している。なお、同年3月21日にはメルボルンにも日本総領事館が開設されている。
（48）外務省編（1955）145頁
（49）NAA BP242/1, Q24301

7. 1930～1940年代のオーストラリアにおける「日本語学習熱」

7-1 オーストラリアの日本語教育史に関する今日の記述

国際交流基金日本語国際センターが1998年に実施した「海外日本語教育機関調査」の結果によれば、同年のオーストラリアにおける日本語学習者数は307,760名で、韓国（948,104名）に次いで世界第2位となっている(1)。また、人口に占める日本語学習者の割合も韓国に次いで多い(2)。

このような段階に達するまで、オーストラリアで日本語学習者が増加したのは、とくに1980年代後半から1990年代にかけてのことである。この現象は「日本語ブーム」(3)と呼ばれた。

ただし、オーストラリアの「日本語ブーム」はこれが最初ではない。1980～1990年代に「オーストラリアで日本語ブームが起きたのは、一九六〇年代から七〇年代初めのブームに次いで二度目」(4)のことであり、この1960～1970年代の「第一次日本語学習熱」(5)は、「1957年に日豪経済貿易協定が結ばれ、日豪間の貿易・経済関係の相互関係が重視されるにつれて」(6)発生したものとされている。

ところが、その「第一次日本語学習熱」(7)からさらに30年ほど遡る1930年代後半から1940年代初頭にかけての時期にも、日本ではオーストラリアの「日本語学習熱」が盛んに紹介されていた。たとえば、石黒修は次のように述べている。

「オーストラリヤにおける日本語普及は近年驚くべきものがあり、メルボルン大学ではヴィクトリヤ州政府の補助で、日本語講座が開かれ、マック・ロバートソン女子高等学校にも日本語科がある。

一九三五年十二月稲垣蒙志氏が簡単な日本語講座を放送して非常に好評を博し、以来回を重ねてゐる。

メルボルン大学の他、シドニー、ブリスベーン大学にも日本語講座がある。

日本語学習熱の盛なのは、メルボルンと、アデレードで、メルボルンでは六〇〇人も中学生が習ってゐる。

オーストラリヤ政府では、日本語を各州の中等学校で施行する学力検定試験の補助外国語の課目に公式決定してゐる。」(8)

しかし、現在においては、この時代の「日本語学習熱」のことは忘れ去られている。序論でも述べたように、今日、オーストラリアの日本語教育史に関する記述は、東京の第一高等中学校で夏目漱石に英語を教えたことで知られるJames Murdochがシドニー大学で日本語教育を開始した1917年から筆を起こし、その後は第二次世界大戦中または戦後の1950～1960年代まで一気に飛ぶのが通例である。

たとえば、オーストラリアの日本語教育関係者は同国の日本語教育史を次のように紹介している。

「一九一七年にシドニー大学で日本語が大学の教育科目として確立されたことを除けば、日本語が実質的な意味でオーストラリアの大学教育および中等教育に導入されたのは、一九六〇年代も半ばになってからのことであった。」(9)

また、日本の関係者は次のように述べている。

「オーストラリアにおいて日本研究といえるものが始まったのは、1918年シドニー大学にジェームス・マードック（James Murdoch）が初代の東洋学部教授として就任した時であると言われている。しかし、オーストラリアにおける日本語教育が本格的に始まったのは、1955年に、英国ケンブリッジ大学からシドニー大学に、デーヴィス（A. R. Davis）教授が赴任してきた頃からであると言われている。その日本語講座から、日本語を完全に修得したといえる「優等学士」（Honours Degree）を初めて送り出すのが、1966 年である。」(10)

このように、今日、オーストラリアの日本語教育史に関する記述において、1930～1940 年代の「日本語学習熱」のことは完全に忘れ去られている。本節では、この「日本語学習熱」の中身を検証するとともに、それが現在ではなぜ忘却されるに至ったかを考察したい。

7-2　オーストラリアの「日本語学習熱」と国際文化振興会

1930 年代後半以降、日本の新聞紙上にオーストラリアの「日本語学習熱」に関する記事がしばしば見られるようになる。「東京朝日新聞」から関連する記事を拾ってみよう。

同紙は 1936 年 11 月に「邦語の海外発展」と題する記事を 3 日間に渡って連載している。その初回において執筆者の神崎清はオーストラリアの日本語教育事情を次のように紹介している。

「日本語熱は、羊毛問題を巡って繫争中の、オーストラリヤにおいてさへ見出される。オーストラリヤでは、日本人教師によって、ラヂオの「日本語講座」が連続三十回に亙って放送された。満州を除けば、外国の放送局が正式に日本語を取り上げた、恐らく最初の試みであるにちがひない。

周知の如く、日本とオーストラリヤの間では、現在羊毛問題に関する通商上の紛争が続けられてゐる。にも拘らず、かかる政治問題をよそに、ラヂオの日本語放送が行はれ、メルボルン大学の日本語講座が繁栄してゐるといふことは、日本語を通じて日本を理解せんとする文化的手段の発展であって、即ちここでは日本語が、喧嘩腰の外交官以上の働きをしてゐる、といはなければならぬ。

「東と西とは遂にメルボルンで出逢った」といふオーストラリヤの新聞の見出しは、東西文明の融合を誇る日本のお株をいささか奪った観があるけれども、とにかく、日本語が、「新しい時代を理解する言葉」として、太平洋沿岸の英語国民に重要視されてきたのは、極めて興味の深い事実である。」(11)

オーストラリアの日本語教育史に関する今日の記述を見慣れている者からすると、この記事は奇妙に感じられることだろう。その理由のひとつは、1910 年代にすでに日本語教育を開始していたシドニー大学やニューサウスウェールズ州の中等教育機関に関する記述が全く見られないのに対して、メルボルンを中心に放送されたラジオによる日本語講座やメルボルン大学の日本語教育が取り上げられているからである。

第1章で触れたように、シドニー大学は1917年にオーストラリアの大学として初めて日本語教育を取り入れ、1918年には東洋学の教授職も設けている。日本史に関する著作で名高いMurdochがその初代教授を務め、彼は1921年に死去したが、その後をArthur Sadlerが継承した。また、ニューサウスウェールズ州では、フォート・ストリート・ハイスクールやノース・シドニー・ハイスクールが1910年代後半に日本語教育を開始している。このうち、フォート・ストリート・ハイスクールは1927年に日本語教育を中止していたが、オーストラリアにおける日本語教育の開始という観点からすれば、「東と西とは遂にシドニーで出逢った」と言うべきところである。また、前述のとおり、今日、オーストラリアの日本語教育史が記述される時は、シドニー大学における日本語教育の開始から筆を起こし、その後は一気に第二次世界大戦中または戦後まで飛ぶのが一般的である。それなのに、上記の記事はメルボルンにおける日本語教育事情の紹介で占められている。

なぜ、メルボルンなのか。

神崎が前掲の記事で触れている「ラヂオの日本語放送」とは、1935年から1936年にかけてメルボルンの3LOラジオ局から放送された日本語講座のことであるが、その講師を務めたのは稲垣蒙志である。稲垣は、「繁栄してゐるといふ」メルボルン大学日本語講座の講師でもあった。さらに、神崎が紹介している、「東と西とは遂にメルボルンで出逢った」(12)という見出しの「オーストラリヤの新聞」とは、ヴィクトリア州の有力紙「Herald」(1936年7月25日)のことであるが、その紙面では、「日本がメルボルンにやってくる」というタイトルの下、ヴィクトリア州教育省がマックロバートソン・ガールズ・ハイスクールに開設した日本語土曜講座の様子が紹介されている。稲垣はこの土曜講座の日本語教師も務めた。

いわば、神崎がオーストラリアの日本語教育として紹介したのは、すべて稲垣が直接的に関わっていた機関の日本語教育だったということになる。

本章第1節でも触れたように、稲垣は1883年に静岡県で生まれた。その後の経歴には不明な部分が多いが、1906年頃には渡豪し(13)、1919年にメルボルン大学が日本語講座を設置した時に、その教師のひとりとなった。1922年からは同大学で唯一の日本語教師だったが、メルボルン大学の日本語講座はシドニー大学の場合と異なり、卒業単位に結びつく正規科目ではなく、稲垣の報酬は日本語科目を選択した学生の受講料の90％（10％は大学が管理費として徴収）と定められていた[14]。

その稲垣が日本で注目されるようになったのは、1936年に国際文化振興会の「在濠連絡事務員」[15]に任命されてからである。国際文化振興会は「文化の国際的進運に資し、特に我国及び東方文化の顕揚に力を致さんことを期す」[16]ため、外務省と文部省の認可を得て、1934年に設立された財団であるが、同会は翌年の1935年12月13日に開催した理事会で次のとおり決定している。

「濠洲とは将来更に密接に連絡を図るの必要あり。但し当分の間連絡員を置く程の事業もなければ連絡事務を嘱託することにて足る。メルボルン大学日本語教師稲垣氏は二十年間同地に在り、濠洲人間に知己多し、ラッソー教授も之を推薦するにより試みに同氏に対し一ヶ年間連絡事務を委嘱することに決定、嘱託費年額千円。」[17]

ここに見られる「ラッソー教授」とは、本章第3節で紹介したPeter Russoのことである。

Russoは1908年にメルボルンで生まれ、中等教育をヴィクトリア州のバララットで終えた後、メルボルン大学に進学した。初めは歯学部に在籍したが、その後、文学部に転部し、イタリア語と日本語を学んだ[18]。メルボルン大学でRussoに日本語を教えたのは稲垣である。そして、1930年に奨学金を得て、ロンドン、パリ、ローマ、ベルリンの各大学で言語学と文学を専攻した後、Russo自身の言葉によれば、「奨学金授与の条件に基づき、日本に渡り、1年間勉学を続けたが、日本に対する関心と愛着が深まったため、奨学金の支給期間が終了した後も滞在延長の手続き」[19]をとり、東京商科大学に勤務することになった。大学では英語教育に従事するとともに、上田辰之助の指導を受けて論文の執筆にも取りかかったが、やがて上田の紹介で国際文化振興会の主事を務めていた青木節一を知ることになる[20]。そして、これが契機となって、国際文化振興会は「東京商大ラッソー教授の濠洲に於ける講演に対する援助」[21]を決定する。

国際文化振興会の援助を受けて、1935年にRussoは渡豪し、同地で合計25回の講演を行った。8月9日にはメルボルン大学で「日本の心」と題する講演を行っている。この時の司会は、1934年にオーストラリア政府が日本へ派遣した親善使節団の団長で、当時は大審院の院長とメルボルン大学の総長を兼任していたJohn Lathamが務めた。

合計25回の講演を終えた後、RussoはLatham使節団に対する答礼として日本政府が派遣した訪豪親善使節団に同行した。この時、Russoは使節団の団長である出淵勝次（元駐米大使）の「個人秘書兼アドバイザー」[22]を務めている。

この出淵使節団は日本にとっていくつかの「成果」をあげた。その最大のものは、オーストラリア政府が日本のアジア政策を支持し[23]、「少なくともオーストラリアは、満州において日本が白紙委任状を保持していることを保証する旨、出淵に対して申し出た」[24]ことであろうが、本書の主題に関する事項としては、ヴィクトリア州政府が使節団の訪豪を契機として、中等教育修了試験への日本語科目の導入を決定したことである。

帰国後にRussoが述べているところによれば、これは、「日本語がオーストラリアの学校教育の場において将来的にドイツ語やフランス語と同等の地位を得ることを意味し、英語圏では前例のないこと」[25]であり、「ますます強固になる日豪間の絆および新しい「太平洋時代」に対する意識がオーストラリアで日本語に対する関心を増している」[26]ことの結果であるという。

オーストラリアから日本へ戻ったRussoは、「濠洲の中等学校に於ける日本語教授に対する材料の供給其他連絡事務」[27]のため、国際文化振興会の嘱託に任命された。外国人が同会の正規スタッフとなったのは、これが最初である。Russoの指導教授であり同僚でもあった上田辰之助は、国際文化振興会がRussoにこの種の職務をオファーしたのは、彼が「あまり重要でない英国植民地」[28]の出身者であるからだと指摘した。

このRussoの「推薦」もあって、稲垣は1936年に国際文化振興会の「在濠連絡事務員」に就任する。Zainu'ddin, Ailsa G. Thomson（1988）によれば、Russoが稲垣を推薦したのは、出淵使節団の一員としてメルボルンを訪問した時に、恩師である稲垣が不安定な経済状況と社会的な孤立の中にいることを知り、少しでも援助しようとしたからであるという[29]。

いずれにせよ、1934年における国際文化振興会の設立、1935年におけるPeter Russoの同会嘱託への就任、1936年の稲垣に対する「在濠連絡事務員」の委嘱によって、オーストラリアの日本語教育事情や「日本語学習熱」の現状に関しては、「稲垣蒙志・Peter Russo → 国際文化振興会」という情報ルートが整ったことになり、「東京朝日新聞」の前掲記事の基になった情報も、おそらくはこのルートに基づいて日本へもたらされたものと思われる。

そして、このルートを通じて日本に伝わってきたであろうオーストラリアの日本語教育事情は、日豪「友好」の「微証」ともされた。1936年に内閣総理大臣の広田弘毅は、「最近わが日本語がオーストレリヤ連邦の公立学校において正規の教授課目に加へられん」(30)としていることは、日豪間の「友好の漸く厚きを加へんとする徴証」(31)のひとつであると述べている。

1940 年代に入ると、「日本語普及」と関わっていた国語学者たちも、おそらくは「稲垣蒙志・ Peter Russo → 国際文化振興会」のルートを通じて日本へ入ってきたと思われる情報を基にして、オーストラリアの「日本語学習熱」を取り上げるようになる。たとえば、「戦時中には言語学（言語政策・言語教育）の専門家の立場から日本語教育のための教授法・教材開発研究を次々に企画し、実行に移して」(32)いった石黒修は 1940 年に発行した『国語の世界的進出—海外外地日本語読本の紹介—』において、「海外諸国における日本語の学習は多少の一進一退もあるが、最近のわが国威の宣揚に伴ひ、その好むと好まざるとにかゝはらず、わが日本語も全般的に海外進出、普及の一路をたどってゐる」(33)として、オーストラリアにおける「日本語普及」の状況を次のように述べている。

> 「オーストラリヤにおける近来の日本語普及は驚くべきものがあり、専ら稲垣蒙志氏の努力により、その研究熱が高められて居る。メルボルン大学ではヴィクトリヤ州政府の補助で、日本語講座が開かれ、マック・ロバートソン女子高等学校にも日本語科がある。
>
> 昭和十年十二月、稲垣氏が国立放送局から簡単な日本語講座を放送したところ、非常に好評のため、昭和十一年二月から六月まで約三〇回の講座を放送した。
>
> メルボルン大学の他、シドニー、ブリスベーン大学でも日本語講座がある。(シドニーでは日本語に造詣の深い、サトラ教授が日本語を教へてゐる。)
>
> 目下日本語学習の盛なのは、メルボルン、アデレードで、メルボルンでは六〇〇人の中学生が習ってゐる。
>
> オーストラリヤ政府では日本語を各州の中等学校で施行する学力検定試験の補助外国語の課目に公式決定してゐる。」(34)

また、「およそ半世紀にわたり、一貫して日本の言語政策、言語教育の確立に愚直とも言えるほどに身をつく」(35)すことになる保科孝一は、オーストラリアでは「日本語熱」が「年を追うて高まりつゝある」(36)と述べるとともに、「大東亜戦争開始前外務省文《マ》化《マ》部に集って来た各種の報告を材料として、欧米をはじめ、世界各方面に日本語進出の概況を略叙」(37)した著書『大東亜共栄圏と国語政策』において、「オーストラリアにおける日本語熱」を次のように記している。

「オーストラリアにおける日本語熱は、近来実に驚くべきものがある。三十年来メルボルン市に在留する稲垣蒙志氏の努力により、新しい時代を理解する言葉として、日本語の研究熱が非常な勢を以て高まって居る。メルボルン大学では、ヴィクトリア州政府の特別補助金により、大規模な日本語講座が開講され、一学年で片仮名から漢字二百字まで教授する予定である。稲垣氏はメルボルン大学講師として、日本語講座を受持ち、その傍マック、ロバートソン女子高等学校の日本語科も担当、約五十名の女子学生に、毎朝九時半から正午まで、国語読本サイタ、サイタ、サクラガサイタから始めて居る。政府においても、日本語の重要性を痛感して、昭和十年十二月稲垣氏に嘱託して、国立放送局から、簡単な日本語講座を放送したところ、非常な好評を博したので、同十一年二月から同六月まで五ヶ月間、毎金曜日午後六時から同六時半まで、約三十回にわたり長期日本語講座を連続放送し、特に考案した片仮名と、英語交りのテキストを発行して、聴取者の日本語習得に役立たせた。右に関して最近稲垣氏より国際文化振興会にあてた報告書によると、オーストラリア政府では昭和十三年度のインターミデイエート證書と、昭和十四年度のスクールリーヴィング證書の両検定試験に、日本語を正式課目に決するといふことである。昭和十一年七月廿五日発行のオーストラリア最大の新聞ヘラルド紙のごとき、「東と西はつひにメル《マ》ボル《マ》ンで出あった」といふ大見出しで、同市が世界最初の日本語の聖地であることを強調、将来日本に派遣されるオーストラリア大使は、当然これらの日本語講座の学生中から生れるであらうと述べて居る。メルボルン大学の外シドニー大学にも、日本語および日本文化の講座を設けて居ることは、さきに掲げた一覧表で知られる(38)。

オーストラリア政府が、公式に認定した補助外国語として、世界最初の日本語検定試験が、各州で一斉に施行された快ニュースが、オーストラリアから派遣された東京商大講師ピーター・ラッソー博士の許に到達したことが、東京朝日新聞に見えて居た。それによると、オーストラリア政府統制の下に、日本語を各州の中等学校で施行する学力検定試験の補助外国語の課目に公式決定し、その第一回試験を昭和十一年十二月中旬、数百校一斉に実施したのである。」(39)

石黒の場合も保科の場合も、その記述の中心はシドニーではなくメルボルンであるが、それは、これらの記述の基になった情報の多くが、メルボルンの稲垣から国際文化振興会へ（さらには「外務省文化部」へ）送られたものであったからだろう。

さらに、「日語文化協会」の主事や「日本語教育振興会」の常任委員を務めた松宮一也は、1942年に『日本語の世界的進出』という題名の書籍を出版しているが、その中の、「主として内務省（筆者註：「外務省」の誤り）文化事業部・国際文化振興会の記録に依り、他は我国駐箚各国大使館に直接問ひ合せ、又石黒修氏の援助を得」[40]て執筆した「世界に於ける日本語」という章において、オーストラリアの日本語教育事情を次のように記している。

「濠洲では最近日本研究熱が急激に高まり、「シドニー大学」University of Sydney では A. L. Sadler 氏、「メルボルン大学」University of Melbourne では稲垣蒙志氏、ブリスベーンの「クインスランド大学」Queensland University では清田龍之助氏が日本語の教授に従事しており、メルボルン附近では、マツク・ロバートソン女子高等学校 Mac Robertson Girl's College 外約十校に日本語科がある。その他、アドレードには日本語の講習会があり、ヴイクトリア放送局では一九三六年以来、ラジオによる日本語講座を放送してゐる。又濠洲政府では各州の中等学校で施行する学力検定試験の第二外国語として独・仏・伊語と共に日本語を認めてゐる。」[41]

この記述の中に見られる、アドレードの「日本語の講習会」とは、稲垣が国際文化振興会に要請して日本語教材を寄贈する等の形で関与していた[42]「日本語クラブ」（Japanese Language Club）のことである。また、「清田龍之助氏」については本章第6節で紹介した。彼はクィーンズランド州政府の招聘により1938年にブリスベンに渡り、クィーンズランド大学に日本語と日本文化の講座を開設した。

清田を招聘したのは、クィーンズランド州政府であるが、その人選は同州政府の要請を受けた国際文化振興会が中心となって行った。同会の執務記録（1937年7月）には、「濠洲クヰーンスランド大学より日本人講師招聘希望につき斡旋方依頼出あり、研究中」[43]と記載されている。その「日本人講師」はクィーンズランド大学で日本語と日本文化の教育に従事するのみならず、クィーンズランド州のハイスクールにおける日本語教育開始のための基盤整備を支援することも求められていた[44]。そのような内容の職務を担うことになる「日本人講師」として、国際文化振興会がなぜ清田を選んだのかは不明であるが、清田と同じく東京商科大学で英語教育に従事していた Peter Russo が国際文化振興会の嘱託であったことを勘案するならば、その人選に Russo が関わっていたことは間違いなかろう。1938年2月1日付で Russo が John Latham にあてた書簡には、「清田氏は日本の著名な東洋学者であり、私の先導者、哲学者、滞日中の友人でもあって、私の極東における最初の時期に大いに援助をしてくれた」[(45)]と記されている。

いわば、前掲の松宮の文章は、シドニー大学に関するわずかな記述を除いて、すべて国際文化振興会と関係の深い人物が関わっていた日本語教育が取り上げられているわけである[(46)]。

国際文化振興会の関係者もオーストラリアの「日本語学習熱」について触れている。同会は1937年に衆議院議員の鶴見祐輔を資金的な「補助を以て」[(47)]オーストラリアに派遣したが、彼は帰国後、日本外交協会の例会で同国の「勃興し始めた日本語熱」[(48)]について、次のように述べている。

「世界中で濠洲だけであると思ふが、中学校で正科として日本語を教へて居る。ベルリンあたりのやうに大学生や大学卒業生が習ふのならば兎も角、ヴィクトリア州では中学校で日本語を教へて、しかも大勢の生徒が習って居る。(中略)

その理由を聞いて見ると面白い。従来外国語と云へば我々はフランス語を習ったが、幾ら習ってもフランス語は使ひ途がない。パリに行って使って見てもフランス人に通じない。斯んな役に立たないフランス語はよして、日本語を習ふ。日本なら之から、始終行けるし、日本の事も知りたいから、日本語が宜からうと云ふので始めた。初めの年は日本語とフランス語を中学生の選択科目にしたところ、日本語を希望した者が四百人あって、しかも四年間習って居る。メルボルンを中心にしたヴィクトリア州では、毎週夜間、メルボルン大学で日本語の教授をして居る稲垣君の放送を聴きながら日本語を習って居る。

ブリスベーンでも今度日本語の先生が行って教へることになって居る。アデレードの町の如きは、日本人は全然ゐない所であるが、六十人ばかりの濠洲人が集まってお互いに独学で日本語の研究を始めた。だから随分珍しい日本語を喋べって居る。発音は放送で稽古して居る。例へば食卓などで手近の物を貰った時、「あなたのご親切は死んでも忘れませぬ」と言ふ。ちょっとした事に「御親切は死んでも忘れませぬ」を連発する。つまり本当の日本語ではない。本に書いてある中から面白いのを覚えて居る。それを二年も続けて居る。(中略)

それくらゐ濠洲人が日本語に対して興味を持って居るのはどう云ふ訳かと云へば、一つは、日本語を覚えて居れば将来きっと商売の実用になるだらうと云ふのと、今一つは好奇心からである。まだ誰もやらない日本語をやって居れば、将来日濠間の文化の交流に大いに貢献出来ると云ふ意味でやって居る。

現在でも日本語を本当に稽古して居る者が三四千人は居るであらうが、個人教授料は一時間十シリング、日本の金で七円である。一週間に十人教へれば七十円、一ヶ月に少なくとも二百八十円の金が入る。日本語の先生をしても濠洲で食ひっぱぐれのない時代が遠くない。(中略)

現在六百七十万の人口ではあるが、将来何かの変化でこの人口が倍の千四百万になり、或は二百年も経ったら一億になると云ふ大きな計算をして居る人もあるが、さうはならぬにしても、仮に三四千万の人口になり、しかも一人々々の富の程度は高いのであるから通商の相手としても大きいのであるが、その濠洲人の中で五六万の者が完全に日本語を話せると云ふことになれば、濠洲は本当に日本と因縁の深い国になるのではなからうかと感じた。」(49)

鶴見は、「稲垣蒙志・Peter Russo → 国際文化振興会」のルートによる間接的な情報を基に、オーストラリアの「勃興し始めた日本語熱」について述べたわけではない。実際に渡豪した上での発言である。しかし、その鶴見が「勃興し始めた日本語熱」の例として挙げたのも、ヴィクトリア州の「中学校」や「放送」、そしてアデレードの「日本語クラブ」など、「稲垣君」が関わっていた日本語教育に限られていた。もしかすると、鶴見の見聞は、国際文化振興会の連絡員としてオーストラリアで鶴見とおそらくは何らかの接触を持ったであろう稲垣の影響を受けていたのかもしれない。

さて、1941年10月13日、東京の学士会館で「日本語教育振興会」の「創設披露会」が開催されたが、それに出席した国際文化振興会理事長の永井松三は、祝辞の中で海外各国における日本語教育の現状に触れ、「特に注目すべきは濠洲が日本語研究に熱心で各大学にその研究機関がある」(50)と述べている。また、その「日本語教育振興会」の機関誌『日本語』には、次の記事が見られる。

「東亜共栄圏に日本語普及が叫ばれてゐる折柄、今度は英領南濠の主都アデレード、メルボルンに日本語熱が昂まり、国際文化振興会の稲垣氏の通信教育を受けてゐた熱心な三、四十名の人々を中心とする日本語研究会が組織され、この程当地大学、文部省を動かし来春からアデレード、キャンベラ市の三大ハイスクール、大学等五校で教授科目に日本語を加へること丶なった。」(51)

7-3　流布される「日本語学習熱」

前述のように、オーストラリアの日本語教育事情と「日本語学習熱」が、1930年代後半から1940年代初頭にかけて日本で盛んに紹介された。なかでもアデレードの「日本語クラブ」はオーストラリアの「日本語学習熱」を象徴する存在として、日本の報道機関からも注目されるようになり、「稲垣蒙志・Peter Russo → 国際文化振興会」のルートによってではなく、日系報道機関の駐豪特派員たちによって直接日本に紹介されるようにもなった。「東京朝日新聞」メルボルン特派員の鈴木文四郎は、「意外な日本語熱」と題して次のように報じている。

「また他の紳士は熱心な日本語研究家で彼の日本語研究会につれて行った。会員の数は二、三十人あるさうだが、その夜は十人ほどの紳士が集ってゐた。先生はなく「蘭学事始」のやうにみんなで書物を前に研究するのである。それだから日本人が来たときくと誰でもかまはず来て貰って、一つの言葉やいひ廻しでも教はるのであるさうな。

私はその室に入るや否や「今晩は」と先づやられたが、一時間ほど私がゆっくり話した日本語をある者は六、七分、ある者は九分通り分ったのには驚いた。世界中でオーストラリヤほど、日本語研究の盛んなところはないといはれてゐるが、シドニー・メルボルン等の大学は日本および日本語の研究科がありいづれも立派な学者がゐて指導してゐる。私はシドニーの日本語学者サトラー教授とはたびたび会ったが、その語学力といひ日本文学の素養といひ大したもので、すでに方丈記、平家物語等の翻訳があり今は徳富氏の近世日本国民史を翻訳中で三巻を了へたといってゐる。旅行中時々日本語学生に会ひ漢字を記憶する苦心談をきかされその独特な学習法に驚歎させられた。それら日本語学生はみんな日本好きとなってゐる。」[52]

アデレードの「日本語クラブ」、さらにはオーストラリアの「日本語学習熱」を日本に紹介した報道機関は「東京朝日新聞」だけではない。同盟通信社は1939年に『最近の濠洲』というオーストラリア概説書を出版しているが、その中で同社シドニー支局長の豊田治助は、「濠洲に於ける日本語の研究熱」を次のように紹介している。

「濠洲に於ける日本語の研究熱は可成り旺盛である。シドニー大学ではサドラー教授（元六高学習院の教授）が東洋文化史を正講座とし、又日本語の特別講座もある。ブリスベーンのクイーンスランド大学では本年三月清田教授（元東京商大教授）を招聘して日本歴史と日本文化史が正式に講座となり、又日本語科も開講されてゐる。メルボルン大学には未だ正式の講座がなく稲垣孟《マ》志《マ》氏に依る日本語科の特別講座が設けられているに過ぎない。特記すべきは南濠洲の首府アデレードに於て日本語会が純然たる濠洲人に依って組織せられ、三十数名の熱心な学徒が時偶入港する日本船の人達を会話の先生として真面目に勉学してゐることである。」[53]

日系商社の駐在員として1930～1940年代にオーストラリアで暮らした日本人たちも、日豪開戦の直前に日本へ帰国後、オーストラリアの「日本語学習熱」について記している。たとえば、「高島屋飯田の社員であり、シドニー、メルボルンで勤務し、昭和16年8月15日の最後の引揚船鹿島丸で帰国」[54]した西川忠一郎は、1942年に出版した著書『最近の濠洲事情』の中に次のように書いている。

「日本語を学ばうとするもの、又日本語を知らうとする者もかなりあった様である。ブリスベン、メルボルン等の大学には日本語の講座があって熱心な学生がゐた。ブリスベンの大学には日本文化の研究会の様なものもあった様である。アデレードには殊に熱心な日本語の研究会を構成する一団の学生がゐて、列車がアデレードの停車場に着くと忽ち降り立った日本人を包囲して早速質問を浴びせ掛け、この地を訪れた日本人を面喰はせることが度々あった。著者の知人である一濠洲人に特に日本語に堪能なのがゐて、彼は草書を練習し、候文の書翰を度々寄こした。麦と兵隊を毎夜床の中で十頁ばかし読むと漸く睡気を催すと彼は謂ってゐたが事実らしかった。彼は東京より内閣の週報を取り寄せて、之を苦もなく読みこなすだけの語学の力があったので日本の事情には精通してゐた。」[55]

また、「堀越商会に勤務し在豪13年」[56]の松永外雄も、西川と同じく鹿島丸で帰国した後、その著書『濠洲印象記』に「日本語の研究熱は世界一」という章を設けて、オーストラリアの日本語教育事情を次のように紹介している。

「世界中で、濠洲ほど日本語研究熱の盛んな国は、先づ無いといっても過言ではなからう。

ブリスベーンのクインスランド大学では、清田教授が商大から招かれて、日本文化史及び日本語を教へてゐた。

シドニー大学では、東洋学のサドラー教授が、日本の研究で有名である。又方丈記、平家物語、近世日本国民史を翻訳されたといふマドック博士もゐる。彼は日本を世界に紹介してくれた人として、ラフカデイオ・ハーン（小泉八雲）氏とともに感謝さるべき学者であらう。

メルボルン大学では、稲垣氏が日本語を教へてゐた。同大学で、モリソン・スカラーシップをかち得た者は、モリソン研究費をもって日本に留学することが出来る。ずっと以前に、モリソンといふ実業家が、「将来濠洲人は日本を研究する必要生ずべし」と看破して、メルボルン大学へ莫大な研究資金の寄附を遺言されたといふ。先覚の士といふべきである。大学では三年毎にこの試験を行って、一名宛日本へ留学させて居た。私は或年この試験委員に大学から任命され、答案も調べたことがあったが、概してよく出来てゐた。一般に会話は苦手のやうであった。

かって商大に教鞭をとり、又国際《マ》文化協《マ》会にも勤めた濠洲人ラッソー教授は、このモリソン奨学資金で日本へ留学、日本に来てから彼の天才的語学が一層上達したのであった。（中略）

濠洲では大学の外に、近年一般市民の日本語研究が盛んであった。濠洲人啓蒙のため組織したわが啓発委員会では、外人有志に日本語の無料教授もした。社友W氏、Y・J社のI氏等大いに骨折ったものだった。稲垣氏は、ラジオに依る日本語教授も始めてゐた。ハナガサク、トリガナク、と教えた。メルボルン大学のライト博士は、熱心な日本語研究者で、随分むつかしい漢字迄よく覚えて居た。彼は三回も日本を訪問してゐる。時々メルボルンで公開の席上、日本に関する講演もし、濠洲人の啓蒙に盡してゐた。彼は、浅草海苔が好きで、度々私の家へやって来たものだ。

南濠アデレードでは、日本人は誰も居ないため、濠洲人で、郵便局に勤務中のモリス氏（独学者）が、有志を集めて、互に勉強してゐた。私は、父が度々送ってくれた外人啓蒙用の日本に関するパンフレットとか、雑誌とかを、必ず同氏へも一部宛送り、会員への参考に供して貰った。又友人がアデレードへ旅行の場合は、寸暇を割いて同会に出席して、その勉学を援助して貰ふやう依頼したものである。」(57)

これらは、「稲垣蒙志・Peter Russo → 国際文化振興会」のルートによる情報ではなく、滞豪中の自己の見聞を基にした記述であろうが、松永も西川も稲垣と同じく「メルボルン日本人会」の会員であり(58)、とくに松永は稲垣と「親しい」(59)とされていたから、彼らの見聞も当初は稲垣からの情報が基になっていた可能性がある。

それにしても、松永はなにゆえ「世界中で、濠洲ほど日本語研究熱の盛んな国は、先づ無いといっても過言ではなからう」と言うことができたのであろうか。

それを証明する統計資料は管見の限り見あたらない。オーストラリアの社会言語学者で、1987 年に発表された『言語に関する国家政策』（National Policy on Languages）の執筆者でもある Joseph Lo Bianco は、1930 年代後半から第二次世界大戦終戦までの時期、オーストラリアでは「日本語はまだまだ珍奇でエキゾチックな外国語に過ぎなかった」(60)としている。

また、国際文化振興会はその事業の一環として、諸外国に対する「日本語普及」にも関わっていたのであるが、オーストラリアに対する「日本語普及」にとくに重点を置いていたわけではない。その「正史」とも言うべき『国際文化振興会事業報告：国際文化事業の七ヶ年』(1940)(61)や『KBS30 年のあゆみ』(1964)(62)には、オーストラリアへの「日本語普及」に関して、何も記されていない。同会や外務省の各種執務記録、あるいはオーストラリア国立公文書館に保存されている文書で確認できる限りでは、国際文化振興会がオーストラリアの日本語教育と関わったのは、清田をクィーンズランド大学に紹介したこと、稲垣が執筆した日本語教科書『日本語読本』の出版を日本の出版社に斡旋したことのほか、「文化資料寄贈」の一環として、1936 年度に「「メルボルン」大学初等教育局に対し日本語教授用として邦語「タイプライター」一台及国定教科書其他参考図書」(63)、1937 年度に「外務省の依頼により「アデレード日本語会」に日本語研究資料」(64)、1938 年度にクィーンズランド大学に「教科書」(65)、1939 年度に同じく「濠洲「クィーンズランド」大学講師清田龍之介氏へ茶の湯道具一式並に国定教科書六〇〇冊」(66)と「濠洲「メルボルン」大学稲垣教授へ同氏編輯の日本語教授用教科書五〇〇冊」(67)、1941 年度にアデレードの「日本語クラブ」に参考書等を寄贈したことぐらいである(68)。また、国際文化振興会がオーストラリアの教育機関に「日本語普及」を直接的に働きかけた例は、管見の限り、同会主事の青木節一が稲垣の訪日に関連して 1937 年 2 月にメルボルン大学にあてた書簡の次の一節に見られるのみである。

「稲垣氏が前期中等教育修了試験と後期中等教育修了試験の初めての日本語試験問題を送ってくださり、われわれはそれを詳細に検討させていただきましたが、とても素晴しいものであると思いました。私どもは、そう遠くない将来において日本語科目が貴大学の文学部と商学部の正規科目に採用されますことを心より希望いたしております。」(69)

オーストラリアに対する「日本語普及」をとくに重視していなかったのは、国際文化振興会の監督官庁である外務省も同じである。この頃、外務省には国内外の日本語教育機関に対する助成制度があった。外務省文化事業部（1938）には、その「日本文化関係講座及日本語教授並紹介機関助成」の説明として次のように記されている。

> 「右に二種あり。（一）は西洋諸国に於て所謂「日本学」と称する本邦文化一般に関する歴史的および学術的研究を容易ならしむる為諸外国主要大学に各種講座を設置すること。又（二）は学術的研究の基礎及実用語学としての日本語教授機関に対する助成なるが右は単に国外施設に止らず国内施設に対しても助成するものとす。」[70]

また、外務省文化事業部（1939）の「文化事業部第二課直属事業綱要」は、この助成事業について、「対外文化事業中日本語の普及の重要なることは言を俟たず、右は専ら実用語学及学術研究の基礎としての日本語を教授する機関に対する助成及海外各地の大学其他に日本語講座を設置するに対する助成なり」[71]と説明している。ただし、この「日本文化関係講座及日本語教授並紹介機関助成」が、オーストラリアの教育機関に適用されることはなかった。

したがって、国際文化振興会や外務省がその事業を通じてオーストラリアに「日本語学習熱」を作り出していったとするのは、それらの活動を過大評価することになるであろうし、そもそも当時のオーストラリアに「日本語学習熱」という現象が果たして本当にあったのかという疑問も生じよう。しかし、少なくとも国際文化振興会は、稲垣や Russo からの情報を日本国内に向けて発信することで、オーストラリアは「日本語学習熱」が高いという認識を日本国内で創出することに貢献したと言える。そして上述のように、その認識は後には日系報道機関の特派員や日系企業の駐在員たちも加わって広く流布されることになった。

白豪主義を掲げ、日本からの移民を拒みとおしているオーストラリアで、しかも通商面で英国とのつながりを重視するあまり、日本との間で「羊毛問題を巡って繋争中」という状況にあったオーストラリアで、「日本語学習熱」が高まっているということは、当時の日本人の自尊心をくすぐり、日本語と日本文化に対する優越感を高めるだけの効果があったものと思われる。今まで紹介してきた文章でも、たとえば「日本語学生はみんな日本好きとなってゐる」というような表現で、オーストラリアの「日本語学習熱」を歓迎している。その意味で、国際文化振興会がオーストラリアの日本語教育と関わったことは、「日本語普及」という本来の目的とは別のところで、日本の「国益」に貢献したとも言える。

7-4　忘れられた「日本語学習熱」

日豪開戦を数か月後に控えた1941年の段階でも、「東京朝日新聞」にはオーストラリアの「日本語学習熱」を紹介する記事が見られる。たとえば1941年5月23日の「東京朝日新聞」は、「昂る日本研究熱：秋山総領事の濠洲土産」と題して次のように報じている。

「濠洲航路船鹿島丸は濠洲、フイリッピン、ダバオ等からの引揚人百二十一名を乗せ、二十二日午前八時神戸に入港した。同船でシドニー駐在の総領事秋山理敏氏や、昨年春一旦英国政府の命令で濠洲に引揚たが、病みつきの能学《ママ》の研究がやめられんと、またもや日本に引返して来た英国人の能研究家キャサリン・デヴィスさん（五八）などもゐた。秋山総領事の話。

世界情勢が険悪になってからといふもの、濠洲人の対日観はぐるぐる廻って居り、最初の恐日病といったものは最近では日本の実力に対する畏敬から生れた盛んな日本研究熱となって、殊に濠洲を風靡してゐる。最近は日本語、茶の湯、生花、さらに能といった方面にまで研究心をのばして、濠洲人はあらゆる角度から日本の実態を極めようといふ熱意を見せてゐる。大学にも日本語の講座が相当出来、シドニー大学では、かって日本の第六高等学校、学習院などで教鞭をとり、また平家物語、源氏物語の翻訳などもやったサドラー氏が担任して日本科の講座を新設し、ブリスベーン大学では濠洲政府から招聘された清太《ママ》教授が日本文学を講義してゐる。陸海軍の間でも日本語の勉強は正式に行はれてゐるし、一般民間ではシドニーの太平洋クラブをはじめ、メルボルンでは日本語教科書まで特別に作ってやってゐる。また南部のアデレードでも、五十人ほどの有力者の団体が日本のお茶を飲む会をやってゐるし、この会合では一切日本語を使ふといふ熱心だ。こんな風潮に加へて、日本の公使館が新設されたので、一層日本への良い意味での関心が昂まって来てゐる。」(72)

また、開戦3か月前の9月6日から7日にかけての「東京朝日新聞」には、同社メルボルン特派員の「戦時下濠洲通信」という記事が連載されているが、その9月7日の記事において、この特派員は「冷めぬ日本語熱」と題して次のように報じている。

「濠洲で親日の話題によくなる日本語熱は、この戦時下にも少しも冷めてはゐない。ブリスベン大学で日本文化史の講義を受持ってゐる清田教授の話はあまりに有名であるが、メルボルン大学の夜学で日本語の教授を行ってゐる稲垣孟志《ママ》氏の許にも、今なほ三十人の聴講生は欠けたことがないといふし、遠く南濠洲のアデレードでは、一人の日本人の先生もゐないのに、約三十人の日本語研究団体があって、たまに訪れる日本人があると必ず一夕の教授を講ふといふ有様で、その熱心さには日本人の方が驚くといふことである。

その他メルボルンでもシドニーでも、個人的につてを求めて日本人のところへ日本語を習ひにくる濠洲人の数を合せると、相当な数に上らう。

彼らが日本語を習ふ目的は、第一に日本に対する憧憬、第二は趣味としての学習、第三は最近の国際情勢に刺激されて日本研究のよすがとして習ふものが多いやうだ。」(73)

これ以降、オーストラリアの「日本語学習熱」に関する記事は、「東京朝日新聞」の紙面から消える。

1941年12月の日豪開戦に伴い、メルボルン大学の稲垣蒙志とクィーンズランド大学の清田龍之助は敵国人としてオーストラリア国内で逮捕され、ヴィクトリア州のタチュラ収容所に抑留された。清田は日豪間の抑留者交換により1942年に帰国したが、翌年の1943年に58歳で死去した。死因は肺炎だったが、「キャンプ内で毒クモにさされ高熱によるすい弱も原因の一つであったようである」(74)とされている。

稲垣は抑留を不服としてオーストラリア陸軍を相手に訴訟を起こした。しかし、裁判で敗訴し、終戦までタチュラ収容所で過ごした。日本の敗戦がタチュラに伝えられた時、稲垣はそれは嘘であると他の日本人収容者たちを説得して回ったという(75)。稲垣が日本へ送還されたのは1947年のことであるが(76)、福島尚彦（1998）によれば、「その後の稲垣の消息を知る人はいない」(77)らしい。

国際交流基金が1998年に海外の日本語教育機関を対象として実施した調査において、その日本語教育の「開始年」をシドニー大学は「1917年」と回答しているが、たとえ任意科目であったにせよ、1930年代に日本語教育をすでに実施していたはずのメルボルン大学とクィーンズランド大学は、それぞれ「1965年」「1968年」と回答している(78)。稲垣蒙志と清田龍之助がオーストラリアで日本語教育に従事していた事実は、こうして一部の関係者を除いて(79)今日では忘れ去られ、それとともに、オーストラリアは「日本語学習熱」が高いという情報が1930年代後半から1940年代初頭にかけての時代に日本で出回っていた事実も忘却されることになったが、その情報あるいは認識が国際文化振興会やその関係者を中心に創出され、後には日系報道機関の特派員や日系企業の駐在員たちも加わって広く流布されたものであったことを勘案するならば、彼らがオーストラリアの日本語教育と関わりを持たなくなった時点で忘れ去られ、戦後に伝えられなかったのは、当然の結果でもあったろう。

〈註〉

（1）国際交流基金日本語国際センター（2000）18頁
（2）国際交流基金日本語国際センター（2000）19頁
（3）杉本良夫（1991）
（4）大津彬裕（1995）236頁～237頁
（5）チェンバレン富士子（1988）165頁
（6）チェンバレン富士子（1988）165頁
（7）1960年代後半から1970年代前半にかけての時期に、オーストラリア事情を紹介する日本の新聞記事のタイトルにも「日本語熱」という言葉がしばしば使われている。国立国語研究所の「新聞切抜集」によれば、その例として、「日本語熱のオーストラリア、先生が勉強に来日、経済委の交換留学」（読売新聞［朝刊］1967年3月7日）、「アジアにほほえむ豪州、最近の対日感情、とけ始めた警戒心、日本語熱も各地で高まる」（北海道新聞［朝刊］1967年3月22日）、「オーストラリアの日本語熱」（読売新聞［夕刊］1967年8月22日）、「オーストラリア特集：青いおメメでアイウエオ、盛んな日本語熱、日本女性の「塾」大はやり」（毎日新聞［朝刊］1968年5月6日）、「新しいパートナー豪州の旅から6：日本語熱、「必修」にする高校も、受ける実利性、仏、独語から切り替え」（西日本新聞［夕刊］1968年8月3日）、「豪州に高まる日本語熱、中学では正規科目に、英米しのぐ輸出が拍車」（朝日新聞［夕刊］1969年8月21日）、「のびのび豊かな国オーストラリアの印象4：高まる日本語熱、学校では第二外国語」（東京新聞［朝刊］1969年10月17日）、「もっと日本を知ろう、親日ムードあふれるオーストラリア、広がる日本語熱、戦争の憎しみは消える」（北海道新聞［夕刊］1969年10月24日）、「オーストラリア特集：高まる日本語熱、語学・柔道・空手……、日本語高校でも正課に、日本語放送」（毎日新聞［朝刊］1970年5月18日）、「オーストラリア特集：高まり広がる日本語熱、庭園づくりの運動も」（東京新聞［朝刊］1972年12月6日）などがある。
（8）石黒修（1941）22頁～23頁
（9）マリオット，ヘレン（1991）22頁
（10）疋田正博（1985）628頁
（11）神崎清（1936）
（12）「Herald」の原文では、「東洋と西洋はマックロバートソン・ガールズ・ハイスクールで出会った」とされている。
（13）NAA A367/1, C73350
（14）Zainu'ddin, Ailsa G. Thomson（1988）p. 49.
（15）国際文化振興会（1935d）8頁
（16）国際文化振興会（1934）4頁
（17）国際文化振興会（1935d）8頁
（18）Zainu'ddin, Ailsa G. Thomson（1988）p. 50.

（19）NAA C443, J20
（20）Russo, Peter（1962）p. 3.
（21）国際文化振興会（1935c）210 頁
（22）NLA MS 8202, Papers of Peter Vasquez Russo, BOX 16
（23）Frei, Henry p.（1991）p. 123.
（24）フライ，ヘンリー（1980）110 頁
（25）NLA MS 8202, Papers of Peter Vasquez Russo, BOX 16
（26）NLA MS 8202, Papers of Peter Vasquez Russo, BOX 16
（27）国際文化振興会（1935d）1 頁
（28）Russo, Peter（1962）p. 5.
（29）Zainu'ddin, Ailsa G. Thomson（1988）p. 51.
（30）広田弘毅（1936）20 頁
（31）広田弘毅（1936）20 頁
（32）関正昭（1997）46 頁
（33）石黒修（1940）5 頁
（34）石黒修（1940）16 頁～17 頁
（35）イ・ヨンスク（1996）314 頁
（36）保科孝一（1941）8 頁
（37）保科孝一（1942）334 頁
（38）保科孝一（1942）の 303 頁～306 頁には、外務省文化事業部がまとめた「外国に於て外国人に日本文化並に日本語を教授する学校団体等一覧表」が掲げられているが、そこにはオーストラリアの教育機関として、シドニー大学とメルボルン大学が挙げられている。
（39）保科孝一（1942）330 頁～332 頁
（40）松宮一也（1942）194 頁
（41）松宮一也（1942）192 頁
（42）NAA A367/1, C73350
（43）国際文化振興会（1937e）591 頁
（44）Russo, Peter（1962）p. 6.
（45）NAA BP242/1, Q24136
（46）太平洋戦争中に日本人が書いた文章を見ると、オーストラリアの高等教育機関における日本語教育の実施例として、クィーンズランド大学とメルボルン大学のみを取り上げ、シドニー大学を例示しないケースにたびたび出会う。たとえば、森正三（1943）は次のように記述している。「濠洲の教程で最も重要視されるのは、地理、歴史であるが、これらはもとより英国中心主義のものである。従って我国に対する認識をもつ者は極めて尠ない。現在では殆ど無いであらうが、三、四年以前には未だ日本の位置が何処なるやを知らぬ者さへ相当あった様である。尤もブリスベーン、メルボルン等の大学には日本語の講座もあって、熱心な日本の研究家もあったが、一般に彼等の日本認識は無智に等しいと云へる。」（39 頁）
（47）外務省文化事業部（1937）163 頁
（48）鶴見祐輔述（1937）33 頁

（49）鶴見祐輔述（1937）33 頁～38 頁
（50）日本語教育振興会（1941c）77 頁～78 頁
（51）日本語教育振興会（1941a）47 頁
（52）鈴木文四郎（1938）
（53）豊田治助（1939）105 頁
（54）宮下史朗（1977）89 頁
（55）西川忠一郎（1942）327 頁
（56）宮下史朗（1977）89 頁
（57）松永外雄（1942）262 頁～265 頁
（58）オーストラリア国立公文書館には、「メルボルン日本人会」の名簿（1940 年 2 月 16 日現在）が保存されている。それによると、同会の会員は 41 名で、三井物産 11 名、兼松オーストラリア 7 名、三菱商事 6 名をはじめ、稲垣を除く全員が日系企業の社員である。堀越商会の松永外雄、高島屋飯田の西川忠一郎の名前も見られる。（NAA A367/1, C73350）
（59）NAA A367/1, C73350
（60）Lo Bianco, Joseph（2000）p. 1.
（61）国際文化振興会（1940）
（62）国際文化振興会（1964）
（63）外務省文化事業部（1936）276 頁
（64）外務省文化事業部（1937）176 頁
（65）NAA C443, J45
（66）外務省文化事業部（1939）41 頁
（67）外務省文化事業部（1939）41 頁
（68）NAA A367/1, C73350
（69）UMA M.Inagaki Collection. なお、この書簡に対して、メルボルン大学は、日本語の正規科目化を妨げているのは、「ひとえに財政的な障害」によると回答している。本書第 2 章第 4 節を参照。
（70）外務省文化事業部（1938）141 頁
（71）外務省文化事業部（1939）6 頁
（72）東京朝日新聞社（1941）
（73）黒住征士（1941）
（74）古澤峯子（1977）4 頁
（75）Nagata, Yuriko（1996）p.184.
（76）NAA A367/1, C73350
（77）福島尚彦（1998）58 頁
（78）国際交流基金日本語国際センター（2000）389 頁、417 頁、438 頁
（79）稲垣については、野口幸子（1997）および福島尚彦（1998）を参照。また、清田については、古澤峯子（1977）を参照。

第3章　オーストラリアと日本語

1.　日本語クラブ

オーストラリアの社会言語学者で、1987年に発表された『言語に関する国家政策』（National Policy on Languages）の執筆者でもあるJoseph Lo Biancoは、1930年代半ばから第二次世界大戦終戦までの時期におけるオーストラリアの日本語教育は、「戦略的・地政学的な利益」[1]という装いを帯びていたとしているが、それと同時に、当時のオーストラリアにおける日本語教育・日本語学習の状況について、次のように記している。

(1)　1936《ママ》年に日本語科目がメルボルン現代語土曜学校（The Melbourne Saturday School of Modern Languages）[2]に導入された。
(2)　オーストラリアの言語政策は英国の外国語教育（フランス語・ラテン語）を反映していた。
(3)　日本語はまだまだ珍奇でエキゾチックな外国語に過ぎなかった。
(4)　アジア好きなオーストラリア人の小さなグループが日本語学習を始めていた[3]。

このうち、(4)の「アジア好きなオーストラリア人の小さなグループが日本語学習を始めていた」に相当する例のひとつとして、ここでは「日本語クラブ」（Japanese Language Club）を取り上げる。このクラブは1935年に南オーストラリア州の州都であるアデレードで郵便局員のA. A. MasonとC. A. Donnellyの2名によって設立された。1938年11月11日付で郵政省が外務省に送った書簡によると、このクラブの事務局長は電話課の回線担当見習事務官であるMasonが務めていたが、彼は、「3年前アデレード大学に対して日本語クラスを開設するよう説得するのに成功し、適任者がいないため大学から日本語講師に任命され、3年次の日本語クラスを運営した」[4]こともあったという。また、電信課の監督官であるDonnellyは、「日本へ行くことを目的に日本語を学んで」[5]おり、「1936年にはメルボルン大学が実施した後期中等教育修了試験の日本語科目で90%の得点をあげ」[6]た。また、Donnellyは「日本の国際文化振興会がオーストラリアとニュージーランドの居住者を対象に実施したエッセイ・コンテストで入賞し、日本の首相である近衛公爵から銀賞を授与されるとの連絡を受けている」(7)ともされている。

しかし、「アデレードには日本人が住んでいないため、過去3年間、彼らが日本語で会話をする機会は時折この町を訪れる日本人旅行者とのそれに限られて」(8)いた。その具体的な「会話」練習の様子を1937年に渡豪したひとりの日本人学生が書き残している。

東京商科大学専門部に在籍していた徳永一郎は、学生としての最後の夏季休暇をオーストラリアで過ごすべく、国際汽船会社の「八重丸」に「正式に事務員として便乗方の許可」(9)を得て乗船し、1937年7月11日、日本を発った。徳永の乗った「八重丸」は、ブリスベン、シドニー、メルボルンを経て、8月6日、アデレードに入港した。その日の様子を徳永は次のように書いている。

「事務長の親しくしているスパゴー氏来船、事務長が態々室迄引張って来て紹介して是れる。かねて聞いて居た熱心なる日本語の生徒の一人だ。今日はもう時間が面白くないので近くの海岸へ案内して貰ふ事になる。彼氏相当に単語を覚えて居て、どうやら色々な日本語が話せる。」(10)

「日本語クラブ」の会員たちは船長室にも押しかけていた。その様子は次のように記されている。

「日本語の生徒が二人も押懸けて居て、船長と局長さんが相手になって居る。二人とも既に壮年期を過ぎ、片言も甚だ心許ないが、その熱心さ正に当るべからざるものがある。昼はそれぞれ仕事を持ち、家は隣同志。今一人兄貴株の人と共に、太郎さん、二郎さん、三郎さんと御互に、名前を付け合って励まして居る由だ。ローマ字で綴った太郎さんの手紙を読ませて貰ったが仲々素晴しい出来で、良く気分の表はれた上手な文句で結んで有るのには一驚させられる。」(11)

アデレード滞在中、徳永はこれら「親愛なる日本語の生徒」(12)たちと親しく付き合う。そして彼らの「熱烈なる会話練習」(13)に参加したり、その朗読を聞かされ、「時々アクセントに不自然さがあるが仲々立派なものだ」(14)との感想を記している。

アデレードの「日本語クラブ」のことを書き残したのは徳永だけではない。高島屋飯田のメルボルン支店に勤務していた西川忠一郎は、日豪開戦後に出版したオーストラリア概説書の中に次のように書いている。

「アデレードには殊に熱心な日本語の研究会を構成する一団の学生がゐて、列車がアデレードの停車場に着くと忽ち降り立った日本人を包囲して早速質問を浴びせ掛け、この地を訪れた日本人を面喰はせることが度々あった。」(15)

また、別の商社に勤めていた松永外雄は次のように記している。

「南濠アデレードでは、日本人は誰も居ないため、濠洲人で、郵便局に勤務中のモリス氏（独学者）が、有志を集めて、互に勉強してゐた。私は、父が度々送ってくれた外人啓蒙用の日本に関するパンフレットとか、雑誌とかを、必ず同氏へも一部宛送り、会員への参考に供して貰った。又友人がアデレードへ旅行の場合は、寸暇を割いて同会に出席して、その勉学を援助して貰ふやう依頼したものである。」(16)

1938年頃になると、彼らの存在は日本の報道関係者の眼にも止まるようになった。「東京朝日新聞」の特派員は1938年1月20日の紙面に「意外な日本語熱」と題して次のように書いている。

「また他の紳士は熱心な日本語研究家で彼の日本語研究会につれて行った。会員の数は二、三十人あるさうだが、その夜は十人ほどの紳士が集ってゐた。先生はなく「蘭学事始」のやうにみんなで書物を前に研究するのである。それだから日本人が来たときくと誰でもかまはず来て貰って、一つの言葉やいひ廻しでも教はるのであるさうな。

私はその室に入るや否や「今晩は」と先づやられたが、一時間ほど私がゆっくり話した日本語をある者は六、七分、ある者は九分通り分ったのには驚いた。」(17)

また、同盟通信社のシドニー支局長は1939年に同社から出版された『最近の濠洲』というオーストラリア概説書の中に次のように記している。

「特記すべきは南濠洲の首府アデレードに於て日本語会が純然たる濠洲人に依って組織せられ、三十数名の熱心な学徒が時偶入港する日本船の人達を会話の先生として真面目に勉学してゐることである。」[18]

日本の外務省は、1930年代の後半に、「東京中央放送局の放送「プログラム」中に国際文化事業講座を設けることになり、大体毎月二回づゝ、諸外国より新たに帰朝した外務省関係者の人に依頼して、その在勤国の珍らしい自然や、変った人情風俗を始め一般政治経済状態又これ等諸国と日本との文化関係、その他これ等諸国に於て行はれてゐる国際文化事業の状況などの概略を平易に話して貰ひ、簡単に一般外国事情を紹介」[19]していた。その「国際文化事業講座」において、1938年、オーストラリアから帰国したばかりの東光武三（帰国後は外務省欧亜局に勤務）は、「羊とカンガールの国―濠洲の話―」と題する講演を行っているが、彼も「日本語クラブ」の存在に触れている。

「最近の日本研究熱殊に日本語に対する研究は仲々盛んで、日本人の殆どゐない南濠洲の首府「アデレイド」と云ふ所に日本語で喋べる会があると聞いてゐる程であります。」[20]

このように、「日本語クラブ」はオーストラリアにおける「日本語熱」や「日本研究熱」の高さを象徴する存在として、1938年頃から日本で盛んに紹介された。1940年代に入ってからも、たとえば1941年5月23日の「東京朝日新聞」は、「昂る日本研究熱」の一例として、「南部のアデレードでも、五十人ほどの有力者の団体が日本のお茶を飲む会をやってゐるし、この会合では一切日本語を使ふといふ熱心だ」[21]という在シドニー日本総領事の言葉を紹介した。また、同年9月7日の同じく「東京朝日新聞」は、「冷めぬ日本語熱」の例として、「遠く南濠洲のアデレードでは、一人の日本人の先生もゐないのに、約三十人の日本語研究団体があって、たまに訪れる日本人があると必ず一夕の教授を講ふといふ有様で、その熱心さには日本人の方が驚くといふことである」[22]と報じている。

ただし、「日本語クラブ」は「たまに訪れる日本人」との会話を通してのみ日本語を学習していたわけではない。メルボルン大学の稲垣蒙志は1938年に国際文化振興会が東京で開催した「英帝国諸領」に対する「対外文化工作に関する協議会」の席上で、「南濠洲詰りアデレード市には商人連中でありますが、今日まで日本語を研究して居られるそうで、その中には私の通信生も居りますし、中には一二の特別な生徒も居ります」[23]と述べており、全員ではないにせよ、「日本語クラブ」の会員の中に稲垣のラジオ日本語講座を受講していた者があったことがうかがえる。

国際文化振興会も「日本語クラブ」を支援した。1937年度に同振興会は、「外務省の依頼により「アデレード日本語会」に日本語研究資料」(24)を「寄贈」(25)している。また、稲垣は1940年12月8日付で国際文化振興会主事の青木節一に書簡を送り、「日本語クラブ」は、「ビジネスマンや女性たちから構成されておりますが、自分が教えているラジオ日本語講座以外には外部からの助けを一切受けずに5年以上も日本語を勉強しています」(26)として、同会に対する、書籍・雑誌・レコードの寄贈を要請しているが、これに対して、青木は1941年5月23日付で稲垣に書簡を送り、「日本語クラブ」に教材と参考書を寄贈したこと、同クラブのJ. Tuckerという人物の要請により、稲垣の『日本語読本』を同氏あてに送付したことを伝えている(27)。

後述する「第三高千穂丸事件」を契機として、オーストラリア政府は「日本語クラブ」会員の日本語能力をその「国益」のために利用しようとした形跡があり、1938年11月11日付で郵政省は外務省に対し、「日本語クラブ」会員の日本語能力のレベルについて通知している。それによると、1936年に「メルボルン大学が実施した後期中等教育修了試験の日本語科目で90％の得点をあげ」たDonnellyでさえも、その「読む力と文法の知識は相当なものだが、会話能力はMasonと同様に限られたもの」(28)だった。他の会員の日本語能力は推して知るべしである。このため、オーストラリア政府が彼らの日本語能力を実際に利用することはなかったし、また、日本語能力の向上度という観点では、稲垣の「通信」教育も国際文化振興会の各種「寄贈」事業も顕著な効果をあげなかったと評価することができる。

しかし、日本語能力の高低は、「昂る日本研究熱」や「冷めぬ日本語熱」を喧伝するのには必要ない。そこで日本語学習が行われていれば、それも「一人の日本人の先生もゐない」という環境下で日本語学習が行われていればなおさらのこと、「日本語クラブ」の存在はオーストラリアにおける「日本語熱」の象徴として日本国内で広く紹介され、結果的に日本人のある種のナショナリズムを駆り立てたのではないかと思われる。

その意味で「日本語クラブ」の存在は、個々の会員の意志とは全く別のところで、オーストラリアの「国益」よりも日本の「国益」に結果として貢献させられたのではないかと想像することができる。また、稲垣の「通信」教育や国際文化振興会の各種「寄贈」事業は、「日本語クラブ」会員の日本語能力を向上せしめることには直結しなかったものの、彼らの存在が多くの日本人の眼に止まり、ひいては日本国内で広く紹介されるようになるまで、その日本語学習を継続せしめたという点で意義があったと言える。

〈註〉

（1）Lo Bianco, Joseph（2000）p. 1.

（2）マックロバートソン・ガールズ・ハイスクールに設置されていた、日本語とイタリア語の土曜講座（本書第2章第4節を参照）のこと。今日のヴィクトリア州立言語学校の前身にあたる。

（3）Lo Bianco, Joseph（2000）p. 1.

（4）NAA A981, JAP113

（5）NAA A981, JAP113

（6）NAA A981, JAP113

（7）NAA A981, JAP113

（8）NAA A981, JAP113

（9）徳永一郎（1938）80頁

（10）徳永一郎（1938）92頁

（11）徳永一郎（1938）93頁

（12）徳永一郎（1938）97頁

（13）徳永一郎（1938）97頁

（14）徳永一郎（1938）95頁

（15）西川忠一郎（1942）327頁

（16）松永外雄（1942）265頁

（17）鈴木文四郎（1938）

（18）豊田治助（1939）105頁

（19）東光武三（1938）「序」

（20）東光武三（1938）15頁

（21）東京朝日新聞社（1941）

（22）黒住征士（1941）

（23）国際文化振興会（1938b）7頁

（24）外務省文化事業部（1937）176頁

（25）外務省文化事業部（1937）176頁

（26）NAA A367/1, C73350（検閲文書のため原文英語）

（27）NAA A367/1, C73350

（28）NAA A981, JAP113

2. 第三高千穂丸事件

1920年代から1930年代前半にかけての時期、オーストラリア政府は国防関係者も含めて、「日本語教育政策」の立案と実施にそれほど積極的ではなかった。その理由は日豪間の「緊張緩和」に求められるが、1937年にそれを後悔するような事件が発生する。「第三高千穂丸事件」である。

1937年6月10日、ノーザン・テリトリーの沿岸沖で日本人が所有する真珠貝採取船「第三高千穂丸」など数隻がオーストラリアの海上保安当局から領海侵犯の疑いで追跡され、その制止を振り切って逃走しようとしたため、約30人の船員が逮捕された。また、船舶も真珠貝も没収された。これに対して、採貝船の日本人所有者が損害賠償を求めてオーストラリア政府を告訴し、この事件はダーウィンの裁判所で審理されることになった。裁判では実地検証まで行われたが、結局、オーストラリア領海外で採貝していたことが立証され、日本人船主が勝訴し、船と真珠貝が返還されたほか、賠償金も支払われた。

この事件の裁判のためにオーストラリア政府は、国内はいうまでもなく、海外まで日本語法廷通訳者を探す努力を払った。たとえば、オーストラリア外務省は1938年4月12日付でシンガポール駐在の英国政府機関に対し、次のように打電している。

「オーストラリア連邦政府はダーウィンの裁判所に係っている日本帆船事件で日本語の法廷通訳者を務められるだけの実力を持った、信頼できるヨーロッパ人を緊急に必要としている。開廷は4月21日（木曜日）に予定されていることから、候補者は遅くとも4月20日（水曜日）までにはダーウィンに到着している必要がある。候補者は日本語の読解能力と口頭能力を有しているのみならず、日本漁船の船上で話される口語日本語にも通じている必要があり、また、陸海軍の将兵よりも一般市民・文民公務員のほうが望ましい。さらに、願わくば法廷通訳者としての経験を持っていることが希望される。」(1)

しかし、この電報に対して、シンガポールからは同日付で「該当者なし」との回答が寄せられ、外務省は翌13日にバタビアの弁務官事務所にも同様の電報を発したが、ここでも適任者を見つけることができなかった。このため、東京の英国大使館に語学将校の派遣を求めたが、やんわりと拒否され、かつて英国海軍の駐在武官として日本に勤務した経験を有し、当時は東京で和英辞典の編纂に従事していた英国人を紹介されるにとどまった(2)。

ただし、オーストラリア政府にとって幸運だったのは、裁判において「日本語で証言する者が原告側の証人だけであることから、裁判所が法廷通訳者の手配は原告側の義務であると決した」(3)ことである。このため、連邦政府は通訳点検者のみを派遣することになった。連邦政府が通訳点検者として派遣したのは、Eckersleyという外務省に勤務しはじめたばかりの青年と海軍の主計将校である。また、法廷通訳者を務めたのは「なかしば」というオーストラリア在住の日本人で、彼はクィーンズランド州のハイスクールを卒業後、1年ほどクィーンズランド大学に通った経験があった。Brewster, Jennifer（1996）によると、「なかしば」は日本語を流暢に話したが、読解力はなかったらしい(4)。

この「第三高千穂丸事件」の判決があった後、連邦政府の法務次官は法務大臣代理に書簡（1938年5月9日付）を送り、日本語通訳者・検閲者養成の必要性を訴えている。彼はその理由を次のように記している。

「開廷に先立って、私は法廷通訳者としての能力を有するヨーロッパ人を確保しようと務めましたが、数か月間調査し、最後の数週間は集中的に調査したにもかかわらず、オーストラリアではただのひとりも見つけ出すことができませんでした。このため、私は海軍の主計将校と外務省に採用されたばかりの大学卒業生を通訳点検者としてダーウィンに送り込むことで満足しなければならなかった次第です。（中略）

連邦政府にとって不利なことは、日本人が関係する法廷の運営に支障をきたす点だけではありません。日本との関係が深刻な事態に陥った場合のことを想像してみる必要があります。私には検閲者が務まるだけの人材を連邦政府が充分に確保しているようには思えないのです。われわれは、日本語で書かれた文書を手に入れることができたとしても、それらをきちんと翻訳することができない状況にあるのです。」(5)

そして法務次官は、「ブリスベンの大学で現代語を教えているMelbourne教授によると、日本語法廷通訳者としての能力を有するヨーロッパ系の人間はオーストラリアには存在しないらしい」(6)として、法廷通訳者・検閲者としての任務を遂行できるだけの日本語能力を有する者を速やかに20名以上養成・確保すべきだと提言した。

「第三高千穂丸事件」に衝撃を受けたのは、「法廷通訳者としての能力を有するヨーロッパ人」を「オーストラリアではただのひとりも見つけ出すことができ」なかった法務省だけではなかった。その頃、陸軍では陸軍士官学校における日本語科目の存廃問題が議論されていたが、この問題を国防会議での検討に委ねるに際し、国防大臣は「第三高千穂丸事件」の裁判で連邦政府の側に立って日本語を通訳すべき者を見つけ出すことができなかった事実に触れ、「これはきわめて重大な問題であり、国防会議においては、日本語学習の奨励とその訓練のための枠組を含んだ計画を立案されんことを希望する」(7)とした。これは、法務次官が指摘していたように、日本語能力を有する人材の欠如が、「日本人が関係する法廷の運営に支障をきたす」ことだけにとどまる問題ではなく、「日本との関係が深刻な事態に陥った場合のことを想像して」みたからだろう。

また、郵政省は、「第三高千穂丸事件」によって、「政府が日本語の知識を有するオーストラリア人の確保にしばしば難儀していることを知った」(8)として、外務省に対し、アデレードの「日本語クラブ」を紹介するとともに、あわせてその会員たちの日本語能力の活用を示唆した。

「郵政関係ではアデレードの2名の職員が日本と日本人、そして日本語に長年関心を持ち続けていることが確認されている。その2名とは電信課の監督官であるC. A. Donnellyと電話課の回線担当見習事務官であるA. A. Masonの両名である。Masonは1935年にアデレード日本語クラブを設立し、同クラブの事務局長と講師を務めている。彼は3年前アデレード大学に対して日本語クラスを開設するよう説得するのに成功し、適任者がいないため大学から日本語講師に任命され、3年次の日本語クラスを運営したこともある。この日本語クラスは最近終了したが、クラスに出席していた7人の者はメルボルン大学の前期中等教育修了試験を今度の12月にアデレードで受験する予定にしている。

アデレードには日本人が住んでいないため、過去3年間、彼らが日本語で会話をする機会は時折この町を訪れる日本人旅行者とのそれに限られていた。Masonはシドニー大学でこの言語の世界的権威であるSadler教授の下で更に日本語を学びたいと希望しており、この観点からシドニーへの転勤を歓迎するものと思われる。同人はオーストラリア市民防衛軍の軍籍を有している。また、アデレード大学発行の後期中等教育修了証を有しており、現在は同大学で経済学を学んでいる。

Donnellyも日本語クラブの会員であり、日本へ行くことを目的に日本語を学んでいる。1936年にはメルボルン大学が実施した後期中等教育修了試験の日本語科目で90%の得点をあげている。同人はまた日本の国際文化振興会がオーストラリアとニュージーランドの居住者を対象に実施したエッセイ・コンテストで入賞し、日本の首相である近衛公爵から銀賞を授与されるとの連絡を受けている。

Donnellyの読む力と文法の知識は相当なものだが、会話能力はMasonと同様に限られたものである。しかし、日本人と6か月間日常的に接する機会があれば日本語通訳者としての役割を充分に果たすことができるようになると述べている。」(9)

アデレードの「日本語クラブ」は、日本ではオーストラリアにおける「日本語熱」の高さを象徴する存在として関心を集めたが、オーストラリアにおいては、「国益」の観点からその会員たちの日本語能力に関心が寄せられたと言える。ただし、彼らの日本語能力は、前節で述べたように、オーストラリアの「国益」に貢献しうるレベルのものではなかった。このため、オーストラリア政府がその日本語能力を実際に利用することはなかったのであるが、それと同時に、郵政省も外務省も、彼らの日本語能力を「国益」に貢献できるだけのレベルに引き上げるための措置を講ずることはしなかった。また、「第三高千穂丸事件」に衝撃を受けた法務省も日本語通訳者・検閲者の養成に着手することはしなかった。このため、これ以降も日本語文書検閲のための翻訳業務に稲垣蒙志や清田龍之助のような仮想敵国人を含めざるをえないような状況が続いた。さらに国防省においては、第1章で見たように、国防会議に検討部会を設けて、「日本語学習の奨励とその訓練のための枠組を含んだ計画」を立案することになったが、結果として、それは机上のプランに終わった。その意味で、この「第三高千穂丸事件」の教訓は、「日本語教育政策」の立案とその実行という点では実際的な成果を全く生むことがなく、オーストラリア政府はほぼ無策のまま「日本との関係が深刻な事態」に陥るのを待つことになった。

〈註〉

(1) NAA A981, JAP113
(2) NAA A981, JAP113
(3) NAA A981, JAP113
(4) Brewster, Jennifer (1996) p. 15.
(5) NAA A432, 1943/1104
(6) NAA A432, 1943/1104
(7) NAA A816, 44/301/9
(8) NAA A981, JAP113
(9) NAA A981, JAP113

3. オーストラリアの日本語教育に対する「妨害」

3-1 稲垣の日本語教育に対する批判

すでに1930年代の後半には、稲垣蒙志の日本語教育に対する不満が学生の間にあり、それを心配したPeter Russoは国際文化振興会に働きかけて彼を訪日させたが、帰国後も稲垣は自分の教授法を変えようとしなかった。

1940年、メルボルン大学文学部長のA. R. Chisholmと、同学部の副学部長で、かって稲垣から日本語を習った経験もあるH. K. Huntは、『季刊オーストラリア』（Australian Quarterly）の3月号に「オーストラリアの日本語教育」（The Study of Japanese in Australia）と題する論説を発表した。この論説では、その表題にかかわらず、記述の多くがメルボルン大学の日本語教育にあてられている。

その内容を見てみよう。はじめにChisholmとHuntは、オーストラリアにおける日本語教育の現状について、次のように述べている。

「現在の国際情勢下において、われわれオーストラリア人は太平洋地域の住民であること、そして、この地域における非英語国の中で最も有力な国家のことをあらゆる面で知る必要があることを、かってないほど明確に自覚した。そしてまた、英語と日本語の違いは英語とフランス語の違いよりも甚だしく、日本を知ることが容易でないことも。（中略）

われわれは日本語で書かれた文書や書類を読める人材をますます必要としている。そして、日本人が政治的にどういう意図を有しているかだけではなく、どうしてそういう意図を有しているのか、またそれについて日本人はどう考えているのかを理解できる人材を必要としている。しかし、そういう人材は確保されているだろうか。たしかに日本語を「やった」ことがある人はいる。なかには5年も6年も日本語を「やった」人もいるだろうが、中等教育レベルでフランス語を学んだ生徒のフランス語能力に匹敵するだけの日本語能力を持った人材を見つけ出すことはきわめて困難である。最近設置された検閲局がその業務に必要な日本語能力を備えたオーストラリア人を確保することができず、日本人に頼らざるを得ないという現実はよく知られている。」(1)

ChisholmとHuntが触れているように、オーストラリア政府は日本語検閲者の確保に苦慮していた。クィーンズランド大学の清田龍之助がブリスベンの検閲局で翻訳者を務めていたことは第2章ですでに述べたが、稲垣蒙志もこの頃にはメルボルンの検閲局で日本語文書の翻訳業務に従事していた。しかし、これに対しては陸軍の内部に批判があり、稲垣は検閲局を解雇されることになる。1939年9月19日付で陸軍第三地区検閲官は稲垣に次のような書簡を送っている。

「貴兄を翻訳者として雇用しつづけることに関し、許可を得るまで控えるようにとの命令を本官は司令部より受けました。ただし、これは貴兄がすでになさってくださった仕事に影響するものではありませんし、実際それらは素晴し

いものでありました。問題はおそらく国籍だろうと思われます。」(2)

検閲のための翻訳という国家の安全保障につながる業務まで「日本人に頼らざるを得ない」現状の要因を、Chisholm と Hunt は次のように分析する。

「こうした現実については、三通りの説明が可能だ。ひとつは日本語が難しい言語であるということ。ふたつめは、優秀な学生が日本語を選択してこなかったということ。そして、もうひとつは教授法がまずかったということだ。しかし、第一の点について言えば、たしかにこの言語は読むのが難しい。日本人でさえも、学識ある人が当然知っていなければならない、少なくとも 4,000 から 5,000 の漢字を覚えるのは難しい。しかし、優良な教授法を用いて優秀な学生に日本語学習を奨励することで、この問題を解決しようともせず、日本語の難しさだけを声高に叫ぶのは勇気に欠けていると言わざるをえない。そして二番目の問題について言えば、日本語を履修する学生の数は増えているのだ。

したがって、最も論じなければならないのは教授法の問題についてである。われわれがここで自説を説くからといって、日本語教師たちは気分を害する必要はない。彼らは教授法を編み出さなければならない開拓者であるし、それは明晰な思考と率直な批判を必要とする営みだからだ。また、われわれが現在の日本語教師はその多くが日本語やその他の言語に対する知識の深さという点よりも技術の巧みさの点で優れているという事実を指摘したとしても、それは侮辱ではない。他の言語の学習において成功した者が日本語に関心を寄せることは残念ながら今まで殆どなかったからだ。」(3)

こうして両名は、「教授法」こそがオーストラリアにおける、そしてメルボルン大学における日本語教育の最大の問題点であるとする。

「西洋社会においては、言語学習は教育全体の重要な一部を成しており、われわれは、いろいろな言語教授法を編み出してきた。たしかにどの教授法が優れているかという点では凄まじい論争があるが、それらはいずれも明晰に意味づけられており、各々が多くの支持者を集めている。しかし、日本語については、しばしば西洋社会で受け入れられている方法とは全く無縁の教授法で教えられているのが現実だ。(中略)

われわれは学校科目としての日本語の教授法をまず開発しなければならない。それから、古典語やフランス語、あるいはドイツ語教育ですでに採用されているのと同じ方法で科学的に整えられた教科書が必要である。

そのような教科書はどのような要件を備えていなければならないかについて考えてみよう。まず特定の充分に吟味された語彙表が整えられていなければならない。そしてそれに続いては読文が必要だが、そこには同じ単語を何度も繰り返して登場させる必要がある。（中略）語彙の選択はとりわけ重要である。（中略）フランス語教育とドイツ語教育はこの数年の間に飛躍的に向上したが、それは教えるべき語彙の科学的な選定に起因している。」(4)

そして、Chisholm と Hunt は、「フランス語教育とドイツ語教育においては中級標準語彙として約 1,000 語を選定」(5) しているが、「日本語を学ぶ学生の場合も、同量程度の語彙シラバスが整えられていれば日本語を話せないはずがない」(6) として、「800 語程度の基礎日本語語彙を選定すること」(7) を提言する(8)。また、「語彙の科学的な選定」という「要件に最も応えている教科書は Lange の『日本語口語入門』（Textbook of Colloquial Japanese）である」(9) とした。これはかつて稲垣が「最低である」(10) と評価した教科書である。なお、この時代には国際文化振興会の『日本語基本語彙』はまだ出版されていない。

Chisholm と Hunt は、つづけて次のように述べる。

「何歳で日本語学習を始めるべきか、教えるべき漢字はどのくらいか、「カタカナ」と「ひらがな」はどの段階で教えるべきか、という問題もある。しかし、このような問題は充分に吟味された語彙シラバスを備えた日本語コースが発明されれば自ずと解決する。そして同じ単語を繰り返し提示すれば、生徒たちは、それが「かな」で書かれていても「漢字」で書かれていても、その概念を把握できるようになる。教科書の文章で出会うことのなかった新出漢字の長いリストを暗記させるような今日の方法は、生徒を当惑させるだけだし、非経済的だ。同じことは文型についても言える。」(11)

このように現行の日本語教育の方法を批判した Chisholm と Hunt は、教授法や教科書の問題を離れ、次にオーストラリアにおける日本語教育の在り方そのものについて言及する。

「解決しなければならない更に重要な問題は、日本語を他の言語を犠牲にしてまでも中等学校のカリキュラムに主要科目として取り入れる必要があるかという問題である。言語教育は精神訓練に役立つという理由で学校教育に取り入れられることが多い。たしかに日本語学習はその難しさゆえに素晴しい精神訓練の機会となろう。しかし、はじめは通常の言語を学習して、その能力を高めた方が、日本語学習も容易にするという考え方がある。ひとつだけ言えることは、ラテン語のような屈折語を学ぶことで得られるものを日本語でも得られると考えることには疑問があるということだ。

このように中等教育レベルの日本語教育には問題点が多いが、さらに、あるいは最も問題なのは、せっかく中等学校でこの難しい言語であるところの日本語を学んだとしても、卒業した後は如何ともしがたいという問題だ。われわれが承知している限り、オーストラリアではシドニー大学以外に受け入れ大学がないが、そこはパースからはもとよりメルボルンからも遠い。メルボルン大学にも日本語の講師ポストが置かれているが、講師がひとりしかいないこと、しかもその大学内部における地位は低く、また直接雇用ではないこと、日本語を学んでも大学のどの学部の単位にもならないことなど、絶望的に不利な条件の下に置かれている。それゆえ、日本語は大学の科目としては「贅沢品」としてのみ履修可能だ。また、大学では日本語未習者も受け入れるし、中等学校での既習者よりもその数は圧倒的に多いので、授業のレベルは下げざるをえない。そしてそれは必要な措置なのだ。なぜなら中等学校では生徒たちは多くの科目を勉強しなければならないし、そのため日本語を学ぼうとしないからだ。さらに問題点がひとつ。東洋語はその難しさと疎遠さゆえに文学部の科目としてはなじまない。それは特別な手当、特別な学部を必要とする科目なのだ。

このような問題を解決する試案を申し上げたい。それはパリにあるかの有名な東洋語学校（Echole des langues orientales）のような施設をオーストラリアの州都にひとつないし複数設立することだ。日本語と日本人の心性に関する知識を必要としているのは国家なのだから、そのような施設を設立することは連邦政府の責務である。」(12)

このころニューサウスウェールズ州では、すでにいくつかのハイスクールで日本語が教えられていた。またクィーンズランド州では、清田龍之助が「ハイスクールに初級から後期中等教育修了レベルまでの日本語教育を導入すること」(13)を求められていた。さらにヴィクトリア州では、稲垣の長女 Mura がメソジスト・レディーズ・カレッジで日本語を教えていたほか、稲垣の発案によりマックロバートソン・ガールズ・ハイスクールには日本語の土曜講座が設けられていた。このように、オーストラリアの東部 3 州ではすでに 1930 年代に中等教育レベルでも日本語教育が実施あるいは計画されていたのだが、Chisholm と Hunt

は、このレベルで日本語教育を行うことに疑問を呈する。また、せっかく中等教育レベルで日本語を学んでもそれが高等教育レベルにうまく「橋渡し」されていないとする。日本語教育における中等教育レベルから高等教育レベルへの「橋渡し」の問題は、今日でも完全には解決されていない大きな問題であるが、ヴィクトリア州でハイスクールと大学の日本語教育関係者が一堂に会してこの問題を議論したのは、それから半世紀以上たった1996年のことである(14)。

中等教育レベルで日本語教育を行うことに疑問を呈したChisholmとHuntは、「パリにあるかの有名な東洋語学校」のような施設を設け、そこで集中的に日本語教育を実施することを提案する(15)。この「東洋語学校」は今日の「国立東洋言語文化研究所」(Institut National des Langues et Civilisations Orientales)の前身にあたるが、その日本語教育は、徳川幕府の最初の遣欧使節団がパリを訪問した1年後の1863年に開始され、大学生を対象に「実務（外交・貿易など）のための養成と研究のための養成の両方を兼ねて」(16)いた。

ただし、このような「東洋語学校」をオーストラリアにも設立すべきだという意見は、ChisholmとHuntにオリジナルなものだったわけではない。すでに1934年には、クィーンズランド大学歴史学準教授のAlexander Melbourneが、オーストラリア国際問題研究所（The Australian Institute of International Affairs）(17)のブリスベン支部が同年10月に開催した「オーストラリア外交」に関する会議において、英国に追随しない独自のオーストラリア外交を展開する必要から、公務員や一般成人を対象に国際問題と外国語の教育を集中的に施すための教育機関として「国際研究学院」(School of International Studies）を設置すべきだと主張していた(18)。また、別の識者は1939年に同じくオーストラリア国際問題研究所の機関誌(19)において、「東洋の国々はわれわれにとって最も身近な隣人であり、われわれには彼らと密接に交際することが運命づけられている」(20)として、「東方および東方とオーストラリアの関係に関する集中研究」(21)とその成果の還元、ならびに言語を含む各種教育を実施するための施設として、「東洋研究学院」(School of Oriental Studies）を設立すべきだと提言していた。

しかし、このような「東洋語学校」の設立に当たって日本の支援を期待したのは、ChisholmとHuntにオリジナルなものだった。両名は、かりにオーストラリア政府が「東洋語学校」に相当する施設を設立したならば、日本政府や国際文化振興会もそれを援助するだろうとして、次のように述べている。

「連邦政府の責務について触れたが、それをさらに明確にするために次のことを指摘しておきたい。それは、もしわれわれの側に日本に対する関心がなければ、日本政府がオーストラリアや豪日間の文化関係に関心を有していないとしても、それを責めることができないということだ。東京の国際文化振興会は文化関係を促進するために設立された団体だが、活発で有益な活動をしている。同会は定期刊行物を発行しているが、それは求めれば誰でも無料で入手することができるし、書籍や小冊子の寄贈もしている。さらに日本政府はオーストラリア人の日本留学には特別の関心を有している。もしオーストラリア側でそれに見合う努力をすれば、先に述べた東洋語学校の活動は急速に拡大するにちがいないし、その中には東洋語学校の学生が日本に留学するための奨学金支給も含まれるだろう。かかる留学生に対しては、日本当局は最善を尽してくれるだろうし、日本語がオーストラリアで重視されていると知ればなおさらである。そして、そのような相互の利益を拡大するための基盤はすでに存在する。メルボルン大学の学生の時にモリソン奨学金を得て数年前に東京に行った者が日本政府から官立大学の教授として遇されているのだ。」(22)

ここで国際文化振興会の「援助」が期待されていることは注目してよい。振興会のオーストラリアに対する「日本語普及」事業が基本的に日本の「国益」を求めたものであったとしても、それは日本語教育の充実という点でオーストラリアの「国益」とも一致し、「相互の利益を拡大する」ことにつながると、Chisholm と Hunt は見なしていたのである。

むろん、この当時、日本の対オーストラリア「日本語普及」事業は歓迎されてばかりいたわけではない。

同盟通信社シドニー支局長の豊田治助は 1939 年に同社から出版された『最近の濠洲』というオーストラリア概説書において、「日支事変以来日本に対する濠洲の関心が鋭くなった」(23) として、当時、オーストラリアで日本関連書が盛んに読まれるようになったことを紹介している。そして、「日本に関する出版物は、過去数年間に次の如きものが読まれてゐる」(24) として、そのひとつに Willard Price の『触手を伸ばす日本』(Japan Reaches Out) を挙げている。他の日本関連書が「殆ど全部ロンドンで刊行されたもの」(25) であるのに対し、「プライス氏の “Japan Reaches Out” は三八年四月に濠洲の出版業者 Argus & Robertson(筆者註:Argus は Angus の誤記)から発行された」(26) ものである。

この『触手を伸ばす日本』において著者の Price は、「この本は親日的でも反日的でもない」(27) と断りつつも、「オーストラリアは日本の南進の直接的な対象のひとつである」(28) として、それに対する警戒を呼びかけている。そして、日本の将来的な「南進」の姿として、日本人が大量にオーストラリアに移住してくることはないにしても、「日本的な思想や考え方」(Japanese ideas)(29)は「南進」してくるであろうし、「国際文化振興会の活動は結実するのであろう」(30)として、同会関係者の次の言葉を紹介している。

「メルボルンの3LOラジオ局は週に１回日本文化に関する講義と日本語講座を放送している。また現在、オーストラリアでは150以上の学校が既存のフランス語やドイツ語に加えて日本語教育を開始することを計画している。これらの計画を支援するため、国際文化振興会は尋常小学校用教科書、日本語タイプライター、日本人の生活に関する各種絵画や写真を寄贈する予定である。」(31)

このように、国際文化振興会のオーストラリアに対する「日本語普及」事業は、Priceにとっては、日本の「南進」に他ならなかったと言えるのだが、ChisholmとHuntにとっては、日豪両国の「相互の利益を拡大する」ことにかなうもの、したがって、オーストラリアの「国益」にもかなうものだったのである。

そして、この論説を終えるに当たり、ChisholmとHuntは次のように述べる。

「経済問題の背後には政治問題があり、政治問題の背後にはオーストラリアの文化的発展という問題があるのだが、われわれはそれらに対して目を閉じようとしている。隣人のことを知らない国は文化的にも政治的にも破滅が運命づけられているのだが。」(32)

3-2　稲垣に対する「疑念」

この論説は賛否両論を引き起こした。かつて稲垣から日本語を習い、その後、3LOラジオ局の日本語講座とマックロバートソン・ガールズ・ハイスクールの日本語土曜講座を稲垣から引き継いだFred Eastは賛意を示したという(33)。当時、彼は応召され、陸軍情報部に勤務していた。

否定側の代表はいうまでもなく稲垣自身である。彼は７月16日付でメルボルン大学に次のような抗議文を送っている。

「ここに、チズム教授、ハント両氏の書いた記事に関する私の考えを述べさせて戴きます。事は大学内部のことにも深くかかわっていますし、総長の御要望でもあると知り、両氏をまねて、これらを直接、新聞社に送って発表するというようなことは差しひかえるつもりではあります。しかし、だからとって黙っているのは両氏の言い分が正しいことを認めたととられることにもなり、ここに私信の形で先ず反論を提出致します。というのも、此の度の両氏による讒説は私のみならず、私がこれまで教え日本語教師として送り出した何十人からの現職高校教員の名誉にかかわることだからでもあります。私自身の日本語、中国語、英語文学に関する知識が深いか否かということをここで議論することは不必要なことと思います。しかし、私の行っている日本語講座が役に立たない独断的なものだという断定が下されたことを黙過することはできません。いかに文学部長であるチズム氏といえども、そんな独断が許されるべきではないと思い、若干御説明致します。メルボルン大学日本語講座の授業は常に具体的で学生の困難点を把握した教授法がその中心となっております。その為えてして授業時間が延長することがありますが、これは学生のためと思いそうしてきました。学生の能力は他の西欧諸国の日本語学生のそれに劣りません。それにしても、両氏の当該記事発表は大学当局も事前に承知していたものであると信じますが、この種の記事によって多大の迷惑をこうむる私並びに他の日本語教師に発表前にその記事の内容についての照会があって然るべきであったと思います。学生は小生に、名誉毀損の訴えを起こせと示唆してくれている位です。そんな学生の何人かはチズム教授以上の学位地位を持っています。残念乍ら私には学位も地位もありません。そんな取ろうと思えばいつでもとれた学位などの為に費す時間を、私はアジア諸言語の歴史的研究と英語の勉強のために使ってきました。両氏に対して私はこれまで何等反抗的な態度を取ったわけでもないのに、書かれた記事から判断すると、どうも、誰か他の人の為に私を大学から追い出そうとしているように思えます。これまでは私は自分にふりかかる災難はじっと自分一人の胸に納めて戦ってきました。しかし、この度の様に背後からナイフで刺されるような真似をされると、どうも私一人では手に負えないという感じになり、このような文書を差し上げる次第です。」[34]

しかし、稲垣がいくら抗弁しても、彼の日本語教育はその同僚や学生たちから否定されていた。稲垣の教授法の具体的な中身や、また、そのどの部分が批判の対象であったのかは必ずしも明らかでないが、「稲垣の日本語教授法は全くみすぼらしいもの」[35]であり、「稲垣の教育活動が全く役にたたなかったことは彼の愚かさを連想させずにはいない」[36]とされたのである。

そして、その程度は「メルボルン大学の現在の教授（筆者註：稲垣のこと）は学生たちが日本語能力を得ることを本当に望んでいるのか」との「疑念」を招いたほどだった。ある国会議員は 1938 年 6 月 20 日付で外務省に書簡を送り、

John Mitchell という日本語学習者のことでアドバイスを求めている。それによると、Mitchell はメルボルン大学で3年間日本語を学び、当時は4年次に在籍していたが、「メルボルン大学の現在の教授は学生たちが日本語能力を得ることを本当に望んでいるのかと疑念を抱き、また、もうこれ以上は日本語を学べないという段階に至っていると感じる」(37) ほど日本語学習に励んだにもかかわらず、日本語能力が向上しなかったという(38)。

この頃、数名のオーストラリア人によって「日本研究会」(Nippon kenkyu Kai, Japanese Study Society) という日本語学習会がメルボルンで組織されていた。その会合は在豪邦人の私邸やメルボルン日本商工会議所で開催された。会員は8人で、なかにはハイスクールの生徒もいた。この会には稲垣も参加し、他に日本商工会議所の会員が名誉会員になっていた。「日本研究会」の会長であるWilson という人物は、1940年3月16日付で南部方面軍司令部に次のような情報を送っている。

「稲垣氏は私にメルボルン大学で3年間日本語を教えてくれましたが、進歩が遅かったため、私は独学することにしました。ただし、日本の商船の乗組員たちからは援助を受けることができました。この間、稲垣氏は私に関心を寄せることがありませんでした。私は再び稲垣氏の下で日本語を学びはじめることにしましたが、成果は挙がりませんでした。去年の3月頃、稲垣氏と私の共通の友人である、堀越商会の渡辺氏(39)が私にある情報をくれました。渡辺氏によると、シドニーの日本総領事館は日本語や日本の生活文化の学習を希望する人を援助しているとのことでした。同じ日の夕方、長いこと私を訪ねてこなかった稲垣氏がやって来て、私が渡辺氏と知り合いであることを嬉しく思うと言い、渡辺氏の自宅に週1回集まって日本語会話を勉強するために、クラブを作ってみてはどうかと言いました。結成されたクラブは「日本研究会」と名付けられました。(中略)

最初の(私的な会合で)渡辺氏は誰が日本語文書の検閲をしているのかをとても知りたがっておりました。それはその後の会合でも同じでした。渡辺氏の「日本研究会」に対する関心の中心が奈辺にあるかが明らかになったように思いました。現在、この会は日本商工会議所の一室で開催されています。「日本研究会」は日本語をかじったことのある人物の名前とその日本語能力の程度を知るためだけに結成されたものと思われます。ある時、稲垣氏がこの部屋にやってきたことがありました。彼は日本人の会員たちから歓迎されておりましたが、私は彼が歓迎されるようになったのは、3年前に家族と一緒に日本に行き、何人かの著名な教育者も出席した会議に出てからであることを知っていました。過去6か月以上、彼を近くで観察したところでは、稲垣氏は金と力になびく人間であり、とくに前者は有効であるように思いました。彼は頑固な人間であり、多くの反対にもかかわらず自分の教授法に固執していますが、それでは良い成果は挙げられません。」(40)

この「日本研究会」結成の意図がWilsonの指摘どおりであったか否かを知ることは今日では不可能だが、稲垣が「自分の教授法に固執」し、「良い成果を挙げられ」なかったことは、彼自身が「親日的」(41)または「日本のファシズムあるいは帝国主義に傾いているとの疑い」(42)をかけられていた中で、やがて「意図的」なものと見なされるようになる。オーストラリア国立公文書館に保存されている年月日不詳の陸軍関係文書には次のように記されている。

「日本語翻訳者が務まるだけの能力を有する人材を見つけ出すため、小官は過去6か月の間に30名以上の候補者にインタビューをしてきた。その多くはメルボルン大学において稲垣の下で日本語を学び、また試験を受けた者たちである。何人かは簡単な文を読み、理解することができたが、通常の印刷された文章を漢字辞書の助けを借りてでも満足に読める者を見つけ出すことはできなかった。しかし、これらの候補者はいずれも大学で実施された稲垣の試験に合格している。この男は初級以上の日本語を教えることを意図的にさぼってきたと言える。」(43)

こうして稲垣は、「その教育活動において意図的にオーストラリアの日本語学習を妨害した」(44)と見なされたのであるが、それはさらに発展し、「オーストラリアの日本語学習を妨害した」のは稲垣個人の意志によるものではなく、日本の「国策の一部かもしれない」とまで疑われた。1940年8月23日付で海軍情報部が陸軍作戦情報部に送った文書には次のような記述がある。

「メルボルン大学文学部のH. K. Hunt副学部長は本官に次のように語った。稲垣からは良質の日本語学習教材について情報を得ることは不可能であると。Hunt教授は東京大学の英語教授に適切な日本語コースと日本語教材の包括的なリストについて半ば公的に照会したが、その回答はPeter Russoから届いた。Russoは稲垣のことにも触れ、彼が稲垣を現地代表者に指名したとのことだった。稲垣が日本の文部省の現地代表者なのか、近衛公爵を会長とする裕福なプロパガンダ機関の国際文化振興会の現地代表者なのかははっきりしないが、Russoは稲垣の教授能力に関する報告をHuntに求めてきたという。しかし、Huntはそれを無視した。（中略）

Huntによれば、Russoも稲垣の教授法の無益さを知らないわけがないし、もし彼に学問的な誠実さがあったならば、稲垣を解任したはずとのことだ。稲垣の教授法の無益さは彼の愚かさに由来している。オーストラリアの日本語教育を妨害することは日本の国策の一部かもしれない。また、Russoは稲垣の無能さを見て見ぬふりをしているのではないかと思われる。」(45)

さらに、稲垣は「初級以上の日本語を教えることを意図的にさぼってきたが、それが日本の国策であることは、昨年検閲のために当局に提出された2通の手紙からも裏付けられる」(46)として、捜査当局は清田龍之助の書簡を証拠として持ち出す。そこには次のように記されている。

「彼は熱心な学生で、日本語を学ぶことを楽しんでおります。多くの他の学生と同様、彼の日本語能力は日本製品を自分で買えるだけのレベルにまで達しています。」(47)

これは、訪日する学生のために清田が国際文化振興会主事の青木節一と外務省文化事業部書記官の吉岡武亮にあてて書いた紹介状の一節なのであるが、検閲局が英訳した原文の該当部分には、「学生気分を去らず候へども単独にて日濠貿易に努力致し居り候備ら徐々日本語をも勉学致し居り候」(48)と書かれており、これは明らかに誤訳である。おそらく「日濠貿易」が「日本買物」と誤読されてしまったことに起因するものと思われるが、この誤訳は稲垣や清田が日本の「国策」に基づいて、学生の日本語能力を「日本製品を自分で買えるだけのレベル」にとどめておいた、すなわち「初級以上の日本語を教えることを意図的にさぼってきた」ことの証拠とされてしまった。

オーストラリア政府の、少なくとも国防関係者が「オーストラリアの日本語教育を妨害することは日本の国策の一部かもしれない」と見なしていたということは、彼らにとって、日本語教育はオーストラリアの「国益」に貢献しうるものであったことを逆に証明する。しかし、メルボルン大学の日本語教育はシドニー大学の場合と異なり、オーストラリア政府の「日本語教育政策」の対象ではなかった。オーストラリア政府は同大学の日本語教育を「妨害」することもしなかったかわりに、その振興のために必要な措置を講ずることもしなかった。したがって、「意図的にオーストラリアの日本語学習を妨害した」、あるいは「オーストラリアの日本語教育を妨害することは日本の国策の一部かもしれない」という国防関係者の認識は、稲垣や国際文化振興会にとっては、自分のことを棚に上げての言いがかり以外の何物でもなかったろう。国際文化振興会は日本の「国策」としてではあったが、メルボルン大学のそれを含むオーストラリアの日本語教育を「進展」ないし「拡大」するために、「可能なことは何でもしたい」としていた。

1940年11月6日付で国際文化振興会主事の青木節一は、稲垣に次のような内容の書簡を送っている。

「9月20日付の、オーストラリアの日本語教育の進展に関するお手紙をどうもありがとうございました。現下の情勢にもかかわらず、日本語学習が拡大していることは喜ばしいことです。稲垣先生あるいはオーストラリアで日本語教育と関わっていらっしゃる方々が必要とされる教材の寄贈を私どもに要請なさるのにためらいは無用です。可能なことは何でもしたいと考えております。」(49)

前述のように、メルボルン大学はオーストラリア政府の「日本語教育政策」の対象ではなかった。しかし、これまで見てきたように、オーストラリア政府にとっても「日本語学習が拡大」することは好ましいことだった。オーストラリアで「日本語学習が拡大」することは、オーストラリア政府にとってはオーストラリアの「国益」に、国際文化振興会にとっては日本の「国益」につながるはずのものだった。そして、この「国益」という目的のために、オーストラリア政府はすでに1910年代から数々の「日本語教育政策」を立案してきたし、国際文化振興会は「嘱託」や「在濠連絡事務員」という人材を抱えるとともに、「資料の配給」のような事業の枠組を備えて、オーストラリアの日本語教育を「援助」してきた。しかし、オーストラリア政府の「日本語教育政策」は、前節で触れた「第三高千穂丸事件」の裁判をめぐる混乱でも明らかなように、満足のいく成果を挙げることができなかった。また、国際文化振興会の「援助」も顕著な効果を挙げることができなかった。もし、誰の眼にも明らかな効果を挙げていたとしたら、「オーストラリアの日本語教育を妨害することは日本の国策の一部かもしれない」との疑念を招くことはなかったろう。

それにしても、「初級以上の日本語を教えることを意図的にさぼってきた」というのは、稲垣にとって侮辱以外の何ものでもなかったろう。また、対オーストラリア「日本語普及」事業に関わっていた国際文化振興会にとっても、「オーストラリアの日本語教育を妨害することは日本の国策の一部かもしれない」と見なされたことは心外だったにちがいない。しかし、両者ともそのような「容疑」がかけられていたとは知るよしもなかった。

1941年6月7日付で、国際文化振興会は稲垣にその連絡員給与を横浜正金銀行発行の小切手で送っている(50)。これは、1941年7月1日から同年12月31日までの半年分だったが、稲垣が振興会から受け取る給与はこれが最後となった。稲垣は同年12月に逮捕され、タチュラの収容所に抑留された。そして、稲垣と国際文化振興会の関係はこの時点で途絶えることになる(51)。

〈註〉

（1）Chisholm, A. R., Hunt, H. K.（1940）p. 73-p. 74.

（2）NAA MP529/8, INAGAKI/M

（3）Chisholm, A. R., Hunt, H. K.（1940）p. 73-p. 74.

（4）Chisholm, A. R., Hunt, H. K.（1940）p. 74-p. 75.

（5）Chisholm, A. R., Hunt, H. K.（1940）p. 76.

（6）Chisholm, A. R., Hunt, H. K.（1940）p. 76.

（7）Chisholm, A. R., Hunt, H. K.（1940）p. 76.

（8）Charles Kay Ogdenの「Basic English」（850語）を参考に土居光知が選定した「基礎日本語」では1,000語があげられている。

（9）Chisholm, A. R., Hunt, H. K.（1940）p. 76.

（10）福島尚彦（1979a）2頁（福島訳）

（11）Chisholm, A. R., Hunt, H. K.（1940）p. 76.

（12）Chisholm, A. R., Hunt, H. K.（1940）p. 76-p. 77.

（13）Courier Mail（1938）

（14）中等教育レベルから高等教育レベルへの「橋渡し」に関する問題をテーマのひとつとして、1996年11月、メルボルン動物園の集会所に、ヴィクトリア州教育省、同州私立学校協会、同州日本語教師会、日本語教育を実施している州内の全大学の日本語教育関係者が集まって、「ヴィクトリア州における日本語教育の素顔―2000年に向けて―」（Towards 2000, The Face of Japanese Language Education in Victoria）と題するシンポジウムが開催された。

（15）ChisholmとHuntが求めていた「東洋語学校」に相当する施設がオーストラリアに設置されたのは、第二次世界大戦後の1952年のことである。同年、キャンベラ大学（Canberra University College）に外交官やその他の公務員を対象とするアジア語（日本語、中国語、インドネシア・マレー語）講座が設置された。その後、キャンベラ大学は新設のオーストラリア国立大学に吸収され、キャンベラ大学のアジア語講座はオーストラリア国立大学東洋学科（School of Oriental Studies）となった。この東洋学科は1961年に学部に昇格し、翌1962年にはアジア研究学部（Faculty of Asian Studies）と改称している。

（16）オリガス，ジャン・ジャック（1994）173頁

（17）オーストラリア国際問題研究所は、英国王立国際問題研究所（Royal Institute of International Affairs）のオーストラリア支部と太平洋関係研究所（Institute of Pacific Relations）のヴィクトリア支部・ニューサウスウェールズ支部が 1932 年に合併して設立された。

（18）Melbourne, Alexander C. V.（1935）p. 38.

（19）オーストラリア国際問題研究所ヴィクトリア支部は、1937 年から 1946 年まで、『オーストラリア・アジア紀要』（The Austral-Asiatic Bulletin）という機関誌を発行していた。

（20）Garran, Robert（1939）p15.

（21）Garran, Robert（1939）p15.

（22）Chisholm, A. R., Hunt, H. K.（1940）p. 77-p. 78.

（23）豊田治助（1939）81 頁

（24）豊田治助（1939）81 頁

（25）豊田治助（1939）81 頁

（26）豊田治助（1939）81 頁

（27）Price, Willard（1938）Introduction.

（28）Price, Willard（1938）p. 262.

（29）Price, Willard（1938）p. 263.

（30）Price, Willard（1938）p. 263.

（31）Price, Willard（1938）p. 263.

（32）Chisholm, A.R., Hunt, H.K.（1940）p. 78.

（33）Zainu'ddin, Ailsa G. Thomson（1988）p. 57.

（34）福島尚彦（1979b）5 頁（福島訳）

（35）NAA A367/1, C73350

（36）NAA A367/1, C73350

（37）NAA A981/4, JAP133

（38）これに対して外務省は 6 月 23 日付で書簡を送り、次のように回答している。「彼のケースはオーストラリアで日本語を学んでいる者に典型的なものです。多くの日本語学習者はあるレベルまで達しても、本当に流暢に会話できるレベルにまでは到達できません。そのレベルに達するためには日本で 2 ～ 3 年生活する必要があります。Mitchell の場合は日本と取引関係にある会社に勤めることで、そういう機会が得られるかもしれません。」（NAA A981/4, JAP133）

（39）オーストラリア国立公文書館に保存されている文書には、「堀越商会の渡辺や松永は稲垣と親しい」と記されている。（NAA A367/1, C73350）

（40）NAA A367/1, C73350

（41）NAA A367/1, C73350. その一方で、1941 年 5 月 31 日付で連邦捜査局メルボルン支局が南部方面軍司令部に送った報告書には次のように記されている。「稲垣は国際文化振興会の当地代表者とされているが、あまり活動はしていないようだ。彼はすでに歳をとっており、政治的に重要とは見なされていない。稲垣はオーストラリアに長年居住しているため、日本人からは親英的と見なされている。」（NAA A367/1, C73350）

（42）NAA A367/1, C73350

（43）NAA A367/1, C73350

（44）NAA A367/1, C73350

（45）NAA A367/1, C73350

（46）NAA A367/1, C73350

（47）NAA BP242/1, Q24301

（48）NAA BP242/1, Q24301

（49）NAA A367/1, C73350（検閲文書のため原文英語）

（50）NAA A367/1, C73350

（51）芝崎厚史（1999b）174 頁～175 頁

第4章　第二次世界大戦中の「日本語教育政策」

1. 日本語能力を有する人材の確保

日豪開戦を目前に控えた時期、あるいは開戦後も、オーストラリア各軍は日本語能力を有する人材の確保・養成に躍起となるが、その初期の段階では、すでに日本語能力を有している人材をオーストラリア国内あるいは国外で見つけ出すことに多くの努力が払われた。したがってこの段階では、日本語教育をあらたに施すことで必要な人材を確保しようとしたわけではなく、そのための「日本語教育政策」も不在だったのだが、はじめにその状況について見てみよう。

1-1　陸軍の場合

陸軍では、「何らかの侵略行為が生じた場合」(1)のことを想定し、1941年5月頃から日本語能力を有する人材の確保に乗り出している。陸軍作戦部は5月17日付で各方面軍司令部に対して次のように通知している。

「検閲局に翻訳者として勤めることができるだけの日本語能力を有するオーストラリア市民を採用することの困難さ、および現在の状況下で日本人および日系帰化人を徴用することの不適切さゆえに、その任に足る者を海外（可能性が高いのはマレー）から得る努力をすべきとの提案がなされたことを通知する。このため、貴司令部管下の検閲局が必要とする常勤翻訳者数を可及的速やかに当部あて報告ありたい。」(2)

これに対して、北部方面軍司令部は1名、東部方面軍司令部は6名必要と回答している。また、南部方面軍司令部は、「日本とオーストラリアの間に戦闘行為が生じた場合には尋問の必要性に備えて各地区に少なくとも1名の日本語通訳《ママ》者を配置する必要がある」(3)として、同軍には3つの地区検閲局があることから、3名と回答した。

これらの回答を受けて、陸軍作戦部は陸軍次官に対して次のように提言している。

「郵便電報検閲当局は、日本語で書かれた郵便物を検閲の目的から読解・翻訳できるだけの能力を有する人材をオーストラリア国内で必要な数だけ確保することは困難であるとしているが、この状況は、国際関係の変化に伴い、日本人および日系帰化人を徴用することが適切でなくなっている今日、さらに悪化している。また、何らかの侵略行為が生じた場合には、捕虜に対する尋問および戦争捕虜が書いた郵便物を取り扱うためにも日本語のできる人材が必要とされる。

しかし、この言語の難しさゆえに、使いものになるだけの日本語読解力を備えた英国国民あるいは連合国国民はほとんど存在しない。すでに雇用している者以外にオーストラリアではそれに足るだけの能力を持った者が見つからない。（中略）

各方面軍司令部に対して照会したところ、検閲あるいは開戦という事態に至った場合における捕虜に対する尋問および日本語文書の審査を行うために、少なくとも10名の人材をあらたに確保する必要性の存在することが明らかとなった。日本語は中国の文字を基盤としていることから、中国人は必要とあらば日本語の読解力や会話力を習得することに成功する。それゆえ、中国あるいは日本に在住する中国人でわれわれに忠実な者を駐日公使館および駐中国通商代表部を通じて確保することは試みるだけの価値がある。」(4)

この提言はさっそく採用され、陸軍は外務省経由で東京の駐日公使館と上海の通商代表部に対して、「英国にシンパーを感じているか、少なくとも反日的で信頼」(5)でき、かつ優れた日本語能力を有している者の採用斡旋を依頼している。また、陸軍は香港派遣英国軍司令部に対しても同様の要請を行った。

しかし、上海の通商代表部は、その廃止が決まっていたため、必要とされた10名は香港と東京で見つけ出すことになった。その割当は、香港4名、東京6名である。しかし、香港の英国軍司令部は、「当軍の検閲業務は日本語の読解力があまりない者も数名含むヨーロッパ人女性または日本や満州で教育を受けた中国人に依存している」(6)と紹介しつつ、かかる人材を斡旋することは困難であると回答した。また、駐日オーストラリア公使館は、「もともと日本語のできる外国人の数は限られているが、最近は枢軸国側に属さない外国人が日本から続々脱出しており、日本人でない日本語翻訳者を当地で確保することはほとんど不可能である」(7)と回答するとともに、駐日英国大使館の「日本語の文字が読める数少ないヨーロッパ人のひとり」(8)であるW. B. Cunninghamという参事官が35年に渡る外交官生活から引退しようとしているので、「オーストラリア政府が要請すれば、引退後オーストラリアに渡り、日本語教育に従事する可能性がある」[9]と示唆するにとどまった。

このため、オーストラリア陸軍は再び上海に期待することとなり、その斡旋を上海駐在の英国大使館に要請したが、同館は、「中国には日本語能力を有する英国国籍の者はほんのわずかしか存在しないが、小官が承知している限り、これらの者はすでに当地で検閲業務に携わっている」[10]として、新聞に広告を出したにもかかわらず、かかる人材を確保することはできなかったと回答するとともに、英国大使館の上海市警察部に勤務する J. Robinson という人物は「日本語の会話と読解ができる」[11]が、近々オーストラリアに渡る予定にしているので、同人に打診してみるか、「中国政府は対日宣伝用の日本語出版物の印刷所を重慶に置いている」[12]ので、重慶に当たってみてはどうかと示唆した上で、「それ以外ではカナダか米国の日系二世しか思い当たらない」[13]とした。

このように、香港・東京・上海のいずれの照会先からも否定的な回答しか寄せられなかったため、オーストラリア陸軍は、駐日公使館が示唆した英国大使館参事官の Cunningham に望みをつなぐこととし、外務省経由で駐日公使館に対し、「日本出発から業務終了までの最短で 26 週間、週給 12 ポンドを支給するとともに、日豪間の往復またはそれに相当する交通費を当方で負担するほか、週給は 15 ポンドまで昇給可」[14]という条件で Cunningham と交渉してくれるよう要請した。しかし、同人には英国政府からも同様の申し入れがなされていたようで、ロンドン駐在のオーストラリア対外連絡事務所がすでに帰国していた Cunningham 本人にその意志を確認したところ、「ロンドンからのオファーを受諾する」[15]との回答があり、オーストラリア陸軍の計画は失敗した[16]。また、上海駐在英国大使館が示唆した Robinson という人物にもオーストラリア陸軍は接触したが、条件面で折り合わなかったようで、その採用にも失敗しており、結局、10 名の日本語翻訳者を確保するという計画は達成することができなかった。

1942 年 2 月、日本軍はシンガポールを占領した。その直前、シンガポール警察に通訳として勤めていたマレー生まれの中国系英国人 8 名が、日本軍が侵略してきたら生命が奪われる恐れがあるとの当局の示唆に基づき、家族とともにオーストラリアに亡命することになった。亡命後、そのうち 4 名がオーストラリア陸軍に志願し、陸軍は彼らを「日本語通訳者・翻訳者」[17]として雇用することになった。結果としては皮肉にも、オーストラリア本土防衛の生命線とも言うべきシンガポールの陥落という非常事態によって、陸軍は目的のほぼ半分を達成したことになる[18]。

1-2 空軍の場合

空軍は日豪開戦の直後に外国語能力を有する将兵の実態調査を行っている。その結果によると、1942 年 1 月 28 日の時点で日本語の知識があると自己申告した空軍将兵の数は 11 名だった。この数はフランス語やドイツ語ができると自己申告した者の数（それぞれ 100 名以上）に比べて少なく、中国語（12 名）と同程度だった(19)。

このため、空軍は一般市民から志願者を募ることにした。配属先は情報部門が予定された。この募集に対して、日本語能力があると自己申告して志願した者の数は、オーストラリア国立公文書館に保存されている文書で確認できる限りでは 10 名である(20)。この 10 名のうちオーストラリアの教育機関で日本語教育を受けた者は 2 名に過ぎなかった。両名はいずれもシドニー大学の卒業生である。

10 名の属性は次頁の【表 1】のとおりであるが、このうち、面接官に「日本語能力が不充分であり、情報業務には推薦できない」とコメントされた 28 歳の既婚男性 Wiadrowski は、後に設立される「空軍日本語学校」（RAAF Japanese Language School）の主任教官を務めることになる。

志願者を募集するのみならず、空軍は 1942 年 6 月にシドニーとブリスベンで日本語能力を有する一般市民の実態調査も行っている。その結果、日本語の翻訳者・通訳者が務まるだけの能力を有すると判断された者は、シドニー地区で 67 名、ブリスベン地区で 7 名だった(21)。シドニー地区の 67 名の中には、シドニー大学教授の Sadler のほか、かつて James Murdoch から日本語を学び、「士官たちよりも多くの時間を日本語学習に割くことができたため、進展が最も著しい」(22)とされた陸軍士官学校教官の Haydon、ダントーンに再移転後の陸軍士官学校で日本語を教え、当時はキャンベラ・ハイスクールに勤務していた Rix も含まれている。Haydon は通訳能力と翻訳能力の両方で「Excellent」と評価された 2 名のうちの 1 名（もうひとりは情報局の検閲官）であり、Sadler は翻訳能力が「Excellent」であるのに対して、通訳能力は「Good」、Rix は通訳能力が「Good」であるのに対して、翻訳能力は「不明」と認定されている。また、後に空軍日本語学校の教壇に立つことになる、シドニー大学師範学校教員の Lake は、翻訳能力が「Good」であるのに対して、通訳能力は「Fair」と評価されている。Lake については、「大学で日本語の個別指導を受けているが、聴解能力はきわめて限られている。ただし、読み書きはある程度までできる」(23)とのコメントも付記されている。

これらの評価がどのような基準に基づいてなされたのかは不明である。しかし、かつてメルボルン大学で稲垣に日本語を学んだ経験がある Ethel May

【表 1】空軍への志願者

志願者の属性	自己申告および面接官のコメントの内容
既婚女性（35 歳）	1934 年から 1940 年まで日本で生活した。
既婚男性（42 歳）	企業の支店長として、香港、中国、日本に合計 22 年間滞在した経験がある。面接官は同人の日本語能力について、「情報業務に向いている」とコメントしている。
既婚男性（29 歳）	1936 年から 1941 年まで日本の商業学校で英語教師を務めた。面接官は、「この志願者と面接したところ、印刷された日本語の文字を読めることができた」とコメントしている。
独身男性（53 歳）	日本人の母親を持ち、日本フォード自動車の購買部長を 11 年間務め、1941 年 2 月まで日本で生活した。
独身男性（26 歳）	シドニー大学文学部の卒業生で、在学中に日本語を 3 年間学んだ。
既婚男性（32 歳）	ひらがなとカタカナが読める。5 年間、日本語を断続的に独習するとともに、日本人と交際した。面接官は、「テストは課していないが、日本語能力はそれほど高いとは考えられない」とコメントしている。ただし同時に、「情報部へ配属すべき」ともしている。
既婚男性（28 歳）	アデレード大学の卒業生で、ハイスクールの教師を務めている。日本語は 12 か月間学んだ。面接官は、「日本語能力が不充分であり、情報業務には推薦できない」とコメントしている。
既婚男性（39 歳）	上海、香港、マニラ、横浜、東京、バタビアに合計 20 年間滞在した経験を持つ。
既婚男性（40 歳）	中等教育の生徒時代に 8 年間日本で生活した。面接官は、「彼は長いこと日本語を使っておらず、その日本語能力が使いものになるかどうかを判断することはきわめて困難」であるとして、語学テストを課すべきだとコメントしている。
独身男性（30 歳）	シドニー大学で日本語を学んだ。卒業後は図書館司書を務めている。

Punshon という女性は、開戦直前に空軍の関係者から情報部に志願する意志はないかと打診され、同軍の日本語試験を受けているが、その内容は「日本語の草書体を解読すること」(24)だったという。このことから類推するならば、上記の評価もその「翻訳能力」は、「日本語の草書体を解読」できるか否か、あるいはその度合が判断基準であった可能性が大きい。

また、空軍は 1942 年 7 月 15 日～ 16 日の 2 日間、「シドニー地区のすべての日本語通訳者・翻訳者を面接」(25)している。18 名（およびその家族 1 名）がこの面接試験を受験したが、合格したのは 2 名に過ぎなかった。そのうちのひとりは、ニューサウスウェールズ州の公立学校に所属する E. Renshall という日本語教師である。シドニー大学師範学校のLakeは不合格だった。

オーストラリア国立公文書館に保存されている文書を見ると、空軍は上記の実態調査のほかにも、様々な伝を頼って、軍内部および一般市民から日本語能力を有する者を確保しようと情報を集めたが、いずれも満足のいく結果は得られなかった(26)。オーストラリアは「国防上の理由」に基づき、早くも1910年代の後半には「日本語教育政策」の立案に取り組みはじめていたのであるが、対日関係において「国防」が緊急の案件となった時点で振り返ってみた場合、その「日本語教育政策」は、充分な成果を挙げていなかったと評価することができる。

〈註〉

（1）NAA MP508/1, 247/723/217
（2）NAA MP508/1, 247/723/217
（3）NAA MP508/1, 247/723/217
（4）NAA MP508/1, 247/723/217
（5）NAA MP508/1, 247/723/217
（6）NAA MP508/1, 247/723/217
（7）NAA MP508/1, 247/723/217
（8）NAA MP508/1, 247/723/217
（9）NAA MP508/1, 247/723/217
（10）NAA MP508/1, 247/723/217
（11）NAA MP508/1, 247/723/217
（12）NAA MP508/1, 247/723/217
（13）NAA MP508/1, 247/723/217
（14）NAA MP508/1, 247/723/217
（15）NAA MP508/1, 247/723/217
（16）その後、オーストラリア外務省はロンドン駐在の対外連絡事務所に対し、Cunninghamに代わる人材の有無を連絡するよう指示している。ただし、その結果は不明である。（NAA MP508/1, 247/723/217）
（17）NAA MP508/1, 247/723/217
（18）陸軍は軍の内部からも日本語能力を有する人材を確保しようとした。陸軍情報部は1942年3月3日付で、「日本語の通訳・翻訳能力を有する男性の欠如に伴い、必要とされる能力の保持者をプールしておくことが決定された」（NAA A1196/1, 44/501/1）として、大尉5名、中尉35名の合計40名を登録しておく必要があると各方面軍司令部に通知するとともに、該当者のリストを提出するよう指示している。ただし、その結果は不明である。
（19）NAA A1196/1, 44/501/14
（20）NAA A1196/1, 44/501/14
（21）Brewster, Jennifer（1996）は8名としているが、筆者が確認した限りでは7名だった。

（22）NAA B1535, 871/12/105
（23）NAA A1196/1, 44/501/14
（24）NAA A1196/1, 44/501/14
（25）NAA A1196/1, 44/501/14
（26）NAA A1196/1, 44/501/14

2.　空軍日本語学校

2-1　設立までの経緯

1942年、オーストラリアにはDouglas MacArthur(1)を司令官とする連合軍南西太平洋総司令部（SWPA : General Headquarters of the South West Pacific Area）が置かれた。SWPAは、同年9月19日、連合軍の各部署に分散していた語学将兵を集めて、連合軍翻訳通訳隊（ATIS : Allied Translator and Interpreter Section）を設置した。ATISは「連合軍のなかで最もシステマティックな活動による諜報収集と分析のための組織」(2)だったとされている。日本語の読解力がある者はATISの翻訳部隊に集められた。1942年10月初旬の段階で、翻訳部隊には4名の士官、10名の志願兵、1名の民間人が勤務している。このうち士官全員と2名の志願兵はオーストラリア軍の将兵だった(3)。

しかし、この陣容では必要な業務の全てをこなすことができなかったため、ATISは1943年6月19日に訓練部を設置した。そこでは、米軍の日系二世60名に対して、前線や日本人捕虜から押収した文書を用いて日本語の訓練がなされた。また、1944年1月からは日本語学習経験を有する16名の者を対象に初級日本語講座を開講している。さらに、ATISは部内の日本語情報将兵をその読解能力と会話能力に基づいてランク付けするための試験を毎月実施した。Brewster, Jennifer（1996）によると、その内容と基準は次のとおりである(4)。

【表2】ATISにおける日本語試験の種類および内容・基準

試験の種類	試験の内容・基準
翻訳者のための筆記試験	楷書で書かれた約500字の文書を英訳できること。その課題を達成するためにかかった時間も採点にカウントされる。
翻訳者のための口頭試験	楷書・草書・行書で書かれた文書を音読・黙読できること。
通訳者のための口頭試験	自分で選んだトピックに関し、5分間、日本語で会話できること。また、軍事問題（軍事用語が用いられる）について日本語で質問される。

このうち、「翻訳者のための口頭試験」においては、楷書体で書かれた文書を読めた者はC（ただし、その際に困難を伴った者はD)、行書体の文書を読めた者はB、草書体の文書を読めた者はAにランク付けされた。当時、SWPAが押収した日本語文書のうち、50%は行書体で、30%は楷書体で、20%は草書体で書かれていたという(5)。

この頃までには、オーストラリア軍も独自に日本語教育のための施設を運営するようになっていた。たとえば、陸軍はメルボルンに日本語学校を設置していた。この「メルボルン陸軍日本語学校」(The Army Japanese Training School in Melbourne) を1944年4月27日に視察した空軍将校は、同校の日本語教育を次のように報告している。

「この学校は民間人のSellwood夫人により授業がなされている。受講者は16名である。その日本語能力にはばらつきがあり、就業できるだけの能力に達している者もいれば、空軍からの派遣者1名を含む数人の訓練生は日本語学習を開始したばかりである。幾人かは日本語の学習経験があるそうだが、その他の者はそれなりの学歴を要求されただけである。」(6)

さらに、この空軍将校は陸軍関係者の話として、メルボルン陸軍日本語学校の「最近18か月間における中退者の割合が5%以下である」(7)ことや、「陸軍は同様の学校を各地に有しており(8)、ブリスベンの学校は日本の最新の軍事用語に関する短期講座を開講して」(9)いることなどを報告している。Brewster, Jennifer (1996) によれば、この頃、陸軍のほか連邦安全保障局もいくつかの州都に小さな日本語研修コースを設置していたという(10)。

これらの試みや施設の存在にもかかわらず、ATISは日本語能力を備えた人材の確保に恒常的に悩まされていた。このため、オーストラリア空軍の内部では、1944年3月頃からATISに供給する人材を養成するための機関をあらたに設立することが検討されはじめた。

また、オーストラリア軍自体も、日本人捕虜に対する尋問や押収した日本語文書の英訳のために、日本語能力を有する人材を大量に必要としていた。このような事情から、1944年3月、Bostockという空軍少将は、一般市民から志願者を募って、日本語能力を有する人材を3年間で400名養成する計画を提言した。Bostockの計画は、戦時内閣が国家政策として、オーストラリアの大学1～2校に一般市民のための日本語講座を設置するための補助金を出すことを前提としており、その受講者としては、「言語学習に適性がある」(11)として「少女たち」(12)

が候補とされた。

このBostockの計画で興味深いのは、成功率を20%～25%と想定し、400名の必要な人材を確保するために、その5倍の2,000名の一般市民に日本語教育を施そうとしたことである。

Bostockの提言は空軍司令部でも取り上げられた。1944年3月2日付の文書によると、「南西太平洋総司令部は、充分な能力を有する日本語翻訳者・通訳者の確保に際し、慢性的に困難をきわめているが、この状況は、捕虜となる日本軍兵士の増加、日本語でかかれた日記や文書および軍関係の教材やハンドブックの押収量の増大とともにますます悪化している」(13)と現状を認識した上で、「将来的な需要を予測することは困難であるが、南西太平洋地域における全軍の日本語翻訳者・通訳者に対する需要が400人を下回ることはない」(14)と試算している。そして、「今までの経験からすると、日本語翻訳者としての条件を満たす者の輩出率は入学者の25%以上を期待することができない」(15)ことから、「この400人の需要を満たすため、ただちに2,000人の者に訓練を施すべきである」(16)と結論づけた。

この計画を実行する上で、オーストラリア空軍は米軍の援助を期待した。それは教材・教具と教師の両面においてである。まず教材と教具については、「とくに日本語タイプライターの入手とその他の教材・教具の調達の可能性について、米軍にアドバイスを求める必要がある」(17)としており、また教師については、「米国には多くの日系人が居住しているので、本件計画を拡大する際には講師を同国から調達することも可能かもしれない」(18)とした。

しかし、このBostockの計画は、「養成すべき人材の数が膨大であることや、オーストラリアにはシドニー大学以外に日本語教育のための施設を有する大学が存在しないこと」(19)などの問題点を抱えていた(20)。また、20%～25%という成功率や400名という必要人数の積算についても、果たして妥当なのかという疑問が呈された。

「空軍司令部は不合格者率を75%と想定しているが、陸軍が現に行っている日本語講座の不合格者率は5%以下であり、これはA. L. Sadler教授も認めている数字である。両者の間にはあまりにも大きな隔たりがある。また、陸軍と空軍が今後3年間に必要とする人材は400名と試算されているが、そのうちの100名はすでに確保済みであり、さらに陸軍には毎年50名を訓練する計画があるから、特別の学校を新たに設置する必要はなく、空軍は残りの必要な人数をシドニー大学の援助を受けることで容易に確保することができる。空軍次官の懸念は空軍司令部の試算に基づいたものであるが、すでに述べたように、75%という膨大な不合格者率は間違いであるという証拠があり、これにより計画全体の見直しが必要になってくる。」[(21)]

また、「連合軍の翻訳通訳隊や中央司令部その他の部署で実際に必要とされている人材の数は、空軍将校 40 名、空軍男性兵士 30 名、空軍女性兵士 10 名である」[(22)]との積算も示され、Bostock とは別のある空軍少将は、2,000 名の一般市民に日本語教育を施すという計画は、「講師がオーストラリアには存在しないこと」[(23)]から非現実的であり、「小さな規模から開始すること」[(24)]が適切であるとして、第一段階として空軍兵士 50 名（男性 30 名、女性 20 名）の訓練から始め、しかる後に将来的な計画について、海軍・陸軍・空軍の三者で協議をすべきであると提言している[(25)]。

こうして、Bostock が提言した大規模な計画は放棄され、かわりに少数の空軍将兵を対象に日本語教育を開始することが検討された。その受講者と教育方法については、次のように提案された。

(a) 受講者は少なくとも大学入学資格以上の学歴を有している必要がある。
(b) 訓練期間はフルタイムで 18 か月間とする。
(c) 教育課程には中国語教育も導入することが望ましい。日本語は中国語の表記体系を採用しており、フランス語がラテン語を基盤としているのと同程度に、日本語は中国語を土台としているからである[(26)]。
(d) 現在のところ日本語教育を実施している機関はシドニー大学だけである。同大学には東洋学科があり、Sadler 教授がその責任者である。同氏は中国語と日本語の第一人者とされている。Sadler 教授はオックスフォード大学の卒業生であり、日本と中国に数年間居住して、それらの言語を学んだ経験がある。また幾人かの優秀な講師を助手として抱えており、その他にも必要に応じて助手を確保することができる[(27)]。

シドニー大学に日本語教育を委ねることについては、「同大学の教育は軍の実用目的からするとあまりに学術的すぎる」[(28)]との意見もあったが、「オーストラリアにはシドニー大学以外に日本語教育のための施設を有する大学が存在しないこと」から、他に選択肢はなかった。

空軍で実施されるべき日本語教育については、当然のことながら ATIS も関心を持っていた。ATIS は 7 名の将校から成る検討部会を設け、その教育内容と方法に関する「意見書」をまとめている。検討部会の 7 名の内訳は、オーストラリア陸軍が 3 名、オーストラリア空軍が 2 名、米国陸軍が 1 名、米国海軍が 1 名であり、全員が日本語能力を有するとされている。また、オーストラリア陸軍に所属する者のうち、1 名は「メルボルン陸軍日本語学校」の責任者を務めた経験があり、他の 2 名は日本での教育経験を有する。さらに、オーストラリア空軍の 2 名は、いずれも米軍の日本語学校で学んだ経験があるとされている。一方、米国側は、陸軍所属の者は ATIS 訓練部の卒業生であり、海軍所属の者はオーストラリア空軍の情報将校だった経験を有していた。

この検討部会がまとめた「意見書」は、教育課程全体を 1 年と計画し、それを半年ずつ前期と後期に分けることを提案している。前期の教育内容と方法は次のとおり提言されている。

(a)　日本語の読解と会話の授業を行う。教材は長沼[(29)]の『標準日本語読本』の「巻一」と「巻二」に加え、副読本を用いる。
(b)　最初の 1 か月は、毎日 6 時間の授業と 1 時間の自習時間を設ける。次の 5 か月は毎日 4 時間の授業、1 時間の会話演習、1 時間の自習時間を設ける。
(c)　毎日 15 分程度の小テストを行うとともに、週毎に 2 ～ 3 時間の試験を実施する。
(d)　月毎にも試験を実施する。
(e)　学生は月毎の試験によりクラス分けされる。
(f)　最初の 2 か月が終了した段階で成績が良くない者は退学させる。その後は学校が随時判断して決定する[(30)]。

また、前期の時間割については、次のとおり勧告されている[(31)]。

【表 3】検討部会が勧告した時間割

午前	午後
08：30–09：30　授業	14：00–15：00　授業
09：30–10：30　授業	15：00–16：00　授業
10：30–11：15　体操	16：00–16：45　授業
11：15–12：30　授業	16：45–17：30　体操・スポーツ
12：30–14：00　昼食	17：30–19：00　自由時間・夕食
	19：00–20：00　授業

後期の教育方法については、次のとおり提言されている。

(a) この段階で学生を2つのグループに分ける。翻訳者としての適性が見られる者は会話能力に長けている者とクラスを別にする。
(b) 授業時間はクラスによって「翻訳2時間＋会話6時間」かその逆とする[32]。

後期で使用する教材としては、日本の国語教科書のほか、「普段は出会わないような内容の文書でその一部を省略したもの」[33]や、「軍事用語の導入を徐々に増やして」[34]いくため、日本軍の各種教本を利用することが提言されている。また、後期では「略字を教える」[35]ともされている。

日本語の授業においては、教師ひとりあたりが受け持つべき学習者数について、「会話のクラスでは4名以下、読解のクラスでは6名以下」[36]と規定されている。また、教師の「条件」については、次のように提言されている。

(a) 日本語と英語の語学力に関しては、日本の中学校と米国のハイスクールを卒業した程度の能力を有していることが望ましい。
(b) 言語教育の経験があること。
(c) 日本語や日本人の習慣に関して、「生きた」知識を有していること。
(d) 軍事用語や軍隊組織（日本軍の構成等）に精通していること。
(e) これらの条件を全て満たした教師を見つけ出すことは困難と考えられるため、教師団全体として上記の条件を満たしていることが望ましい。
(f) いかなる場合においても、このコースは大学の影響または監督を受けるべきではない。このコースの目的は「学術」にではなく、あくまでも「実用」に置かれるべきである[37]。

ここで、「このコースは大学の影響または監督を受けるべきではない」とされているのは、シドニー大学の日本語教育が「軍の実用目的からするとあまりに学術的すぎる」ことを意識した結果であろう。その意味では、この「意見書」は1910～1930年代の陸軍における「日本語教育政策」の反省点を踏まえているとも言える。

つづいて、「意見書」は受講者の「条件」を次のように規定する。

(a) 後期中等教育修了またはそれと同等の学歴を有していること。

（b）上記（a）の条件を満たしていない場合でも、言語および（あるいは）音楽に適性を有する者は考慮されるべきこと。
（c）志願者は試験委員会に出頭すること。
（d）最終選考は英作文の試験により行うこと。
（e）志願者の年齢が徴兵年齢に達しているかどうかを確認すること。
（f）日本語学習歴のない30歳以上の者は候補としないこと(38)。

このような条件に基づいて選抜された受講者は、空軍の施設で1年間日本語教育を受けた後、「ATIS訓練部で3か月間集中実践コースを受講するが、その際、翻訳者グループの学生は行書読解の授業も受ける」(39)こととされた。それは、「行書の読解は最初の1年コースに含めるにはあまりにも上級的すぎる」(40)からである。

この検討部会の「意見書」は、かなりの部分が「空軍日本語学校」（RAAF Japanese language School）の開校に際して実際に取り入れられている。また、オーストラリア空軍も独自に、連合軍に加盟する各国が同種の目的から設置していた日本語学校や日本語講座、すなわち、コロラドの米国海軍日本語学校、ミシガンの米国陸軍日本語学校、ミネソタの米国中央情報部言語学校、ロンドン大学に英国軍が設置した日本語翻訳者コースの教育課程や使用教材を調査している(41)。

ただし、検討部会の「意見書」にある、「大学の影響または監督を受けるべきではない」という勧告については、他に適切な教育機関を見つけ出すことができなかったことから、結果としてシドニー大学に協力を求めざるを得なかった。空軍はその日本語学校の開校にあたり、シドニー大学に対して次のように要請している。

「オーストラリアには日本語のできる人材がきわめてわずかしか存在しないのに対して、日本語文書の翻訳に対する需要は増加しているのが現状です。このため、将兵に日本語の訓練を施し、必要な人材を確保することは国家的な要請でもあります。

40名の訓練生を対象とした日本語コースを可及的速やかに開設することが提案されております。開講日は1944年5月1日が目標となっています。コースを修了した者は日本語通訳者・翻訳者として勤務する予定です。また、訓練生としてはおおむね後期中等教育修了程度までの教育を受けた者が選抜される見込みです。（中略）可能であれば訓練生は平日の午前9時から午後5時まで大学で授業を受けることにしたいと思います。また、短時間ですが、大学の運動場で空軍教官の指導による体操の時間も設けたいと存じます。受入体制が整うようであれば、この日本語コースはクリスマスの短い休暇期間を除いて、通年のコースとして運営されることを期待しております。」(42)

これに対して、シドニー大学は年間1,000ポンドの経費を空軍が負担することを条件に受諾しているが、シドニー大学は、その1,000ポンドの請求書をMurdoch以来のつながりからか、陸軍あてに送った。陸軍は8月25日付の文書でシドニー大学に対して、この日本語学校は空軍の運営によるものであると連絡している(43)。

空軍日本語学校の開校予定日は、当初は1944年5月1日とされたが、実際はそれよりも約3か月遅れて7月31日に開校した。受講者数については、空軍参謀総長が7月14日付で50名が適当であるとする提案に同意している(44)。

2-2　空軍日本語学校の日本語教育

空軍日本語学校は1944年7月31日に開校した。校長に相当する主任教官にはWiadrowskiが任命された。Wiadrowskiは、アデレード大学の卒業生で、戦前はハイスクールで教師を務めていたが、日豪開戦後、空軍が日本語能力を有する人材を募集した時に、それに応募した。日本語学習歴は12か月と申告している。面接官はWiadrowskiについて、「日本語能力が不充分であり、情報業務には推薦できない」(45)と評価したが、結果的には採用されたようで、開戦後は日本人捕虜に対する尋問業務に従事していた(46)。

オーストラリア国立公文書館に保存されている空軍人事部の文書（1944年8月3日付）によると、空軍日本語学校の日本語教育は次のように行われた。

「空軍日本語学校の第1期コース（訓練生50名）が第三技術学校において7月31日に開講した。授業はA. L. Sadler教授のほかシドニー大学の教官が担当しているが、それは大学から約半マイル離れたシドニー・テクニカル・カレッジに隣接する空軍第三技術学校の講義室で行われている。訓練生はクーギー・ベイ・ホテルの独立した家屋に宿泊している。（中略）

授業は司令部から派遣された空軍士官のWiadrowskiが監督している。同人は日本語が話せる。訓練生は全員が空軍に所属しており、4名の例外を除いて全て25歳以下である。また、その4名を含む19名は日本語の知識が少しはあると申告している。残りの31名は日本語以外の言語の能力が少なくとも中級

レベルの者であり、幾人かは大学の現役学部生でもある。（中略）

このコースの最初の2週間は入門レベルの訓練に当てられている。その2週間が終了した段階で試験を受け、上級の者はシドニー大学の第2学年または第3学年の授業に出席することになっている。大多数の者が24週間のコースを無事修了することが期待されているが、修了生は試験を受け、その結果に基づき尋問業務か翻訳業務に振り当てられる。」(47)

また、開校直前の7月29日付の文書によると、「クーギーの宿舎でも学習は続けられる」(48)ことになっており、受講者は宿舎で「彼らだけの食堂を与えられ、他の学生とは隔離されるが、これは食事中も日本語で会話することを可能とし、また自習時間中の静寂さを確保するための措置である」(49)とされている。また、受講者の階級については、訓練終了後の昇級を考慮し、軍曹以下の者と定められた。

オーストラリア国立公文書館に保存されている文書によると、空軍日本語学校の第1期コースの時間割は次のとおりである。

【表4】空軍日本語学校第1期コースの時間割

	月曜日	火曜日	水曜日	木曜日	金曜日	土曜日
08：45–10：00	試　験	自　習	自　習	自　習	自　習	その他
10：00–11：00	体　操	体　操	体　操	体　操	体　操	体　操
11：00–12：00	授　業 Ackroyd	自　習	授　業 Ackroyd	授　業 Lake	授　業 Ackroyd	自　習
12：00–13：00	昼　食					
13：00–14：00	自　習	自　習	自　習	自　習	自　習	
14：00–15：00	授　業 Lake	自　習	授　業 Lake	自　習	自　習	
15：00–16：00	授　業 Sadler	自　習	授　業 Sadler	自　習	授　業 Sadler	

この時間割を見る限り、空軍日本語学校で日本語教育に当たったのは、シドニー大学東洋学科のSadlerとJoyce Ackroyd（戦後、クィーンズランド大学日本語・日本文学科の初代主任教授を務めた）、同大学師範学校のLakeの3名で、日本語母語話者がひとりも含まれていないことがわかる。この点は米国や英国の同種の日本語学校・日本語講座と異なる点であるが、これは何らかの配慮があっ

てのことというよりも、白豪主義を掲げていた当時のオーストラリアでは、軍の学校で日本語教育に従事できるだけの能力と経験、さらにはオーストラリアに対する忠誠心を持った日本語母語話者を見つけられなかったことに起因するものと考えるべきだろう。英国では、開戦前まで読売新聞社のロンドン特派員を務めていた簗田銓次[(50)]が戦時中にロンドン大学の日本語翻訳者コースで軍人を含めた成人に日本語を教えていたことで知られるが[(51)]、オーストラリア空軍日本語学校には簗田に相当する日本語母語話者は存在しなかった。開戦前までメルボルン大学で日本語を教えていた稲垣蒙志はタチュラの収容所に抑留されている。

それにしても、この時間割は「自習」の多さが目立つ。火曜日は体操を除けば全ての時間が自習に当てられている。木曜日も授業は1時間だけである。これも何らかの教育効果を考慮しての結果というよりも、単純に教師を見つけられなかったことに由来するものと思われる。ATIS検討部会の「意見書」では「毎日6時間の授業時間と1時間の自習時間を設ける」と勧告されていた。

使用教材は、ATIS検討部会の「意見書」に基づき、長沼直兄の『標準日本語読本』が採用されたようで、空軍日本語学校は8月16日付の文書で『標準日本語読本』の「巻一」と「巻二」、および三省堂の『コンサイス和英辞典』をそれぞれ30冊ずつ購入することを軍の調達部門に要請している。

空軍日本語学校の規模は、成功率を20%～25%と想定したBostockの構想に比べればはるかに小さなものだったが、1944年10月5日付の空軍文書は、「訓練生は入念に選抜されており、また彼らは空軍の規則に従順で、軍隊に志願するだけの高い忠誠心を有していることから、民間人の場合に想定された20％の合格達成率を凌ぐことが期待される」[(52)]としている。また、1945年2月23日の段階で空軍日本語学校の関係者は、「本校の教育システムは少なくとも米国のそれと同等であり、入手したシラバスやその他の情報から判断する限り、英国軍のそれよりも優れていると言うことができる」[(53)]と自負している。

2-3　共同運営への移行

開校から2か月が過ぎようとしていた1944年9月23日、陸軍は空軍に対して、空軍日本語学校を両軍の共同運営に移行することを申し入れた。また同時に、陸軍は空軍に下記の事項を提案した。

(a)　空軍がシドニー大学に設置した日本語学校（空軍の学生数は50名）に陸軍の兵士も50名、そして充分な数の教師が確保できた段階で、空軍・陸軍それぞれさらに50名ずつを加えた合計200名（空軍100名、陸軍100

名）を受け入れること。

(b)　陸軍は、将校2名、連合軍翻訳通訳隊のスタッフ2名を日本語学校の教師として派遣する用意があること。また、2名の一般市民（うち1名は検閲局に勤務）を非常勤講師として採用できる目処もあること。

(c)　空軍日本語学校の責任者であるWiadrowskiを共同運営校の主任教官に任命すること。

(d)　必要な教科書は米国から輸入すること(54)。

同じ9月23日に、陸軍参謀本部は日本語学習を希望する兵士の募集も決定している。その「志願者は、日本語学習経験は必要としないが、次の条件を満たしている者」(55)と規定されている。

(a) 30歳以下であること。

(b) 身体的に熱帯での勤務に耐えられる者。

(c) 軍曹以下の階級の者。

(d) 大学入学資格またはそれに相当する資格を有している者(56)。

この募集に際して陸軍参謀本部は、「その難しさゆえ日本語学習に成功する者の比率が75%を越えないこともありうる」(57)として、「志願者の軍籍に関しては、訓練開始後3か月間は原隊にいつでも復帰できるよう取りはかられたい」(58)と各部隊に命じている。

陸軍で志願者の募集が実際に開始されたのは10月に入ってからだった。その際の応募条件には、上記の4項目のほかに、「日本語学習の意欲を有していること」(59)と、「日本語学習歴は必要としないが、英語以外の言語に関する知識を有していること」(60)という二つの条件が付加されている。

さて、空軍は陸軍の申し入れを受諾した。共同運営に移行しての最初のコースは、1944年11月20日に開講した。場所は第1期コースと同じシドニーの空軍第三技術学校である。

オーストラリア国立公文書館に保存されている文書によると、共同運営後最初の1年間は、当初の計画よりも規模が縮小されたようで、空軍38名、陸軍37名の合計75名を受け入れることになった。訓練期間は48週間で、不合格者の割合は25％と見積もられている。シドニー大学の教官が毎日3時間、「理論」面の授業を担当し、ほかに毎日6時間、「実践」面の授業が計画された。「実践」面の授業は空軍の情報将校が軍人4名（常勤）と民間人2名（非常勤）の助けを受けて担当することになった。また、1945年以降の計画も策定され、空軍120名（男性90名、女性30名）と陸軍80名の合計200名を受け入れることとなった。その際の授業は、「理論」面の授業として、シドニー大学の教官が毎日2時間と軍教官が毎日1時間の合計3時間、「実践」面の授業として、軍教官による授業が毎日6時間と計画された。不合格者率はそれまでと同じく25%と想定されている[(61)]。

空軍は1944年12月28日付で海軍に対して、陸軍からの要請に基づき受講者数を拡大したと通知するとともに、1945年に始まる3つのコースに海軍からもそれぞれ5名ずつの合計15名を受け入れる用意があると連絡している。これに対して海軍は、空軍の申し入れに謝意を述べつつも、「現在のところ派遣できるだけの適格者が存在しない」[(62)]と回答しているが、後には海軍の兵士も入学するようになり、ここに空軍日本語学校（共同運営移行後も「空軍日本語学校」と呼ばれた）は全軍的な教育機関となった。

受講者数の拡大とともに講師の増員も図られたようで、1945年1月8日の段階で空軍日本語学校には、シドニー大学教官のほか6名の将校が講師として勤務していた。講師としてのランク付けは、Aランクが1名、Bランクが3名、Cランクが2名とされている。主任教官のWiadrowskiはBランクと評価された。ランク付けの基準は次頁のとおりである[(63)]。

この基準の中には、今日からすると、なにゆえそのような能力が必要なのか、不思議に感じられる項目（たとえば、「日本語の様々な書体について説明できるだけの口頭表現能力が英語と日本語であること」など）も含まれているが、それは別としても、この基準では、少なくとも文字数に関する限り、Cランクの講師ですらも今日の「常用漢字」（1,945字）に匹敵するだけの文字を知っていることが求められているわけであり、財団法人日本国際教育支援協会と国際交流基金が日本語の非母語話者を対象に全世界で実施している「日本語能力試験」の1級合格相当の知識量に当たる[(64)]。シドニー大学の教官以外でそれだけの漢字知識を備えた者が当時のオーストラリアに幾人も存在したとは考えにくく、上記の基準は厳格に運用されたとは言いがたい。

ところで、1945年7月、米国陸軍参謀本部に属すJohn E. Andertonという少佐が空軍日本語学校を訪ねている。その目的は、連合軍に属す全ての日本語学校を視察し、米軍としてどのような支援ができるかを検討することにあった。視察後、彼はオーストラリア空軍訓練部次長に報告書を提出しているが、その1945年7月12日付の報告書の中でAndertonが繰り返し強調しているのは、「生」の日本語、それも「生」の「話し言葉」に触れる機会を増やすことの重要性につい

【表5】空軍日本語学校講師のランク付けの基準

A	(1) 文学部（言語専攻）卒業かそれに相当する学歴を有していること。(2) 語彙とアクセントに関して豊富な知識があり、英語で充分に、また日本語で流暢に話せること。(3) 英語で充分に書けるとともに、日本語を楷書体と行書体で書けること。また、日本語の文字を少なくとも4,000字知っていること。
B	(1) 後期中等教育修了資格かそれに相当する学歴を有していること。(2) (a) 語彙とアクセントに関して豊富な知識があり、英語で充分に、また日本語で流暢に話せること。英語で充分に書けるとともに、日本語を漢字で書けること。日本語の文字を少なくとも2,000字知っていること。(b) 上記 (a) と同等の条件として、英語で充分に書けるとともに、日本語を楷書体・行書体・草書体で書けること。日本語の文字を少なくとも3,000字知っていること。日本語の様々な書体について説明できるだけの口頭表現能力が英語と日本語であること。(3) 教授能力があること。
C	(1) 大学入学資格またはそれに相当する学歴を有していること。(2) (a) 日本語の語彙に関する充分な知識と英語および日本語の口頭表現能力を有していること。英語で書けるとともに日本語を漢字で書けること。日本語の文字を少なくとも2,000字知っていること。(b) 上記 (a) と同等の条件として、英語で書けるとともに、日本語を楷書体と行書体で書けること。日本語の文字を少なくとも2,500字知っていること。日本語の楷書体と行書体について説明できるだけの口頭表現能力が英語と日本語であること。(3) 教授能力があること。

てである。Andertonは、「同校のカリキュラムを調べたところ、南西太平洋総司令部翻訳通訳隊の実践的な経験と指導の成果が取り入れられているとともに、米国海軍日本語学校のカリキュラムに特徴的な点も受け継がれている」(65)としながらも、「カリキュラムについてひとつ示唆するとしたら、それは実際の授業になるべく「話し言葉」を取り入れることである」(66)と提言している。そして、「現在の教育スタッフにこれを求めることは困難であると思われるので、さらに4名の教員を雇用するよう勧奨する。その教員として適しているのは日系二世である。日系二世はATISから、あるいはカナダ陸軍情報部の言語学校から直接招くことができるであろう」(67)とした。空軍日本語学校に日本語母語話者の教育スタッフが欠けていることの問題点をAndertonは指摘したわけである。

またAndertonは、「生」の「話し言葉」に触れる機会を増やすため、日本のラジオ放送や日本映画を教材として取り入れるべきこと、日本人抑留者・捕虜と実際に会話・尋問する時間を少なくとも3週間程度設ける必要があることも強調している。そして、「一般的な日本語の教育という点では妥当であり、同種の他の学校と比べても遜色ない」(68)し、「教育方法についても全体的に問題がない」(69)と評価しつつも、「日本語の「話し言葉」に精通している講師の不足がプログラム全体を台無しにしており、現在の教授陣には重荷になっている」(70)と重ねて指摘している。

空軍日本語学校の「成果」については、「同校の卒業生はATISでの業務遂行において他の学校の卒業生と遜色なくやっている。これはこの学校の価値と主任教官をはじめとする教職員の見事な成果を示すものに他ならない」(71)と記しているものの、空軍日本語学校における不合格者の割合を50%と報告している。これはオーストラリア空軍が想定していた25%をはるかに越える数字である。実際、オーストラリア国立公文書館に保存されている文書を見ると、「能力不足」や「適応力不足」による退学者の発生がしばしば報告されている(72)。

終戦3週間前の1945年7月26日の段階で、第1期生はすでに卒業して軍務に従事しており、空軍日本語学校では、第2期から第6期までの合計5つのコースが運営されていた。しかし、この頃にはすでに日本の敗戦が予想され、空軍の内部では日本語学校の廃止が検討されはじめていた。閉校には反対する意見もあり、その根拠として、米国と英国においては軍事目的からだけではなく、日本占領を視野に入れて兵士に対する日本語教育を行っていること、空軍日本語学校の教師やその保有教材・教具はオーストラリアの他のどこにも存在しない貴重な財産であること、日本語能力が戦後に失職することになる多くの兵士たちに再就職の道を開くことになること等の理由を挙げていた(73)。

こうして、空軍日本語学校における日本語教育は、「1945年を以て終了することが提案されたが、日本占領機構における日本語のできる人材に対する需要の大きさを勘案した場合、果たして閉校することが適切なのかという疑義が示された」(74)ため、「国防会議は、空軍における日本語訓練を存続せしめること、ただし1946年1月には見直しを行うこと」(75)を決定した。

終戦1か月後の1945年9月28日の段階では、第2期コースも終了し、空軍日本語学校では、第3期から第6期までの4つのコースが運営されていた。受講者数は合計116名であり、その予想合格者数は89名と見積もられている(76)。

【表6】空軍日本語学校（第3期～第6期）の受講者数および予想合格者数

期　名	終了予定日	受講者数	予想合格者数
第3期	1945年12月	海軍1名、陸軍2名、空軍19名（男11、女8）	18名
第4期	1946年2月	海軍2名、陸軍28名、空軍2名（男2）	24名
第5期	1946年4月	陸軍9名、空軍24名（男23、女1）	25名
第6期	1946年5月	海軍1名、陸軍3名、空軍25名（男25）	22名

2-4　空軍日本語学校の閉校

空軍日本語学校は1945年8月2日にメルボルンに移転したが、翌年の1946年にはさらにポイント・クックに移っている。しかし、同年中に廃校となった。

再び開校するのは1950年のことであるが、その頃には中国とソ連が日本に代わる新たな脅威と認識されていたことから、中国語とロシア語の教育施設としての再開だった。この新しい学校は、今日も「オーストラリア国防軍言語学校」(The Australian Defense Force School of Languages) としてポイント・クックに存続している[(77)]。

オーストラリア空軍日本語学校は、連合軍の同種の学校と比べて設立されたのが遅かった。米国の陸軍日本語学校と海軍日本語学校はいずれも1941年に設立されている。また、英国軍がロンドン大学に日本語翻訳者コースを開設したのは1942年のことである。それに対して、オーストラリア空軍日本語学校は、サイパン島で日本軍が全滅し、東條内閣が総辞職した1944年7月に開校している。このため、第1期生をかろうじて終戦前までにATISへ供給することができたものの、全体としては戦争遂行のためという本来の目的には間に合わなかったと言うことができる。また、間に合わなかったがゆえに、その卒業生たちは、日本占領に参加した者を除き、学校で学んだ日本語を実地に活かすことができなかった。米国や英国の同種学校から戦後の日本研究を支える人材が数多く出たことはよく知られているエピソードであるが[(78)]、オーストラリア空軍日本語学校からはそのような人材がほとんど出なかった[(79)]。このことも彼らの学校が遅れて誕生したことと関係があるのかもしれない。

しかし、遅れて誕生した学校だったがゆえにか、その設立に携わった空軍将校の中には、すでに計画段階で終戦を予想し、空軍日本語学校にはじめから戦後の役割も付加しようとした者もいた。1944年の時点で、ある将校は次のように述べている。

「日本語や中国語などの東洋言語の学習はオーストラリアで大規模に実施されるべきである。それは現在の軍事作戦上の必要性という緊急の課題からだけではなく、戦後における貿易や中国人およびその他の友好的な東洋人との間の相互理解を深める際の翻訳者・通訳者を確保するという長期的な課題からも必要である。」[(80)]

オーストラリアの軍関係者から、その「日本語教育政策」の目的として、「国防上の理由」と対等の位置づけで「貿易」や「相互理解」が取り上げられたのは、管見の限りこれが最初である。それから半世紀以上たった1998年におけるオーストラリアの日本語学習者数は約30万人。オーストラリアは韓国についで多くの人々が日本語を学ぶ国となっているが、その教育目的においては「貿易」等の経済的側面が、そして教育内容の上では「相互理解」の前提となる「異文化理解能力」あるいは「文化社会理解能力」の養成が強調される場合が多い(81)。

〈註〉

(1) MacArthurは1942年3月にフィリピンを脱出し、オーストラリアに到着している。

(2) 山本武利（2001）53頁～54頁

(3) その後、ATIS翻訳部隊の人員は補充されている。1943年には米国本土からも補充されたが、この頃になると、日本軍の敗退が相次いだため、捕獲文書数が増大し、人員の補充が間に合わなくなる事態も生じた。ATISの創設時から1944年9月1日までに翻訳部隊は14,954件の文書を選別し、うち9,242件を全文翻訳。また、その後の1年間に33,682件の文書を選別し、うち18,442件を全文ないし部分翻訳した。山本武利（2001）55頁～56頁

(4) Brewster, Jennifer（1996）p. 24.

(5) Brewster, Jennifer（1996）p. 24.

(6) NAA A705, 208/44/11, Part1

(7) NAA A705, 208/44/11, Part1

(8) 日豪開戦の直前には、シドニーにも日本語学校を設置している。この日本語学校に関して、山本武利（2001）は次のように述べている。「一九四一年はじめに、オーストラリア軍はシドニーに日本語学校を設立した。日本からの帰還者にインタビューを行なって日本の軍事情報を入手する隊員の養成というのが、その目的であった。もちろん、帰還者を軍隊に志願させることもねらっていた。ともかく日本と米英との対立が緊迫化するにつれ、オーストラリアと日本の関係も厳しくなってきた。それにもかかわらず、日本語を理解できる情報将校がオーストラリア軍では絶対的に不足していたのである。」（50頁）

(9) NAA A705, 208/44/11, Part1

(10) Brewster, Jennifer（1996）p. 26.

(11) NAA A705, 208/44/11, Part1

(12) NAA A705, 208/44/11, Part1

(13) NAA A705, 208/44/11, Part1

(14) NAA A705, 208/44/11, Part1

(15) NAA A705, 208/44/11, Part1

(16) NAA A705, 208/44/11, Part1

(17) NAA A705, 208/44/11, Part1

(18) NAA A705, 208/44/11, Part1

(19) NAA A705, 208/44/11, Part1

(20) NAA MP742/1, 323/1/1349

(21) NAA A705, 208/44/11, Part1

(22) NAA A705, 208/44/11, Part1

(23) NAA A705, 208/44/11, Part1
(24) NAA A705, 208/44/11, Part1
(25) この空軍少将はまた、「連合軍に関しては、独自の施設を米国内に有していることから、その兵士をオーストラリアで訓練することは希望しないであろう」と記している。(NAA A705, 208/44/11, Part1)
(26) このような認識は、当時のオーストラリア軍関係者が作成した文書の随所に見られる。
(27) NAA A705, 208/44/11, Part1
(28) NAA A705, 208/44/11, Part1
(29) 長沼直兄のこと。長沼は 1895 年に群馬県で生まれた。東京高等商業学校を卒業後、英語教育に携わり、1922 年には文部省顧問の Harold E. Palmer とともに英語教授研究所を設立している。その後、1923 年に駐日米国大使館の日本語教官となったのを皮切りに、日本語教育に従事。第二次世界大戦中は日本語教育振興会の事業とも関わった。戦後は同振興会の財産を継承する形で財団法人言語文化研究所と東京日本語学校（ナガヌマ・スクール）を設立している。1962 年には日本語教育学会（当時は「外国人のための日本語教育学会」と称していた）の設立に際して、副会長に就任した。1973 年死去。なお、長沼の『標準日本語読本』は第二次世界大戦中に米国の陸軍日本語学校や海軍日本語学校でも利用されたことで知られる。
(30) NAA A705, 208/44/11, Part1
(31) NAA A705, 208/44/11, Part1
(32) NAA A705, 208/44/11, Part1
(33) NAA A705, 208/44/11, Part1
(34) NAA A705, 208/44/11, Part1
(35) NAA A705, 208/44/11, Part1
(36) NAA A705, 208/44/11, Part1
(37) NAA A705, 208/44/11, Part1
(38) NAA A705, 208/44/11, Part1
(39) NAA A705, 208/44/11, Part1
(40) NAA A705, 208/44/11, Part1
(41) NAA A705, 208/44/11, Part1
(42) NAA A705, 208/44/11, Part1
(43) NAA A705, 208/44/11, Part1
(44) NAA A705, 208/44/11, Part1
(45) NAA A1196/1, 44/501/14
(46) NAA A705, 208/44/11, Part1
(47) NAA A705, 208/44/11, Part1
(48) NAA A705, 208/44/11, Part1
(49) NAA A705, 208/44/11, Part1
(50) 簗田は 1906 年に東京で生まれた。東京帝国大学経済学部を卒業後、ハーバード大学に留学。1934 年、報知新聞社に入社し、ロンドン特派員となった。その後、読売新聞社に移り、同社の初代ロンドン特派員を務めた。戦時中はロンドン大学で日本語教育に従事。

戦後も英国で日本語教育と関わった。1972年、66歳で死去。

(51) 読売新聞20世紀取材班編 (2001) 41頁〜43頁

(52) NAA A705, 208/44/11, Part1

(53) NAA A705, 208/44/11, Part1

(54) NAA MP742/1, 323/1/1349

(55) NAA MP742/1, 323/1/1349

(56) NAA MP742/1, 323/1/1349

(57) NAA MP742/1, 323/1/1349

(58) NAA MP742/1, 323/1/1349

(59) NAA MP742/1, 323/1/1349

(60) NAA MP742/1, 323/1/1349

(61) NAA A705, 208/44/11, Part1

(62) NAA A705, 208/44/11, Part1

(63) NAA A705, 208/44/11, Part1

(64) 日本語能力試験1級の「認定基準」は次のとおり。「高度の文法・漢字 (2,000字程度)・語彙 (10,000語程度) を習得し、社会生活をする上で必要な、総合的な日本語能力 (日本語を900時間程度学習したレベル)」

(65) NAA A705, 208/44/11, Part1

(66) NAA A705, 208/44/11, Part1

(67) NAA A705, 208/44/11, Part1

(68) NAA A705, 208/44/11, Part1

(69) NAA A705, 208/44/11, Part1

(70) NAA A705, 208/44/11, Part1

(71) NAA A705, 208/44/11, Part1

(72) NAA A705, 208/44/11, Part1

(73) NAA A705, 208/44/11, Part1

(74) NAA A705, 208/44/11, Part1

(75) NAA A705, 208/44/11, Part1

(76) NAA A705, 208/44/11, Part1

(77) その後、同校は1956年にインドネシア語、1961年にヴェトナム語、1962年にフランス語、1965年にタイ語の講座をそれぞれ開講している。日本語の講座も1969年に再設置された。なお、Ozolins, Uldis (1993) によれば、オーストラリア外務省は1960年代に、この国防軍言語学校で外交官に対する集中言語研修を実施している。

(78) たとえば、パッシン, ハーバート (1981) 211頁〜224頁、新堀通也編 (1986) 113頁〜123頁、大庭定男 (1988) 259頁〜273頁、高見澤孟 (1998) 43頁を参照。

(79) その数少ない例外のひとりに日豪関係史の研究者David Sissonsがいる。Sissonsはオーストラリア国立大学国際関係学科のフェローを長く務めた。

(80) NAA A705, 208/44/11, Part1

(81) たとえば、Lo Bianco, Joseph (1987) やCouncil of Australian Governments (1994) 等の各種言語政策を参照。なお、「貿易」と「相互理解」の比重に関する問題については、川上郁雄（1998）を参照。

第5章　日豪開戦と「日本語教師」

1.　国際文化振興会の対オーストラリア事業

1-1　オーストラリアに対する関心の低さ

ここで、国際文化振興会のオーストラリアに対する、「日本語普及」以外の事業に触れておこう。

国際文化振興会は1934年4月に設立されたが、同年中はオーストラリアを対象とした事業は実施していない。同会の対オーストラリア事業は、翌年の1935年に東京商科大学講師のPeter Russoをオーストラリアへ派遣したことに始まる。そして、これが契機となってRussoを「嘱託」に、メルボルン大学講師の稲垣蒙志を「在濠連絡事務員」に委嘱したことは、前述のとおりである。

第2章で見たように、1937年には鶴見祐輔をオーストラリアに派遣している。また、その前年の1936年には、「シドニー国際美術展覧会」に参加している(1)。後者について、同会の記録には次のように記されている。

「濠洲ニウサウス・ウエールス国立美術館主催にて各国より美術品を借款し展覧会開催の計画にて日本総領事を通じ本邦側の参加を求め来れり。即ち現代美術品とし、絵画六点、応用美術工芸品十六点、保険料、送料、包装費先方持ち、期間三ケ月の条件なり。日濠間文化工作の必要を認むるにより之に参加応諾するに決定、その方法については商工省、文部省等と近日協議することとす。」(2)

この「シドニー国際美術展覧会」は1936年の7月から9月にかけてニューサウスウェールズ州立美術館で開催されたのであるが、この時期、日豪間には深刻な貿易摩擦が生じていた。

1936年5月、オーストラリア政府は日本からの繊維製品の輸入に対する関税を大幅に引き上げた。英国製品を保護するための措置である。これに対して、日本政府は6月25日に通商擁護法を発動し、オーストラリア産羊毛の輸入を禁止する報復措置をとった。

日本の措置に対しては、今度はオーストラリアが7月8日に日本製品に対する特別輸入許可制を公布した。この状況を打開するため、8月28日にはキャンベラで日豪通商交渉が開始されたが、それがようやくまとまったのは、その年の12月28日になってからである。

このような時期に国際文化振興会は、「シドニー国際美術展覧会」に絵画6点と工芸品16点を出展した。しかし、これは国際文化振興会が日豪間の貿易摩擦を「文化工作」で補おうとして発案したものではなく、美術館側の要請によるものだった。芝崎厚士（1999a）によれば、「シドニー国際美術展覧会」に限らず、この時期における国際文化振興会の「各種の展覧会や美術展などへの出品は、相手からの要請によっておこなわれるものが多く、国際文化振興会が自主的に催すような場合はほとんどなかった。」(3)という(4)。

1938年にも日豪間で貿易摩擦が生じた。同年5月、オーストラリア政府は鉄鉱石の対日輸出禁止を決定している。これは、日系企業が西オーストラリア州政府の許可を得て、同州のヤンピーで採掘準備を進めていた鉄鉱石の輸出禁止を目的としたものだった。

このように、1930年代には日豪関係がギクシャクすることもあったのだが、その原因は貿易摩擦だけではない。

1931年9月、「満州事変」が勃発。これに関しては、日本が「満州事変」に没頭して、「南進」する余裕を失ったと推測する向きがオーストラリアにはあった。また、「日本の満州進攻を、その地域に日本の野望を局限させるべく操縦できるならば、それは南方の英国権益に対して一つの安全措置を提供することになる」(5)という見方もあったという。このため政府レベルでは、「対日宥和政策が積極的に模索」(6)されもしたが、市民レベルでは対日感情が悪化する面もあった。そして、「日本の中国大陸植民地化政策が進むなかでオーストラリアの対日感情はさらに悪化し、1937年にはオーストラリア労働組合評議会が日本の満州国建設に抗議するため対日貿易禁止を要求。その後、日貨排斥決議、対日輸出業務の拒否決議など」(7)が続くことになった。

このような時期にこそ、国際文化振興会はオーストラリアに対する「文化工作」を拡大すべきであったろう。実際、在豪日本人の多くはそれを望んでいた。

同盟通信社シドニー支局長の豊田治助は1939年に同社から出版された『最近の濠洲』において、「日濠間の将来に対して要望されてゐる諸問題を在濠邦人の声に聞く」として、「濠洲に対して要望されるもの」と「日本に対して要望されるもの」をそれぞれいくつか挙げている。

このうち、「日本に対して要望されるもの」としては、日本製品の品質向上とともに、「日本文化の積極的紹介」が挙げられている。これはさらに「日本語の研究熱」「小冊子、映画並に美術品に依る紹介」「学術、科学、音楽、運動競技に依る紹介」の3つの項目に分けられて記述されている[8]。このうち「日本語の研究熱」の項には、次のように記されている。

「濠洲に於ける日本語の研究熱は可成り旺盛である。シドニー大学ではサドラー教授（元六高学習院の教授）が東洋文化史を正講座とし、又日本語の特別講座もある。ブリスベーンのクイーンスランド大学では本年三月清田教授（元東京商大教授）を招聘して日本歴史と日本文化史が正式に講座となり、又日本語科も開講されてゐる。メルボルン大学には未だ正式の講座がなく稲垣孟《マ》志《マ》氏に依る日本語科の特別講座が設けられているに過ぎない。特記すべきは南濠洲の首府アデレードに於て日本語会が純然たる濠洲人に依って組織せられ、三十数名の熱心な学徒が時偶入港する日本船の人達を会話の先生として真面目に勉学してゐることである。

この外シドニーには十数名の会員をもつ私的な日本語研究会があり、又日本で生花を習得して帰ったシドニー高等師範学校の教授レーク女史は、其の校庭に日本の庭園を作ってゐる。斯くの如き真摯なる日本語及び日本そのもの、研究者に対しては日本側からも研究資料の提供に積極的援助を惜しむべきではない。また濠洲の各美術館、博物館に於ける貧弱なる日本資料に対しても日本からの代表品を贈って啓発すべきである。」[9]

また、「小冊子、映画並に美術品に依る紹介」に関しては、次のように記されている。

「本年五月に組織せられたシドニー啓発委員会[10]では日支事変に対しては小冊子及び印刷物を以て、また日本文化の紹介には日本映画を以て啓発と認識運動を積極的に続けてゐるが、特に日本映画の効果は頗る大なるものがあり、初めて鑑賞する濠洲人は等しく日本文化の程度の高いことに対し今更の如く驚嘆の声を放ってゐる。映画のうちには支那事変の解説的なものがあったが、数回の映画会を開催した後の結論としては事変そのもの、説明映画よりも日本固有の高度文化を先づ紹介することが絶対的に必要である。一方近代日本の偉容、特に工業、産業の躍進振り、進歩せる教育、スポーツ、美術、工芸、音楽、新旧演劇、レヴュー等々の映画が視覚と聴覚に訴へて齎す効果は予期以上に大である。最近イタリーの国際映画コンクールで入賞した「五人の斥候兵」、「風の中の子供」等の文芸映画も是非とも配給されたいものである。

また古代からの美術品を初め、現代日本の美術界を代表する日本画、洋画、彫塑、工芸品の展覧会開催は文化的に閑散なシドニーやメルボルンに於ては必ず高く評価されることと信ぜられる。」(11)

さらに、「学術、科学、音楽、運動競技に依る紹介」については、次のように記述されている。

「この希望は日本の各界に於ける一流人物の来濠を必要とする為め其の実現に幾多の困難を伴ふが、少くとも一年に何人からの日本の文化使節が濠洲、新西蘭を歴訪して日本の高き文化を宣揚すべきである。学術、宗教、思想の講演会、和洋音楽会、スポーツに依る交歓は最も望ましきものである。これ等は一見甚だ迂遠な認識運動の如く考へられるが事実に於ては甚だ近道で事変発生後に種々の対策を講ずるよりも、寧ろ平素から文化方面に打った捨石の方が遥かに効力は大なるものがある。」(12)

これらの「日濠間の将来に対して要望されてゐる諸問題」に対して、日本の政府系機関として最も応えるべき立場にあったのは国際文化振興会であったろう。また、上記の課題に取り組むことは、同会の本来業務であり、かつ最も得意としていたはずの仕事でもある。

それでは、国際文化振興会はこれらの「在濠邦人の声」に応えたのであろうか。

この時期、国際文化振興会は「日本文化宣揚」(13)のための資料を「本会自ら製作すると共に広く各方面に於ける製作を援助して、能ふ限り弾丸の準備を整へることに努力して」(14)いた。そして、この「資料の頒布寄贈」事業には、「欧州、北米に対する芸術的学術的な資料の配給」(15)と、「東洋諸国、中南米、濠洲に対する政治的色彩を有する我が国威、国策の宣伝を目標とする資料の配給」(16)の2種類があり、「最近の傾向として後者の政治的文化工作の範疇に入る可き事業が著しく増加して」(17)いたのであるが、同盟通信社から『最近の濠洲』が出版されたのと同じ1939年に国際文化振興会が「我が国威、国策の宣伝」のためにオーストラリアに対して実施した「資料の頒布寄贈」事業は、次の四つに過ぎない。

(1)　「シドニー」工学博物館へ漆製作過程の詳細なる見本一組並に蒔絵を送付
(2)　濠洲「アデライデ」在住視学「パウル」氏へ本邦玩具約百点を寄贈

(3)　濠洲「クィーンズランド」大学講師清田龍之介氏へ茶の湯道具一式並に国定教科書六〇〇冊送附

(4)　濠洲「メルボルン」大学稲垣教授へ同氏編集の日本語教授用教科書五〇〇冊送附[18]

このうち後の二つは主として「日本語普及」を目的としたものであるが、いずれも清田龍之助や稲垣蒙志からの要請に基づいて寄贈されたものである。また、「本邦玩具」は、これを贈られた南オーストラリア州教育省の主催によって、「南濠アデレード地方各小学校巡回展」[19]として利用されたのであるが、この「本邦玩具」や「工学博物館」に寄贈した「漆製作過程の詳細なる見本」と「蒔絵」にしても、国際文化振興会の発案による寄贈というよりは、相手側からの要請による寄贈ではなかったかと思われる[20]。なぜなら、もし日本側の発案であれば、「本邦玩具」の寄贈先としては、人口の多いニューサウスウェールズ州やヴィクトリア州が選ばれたはずだし、「漆製作過程の詳細なる見本」と「蒔絵」の寄贈先としても、「工学博物館」よりも入場者数の多い、すなわち波及効果がより大きいであろうと想像できる施設が選ばれたはずではないかと考えられるからである。また、寄贈品目の「本邦玩具」にしても「漆製作過程の詳細なる見本」や「蒔絵」にしても、「政治的色彩」を有する資料というよりは、むしろ「芸術的学術的」な資料の範疇に分類されるものだろう。日本との間に貿易摩擦が発生し、「我が国威、国策」が損なわれようとしているオーストラリアに対して、また、市民レベルでは対日感情が悪化していたオーストラリアに対して、国際文化振興会は「政治的文化工作」のための「弾丸」を自ら積極的に込めることはしなかったと言えるのではないだろうか。

同じ1939年に国際文化振興会は、「濠洲在「メルボルン」稲垣蒙志連絡員の斡旋にて募集せる日本研究論文の当選者たる一等十二名に対し七宝花瓶並に賞状を授与」[21]している。稲垣は1937年にも「日濠関係に関する懸賞論文」[22]を募集し、振興会は「之等に対し夫々賞品を授与すること丶し、又優秀論文は発表すること」[23]としたが、「日本研究論文」にしても、「日濠関係に関する懸賞論文」にしても、それを主導したのは、東京の国際文化振興会ではなく、メルボルンの稲垣であった。

国際文化振興会の理事を務めた団伊能によれば、1937年頃から「国際文化振興会の仕事の上でも色々と目に見えない政治の影響が現われ出した」[24]という。また、同会の主事を務めた青木節一は1964年の時点で次のように回顧している。

「昭和十二年の所謂支那事変頃から日本の軍国主義、侵略主義が疑われだし、KBSの文化事業も色目を以て外国から見られるようになった。KBS自体も無意識の裡にその流れに押されて、日本の立場を弁解し、防衛するような動きをしたこともあった。帝国ホテル演芸場で何カ月か連続して行った「日本歴史」の英語講座は屡々出席外人から皮肉な野次を飛ばされたり、非難の投書を受けとったことがあった。

そのうちに、昭和十六年央ば頃から、軍部の南方地方に対する進攻が隠密に始められると共に、軍部は露骨にKBSの吾々に迫って、軍事的意図をカモフラージするための文化事業を強要した。仏印に於ける日本画展覧会などはその一つである。私は度々参謀本部に呼び出されて、威嚇的態度で協力を求められた。私が大正八年から国際連盟の思想に共鳴し、これを支持する運動を自らも行い、常に軍備縮少論者、世界平和論者としてやって来たその経歴を知ってか知らずしてか、係りの参謀諸氏の私に対する態度は特に峻厳冷酷であって、口惜しい目に会ったこと再三に止まらなかった。かくして太平洋戦争勃発直前に私はKBSを退く破目になった(25)のである。」(26)

1941年に国際文化振興会では、創立以来一貫して事務局の責任者を務めてきた青木が退職したほか、理事長も樺山愛輔から元駐独大使の永井松三に交代した。また、前年の1940年には国際文化振興会の監督権が外務省文化事業部から内閣情報局に移っている。外務省文化事業部は、昭和「13年（1938）対中国政策を統括する興亜院の設立に伴い、所管事項のうちの対中国特別事業の大半を興亜院に移管し、さらに15年（1940）の情報局設置に伴って、大部分の外郭機関の監督権を同局に移管したのち、同年12月の行政機構改革によりついに廃止され」(27)た。

しかし、この1940年代を目前に控えた時期に、国際文化振興会の対オーストラリア事業にも、「目に見えない政治の影響」があったかという点になると、これは不明である。というのも、そもそも対オーストラリア事業には国際文化振興会が主導して実施した事業が見当たらないからである。

1939年1月、国際文化振興会は「濠洲中等学校女教員及印度著名教育家一行を招待し座談会及講演会を開催」(28)している。この「濠洲中等学校女教員」の招聘事業は、「事変下に於ける真の日本の姿を実見せしめ、且つ文教の視察並に観光を兼ね」(29)たもので、「誠に時宜に適したもの」(30)と評価されたが、これを主催したのは鉄道省国際観光局であり、国際文化振興会はその機会を利用して「座談会」を開催したに過ぎない。

ちなみに、この「濠洲中等学校女教員」には、ヴィクトリア州から3名、クィーンズランド州から2名の教師が選ばれている。ヴィクトリア州の3名のうちIrene C. RyanとAmelia M. Pittmanの2名は、その担当科目のひとつが日本語だった。日本政府がその公費によってオーストラリアから中等教育の「日本語教師」を招聘したのは、おそらくはこれが最初だろう(31)。Pittmanはマックロバートソン・ガールズ・ハイスクールに所属し、同校に設置されていた日本語土曜講座で日本語を教えていた。また、Ryanの本務校は別の学校だったようだが、彼女も日本語土曜講座には出講していた。日濠協会（1939）は、Ryanについて、「メルボルン大学に於て五箇年日本語を専攻し現に、マクローバトソン、ハイスクールに於て日本語を教授せり」(32)と紹介している。

1940年、国際文化振興会は日本の関係機関と共同で「日本品展示会」をシドニーで開催している。この「日本品展示会」について、後に国際文化振興会は次のように自己評価している。

「我商品見本市の類で特に注意すべきものは昭和十五年六、七月濠洲シドニー及メルボルンに開催された日本品展覧会である。この展覧会の目的は日本から輸出される商品が度々余りに粗悪なために招く貿易上の誤解を是正する上に文化的意義を持つ国産品の展覧会を開くことにあった。即ち外務省、商工省、観光局、貿易組合中央会、日濠協会、日本輸出工芸連合会その他と協議の上、本会が主として其実行の衝に当り、シドニーの最も有力な百貨店デビッド・ジョーンズ及メルボルンのマイヤー百貨店に於て開催したのである。出品物は売価を附した一般国産品と売品にあらざる文化資料とから成り、その出品物選択の方針は現代日本人の生活を出来るだけ卒直に示し、且つ現代の世界的傾向に添ひ得ることを目標とした。そしてその種類は布帛、陶磁器、漆器、硝子工芸、金属工芸、七宝、木竹品及精密機械の類に及び総数四百数十点に達し、我国産品が濠洲の市場に於て尊敬を以て迎へられるやうに努力を払ったのである。この結果本邦商社に機械其他多数の新規注文が殺到した。」(33)

また、戦後に発行された『KBS30年のあゆみ』でも、この「日本品展示会」は次のように評価されている。

「昭和14年のサンフランシスコの金門万国博覧会の日本古美術展および15年の豪州シドニーおよびメルボルンの日本品博覧会も、当時においては特筆されるべきものであった。後者の場合は、外務省、商工省、観光局その他と協議の上、本会が主として実行の衝に当たり、工芸品から精密機械の類に至るまで出品総数四百数十点、対日感情のすっきりしない豪州において、文化交流による相互の理解と貿易上の誤解を是正するうえにあずかって力があった。」[34]

しかし、この「日本品展示会」は、結果として「本邦商社に機械其他多数の新規注文が殺到した」とあるように、基本的には「商品見本市の類」として開催されたもので、国際文化振興会の本来業務からははずれたものと言えるだろう。それも道理で、そもそもこの「日本品展示会」は「濠洲シドニー駐在秋山総領事の進言」[35]により計画が開始されたものであるが、外務省における担当部局も文化事業部ではなく通商局であった。最初は同局を中心に関係機関が共同で検討を重ねてきたのを、最終的に「之が協議に与れる各団体中国際文化振興会」[36]が事務局となって開催することになったものである。

このように、国際文化振興会の対オーストラリア事業は、同会の発案あるいは主導によって実施されたものはほとんどなく、日本やオーストラリアの関係機関、あるいは稲垣蒙志や清田龍之助などの要請や主導に基づいて実施されたものが大半を占める。国際文化振興会のオーストラリアに対する関心は総じて低かったと言うことができるだろう。

1939年、国際文化振興会は来るべき「紀元二千六百年」奉祝記念事業のひとつとして、内閣祝典事務局、内閣情報局、外務省、文部省の後援を受け、日本文化に関する懸賞論文の募集を行った。応募者は国内および海外に居住する「外国人」[37]に限られ、論文の題目は「日本文化の特質」「日本と諸外国との文化的交渉」「世界に於ける日本文化の地位」の中からひとつを選択することになっていた。審査委員は、土居光知、長谷川万次郎、田中穂積、田中耕太郎、辻善之助、桑木或雄、矢代幸雄、小泉信三、宮嶋幹之助、新村出、久松潜一が務めた。

応募は1940年11月30日に締め切られたが、「昭和十四年秋から世界的動乱と云ふ最も恵まれざる条件の下に行はれたにも拘らず、幸に朝野内外各方面の絶大なる後援によって周く国外に知られ」[38]たこともあって、国内外合計で502編の論文が寄せられた。これを応募者の居住国別に見ると、最も多いのは「米国」で95編、続いて「濠洲」の42編、「支那」の31編、「独逸」の28編、「ブラジル」の24編、「満洲国」の21編の順であり[39]、人口比率からしてもオーストラリアからの応募の多さが目立つ[40]。そして、その「濠洲からの論文中には日濠関係を説き、日本は濠洲に於て世界宣伝を強化しなければならぬ点を強調するもの」[41]が多く、国際文化振興会は、「濠洲に於て最近日本研究が盛になりつゝあることが認められる」[42]と見なしたのであるが、その「濠洲に於て世界宣伝を強化」することに、国際文化振興会は既述のとおりそれほど積極的ではなかった。

そのような中で、国際文化振興会はオーストラリアに対して思いきった働きかけを試みた。これも同会の発案というよりは、Peter Russo の発案に振興会が応じたことで実現したものなのであるが、結果としては失敗に終わったこともあって、国際文化振興会の「正史」とも言うべき『KBS30年のあゆみ』には、この事業について何も記されていない。

1-2　近衛親書

1940年7月、Russo はオーストラリアに一時帰国した。しかし、帰国した Russo を待っていたのは、捜査当局の監視の眼だった。たとえば、クィーンズランド州警察は7月17日付で北部方面軍司令部に対して、前々日の7月15日に「東京丸」で帰国した Russo の動向を報告しているが、そこには、クィーンズランド大学の Alexander Melbourne と清田龍之助がブリスベン港の埠頭に Russo を出迎えに来ていたことのほか、「東京丸」がシドニーに向けて出港するまでの時間を Russo が Melbourne や清田とともにブリスベン市内で過ごした様子が克明に記録されている(43)。

また、Russo が帰国中に新聞等に寄稿した記事にも捜査当局は監視の眼を光らせた。Russo は7月16日の「Courier Mail」(クィーンズランド州の有力日刊紙)に「オーストラリアと日本：調和政策を目指すべき」(Australia and Japan, Policy of harmony should be aim) と題する原稿を寄せているが、クィーンズランド州警察は7月17日付で連邦捜査局に書簡を送り、Russo がこの記事において、オーストラリア工業の発展はその移民政策の如何にかかっているとして、オーストラリアは移民の受け入れによって人口を増加すべきだと主張したことに注意を払うよう示唆している(44)。

この頃、Russo はオーストラリアの国防当局から「親日家」(45)として警戒されていた。陸軍省の軍事作戦・情報部は8月5日付で全軍の司令部に秘密文書を送り、オーストラリア滞在中の Russo の動向に細心の注意を払うよう指示しているが、この文書で Russo は、「現在は東京商科大学で現代語の教授を務めているが、それは勅任官である」(46)とされ、また、「日本の公的な文化宣伝機関である国際文化振興会にオーストラリア・ニュージーランド事業に関するアドバイザーとして勤めているが、彼は同会における唯一の外国人正規スタッフである」(47)と紹介されている。さらに、「彼は1935年に文部省から外務省に出向し、出淵勝次のオーストラリアおよびニュージーランドへの親善旅行中、同人の個人的なアドバイザーを務めたが、かかるポストに外国人が任命された前例はない」[48]ともされており、Russoが日本でいかに特別な位置にいたかが繰り返し強調されている。

そしてこの文書は、Russoの一時帰国の目的はオーストラリア国民に次のことを示唆することにあると断定している。

(1) オーストラリアの極東政策は英本国のそれとは異なるものであること。
(2) 豪日通商問題における英本国からの圧力に対してオーストラリア政府は抵抗しているのみならず、日本との通商関係および平和を維持しようと努力していること。
(3) オーストラリアは日中戦争に何ら利害関係を持っておらず、またそのことを日本側にはっきり伝える必要があること。
(4) 香港および上海において英日間に何らかの問題が生じたとしても、オーストラリアにはそれに干渉するだけの利害関係がないこと。
(5) オーストラリアは日本に大使を派遣すべきこと[49]。

また、この文書はRussoの「容疑」[50]を次のようにまとめている。

「Russoは親日家であり、信頼できない人物と見なされている。彼はオーストラリア滞在中、親日家であるにもかかわらず、100%オーストラリア人であるとの印象を人々に与えることだろう。彼は親英家のふりをしない。これは誤解を与えるのに賢明な方法であるし、また、すでにそれが成功しているとの証拠もある。」[51]

そして、このような「容疑」から、陸軍省はRussoに対して次のような行動をとるとした。

「Russoに関するあらゆる情報の提供を当局は欲している。オーストラリアにおける彼の行動は常時監視されるであろうし、必要ならば厳重な検閲も辞さない。」[52]

当局の監視下に置かれていることは、Russoも認識していた。オーストラリア国立公文書館に保存されている1940年7月17日付の捜査資料によると、Russoはオーストラリアの捜査当局が東京で彼に関する情報を集めていたことに気分を害しているとして[53]、捜査当局が適当と判断する方法で情報を入手することは当局の権利であるが、その事実が広く知られることは許されないと述べるとともに、さらに次のように語ったという[54]。

「この10年間、私はオーストラリアからは何の見返りも受けずに豪日間の文化的な交流に実務面で関わってきた。その努力に対して、母国の人間が自分のことを捜査していると日本人から知らされるのは、何という代償だろう。」[55]

しかし、捜査当局にはRussoを監視する理由があった。7月25日付で検閲局が連邦捜査局に報告しているところによると、Russoは「Courier Mail」の編集長にあてた書簡に次のように記していた。

「国際文化振興会は私に対して、オーストラリア滞在中、状況が許す限り、オーストラリア・ニュージーランド事業に関するアドバイザーとしての立場で行動することを希望している。これは豪日関係を改善するためにあらゆる活動をすることを意味している。すなわち、講演をし、日本研究に役立つ本を紹介し、日本語講座に通う学生を指導し、私が両国関係の改善に役に立つと考える全ての事柄について振興会の注意を喚起することなどだ。私はオーストラリアの機関に対してプレゼントを持っていくことになっているし、また日本の指導者や政治家からオーストラリア国民にあてた、日本がオーストラリアとの友好関係の促進を希望している旨の親書も携行する。もし君がこれらの親書を印刷する手配を整えてくれるのなら、私は喜んでそれらの親書を私の到着前または到着直後に君に提供しよう。私はまた録音メッセージも携行することになろう。これはすでにABCが放送することを承諾している。」[56]

Russoが携行した「親書」の中でも捜査当局がとくに警戒したのは近衛文麿からのものだった[57]。この近衛親書はRussoの進言を国際文化振興会理事会が了承したことで実現したもので、彼の帰国時に託された[58]。「親愛なる濠洲人へ」で始まるこの親書の全文は次のとおりである。

「諸国対立闘争の渦中に投ぜる現状に於て吾人は永遠に平和と相互の隆昌とを期図するが為特に国際文化の協調の大なる力たるを再確認せざるべからず。偕に太平洋の潮に面せる此の地域に於ける今後の隣人は均しく意気旺盛なる国家たる濠洲と日本なりとす。両国の文化提携はその芸術科学の道を通じて全世界文化啓発の源泉を涵養し得べし。茲に日本は友邦濠洲が国際親善と全人類の向上とを促進せんとする文化的使命に協力せられんことを切望す。」(59)

この親書には「昭和十五年七月一日」の日付が記されている。当時の日本の首相は米内光政である。しかし、米内内閣は2週間後の7月16日に崩壊。その後継には近衛が任命されている。したがって、この親書における近衛の肩書は「財団法人国際文化振興会会長」だったが、これが実際にオーストラリアに届けられた時点で、日本の現職首相からの親書となった。このため、オーストラリア陸軍省は、「Russoが愛国者の仮面を被って、オーストラリアと英国を乖離せしめようとする宣伝を流布するのを妨げる行動をとる必要がある」(60)として、この親書が一般に公表されることを阻止しようとした。

また、「Russoが日本の利益のために働き、対日関係の面で英国とオーストラリアを分裂させようとしていることに間違いはない」(61)との容疑から、当局はRussoの交友関係も捜査している。そして、彼の大学時代の友人からは、「Russoは信頼できない日和見主義者であり、オーストラリアには危険な人物である」(62)との証言を引き出している。

Russoとクィーンズランド大学のMelbourneとの交友関係にも注意が払われている。東部方面軍情報部は、11月25日付でブリスベンの北部方面軍に対して、一時帰国中のRussoがブリスベンに向い、Melbourneを訪ねたことを報告している。この訪問時にRussoとMelbourneは、日英関係の将来は深刻であり、開戦という事態もありうるということで意見が一致したという(63)。

そのMelbourneにも当局は接触していた。Melbourneは北部方面軍司令部の担当官の質問に対して、Russoは親しい友人であり、彼が考えていることは自分の家族が考えていることよりもよくわかっていると述べているが、Russoの書簡が当局の監視下に置かれていることを彼に伝えたことはないと答えている(64)。

Russoに対する警戒が厳重になっていく一方で、別の見方をする捜査官もいた。彼と面談したある捜査官は次のように記している。

「Russoはオーストラリアに忠誠を誓っており、とくに日本の政治問題に関しては、オーストラリアにとって有益な情報源である。（中略）また、彼は豪日間の文化交流について、現在のところは一方通行であると述べている。すなわち、日本はオーストラリアに文化関係の書籍や備品を寄贈しているが、オーストラリアはそういうことをしておらず、彼は自分のお金で日本の大学にオーストラリアに関する書籍を寄贈したという。自分の見るところ、Russoは豪日間の文化関係を改善しようという自己の仕事に誠実である。」(65)

また、別の捜査官も、「Russoと3時間あまり話した結果、彼のオーストラリアに対する忠誠心に疑うべき点はなく、オーストラリアに滞在している間も日本へ戻った後も、彼は当局にとって有益な存在でありつづけるだろう」(66)と書いている。

Russo自身もオーストラリアの公安当局に情報提供を申し入れたことがあったようだ(67)。ただし同時に、その情報は「極秘」(68)として取り扱うことを要請している。なぜなら、もしそれが外に漏れたならば、「日本で死刑に処せられると心配した」(69)からである

Russoの一時帰国中の1940年8月18日に日豪両国政府は公使の交換を正式発表した。これに関連して、クィーンズランド州の地方紙「Smith's Weekly」(8月31日）はRussoの存在を次のように報じている。

「初の駐日オーストラリア特命全権公使となるJohn Latham卿とその参事官にとって日本は単なるご馳走と桜の国ではないだろう。日本での外交活動はいたるところに落し穴が待っている。しかし、オーストラリア代表部のために道をきちんと整えてくれる人物が日本にはいる。それはバララット生まれのPierino（Peter）Russoで、彼は日本の首相である近衛公爵の信頼を得ている。」(70)

しかし、当局にとっては、RussoがLathamに接近するのは好ましいことでなかった。Russoはオーストラリアと英国の対日外交政策を分離することを目論んでいると見なされ、さらに、「Latham卿をこの方向に誘導すべく、同卿と同じ客船で日本に戻ろうと企てている」(71)と疑われた。

Russoは1940年12月に日本へ戻ることになったが、その直前の11月26日にクィーンズランド州の有力日刊紙「Courier Mail」に、「上海や東京でヨーロッパ人は荷造りを始めている。しかし、私は日本へ帰る」（Europeans are packing up in Shanghai and Tokio... But I am going back to Japan）(72)というタイトルの原稿を寄せている(73)。その中でRussoは次のように書いている。

「この数年、われわれは国際文化振興会を通じて、オーストラリアの太平洋における重要性、および強さと勇気に満ちた成長する国家としてのオーストラ

リアを日本に印象づける素晴しい機会を得た。また、われわれは振興会を通じて日本から種々の文化的資料も得た。それに対して、オーストラリアは日本に何を送ったか。オーストラリアはきどって歩くサーファーと水遊びする美女の国であるという観光用パンフレットだけではなかったか。しかし、幸いにして今日、オーストラリアは日本に対して、その真の姿、ダイナミックな真の姿を紹介しようと努力しているように見える。(中略)

今日、もし日本が攻撃的だとしたら、それを教えたのはヨーロッパである。ヨーロッパが日本に攻撃することを教えたのである。日本の歴史は日本人が本質的に平和を愛する人々であることを教えてくれる。もし日本と開戦という事態に至ったならば、われわれはフランケンシュタインを作り上げた者のような立場に立たされることになる。なぜ私は日本に戻るのか。それはオーストラリアと日本はともに相互の福祉と太平洋の幸いのために協力することができるという私の信念を証明し、さらには相互の友好関係を強固なものにするためである。」(74)

ところで、近衛からの親書は結果的に報道機関から無視された(75)。当局の妨害が効を奏したことによるのか否かは不明であるが、失意の Russo はこの親書を首相府に託すことにした。彼は 11 月 29 日付で首相府に書簡を送り、その中に、「近衛公爵のような立場の政治家がオーストラリア市民にあてて直接メッセージを送るということには前例がなく、これは歴史的意味を持つ親書である」(76)と記している。Russo は 12 月 2 日発の「きゃんべら丸」でシドニーから日本に戻ったが、それを追いかけるように首相府は 12 月 6 日付で彼に書簡を送り、この親書を「連邦政府として受理し、記録に留めた」(77)ことを通知している。

受理はしたものの、その取り扱いについて、オーストラリア政府は苦慮することになった。はじめは国立図書館での保存が検討されたようだが、同館は 1941 年 3 月 6 日付で首相府に書簡を送り、この親書は国立図書館に展示するよりも、それの書かれた目的からして、額装を施した上で国会議事堂に一定期間展示し、人々の観覧に供した後、重要な歴史的文書として外務省で保存すべきだと主張した。これに対して、外務省は 3 月 14 日付で首相府に書簡を送り、近衛親書は国際文化振興会という「民間団体」(78)の会長名で、しかも Peter Russo という「民間人」(79)を経由してもたらされたものであり、国会議事堂に展示するのはふさわしくないと主張した。国立図書館と外務省の板挟みとなった首相府は、国立図書館に再度引き取りを要請したようであるが、これに対して国立図書館は 3 月 18 日付で首相府に書簡を送り、それでは首相府で引き取ったらどうかと回答した[80]。

一方、日本に戻ったRussoは1941年2月13日付で国際文化振興会に辞表を提出した。これに対して同会理事長の永井松三は2月22日付でRussoに書簡を送り、彼のそれまでの功績を次のように称えた。

「貴兄は日本をオーストラリアに紹介しようと努力されるとともに、貴兄の国がわれわれ日本人に良く知られるようになるためにも労力と時間を費やされました。私は貴兄の努力が結実し、太平洋の両岸に位置する二つの国が親密な友情で結ばれる時がやがて来るであろうことを確信しております。」[81]

彼はまた1933年から約7年間にわたって勤務した東京商科大学も1941年3月末をもって退職した。当初の契約期間は1942年3月31日までであったから、1年短縮しての退職だった。

国際文化振興会と東京商科大学を退職したRussoは、3月31日に神戸発の「東京丸」で帰国の途に着いた。辞表を提出するためだけの、わずか3か月の日本滞在だった。帰国後、Russoはメルボルンに本社を置く「Herald」社に新聞記者として入社したが[82]、その活躍ぶりをある在豪日本人は次のように記している。

「かって商大に教鞭をとり、又国際《マ》文化協《マ》会にも勤めた濠洲人ラッソー教授は、このモリソン奨学資金で日本へ留学、日本に来てから彼の天才的語学が一層上達したのであった。昨年帰国してからは、メルボルン第一の新聞社ヘラルドに高給で招聘され、濠洲に於ける日本通の第一人者として非常に重要ポストが与えられてゐた。彼は度々社説に最近の日本に関する記事を載せてゐた。中には日本を褒めたものもあったが、くさしたものもあった。文化方面だけでなく、政治、経済、軍事迄も長々と書いてゐた。度々私の処へもやって来たので、これこれの記事には不満があった等といふと、彼は、日本のいゝ事ばかり書いたのでは自分のパンの食べ上りにもなるから、その辺は悪しからず思って貰ひたい、自分は日本で受けた皆々からの好意は、決して忘れてはゐないと弁明したものだ。新聞社の中でも、日本の事情に明るい連中は全く居ないので、彼の発表は大いに重要視されてゐた。カンベラ政府当局でも、度々彼の意見を徴して居たやうであった。」[83]

また、「東京朝日新聞」の特派員は次のように書いている。

「最近目立つことは、国際情勢の緊迫から、日本を引揚げた濠洲人やイギリス人が沢山濠洲に落着いてそれらの人々の日本に関する感想や論策が、新聞雑誌に相当多く見受けられるやうになったことだ。

なかでも東京滞在十年、東京商大や文理大で英文学を講じてゐたピーター・ラッソー氏が、最近濠洲に帰って来て、現在メルボルン第一の夕刊紙ヘラルド紙の記者として、ほとんど三日に一度は日本に関する政治経済軍事何でも御座れで長文を物してゐるのが、関係者の眼を引いてゐる。

これらの全部が必ずしも親日的といひ難いが、濠洲に少くとも知日家が殖えたことは事実であろう。」(84)

日本を「くさした」記事も書いていたRussoだったが、オーストラリアの捜査当局にとっては「親日家」であることに変わりがなく、彼は4月14日のオーストラリア到着時から、その一挙手一投足が再び監視の対象とされた(85)。

オーストラリア国立公文書館に残されている1941年5月30日付の「海外安全保障報告抜粋」は、Russoを日本政府の「諜報員」(86)と認定し、その任務を従来と同様、次のように断定している。

「彼のオーストラリアにおける使命は、オーストラリアの一般市民に対して、オーストラリアの極東政策は英本国のそれとは異なるものであること、そして、豪日通商問題における英本国からの圧力に対してオーストラリア政府は抵抗しているのみならず、日本との通商関係および平和を維持しようと努力していること、オーストラリアは日本に大使を派遣すべきであること等を示唆することにある。」(87)

また、1943年4月12日付の捜査資料によれば、Russoは「東京では枢軸国側に与していたことで知られており、その程度は知人が彼のことを忌避するほどだった」(88)が、オーストラリアに帰国した後も、彼は「枢軸国寄り」(89)と疑われていた。さらに、1944年2月26日付の捜査資料は、Russoを次のように紹介している。

「彼はイタリア系両親の下、オーストラリアで生まれた。1934年に渡日し、東京商科大学教授となった。1935年には外務省に出向し、訪豪親善使節団に参加した。かかる地位に外国人が就いた前例は日本にはないと言われている。1940年7月にRussoは休暇のためオーストラリアに帰国し、同年12月に日本へ戻ったが、翌年4月には再びオーストラリアに舞い戻ってきた。現在、彼はジャーナリストとして働いている。1940年5月、Russoは東京在勤中におけるイタリア政府への奉仕が認められ、同国から勲章を授与されている。また、彼は黒龍会の指導者である頭山満と会見したことでも知られている。」[90]

オーストラリア国立公文書館に保存されている文書によると、Russoは第二次世界大戦後もしばらくの間、捜査当局の監視対象だった。しかし、それは「親日家」としてではなく、今度は「左翼」[91]としての「容疑」のためだった。1951年9月4日付の文書には次のように記されている。

「戦争中、彼はきわめて親日的な人物と一般には見なされていたが、東京で彼を知る人物からの情報によると、ファシズムや日本およびイタリアにおける独裁政治には反対していたという。また、もし東京に戻ったとしたら、彼はその反ファシズム的な言動により逮捕されていたのではないかという指摘もある。しかし、東京では英帝国の公的機関および英国人社会から、気のきかない不器用で生意気な人物と見なされ、人気がなかった。

現在、彼はきわめて左翼的で個人主義的な人物と見なされている。Russoは自分自身の利益のことにしか関心がない。彼が左翼だという確証はない。ただし、彼は最近アデレードで開催された、日本の再軍備に反対する集会で演説したが、演台に立ったのはほとんどが左翼に近いか左翼として知られる人物だった。」[92]

戦後もRussoはジャーナリストとして生きた。1946年には「Herald」社から「Argus」社に移り、その後も英国やオーストラリアの新聞社に外交問題や極東問題を専門とする記者として勤めた。また、1985年に77歳で死去するまで、オーストラリア放送協会で外交問題担当の論説委員を務めた。しかしこの間、彼が再び日本語教育や日豪間の文化交流と関わることはなかった[93]。

〈註〉

(1) これより約60年早く、日本政府は英国政府の要請を受けて、1875年のメルボルン万国博覧会、1879年のシドニー万国博覧会、1880～1881年のメルボルン万国博覧会に出品している。成田勝四郎（1971）11頁

(2) 国際文化振興会（1935a）270頁

(3) 芝崎厚士（1999a）99頁

(4) この時期（1936年度～1938年度）における国際文化振興会の予算・決算の内容について

は、国際文化振興会（1937i）、同（1937j）、同（1938d）、同（1938e）を参照。

(5) フライ，ヘンリー（1980）108頁

(6) 竹田いさみ（2000）168頁

(7) 竹田いさみ・森健編（1998）292頁

(8) 一方、「濠洲に対して要望されるもの」としては、「日濠間の電信料（海底電信）の引き下げ」「日濠間の無線電信・無線電話の開設」「関税の引き下げ」「白濠主義の修正」「船舶に対する課税撤廃」とともに、「教科書の改訂」と「日本に対する正しき認識」が挙げられている。このうち「教科書の改訂」については、次のように記述されている。「濠洲各州文部省の管轄下にある各学校の教科書は州に依って夫々異なる。其の小学校に於ける地理教科書の日本に関する各章を調べると、残念乍ら近代日本から遠くかけ離れた教材が使用せられ、中には明治中葉頃の日本が教へられてゐる。特に驚くべき事実は日本に関する写真が極めて古くさいもので、一例を挙げると「弟妹を背にする日本の娘達」と説明ある写真に於て素足の下駄履きで而も服装のよくない十二、三歳前後の七、八人の子守りが子供を背にして集まってゐる極めて貧弱なるものがある。之れは是非改訂さるべきであり、日本からも新しい正当な写真を積極的に供給さるべきである。日本の民族並に文化を正しく教授される様濠洲各州文部当局の適宜の処置と誠意を期待する。」（98頁～99頁）

また、「日本に対する正しき認識」については、次のように記述されている。「濠洲は官民ともに日本の国体、民族、文化を正しく認識すべきである。然らば日濠両国の国交と親善は更に一段の進展が期待され、右の諸問題も自ら解決するであらう。特に東亜に於ける日本が如何なる地位にあるか、又世界平和のため、防共に如何に努力してゐるかを知るべきである。現に濠洲は共産党の暗躍に依って濠洲から日本に積出さるべき銑鉄の荷役が阻止され自ら貿易の利益を阻害してゐる。また日本を正しく認識すれば、日本が招聘したハイ・スクールの女教諭の派遣をニユー・サウス・ウエールズ州の教諭団体が日本は交戦国であるとの理由の下に拒絶するが如き愚挙を敢へてしないであらう。日本を正しく認識せざる限り真の太平洋問題は解決されない。濠洲の将来は遠きヨーロッパより近き東洋に多くの依存性がある。」（100頁）

(9) 豊田治助（1939）105頁

(10) 曾野豪夫（2000）によれば、1938年5月、「在留日本人会はシドニーとメルボルンにそれぞれ啓発委員会（Association of Far Eastern Affairs, Sydney and Melboune）を発足」（57頁）させた。その目的のひとつは、「日本文化の紹介」をもってオーストラリア人を「啓発」することにあった。

(11) 豊田治助（1939）106頁～107頁

(12) 豊田治助（1939）107頁

(13) 国際文化振興会（1940）52頁

(14) 国際文化振興会（1940）52頁

(15) 国際文化振興会（1940）52頁

(16) 国際文化振興会（1940）52頁

(17) 国際文化振興会（1940）52頁

(18) 外務省文化事業部（1939）40頁～41頁。なお、外務省における国際文化振興会の監督業務は、従来は文化事業部第三課が担当していたが、1938年12月16日付で同課は廃止さ

れた。これにより、文化事業部内における担当業務は、「第一課に於ては対支文化事業に関する事務」、「第二課に於ては国際文化事業に関する事務」を所掌すると分担され、国際文化振興会の監督は第二課が管掌することになった。外務省文化事業部（1939）4頁を参照。

(19) 国際文化振興会（1940）23頁

(20) この時期の国際文化振興会の事業については、該当する時期の『国際文化振興会理事会議事要録』が外務省外交史料館にも国際交流基金図書館にも保存されていないため、詳細が不明の場合が多い。これに関して、川崎賢一（1999）は次のように述べている。「（筆者註：国際文化振興会の事業は）太平洋戦争が始まることにより、方向転換を余儀なくされた。しかし、肝心なことは、この時期1937年から45年にかけての理事会の記録が失われているので、本当のところはよくわからない。（中略）正式には、「理事会ならびに評議会議事録」と呼ばれる資料が残っている。全部で21冊に及ぶもので、昭和9年（1934）から昭和21年度（1946）のものがひとまとめになっている。詳しい内容について言及できないが、なぜか、昭和13年度（1938）から17年度（1942）にかけて欠落している。これは私見であるが、おそらく何らかの理由で、廃棄されたように思える。」（11頁～13頁）

(21) 外務省文化事業部（1939）27頁

(22) 国際文化振興会（1937c）582頁

(23) 国際文化振興会（1938a）720頁

(24) 団伊能（1964）20頁

(25) 青木の退職に関して、国際文化振興会の総裁を務めていた高松宮宣仁親王はその日記（1941年10月29日）に次のように記している。

「一三〇〇、国際文化振興会、青木主事退職につき、よんで「カフス」釦、記念にやる。青木主事は創立以来、黒田伯と二人でやってきた最も功労者なり。退職理由、本人は「よくわからぬ」と云ひ、永井理事長は「性格上どうかすると人と衝突したり、党派みたいに分れるもとになるから」と云ひ、徳川副会長は「制度改正のため」と云ふ。そして青木の話の中に、外務、情報局が強力に統制せむとし、又その役人を会に入れようとしたりする傾向、益々大にして従来の樺山理事長からの民間でやる主義が（現下の直接目的、政治的利用の参謀本部辺りの要求とからむで）対抗してゐる一ツの現れとも考へられる。

文化事業をそんな瞬那《ママ》的効果に、政治、外交の直接手段に用ひるのなら、こんな会としてやりたくないのは私の強く考へる処で、予算等のために圧迫られ《ママ》る事はあっても、何んとかして純粋な国際文化、オ役所仕事ならぬものにしたいと思ふ。」高松宮宣仁親王（1995）312頁～313頁

(26) 青木節一（1964）23頁

(27) 国際交流基金15年史編纂委員会編（1990）9頁

(28) 外務省文化事業部（1939）28頁

(29) 日濠協会（1939）27頁

(30) 日濠協会（1939）27頁

(31) 当時、「対濠文化工作」における教師招聘事業については、次のような意見も見られた。

「それならば、具体的問題として、吾が対濠文化工作は如何にするか。（中略）次代の濠洲人に根強い影響を及ぼす小学校の教師を目標として働きかけることである。（中略）

即ち、濠洲公立小学校教師全部を五ヶ年乃至十ヶ年計画により、日本船舶による往復船賃及び日本国内鉄道（幹線内一ヶ月有効券を発行）を無料として、日本視察に招ずるのである。日本の国民学校教師に比較すれば、遥に長期の休暇を有する彼等として、時間の点は余り支障を来さぬと考へられる。この総経費約二千万円乃至三千万円を要するが、十ヶ年十画を一段階として、年額二百万円乃至三百万円、過古の二百万円ならばいざ知らず、すでに一九三九年当時に於てすら日本の実力は一時間平均百万円の予算を計上するまでに至ってゐる程であり、一ヶ年中の僅か三時間に相当する経費の別途捻出によって、濠洲小学校教師、及んでは次代濠洲人に斉しく、現今よりは遥に正鵠を得た日本認識を把握せしめ得る企画を実施出来るのである。世人評して、招待しても彼等は訪日旅行を好まぬとするかも知れないが、亜濠共栄圏の確立が永遠の策として絶対に必要不可欠事であるとの信念を以て、まづ彼等に誠心折衝すべきであり、逡巡が歴史の新頁を繙いた例は絶無であろう。

但し、彼等訪日視察者達に対し、富士山と鳥居はさて置きそれにつきものの如く芸者まで進んで展覧させるが如き、鹿鳴館時代と一向に変らぬ案内振りでは、却って対日軽侮の心を助成し易い間隙を示すものに他ならない。且つその場合、独善的に日本精神なり日本文化なりの速急了解を強ひることは大愚至極なことで、吾々はまづ何を措いても彼等の立場なり心理状態の如何を充分に考慮し、出来るだけそれら日本の真髄を平易に且つ具体的に、誠・熱・根の三心気を以て彼等へ噛んで含めるように会得させねばならぬ。日本人である限り、日本精神を充分に会得することは時間を要せぬが、それだからとて、彼等にそのまゝな速急会得を期待するとせば、それは期待する方に無理があり、その点の喰ひ違ひが応々にして逆効果を齎らすことは、対濠問題のみの場合に限らず、吾等斉しく再慎重を要するものと痛感してやまないのである。」伊東敬（1943）334頁～336頁

(32) 日濠協会（1939）31頁

(33) 国際文化振興会（1940）20頁

(34) 国際文化振興会（1964）24頁

(35) 日濠協会（1940）10頁

(36) 日濠協会（1940）33頁

(37) 国際文化振興会編（1941）405頁

(38) 国際文化振興会編（1941）1頁

(39) 藤本周一（1994）541頁～544頁

(40) 日本からの応募は少なかった。その理由を国際文化振興会は次のように分析している。「以上の統計を一覧して感ずる事は、先づ地域に於て日本国内からの応募が頗る少いといふことである。これは在留外人の引上げとか留学生の激減とかに拠る事は勿論であるが、概して在留外人は単に職業的理由から日本に住んでゐると云ふだけであって、必ずしも学究的労作にはその努力を傾ける興味も熱意もさしたるものでは無いと云はざるを得ないであろう。宣伝も最も行き亙り参考文献から云っても環境から云っても最も恵まれてゐる筈の国内のこの現状は特に我々の注意を惹くものがある。」国際文化振興会編

（1941）411頁～412頁
（41）国際文化振興会編（1941）420頁
（42）国際文化振興会編（1941）421頁
（43）NAA BP242/1, Q24136
（44）NAA BP242/1, Q24136
（45）NAA BP242/1, Q24136
（46）NAA BP242/1, Q24136
（47）NAA BP242/1, Q24136
（48）NAA BP242/1, Q24136
（49）NAA BP242/1, Q24136
（50）NAA BP242/1, Q24136
（51）NAA BP242/1, Q24136
（52）NAA BP242/1, Q24136
（53）オーストラリア国立公文書館に保存されている1940年11月11日付の捜査資料によれば、駐日オーストラリア通商代表部の代表代理Albert Hardは国防省と関係があり、オーストラリアの捜査当局とも定期的に連絡をとりあっていた。そのHardの証言によれば、Russoはイタリア政府から勲章を授与されたこと等の理由により、東京の英国人社会から不当に扱われていたという。彼の会話の主要テーマは、いつも豪日関係の改善にあり、10年に及ぶ滞日経験と日本に対する深い知識ゆえに、いずれはキャンベラに招致され、外務省か国立図書館で働くことになるのではないかと感じていたという。また、Russoは自分の民族的な出自にコンプレックスを感じており、「僕は南欧の（Dago）バックグランドをもったオーストラリア人だ」と述べていたという。（SP1714/1, N45868）
（54）Russoの東京のアパートは、その滞日最後の2年間、日本の憲兵隊によってもたびたび捜索されている。Torney-Parlicki, Prue（2001）p. 362.
（55）NAA SP1714/1, N45868
（56）NAA BP242/1, Q24136
（57）他の親書が誰からのものであったかは不明である。
（58）Russo, Peter（1962）p. 6.
（59）NAA BP242/1, Q24136
（60）NAA BP242/1, Q24136
（61）NAA SP1714/1, N45868
（62）NAA BP242/1, Q24136
（63）NAA BP242/1, Q24136
（64）NAA BP242/1, Q24136
（65）NAA SP1714/1, N45868
（66）NAA SP1714/1, N45868
（67）NAA SP1714/1, N45868
（68）NAA SP1714/1, N45868
（69）NAA SP1714/1, N45868
（70）Smith's Weekly（1940）

（71）NAA SP1714/1, N45868
（72）Russo, Peter（1940b）
（73）その冒頭で、「Courier Mail」編集部はRussoを次のように紹介している。「現在ブリスベンに滞在しているPeter V. Russo教授は東京にある大学の現代語教授に復職すべく、日本に戻る予定だ。彼はオーストラリア人であるが、オーストラリアと日本は相互の福祉のために協力することができると信じている。」
（74）Russo, Peter（1940b）
（75）ただし、米国AP通信の東京支局はRussoが近衛の親書を携えて渡豪予定であることを海外に送信したようだ。オーストラリア国立公文書館に保存されている1940年7月9日付の陸軍省文書には、その記事の写しが添付されている。(NAA BP242/1, Q24136)
（76）NAA A461/8, 748/1/569
（77）NLA MS 8202, Papers of Peter Vasquez Russo, BOX 16
（78）NAA A461/8, 748/1/569
（79）NAA A461/8, 748/1/569
（80）NAA A461/8, 748/1/569
（81）NLA MS 8202, Papers of Peter Vasquez Russo, BOX 16
（82）Russoは1937年の後半から「Herald」紙に毎月定期的に寄稿するとともに、1939年からはオーストラリア放送協会（ABC）のラジオ番組とその週刊誌に「極東通信」（Far Eastern Newsletter）と題する原稿を送っていた。Torney-Parlicki, Prue（2001）p. 356.
（83）松永外雄（1942）263頁
（84）黒住征士（1941）
（85）NAA BP242/1, Q24136
（86）NAA BP242/1, Q24136
（87）NAA BP242/1, Q24136
（88）NAA BP242/1, Q24136
（89）NAA BP242/1, Q24136
（90）NAA BP242/1, Q24136
（91）NAA BP242/1, Q24136
（92）NAA SP1714/1, N45868
（93）Russoのジャーナリストとしての足跡に関しては、Torney-Parlicki, Prue（2000）および同（2001）を参照。なお、後者における著者の問題意識は、「太平洋戦争が始まるまでの期間、あるいは開戦直後も、なぜRussoは日本の立場を代弁しつづけたのか」という点にある。Torney-Parlicki, Prue（2001）p. 350.

2. 清田龍之助の場合

1941年12月8日未明、日本軍がマレー半島東部に上陸し、さらにはハワイの真珠湾を攻撃すると、米国や英国にならってオーストラリアも対日宣戦を布告した。

開戦に伴い、在豪日本人はそのほとんどが逮捕された(1)。クィーンズランド大学の清田龍之助は、12月8日13時50分に大学構内で逮捕され、自宅に連行されて、そこで所持品を徹底的に調べられた。尋問で彼は、今回の戦争は英国と米国が資源調達の面で日本を圧迫したがゆえに、日本としてはやむをえず起こしたものであると述べたという(2)。

12月12日10時40分、クィーンズランド大学の清田研究室に対する家宅捜索が開始された。また自宅も再び捜索された。押収文書は北部方面軍翻訳班で分析されたが、同班は1942年1月9日付で司令部に対して、清田邸の家宅捜索で見つかった文書の一覧表を送付するに際し、「1939年9月の開戦以来、個人の所有物からこれだけ多量のプロパガンダ文書が見つかったのは初めてのことであり、清田のオーストラリアにおける使命をあきらかに物語っている」(3)と記した。

それらの「プロパガンダ文書」の中には、日本外交協会発行の『東京通信』（News Stories from Tokyo）と『占領地における日本の救援活動』（Japanese Relief Work in the Occupied Areas）もあった。これらは3年前の1938年12月20日付で在シドニー日本総領事館が清田にそれぞれ10部ずつ送り、要所に配布するよう依頼したものであるが、それが1941年12月の家宅捜索の結果、清田邸から前者は7部、後者は6部見つかった。半数以上が配布されていなかったことから、清田はこれらのパンフレットを配布することにそれほど熱心ではなかったことがうかがわれるが、1942年7月6日付の文書で連邦安全保障局は、これらのパンフレットが清田邸から見つかったこと、その配布を日本総領事館から依頼されていたことの二点を根拠に、清田を「日本のプロパガンダの普及者として日本の政府機関から公認されていた」(4)と認定した。

押収されたのは「プロパガンダ文書」だけではない。クィーンズランド大学の清田研究室は1942年3月にも捜索され、北部方面軍は書籍類を押収したが、その中には、国際文化振興会が寄贈した日本の国語教科書216冊も含まれていた。北部方面軍は、「これらの教科書は日本政府から寄贈されたものであり、軍当局によって運営予定の日本語学校で利用するのが適当と思われる」(5)として、陸軍省に次のように報告した。

「これらの日本語教科書は、日本の諜報者との疑いがある清田に日本政府から送付されたプロパガンダ文書の捜索の過程で押収したものである。これらは日本語学習用のものではあるが、清田が日本語でオーストラリアの学生になにかしらの印象を与えるきっかけとなったものであり、押収したままにしておき、いずれ軍当局により開設される予定の、情報将校等のための日本語講座で利用するのが適当である。」[6]

これに対して、クィーンズランド大学は、日本語講座を継続するため、押収された教科書の返還を北部方面軍に要請した。また、大学側は、これらの教科書は日本政府から寄贈されたものではあるが、プロパガンダの要素を含んではおらず、さらに日本語講座の継続は連邦政府の要請によるもので、受講者には将校も含まれているとして、軍に抗議した。陸軍省も1942年4月28日付の文書で北部方面軍に対して、押収した教科書を大学側に返還するよう指示している。しかし、結果的にこれらの教科書はクィーンズランド大学に返還されなかった。1943年5月28日付の文書によると、クィーンズランド州安全保障局次長は連邦安全保障局長に対して、「メルボルンで軍当局によって日本語講座が運営されているとの理解」[7]の下に、クィーンズランド大学の清田研究室から押収した教科書を陸軍のクィーンズランド事務所に引き渡したと報告している。

しかし、クィーンズランド大学はあきらめなかった。同大学は1944年5月9日付の書簡で陸軍のクィーンズランド事務所に対して、「これらの読本は本学における日本語教育のために寄贈されたものであり、清田教授の所有物ではありません」[8]とした上で、次のように再度返還を求めている。

「今年もクィーンズランド大学は日本語クラスを運営しております。登録者数は68名で、その多くは軍の将校です。この日本語クラスにおける効率的な教育のため、本学は例の読本を必要としておりますが、情報局はそれらを留保したままであり、大学としてはたいへん困惑しております。また、本学は日本語文法書を100ポンド以上の予算をかけて出版いたしましたが、この日本語文法書は例の読本と一緒に利用しないことにはまったく価値がありません。

本学はこれらの読本が軍当局によって教育目的で使用されていることを承知しておりますが、全冊が留保されたままであることには納得がいきません。クィーンズランド大学としては、それらの読本が本学の所有物であることを公的にお認めいただけるとの前提の下に、戦争中はその幾割かを軍当局がご利用になることを歓迎いたします。また本学が作成した日本語文法書を軍当局に実費でお分けすることに同意いたします。これらの文法書は読本と一緒に用いられることを前提に書かれたもので、軍における日本語教育にも役立つものと思われます。

本学は1944年と1945年における日本語クラスの運営のため、最低150部の

読本の早期返還を要請いたします。」[(9)]

対日戦争中のこの時代にクィーンズランド大学でどのような日本語教育が実施されていたのかは明らかでない。また、クィーンズランド州安全保障局次長が意図したとおり、これらの教科書が実際にメルボルン陸軍日本語学校で利用されたのかについても不明である。しかしいずれにせよ、クィーンズランド大学の要請に対して、陸軍は 6 月 10 日付で、「これらの教科書は軍における日本語通訳者・翻訳者の養成と日本語文書翻訳の補助に用いられるべきであり、したがって、軍の管理下に置いておく必要がある」[(10)]として、その返還を拒否した。

北部方面軍がクィーンズランド大学の清田研究室から押収したのは、教科書だけではない。同じく国際文化振興会が寄贈した各種のレコードやスライドも押収している。レコードのうち 6 枚は「日本語学習用」[(11)]のものだった。1943 年 4 月 22 日付の連邦安全保障局次長の書簡によると、これらのレコードやスライドは、米軍連絡将校の示唆により、連合軍翻訳通訳隊（ATIS）の訓練部で利用されることになった[(12)]。

このように、国際文化振興会が「日本語普及」のためにクィーンズランド大学に寄贈した教科書や教材は、オーストラリアの「国益」のために積極的に活用することが検討されたのであるが、同会が「日本語普及」のためにクィーンズランド大学に推薦した「日本人講師」の方は、オーストラリアの「国益」を損なう存在として、その所持品が徹底的に調べられた。

連邦安全保障局は清田邸で見つかった名刺を分析するために、シドニー大学の Arthur Sadler まで動員している。その結果、黒龍会の主宰者である頭山満の名刺が見つかり、清田の「名前の「龍之助」は「龍（黒龍会）を助ける」あるいは「龍の助け」とも読めるが、これは偶然の一致に過ぎない」[(13)]としつつも、この名刺は清田に対する「容疑」をますます深める結果となった。連邦安全保障局は 1942 年 7 月 16 日付の文書で、次のように結論づけている。

「頭山と面識があったということは、清田がオーストラリアで日本のために諜報活動をしていた可能性を導き出す。このため、清田と関係があった全ての人々にも細心の注意を払う必要がある。

清田は、1938 年、国際文化振興会を通じて日本の外務省からクィーンズランド大学に派遣された。また、1940 年から日本との開戦までの期間、ブリスベン地区検閲局に日本語翻訳者として勤務していた。彼がこの日本語翻訳者としての地位を利用して日本政府に有益な情報の収集をしていたことには、疑いをさしはさむ余地がない。清田が日本政府から重んじられていたことは明らかであるし、彼は日本の諜報員としてオーストラリアに派遣されていたと結論づけることができる。清田の任務は日本に対する友好的な感情を醸成することと、これに関する情報を収集することであったと思われる。」(14)

清田は、はじめニューサウスウェールズ州のヘイ収容所に抑留されたが、後にヴィクトリア州のタチュラ収容所に移された。同収容所で「朝日新聞社のメルボルン駐在だった黒住征士さんは、子供を集めて日本語学校を開き、クインズランド大学のセイタ教授は、歴史教室」(15)を開講したという。

開戦翌年の1942年に日豪両国政府は抑留者の交換に同意した。日本政府はオーストラリアに抑留されている日本人のうち、外交官を含む52名の釈放を要求した(16)。1942年6月12日付の連邦安全保障局文書によると、タチュラ収容所関係では清田を含む32名とその家族の釈放が要求されている。清田以外はいずれも日系企業の関係者で、その内訳は、横浜正金銀行4名、三井物産4名、三菱商事2名、堀越商会1名、岩井商店4名、兼松商店2名、日本棉花1名、高島屋飯田3名、大倉商事1名、野沢組1名、荒木商店6名、山下汽船1名、朝日新聞社1名となっている(17)。日本政府が清田の釈放を要求したのは、抑留者の中では外交官を除いて唯一の「高等官」経験者であり、「従五位」でもあったから、その意味では当然であったろう。

しかし、清田の釈放にはオーストラリア側に異論もあったようだ。クィーンズランド州安全保障局次長は、1942年6月29日付の文書の中で次のように述べている。

「清田の場合、もし本国送還ということになれば、オーストラリアの国防や経済の状況に関する情報のみならず、親日的で日本が和平を提案してきた場合にそれを支持するであろうオーストラリア人の個人情報をも日本政府に提供することになろう。したがって、次のような事情を考慮すべきである。(a) オーストラリアに入国する前、清田は欧州と米国を訪問しているが、米国訪問は政府使節に準じた資格で行われたものだった。(b) 1938年のクィーンズランド大学赴任は日本の外務省が国際文化振興会を通じて実現したものだった。(c) 清田は離日前に伊勢神宮に参拝しているが、聞くところによると、伊勢神宮には、閣僚や大使等の高官がその就任時にのみ参拝する慣わしであるとのことである。(d) ブリスベン滞在中、清田は学生たちを親日的な方向に導こうと努力したのみならず、日本人社会あるいは H. W. Woodfield や Hugh V.

Millingtonのような疑わしい人物とも密接な関係にあった。また、様々なオーストラリア人と接触があった。(e) 清田が「オーストラリア第一運動」(Australia First Movement)[18]の指導者たちと個人的な接触があったという確かな証拠はないが、『評論家』(Publicist) はもとより、P. R. Stephensonや Adele Pankhurst Walshのような人物の親日的なパンフレットが清田の所有物から大量に発見された。(f) 清田はブリスベン地区検閲局に1940年から日本との開戦までの期間、日本語翻訳者として勤務していたが、彼はその地位を利用して日本政府に有益な情報を収集していたものと考えられる。(g) 1941年12月に清田邸を家宅捜索したところ、親日的なパンフレットが大量に見つかったが、これは1939年9月の開戦以来、個人の所有物から見つかった政治的プロパガンダ文書の中で最も規模が大きなものだった。(h) 1941年8月の対日経済制裁の発動後も、清田は日本公使の勧めにもかかわらず帰国しなかったが、このことは清田が開戦後に本国送還になることを期待していたことを示している。

これらの事実から、清田は日本政府から重んじられており、日本政府の諜報員として当地に派遣されていたものと結論づけることができる。彼の役割は日本に対する友好的な感情を醸成することと、これに関する情報を収集することにあったと考えられる。」[19]

安全保障局の異論にもかかわらず、清田は釈放されることになった。

朝日新聞社のメルボルン特派員だった黒住征士によれば、タチュラ収容所の、清田や黒住が収容されていた第4キャンプでは、1942年7月25日に「第四抑留所司令官スカリー少佐がやって来て、清田教授（その後ヘイからこゝに移されて来た）とその令嬢、雨宮君（筆者註：三菱商事株式会社メルボルン出張所長)、私、あと二家族に日本へ引揚げの意思ありやと質問」[20]した。清田にはそれを拒否する理由がなかった。

3週間後の8月18日、清田と長女の澄子を乗せた「カンタベリー・シティー号」はメルボルンを出港した。この抑留者交換船には、3か月前の5月31日にシドニー港を攻撃した日本海軍の特殊潜航艇乗員4名の遺骨とともに、連合国側の各地に抑留されていた867名の日本人が乗船していた。同船は、南インド洋を回り、約1か月後にアフリカ東岸のポルトガル領ロレンソ・マルケスに到着。ここで、一行は7名のオーストラリア人外交官を含む連合国側の収容者906名を輸送してきた「鎌倉丸」に乗り換え、シンガポールと香港を経て、10月9日、横浜港に到着した。日豪間の抑留者交換は、この後も両国間で協議の対象となったが、結局実現しなかった。

帰国から2か月たった12月9日に清田は海軍有終会で「大東亜と豪州」と題する講演を行っている。この講演で、清田はクィーンズランド大学が自分を招聘した理由を次のように述べている。

「クインズランド大学およびブリスベンにある大学がどうして外務省に誰か適任者を一人大学へ送って貰いたいと言って来たかということを、あちらにいていろいろ調べてみたのですが、こういうことだけは明瞭に申し上げられると思います。欧州戦争勃発以来の彼等としては、太平洋の国である日本とは、どうしても将来偉大な関係を作らなければならないという気持が具体化したということであります。（中略）

大学の教授が言うのに「豪州はイギリスではなく、太平洋の国である。而して日本も太平洋の国であって殖産工業その他すべてにおいて日本がリードしている。見てみろ、豪州には日用品は大抵メイド・イン・ジャパンではないか、だから今後ますます日本と豪州とは密接な関係を結んで行かなければならない」と言って、「豪州の太平洋外交政策というものは豪州から出るものだ、イギリスから出るべきでない。そうして相手は日本だ。だから日本と豪州と提携して行きたいのだ。それには外部から掣肘をして貰いたくない。」それはイギリスから干渉して貰いたくないということなのです。「イギリスの掣肘を受けて満足するならば、今のまゝでいゝのだ。イギリスはイギリスのためにわれわれを考えるのであって、ほんとうにわれわれの利害を考える者はわれわれよりほかにない。然るになぜイギリスと提携して来たか、それはいざ鎌倉という時に誰が豪州を救うのか、豪州を救う権利もあり義務もあるもの、それはイギリスなんだ、だからイギリスと提携しているのであって、決してイギリスが日本より好きだというのではない」と弁解する。（中略）

「しかし、これからは外交を独立させなければ、イギリスが豪州のために日豪関係を考えてくれないということが分かった。そこでまづ二つの方法を考えた。大学の教育は日本のことは日本の人にやって貰いたい」私が行く前からシドニーの大学にサッドラーという学者が東洋のことを教えている。日本に二十年近くもいた人で、古い物ばかり集め、鎧なども持っている。ところがこのサッドラー君は古事記はどういう本であるとか、また近世になると徒然草がどういうものであるとか、方丈記はどうであるとか、そういうことばかり言っていた。それでそういうことではいけない。もっと日本を理解さすためには、日本文化史の中に現代の日本産業も入れなければならない。つまり生きている今日の日本を教える人が欲しいのだ、自分は初めからそういう注文をしたのだから、その積もりでいて戴きたい、こういうことでありました。(中略)

まづそれを御覧になると、如何に豪州が昭和十三年から十四年の九月までは日本に接近することを心に燃やしていたかということがお分かりになると思います。中には大学生が、自分の将来の方針と関連して選択する大学の講座まで私に相談するのです。自分は将来貿易方面で働きたいと思うが、どういう学科を選んだらよいでしょうか。これまではどんな風に大学は諸君に説明していたかと問うと、将来諸君が最も研究しなければならぬのは日本である。日本こそ諸君が一ばん熱心に研究して置かなければならないものである。それは豪州人が一度日本に来て帰えると、まるで観念が変って来る。欠点など見ないで、よいところばかり見てくれる。だから学生達に掛引きなく日本は偉い国だと教える。お前達は日本を大いに研究しろ、そうすれば決して将来悔いることはない、こう言っていたと学生は説明するのです。」[21]

上記の清田の発言は、オーストラリアの「大学の教授」や「大学」が述べたことの引用という形をとっているが、たぶんに脚色もあろう。大言壮語の傾向もなきにしもあらずである。また、清田の言う「大学の教授」とは彼を招聘したAlexander Melbourneのことではないかと想像できるが、いずれにせよ、清田がこれらの「大学の教授」や「大学」の説明内容に賛同していることは明らかであり、彼にとってオーストラリアで「日本」を教えるということがいかなるものであったかが自ずと明らかになる。そして、彼が渡豪時に抱いていた確信、すなわち、オーストラリアの一部には「日本の文化も早く吸収して青年を養ひたいといふ精神があるに違ひない」という確信は、最後まで不動であったとすることもできるだろう。

海軍有終会における講演では意気盛んだった清田だが、それから半年もしない1943年4月24日に58歳で死去した。死因は肺炎だったが、「キャンプ内で毒クモにさされ高熱によるすい弱も原因の一つであったようである」[22]とされている。

終戦から7年たった1952年の2月15日付で、清田澄子はクィーンズランド大学に次のような内容の書簡を送っている。

「私の亡父清田龍之助はクィーンズランド大学で1938年から1941年まで交換教授として日本文化史を教えておりました。私も父とともに1940年から1941年までブリスベンで暮らしました。前の大戦中、父と私は1941年12月から1942年7月までタチュラ収容所に入れられておりました。父は1943年に肺炎のため東京で亡くなりました。

父は抑留される時、大学の研究室に、書籍、日本画、日本人形、カーペットなどを残しました。私の友人で現在シドニーに滞在している雨宮稔氏がこれらの遺品のいくつかを日本に持ち帰ってくれるとのことです。もしもこれらの品々が大学に残されておりましたら、雨宮氏のブリスベンにおける代理人にお渡しくださいますようお願いいたします。ただし、貴大学の学生に有益と思われる書籍につきましては、どうぞそのままにしておいてください。また日本画につきましても、1～2枚を除いて、そのまま大学に残しておいていただきとうございます。父はオーストラリアを愛しておりましたし、帰国した後も大学の方々を懐かしく思い起こしておりましたので。」(23)

清田が残した教科書をめぐって、北部方面軍と争奪戦を演じたクィーンズランド大学ではあったが、清田の個人資産は戦後まできちんと管理していたようで、そのことに対して、澄子は1952年2月26日付の書簡で同大学事務局長に謝意を述べるとともに、清田が残した「日本画や書籍は父の記念として、そのまま大学に残しておいてください」(24)と再度希望した。

澄子の希望どおり、「日本画や書籍は父の記念」として大学に残ったものの、清田が1938年から1941年までの約3年半、クィーンズランド大学で「日本」と「日本語」を教えていたという事実は、戦後忘れられることになった。また、清田を招聘したMelbourneも1943年1月に54歳で死去しており、「アジア研究がオーストラリアで盛んになるのは1960年代のことであるが、Melbourneの果たした役割は、この時代までにはもうほとんど忘れ去られ」(25)ていた。

国際交流基金は1989年と1997年にそれぞれ、『オーストラリアの日本研究』、『オーストラリア・ニュージーランドの日本研究』というディレクトリーを発行している。このディレクトリーの中には、オーストラリアの各大学に所属する日本研究者がそれぞれの大学の日本語教育・日本研究の変遷と現状について記述した章があるが、クィーンズランド大学の項には、そのいずれにも清田の名前は見られない(26)。また、海外における日本研究史を扱った文献で、清田の渡豪に触れているのは、管見の限り、成田勝四郎（1971）と疋田正博（1994）だけである。ただし、それも前者においては、「ブリスベーンのクィーンズランド大学は戦前東京商大から清田竜《ママ》之助を招いて日本に関する講座を設けた」(27)と触れられているだけであり、また後者においても、「クィーンズランド大学で1939年から42《ママ》年まで清田龍之助教授が日本学科を主宰していた」(28)と書かれているのみである。

清田はクィーンズランド州で最初の「日本語教師」だった。1960年代後半のクィーンズランド大学で日本語教育に携わった経験を持つ古澤峯子は、1965年に初めてオーストラリアに渡った時のことを後に次のように回想している。

「私が一九六五年にはじめてブリスベンを訪れた時、市全体の親日ムードに驚いたのですが、それにしても大学の日本語学部に赴任した八人の日本人が、着任後間もなく、日本人であるということだけで、面識の全然ない方々から夕食にお招き頂いたことにはびっくりいたしました。戦前日本語を勉強した方々でその先生はセイタ先生ということでした。たいへん立派な先生であったらしく、60才前後と思われるその教え子達がセイタ先生を敬慕している姿に深い感動を覚えたのです。その方々のおかげで、ブリスベンでの生活がどれほど楽しく豊かなものになりましたことか。私共はセイタ先生の名をはづかしめてはいけない、とかたく心に誓い合ったものでした。」(29)

第二次世界大戦後、クィーンズランド州の日本語教育は、「セイタ先生の名をはづかしめてはいけない、とかたく心に誓い合った」日本人教師たちと、戦時中は空軍日本語学校の教壇にも立っていたJoyce Ackroydによって再開された(30)。同州は早くも1970年代の初頭に、「この州を通じてきわめて熱心な日本語熱には驚く程で、クィーンズランド大学の日本語科の充実していることは有名だが、地方の高校の十校で日本語を正課にしていることは心強い限りである」(31)と言われるまでになった。清田の渡豪から60年たった1998年におけるクィーンズランド州の日本語学習者数は約8万人(32)。「小学校、ハイスクールを通して外国語の中で日本語が一番多く学ばれて」(33)いるという。

〈註〉

(1) Nagata, Yuriko (1996) によれば、クィーンズランド州の本土では223名が逮捕された。また、開戦前にオーストラリアには日本人が1,175名いたが、うち1,141名が収容所に送られた。

(2) NAA BP242/1, Q24301

(3) NAA BP242/1, Q24301

(4) NAA BP242/1, Q24301

(5) NAA BP242/1, Q24301

(6) NAA BP242/1, Q24301

(7) NAA BP242/1, Q24301

(8) NAA BP242/1, Q24301
(9) NAA BP242/1, Q24301
(10) NAA BP242/1, Q24301
(11) NAA BP242/1, Q24301
(12) NAA BP242/1, Q24301
(13) NAA BP242/1, Q24301
(14) NAA BP242/1, Q24301
(15) 三瀬幸次郎（1998）72 頁
(16) Nagata, Yuriko（1996）p. 96.
(17) NAA BP242/1, Q24301
(18) 結社としての「オーストラリア第一運動」は、オーストラリア・ナショナリズムのひとつの発露として 1936 年に結成された。政治的には反英・反共の立場をとり、ドイツや日本に共感を抱いていたとされる。『評論家』はその機関誌で、1942 年まで発行された。なお、同年 5 月には日本のオーストラリア侵攻に協力するのではないかとの疑いから、その指導者や会員 23 名が軍当局によって秘密裏に逮捕されている。
(19) NAA BP242/1, Q24301
(20) 黒住征士（1942）
(21) 清田龍之助（1943）2 頁
(22) 古澤峯子（1977）4 頁
(23) NAA A1379/1, EPJ1497
(24) NAA A1379/1, EPJ1497
(25) Bolton, Geoffrey（1995）p. 123.
(26) 1989 年版は Alan Rix、1997 年版は Nanette R. Gottlieb が執筆。
(27) 成田勝四郎（1971）69 頁
(28) 疋田正博（1994）323 頁
(29) 古澤峯子（1977）1 頁
(30) 1964 年 8 月、クィーンズランド大学の大学拡張委員会は、「日本語・日本文学科」（Department of Japanese Language and Literature）の創設を総長に答申した。この答申を受けて、クィーンズランド大学は、当時、オーストラリア国立大学に勤務していた Joyce Ackroyd を「日本語・日本文学科」の初代主任教授に招致した。古澤峯子は、ブリスベンで開催された会議に出席するため、1965 年 8 月に渡豪したが、その古澤がクィーンズランド大学で日本語教育に従事するようになった経緯について、同人は後に次のように述べている。「その（筆者註：会議の）会場となったクインズランド大学にその翌年、四十一年から日本語学部が創設されるというのです。さっそく「お手伝いしたい」と申し出ました。主人は亡くなっていましたし、一人息子はもう結婚していました。西宮の高校も、もう辞めていましたから。九月から勤務ということでその会議のあとそのまま居残りました。（中略）日本語学部はその翌年三月開講というので、学部長のアクロイド教授もまだキャンベラの国立大学に籍を置かれたまま、翌年の一月でなければ来られないということでした。（中略）学部のために日本からあらたに赴任してこられる八名の方々も、四月でなければ来られない。私はたった一人で毎日大学に出勤、参考書も何もないまま、せっせとテキストづくりに励んでおりました。（中略）いよいよ三月。日本語講座開始です。希望者が百四十人もいてびっくり。せいぜい二、三十名ほどだと思っていましたから。そのうちの約半分が社会人で夜の学生。会社社長、大学教授、お孫さんもいるという老夫妻などなど。その熱心さに圧倒されました。」古澤峯子（1997）18頁～19頁

（31）斉藤鎮男（1971）141頁～142頁

（32）The Japan Foundation Sydney Language Centre（1999）p. 2.

（33）尾崎裕子（1999）2頁

3. 稲垣蒙志の場合

1941年12月8日、日本軍が真珠湾を攻撃したニュースがオーストラリアに伝わると、日本国籍の者はそのほとんどが逮捕された。同日午後、稲垣蒙志の配偶者Roseが自宅に戻ると、「家中がめちゃくちゃに散らかされて」(1)おり、稲垣はすでに連行された後だった。

オーストラリア政府による日本人逮捕は徹底していた。その理由を永田由利子（1998）は次のように分析している。

「オーストラリア政府は日本人・日系人検挙には強硬な手段をとり、ドイツ人・イタリア人の検挙率31～32%に比べ日系は97%と高い。また、ドイツ系、イタリア系の女性は危険分子とみなされた者以外は検挙の対象外であったが、日本人女性の場合は全員強制連行された。この理由は第一にやはり白豪主義を唱えるオーストラリアの「黄禍思想」の幻想が日本の真珠湾奇襲攻撃により現実化したことで、反日政策が強化されたことである。第二にそれまでの戦争が遥彼方、ヨーロッパで戦われていたのが、日本参戦により戦場が自分の国土に接近し、パニック状態になったこと、第三には当時の日本人・日系人社会が小さく集中していたこと、そして第四にはオーストラリアは第一次世界大戦のときも民間ドイツ人を抑留した経験があり、用意周到であったことなどが理由としてあげられる。」(2)

逮捕された日本人は3つの収容所に分けて抑留された。ニューサウスウェールズ州のヘイ収容所には真珠貝採取の潜水夫たちが収容され、その他の独身男性は南オーストラリア州のラブデー収容所に、家族組と独身女性はヴィクトリア州のタチュラ収容所に抑留された(3)。稲垣が収容されたのはタチュラ収容所である。

朝日新聞社のメルボルン特派員だった黒住征士によれば、1941年12月8日に

ヴィクトリア州では彼自身を含め16名の「民間日本人」が逮捕された。最初、黒住は高須賀穣の長男で当時は「ヴィクトリア州ベンデイゴー市近郊でトマト栽培をやってゐる高須賀昇」(4)ら3名とともに、「メルボルンから約十二マイルのブロードメドウスの兵営に連れて」(5)行かれ、さらに翌々日にはタチュラ収容所の第3キャンプに連行された。そこにはすでに、「先着の日本人が十二人も入ってをり、メルボルン大学で日本語の特別講座を開いていた稲垣孟志《ママ》氏を始めアメリカからやって来てメルボルンのサーカスに加はって興行中つかまった上野サーカス団の一行六名。それにジーロンといふところで永年洗濯業を営んでゐる老人四人、も一人これはイタリア生れでメルボルンに五十年も住み、もちろん日本語は全然話せぬミス・カガミといふ老嬢」(6)がいた。これに黒住らを含めた「都合十六人、これがヴィクトリア州在留の民間日本人の全部」(7)であった。

12月27日に黒住や稲垣など16名の「ヴィクトリア州在留の民間日本人」は第4キャンプのBセクションに移送された。「意外にもこゝには六十七名の日本人の先住者がゐた。この人達はニューカレドニヤからはるばる送られて来たもので全部家族づれ、フランス語しか判らぬので、我々十六名のヴィクトリア州組が英語の通訳用につれて来られたらしい」(8)という。そして、この第4キャンプBセクションの「日本人村のリーダー」(9)を稲垣は引き受けることになった。

年が明けて1942年1月2日には、「木曜島およびダーウィン方面の日本人四十七名を迎ふ。いづれも家族者、十五才をかしらに子供が十四、五人混ってゐる、これらの子供はいはゆる濠洲の第二世、英語しか話せない、ニューカレドニヤからの子供はフランス語しか話せず、折角新来の子供部隊を迎へたが言葉が通じない」(10)という状況だった。このため、2月12日、「Bセクションに小学校を開く、午前九時から始業式、校舎は酒保の裏の娯楽室、生徒は満六歳から十五歳までの男女の子供、これに全然日本語の分らぬ濠洲生れの娘さん達数名を聴講生に入れて約五十人、先生は内地で女子師範を出て教鞭をとった経験のある松下といふ奥さん、体操は上野サーカス一行の人気者赤井君、唱歌はニューカレドニヤから来た北澤高子さんといふフランス語の上手なお嬢さん、ABCの三組に分けて早速十三日から授業を開始すること」(11)になった。この学校で、黒住は日本語を、清田は歴史を、そして稲垣は英語を教えた。タチュラ収容所の記録文書によると、稲垣の収容所内における「仕事」は「キャンプ・リーダーおよび英語教師」(12)とされている。

戦前のオーストラリアに、いわゆる「継承語」(Heritage Language) としての日本語を教育する学校は存在しなかった。しかし、これは「白豪主義」によって、オーストラリアに居住する日本人の数が少なかったことを意味するものではない。すでに1890年代には、多くの日本人が木曜島や西オーストラリア州のブルームに真珠貝採取の潜水夫として働くために渡っている。クィーンズランド州の砂糖黍農場で働く日本人の数も多く、1896年にはシドニーより１年早く、同州のタウンズビルに日本領事館が開設されている。オーストラリア連邦が発足し、移民制限法が制定された1901年の時点で、オーストラリアにはクィーンズランド州と西オーストラリア州を中心に3,554人の日本人がいた(13)。ただし、これらの日本人はその多くが出稼ぎを目的として渡豪した成人の男性独身者だったこともあり(14)、この時代に日本人の手によって日本人子女を対象とした日本語教育のための機関がオーストラリアに設けられることはなかった(15)。また、第一次世界大戦後は、日豪間の貿易関係の進展とともに、多くの日本人ビジネスマンが渡豪し、シドニーやメルボルンなどの大都市には「日本人会」なども組織されたが、そのような時代においてもオーストラリアには、日本人の手によって「日本人学校」や「日本語学校」が設けられることはなく、日本人子女の多くはいわゆる「現地校」に通った(16)。兼松商店の日本人駐在員を父として1933年にシドニーで生まれ、1941年に日本に戻った曾野豪夫は、「戦前はもちろん日本人学校もなく、現地の小学校に入った」(17)ので、日本人の子供たちが集まる「パーティーは皆で遠慮なく日本語が使える良い機会であった」(18)と回顧している。

したがって、オーストラリアで最初の「日本人学校」、すなわち「継承語」教育としての日本語教育を実施する「学校」は、皮肉にも収容所の中で生まれたことになる(19)。もっとも、その「学校」に通った、英語かフランス語しか「話せない」子供たちにとって、日本語は「継承語」というよりも、ほとんど「外国語」（Foreign Language）であったろうが。

日豪間の抑留者交換に基づいて帰国することになった黒住や清田の歓送会が８月13日に収容所内で開催された。その様子を黒住は次のように記している。

「けふはＢセクションで我々の送別演芸会だ。子供達が学校で習ひたての読本暗誦や対話や遊戯を先づ披露する。開校以来半歳の学校だが今まで日本語の一字も知らなかった子供達がこゝまで来たかと思ふと教育の力の大きいのを感じる。」(20)

このような「日本人学校」は、他のキャンプやセクションでも設けられたようだが、なかでも第４キャンプのＣセクションとＤセクションが共同で設立した学校は、その教育内容に「日本の初等教育に取り入れられていたのと同様のナショナリズムと軍国主義のイデオロギー」[21]が色濃く反映していたという。このため、父母の間に意見の相違があり、1944年4月の段階でCセクションとDセクションには日本人子女が合計141名いたが、全員が学齢に達していたわけではなかったにしても、この学校に通った子供は68名に過ぎなかった[22]。

さて、稲垣と引き離されたRoseは、彼の釈放を各方面に訴えた。かって副首相兼外相として訪日した経験があり、初代駐日公使でもあったJohn Lathamにも1941年12月14日付で書簡を送り、稲垣の釈放に力を貸してほしいと要請している。そして、稲垣がオーストラリアにおける日本語教育のためにいかに尽力したかを訴えている。

「稲垣はその生涯を中国語と日本語の教育のために捧げてきました。それは、これらの言語の学習が通常思われているよりも簡単であることをオーストラリア人に提示できる方法を見つけようという意志を持ってです。彼が働いたのはオーストラリア人のためだけです。やっと最近になって私たちは簡便な日本語教科書を編み出しました。この教科書は全部で第3巻まで出版されましたが、最初の2巻は私たちが多くを犠牲にして自分たちのお金で出版したものです。3巻目は国際文化振興会が資金を出してくれました。これは稲垣の多年にわたる教育活動をやっと認めてくれたということでしょう。」[23]

Roseの要請に対して、Lathamは12月16日付で返信し、稲垣が抑留されている理由と彼の人柄や性格の善し悪しは全く次元を異にする問題であると諭しているが、それと同時に、自分も稲垣の「善良さ」[24]を軍に伝えようと約束している。ただし、軍は「善良さ」と「忠誠の対象」[25]とは別個の問題と考えるであろう旨もあわせて書き送っている。実際のところ、オーストラリア国立公文書館に保存されている稲垣の「抑留者報告書」には、その「抑留理由」として、「敵国人」[26]とのみ記されている。

それでも、Lathamは同日付で南部方面軍司令部に次の内容の書簡を送っている。

「この数年間、私は稲垣氏と面識があります。メルボルン大学総長として、また大学内にオフィスを構える者として、私は大学スタッフの一員である稲垣氏をよく存じております。また、1934年の日本への公式訪問後はさらによく知るようになりました。私の見解では、稲垣氏は善良で無害な人物であります。彼の夫人が書いているように「全く謙虚な人間」であります。彼がオーストラリアに危害を与えるような行動に関与するとはとても思えません。
むろん当局がこれと反対の情報をお持ちでしたら、稲垣氏の抑留について、私は再検討を要請いたしません。ただし、衣料その他の面で稲垣氏に情け深い措置を講じてくださいますようお願いいたします。」(27)

Roseは12月16日付でメルボルン大学にも書簡を送り、稲垣の釈放に力を貸してほしいと訴えているが、それにつづけて、「稲垣が大学に奉仕している間、私は彼を23年もの間、財政的に助けてまいりました」(28)として、「稲垣が釈放されるまでの間、私と私の娘が大学における彼の職務を代行することをお許しくださいますようお願いいたします」(29)とも記している。またRoseは、稲垣が逮捕されるまで日本語試験の採点をしていたこと、そして自分もそれを手伝ったことから、その代金を小切手で送ってほしいと大学に要請している(30)。
これに対して、メルボルン大学は12月17日付でRoseに次のような内容の書簡を送っている。

「12月16日付のお手紙で稲垣さんの窮状を知りました。全く遺憾なことではありますが、これは政府の施策の問題ですから、現在の時点では本学はいかなる行動もとりえないものと理解しています。
それから来年の日本語講座の件ですが、日本語講師職も日本語科目も存続するかどうか、まだはっきりと決まってはおりません。しかし、日本語講師を採用することになったならば、あなたのことが真っ先に考慮されることでしょう。
あなたが心配しておられる、家宅捜索の際に失われた原稿(31)のことについては、当局に掛け合ってみるつもりですが、当局がそれを差し押さえておくことを希望しているとしたら、取り戻すのは容易なことではないと考えます。没収されたタイプライターについては、数日前に南部方面軍司令部に対して、それが本学の所有物であることを通知いたしました。しかし、本学が試験問題作成の際に必要とする時を除いては、当局に差し押さえられたままになるものと思われます。
残りの試験の実施に関しては、稲垣さんの代わりに採点者を務めてくれる人の採用に必要な措置を本学はすでに取り始めております。しかし、稲垣さんがすでになさってくださった分の代金の小切手はあなたにお送りいたしますし、それに対しては当局も反対しないでしょう。
本学としてもあなたがたの窮状に深く同情しておりますし、稲垣さんは本学の正規教員ではありませんでしたが、大学としてもできるかぎりのことはしたいと考えております。」[32]

ここにある「没収されたタイプライター」とは、「国際文化振興会からメルボルン大学に寄贈された」[33]ものだが、ほとんど稲垣が「占有していた」[34]ため、大学関係者からは稲垣と国際文化振興会の密接な関係の象徴と見なされていた[35]。

Roseはヴィクトリア州教育省にも助力を求めたようで、それに対して、同省の次官は次のように返信した。

「ご主人が抑留されたとお聞きし、誠に遺憾に存じます。ただし、これは情報局の問題ですので、私どもには如何ともしがたいのが現状です。私が存じ上げているご主人はきわめて熱心な日本語教師であり、州立学校の生徒たちのために土曜講座を開設するのを手伝ってくださいました。稲垣さんはメルボルン大学の講師でしたから、大学の同僚たちもご主人のことをよくご存じでしょう。稲垣さんは日本語教科書の出版や日本からの書籍の入手等を通じて私たちを助けてくださいました。情報局のさらなる捜査を通じてご主人が釈放されることを私は心より願っております。」[36]

メルボルン大学もヴィクトリア州教育省も稲垣の「窮状」に同情はしても、実際には何もしなかった。ただし、稲垣の突然の不在に彼らが全く困らなかったわけではない。メルボルン大学は1942年1月28日付でタチュラ収容所に書簡を送り、稲垣は2月23日に実施が予定されているモリソン奨学生選考試験の日本語口頭試問官であると連絡するとともに、この試験実施のために彼を釈放してもらうことは可能かと打診している。これに対して、タチュラ収容所は2月6日付で、収容所としては釈放を認める立場にないので、南部方面軍司令部に申請するよう示唆した。この示唆に基づいてメルボルン大学は2月11日付で南部方面軍司令部に申請を出したが、同司令部は稲垣の釈放を認めることはできないと回答した。ただし、それに付け加えて、口頭試問官の確保にメルボルン大学が難儀した場合には、司令部として適当な候補者を斡旋する用意があるとも通知した[37]。

「日本語教師」の逮捕・抑留により日本語試験の実施に困ったのはメルボルン大学だけではない。それはクィーンズランド大学も同じだった。清田の逮捕直後にクィーンズランド大学は北部方面軍司令部に対して、彼が同大学の日本語試験の採点者に予定されていることを連絡している。清田の場合は釈放を伴わない要請だったため、北部方面軍司令部は彼が収容所の中で採点することを許可した[38]。

稲垣の場合は釈放を伴う要請だった。どうもこれは、試験実施を口実に稲垣を釈放させたいRoseがメルボルン大学に働きかけた結果のようである。メルボルン大学は2月13日付でRoseに書簡を送り、稲垣の釈放は許可されなかったと連絡している。また、同大学はRoseに対して、モリソン奨学生選考試験の筆記試験には稲垣が逮捕前までに準備していた問題用紙を使うこと、そのための代金を稲垣に支払う用意があること、筆記試験の採点はシドニー大学教授のArthur Sadlerに依頼する予定であること、口頭試問官もSadlerに推薦してもらう予定であることを併せて伝えている。

しかし、メルボルン大学が口頭試問官の確保に困っていたことは事実のようで、また、Sadlerからは適任者を推薦してもらえなかったらしく、同大学は2月24日付で南部方面軍司令部に試問官の斡旋を依頼している[39]。

稲垣の釈放に動かなかったのはメルボルン大学やヴィクトリア州教育省だけではない。それは日本政府も同じである。日豪両国政府は1942年に抑留者の交換に同意し、日本政府はタチュラ収容所に抑留されていた日本人のうち清田龍之助を含む32名とその家族の釈放を要求したが、稲垣の釈放は求めなかった。

タチュラ収容所には、稲垣のかっての教え子も勤務していた。第4章で触れたEthel May Punshonである。

Punshonは1882年にヴィクトリア州のバララットで生まれた。メルボルンで学校やラジオ局に勤務した後、海外交流プログラムに参加し、1929年に訪日。神戸から、京都、東京、横浜、日光と旅した。この日本旅行で、「日本文化に深い感銘を受けた彼女は、メルボルンに戻ると、折よく始まったラジオ放送局の日本語レッスンで学ぶこと」[40]にした。これは、「日本人の稲垣蒙志氏がオーストラリア人のトレーナー氏と共に」[41]行っていたものである。当時のことを後にPunshonは次のように回顧している。

「一九三〇年中頃の風潮では、日本はオーストラリアにとって好ましい相手ではなかった。日本語に興味を示す人は、文化的な理由より、軍事的な面に関心をもっている人たちが多かった。

日本語の勉強を始めて四年目に、まったく理解できないことが起こった。稲垣先生が日本に呼び戻されたのであった[42]。とり残された私たちは、もう稲垣先生に会うことはできないかもしれないと思った。しかし、先生は再びオーストラリアに戻ってこられた。が、日本語教育にあまり熱心ではなくなっていた。私たちは考え込んでしまった。

私は、勉強して得た知識を忘れないために、日本語を学ぼうとするオーストラリア人に教えることにした。当時の学校は、日本語にほとんど関心を示さなかったが、日本語を知りたいという人がいないわけではなかった。

一九三〇年代も終わりに近くなってのこと、コバーグ男子高校で専任教師の職を得た。そこでは刺激の多い、楽しい二年間を過ごした。」[43]

第4章で触れたように、Punshonは開戦前に空軍の関係者から情報部に勤務する意志はないかと打診され、同軍の日本語試験を受けているが、どうもこれは不合格だったようである。しかし開戦後、戦争要員募集所の前で係官が、「技術を持っている人は、現状を救うために進んで奉仕活動に参加してください」[44]と呼びかけていたことから、Punshonは「すでに六十歳という年齢ではあったが、看護助手として役に立つかもしれないと、思いきって進み」[45]出た。そして、「南部の司令部に行けば日本語の知識が役立つかもしれない、と言われた」[46]ことから、南部方面軍司令部に志願した。今回は無事採用されたようで、彼女はタチュラ収容所に配属されることになった。Punshonは、「オーストラリアの収容所についてあまり知らなかった」[47]が、「メルボルン大学の稲垣先生が、そういうところへ連れていかれたということは聞いたことがあった」[48]としている。

収容所での稲垣について、Punshonは次のように記している。

「キャンプにいる間、一ヶ月に一度、短期間だが休暇でメルボルンに帰った。そして、友人の稲垣夫人であるローズをしばしば訪ねた。（中略）ローズはいつも先生のために、お菓子の小さな包みを私に託した。本当は許されないことであったが、チャンスを見つけて、そっとお渡しすると、先生は非常に喜ばれた。」[49]

また、Punshonは、「私は、稲垣に夜学で日本語を習ったの。収容所ではさびしそうだった」[50]とも回顧している。

しかし、稲垣は収容所でさびしがってばかりいたわけではない。彼は自分の抑留を不当であるとして、陸軍を相手に不服申し立ての裁判を起こした。

〈註〉

(1) Zainu'ddin, Ailsa G. Thomson（1985）p. 348.

(2) 永田由利子（1998）62頁

(3) 永田由利子（1998）63頁
(4) 黒住征士（1942）
(5) 黒住征士（1942）
(6) 黒住征士（1942）
(7) 黒住征士（1942）
(8) 黒住征士（1942）
(9) 黒住征士（1942）
(10) 黒住征士（1942）
(11) 黒住征士（1942）
(12) NAA A367/1, C73350
(13) ジェイン, P., 水上徹男（1996）129頁～130頁
(14) これに関して、永田由利子（2003）は次のように述べている。「オーストラリアの日本人社会は北米や南米で見られた家族ベースの定着型ディアスポラ社会とは違い、日系人より在留邦人いわゆる日本国籍保有者の割合が圧倒的に高い非定着型社会を形成していた。そしてその大半が真珠貝産業とサトウキビ農園に雇われた出稼ぎ労働者の男たちだった。」(92頁)
(15) ただし、私塾のようなものはあったようだ。永田由利子（2002）によれば、ブルームでは、1918年から週に一回（毎週土曜日）、小さな塾で日本人家庭の子弟を対象に日本語が教えられていたという。
(16) Nagata, Yuriko（1996）p. 27-p. 28. なお、永田由利子（2003）によれば、「オーストラリアでも、北米で見られたように二世を日本へ教育を受けに行かせた日系家庭があった」(92頁）という。
(17) 曾野豪夫（2000）43頁
(18) 曾野豪夫（2000）43頁
(19) 第二次世界大戦前のオーストラリアでは、一般に「継承語」は「問題としての言語」(Language as a Problem）と見なされていたが、その教育までもが禁止あるいは否定されていたわけではない。たとえばドイツ語の「継承語」教育については、拙論（1996）を参照。
(20) 黒住征士（1942）
(21) Nagata, Yuriko（1996）p. 169.
(22) Nagata, Yuriko（1996）p. 170.
(23) NAA A367/1, C73350
(24) NAA A367/1, C73350
(25) NAA A367/1, C73350
(26) NAA A367/1, C73350
(27) NAA A367/1, C73350
(28) UMA M. Inagaki Collection
(29) UMA M. Inagaki Collection
(30) UMA M. Inagaki Collection
(31) 『日本語読本』の「巻四」の原稿のこと。福島尚彦（1998）によれば、この原稿を稲垣

は逮捕された時点で「書き終えようとしていた」(58頁) ところだったという。
(32) UMA M. Inagaki Collection
(33) NAA A367/1, C73350
(34) NAA A367/1, C73350
(35) 稲垣が「占有」していた日本語タイプライターは、その後メルボルン大学に引き渡された。NAA A367/1, C73350
(36) NAA MP529/8, INAGAKI/M
(37) UMA M. Inagaki Collection
(38) NAA AWM60, 20/1/542
(39) UMA M. Inagaki Collection
(40) 海野士郎 (1997) 204頁
(41) パンション, エセル・メイ (1987) 146頁
(42) 国際文化振興会の招聘による1937年12月からの一時帰国のこと。稲垣はこの一時帰国中に「英帝国諸領」に対する「対外文化工作に関する協議会」に出席している。本書第2章第5節を参照。
(43) パンション, エセル・メイ (1987) 147頁
(44) パンション, エセル・メイ (1987) 150頁
(45) パンション, エセル・メイ (1987) 150頁
(46) パンション, エセル・メイ (1987) 150頁
(47) パンション, エセル・メイ (1987) 150頁
(48) パンション, エセル・メイ (1987) 150頁〜151頁
(49) パンション, エセル・メイ (1987) 158頁〜159頁
(50) 青木公 (1979)

4. 裁判

稲垣蒙志の不服申し立てに基づく裁判は、1942年2月11日、タチュラ収容所内で開廷した。その速記録がオーストラリア国立公文書館に保存されている[(1)]。それによると、この裁判で争点になったことは、稲垣の忠誠の対象が日本とオーストラリアのいずれであったかということと、稲垣がその職務を通じてオーストラリアの「国益」に貢献してきたか否かということの二点にあったとすることができるのだが、本節では、その速記録の内容を具体的に見てみたい。

法廷では、はじめに不服申立人である稲垣の弁護人J. P. Bourkeが稲垣の経歴を説明した後、すぐに証人尋問に移っている。最初に証言席に立ったのは稲垣自身である。稲垣はBourkeの尋問を受けた。

問「あなたのお名前は。」

答「稲垣蒙志（Moshi Inagaki）です。しかし、1907年か1908年頃、コールフィールドの市役所がスペルを間違ってしまい、その事実を私は2年ほどたってから知ったのですが、そこにはMowseyと書かれておりました。」

問「ご職業は。」

答「日本語教師です。」（中略）

問「何年ぐらい教師をなさっていますか。」

答「23年ほどです。1919年3月からはメルボルン大学で、その前は個人教授をしておりました。」

問「メルボルン大学でのポストは日本語講師（lecturer）ですね。」

答「そうです。しかしむしろ非常勤講師（instructor）に近いと思います。大学の監督を受けませんでしたから。」（中略）

問「1914年から1918年までの戦争の期間、あなたは何をなさっていましたか。」

答「翻訳者をしておりました。」

問「戦争中ずっとですか。」

答「はい。」

問「あなたは国防省に雇われていたのですね。」

答「文書や資料の翻訳を求められ、それらが送られてきた時には、いつでもそうしてました。」（中略）

問「日本には血縁の者がおりますか。」

答「はい。しかし全員すでに死んでおります。」

問「あなたはクリスチャンですか。」

答「はい。」

問「今回の戦争中もあなたは国防省で働いていましたね。」

答「検閲局で働いていました。」

問「その仕事はいつ始められたのですか。」

答「1939年9月の終わり頃から1941年までです。」（中略）

問「あなたは日本とオーストラリアのいずれに共鳴していますか。」

答「私は人生の三分の二をオーストラリアで生活しております。私の家族も友人もみなここにおります。いうまでもなく、私はオーストラリアに共鳴しております。」

このようにBourkeは、稲垣が「日本語教師」や検閲局の「翻訳者」として、その日本語能力を「共鳴して」いるオーストラリアの「国益」に捧げてきたことを印象づけようとした。

それに対して、陸軍側弁護人のGillard（陸軍大尉）は、稲垣と国際文化振興会のつながりの深さを印象づけようとした。Gillardが尋問する。

問「三度目の日本旅行の目的は何ですか。」
答「国際文化振興会の連絡員に任命されたからです。」
問「それはKBSという略称の団体ですね。」
答「そうです。」
問「KBSの目的は何ですか。」
答「文化や教育の問題を取り扱うことです。」
問「誰が会長ですか。」
答「近衛公爵です。」
問「日本の前の首相ですね。」
答「そうです。」
問「近衛公爵はあなたが訪日した1938年にも会長でしたね。」
答「そうです。」
問「KBSは主として近衛公爵や近衛家から寄付を受けていたのではありませんか。」
答「近衛公爵だけではなく、その他の有力者たちからも寄付を受けておりました。」
問「近衛公爵はKBSの指導者のひとりであったと言っても間違いではないですね。」
答「近衛公爵は会長でした。」
問「彼は名前だけの会長ではなく、実際にKBSのために働いていたのですね。」
答「はい。」
問「KBSのために働いていたのみならず、資金も出していましたね。」
答「はい。」
問「近衛家は裕福ですか。」
答「そうだと思います。」
問「あなたはKBSの連絡員だったとおっしゃいましたね。」
答「はい。」
問「それはオーストラリア全体の連絡員ということですか。それともヴィクトリア州だけの連絡員ですか。」

答「オーストラリア全体のです。」
問「KBS 連絡員の職務は何ですか。」
答「オーストラリアの文化に関して情報を集め、それを KBS に報告することです。」
問「他には。」
答「ありません。」
問「どのような類の報告をしてきましたか。」
答「オーストラリアの教育に関する情報です。小学校やハイスクール、州立や私立のハイスクールに関する情報です。」
問「別の言い方をすると、文化面におけるオーストラリア社会の断面図を報告することになっていたのですね。」
答「はい。」
問「その業務のために謝金は支払われましたか。」
答「わずかな額ですが、経費として支払われました。業務のために少しは出張もしなければなりませんでしたし、そのための経費です。」
問「その額はいくらですか。」
答「年間 1,000 円です。」
問「それは、1938 年の時点でおおよそいくらに相当しましたか。」
答「70 ポンドぐらいです。」

このように Gillard は、近衛文麿と国際文化振興会、稲垣と国際文化振興会の関係の深さを印象づけようとした。そして、彼の尋問は稲垣が同会の連絡員に任命された経緯に移っていく。

問「連絡員にはいつ任命されましたか。」
答「1936 年です。」
問「あなた自身がそのポストに応募したのですか。」
答「1935 年に日本から親善使節団が来ました。団長の名前は忘れてしまいましたが、その後、John Latham 卿が日本を訪問されたはずです。その日本からの親善使節団が帰国後おそらく私のことを報告したのだと思います。」
問「あなた自身が使節団を訪ねたということですか。」
答「いいえ」
問「それでは、彼らはどうやってあなたのことを知ったのですか。」
答「ある日、集まるように言われました。その時ひとりひとり何をしているのか聞かれました。」

問「誰が集めたのですか。」

答「メルボルンに住む日本人の集まりです。」

問「それは団体ですか。」

答「メルボルンに住む日本人のクラブです。」

問「それは何という名前ですか。」

答「日本クラブ（Japanese Club）です。」

問「日本人会（Nippon Jin Kai）ではないのですか。」(2)

答「いや、日本クラブ（Nippon Club）です。」

問「どこに集まりましたか。」

答「テンプル・コートの地下にある一室です。」

問「誰がその会の会長でしたか。」

答「会長は半年か1年ごとの持ち回り制でした。」

問「あなた自身は会長だったことがありますか。」

答「ありません。」

問「たいていは誰が会長を務めていたのですか。」

答「三井、三菱、兼松のような有力企業の支店長です。」

問「1935年当時、あなたはそういう大企業から有力者として受け入れられていたのですか。」

答「単なる会員としてです。」

問「いずれにせよ、日本クラブが親善使節団のための集まりを催したのですね。」

答「はい。」

問「そしてひとりひとり職業を尋ねられた。」

答「そのとおりです。」

問「あなたは何と答えたのですか。」

答「メルボルン大学で日本語を教えていると答えました。」

問「1935年当時であなたはすでに何年ぐらい教えていましたか。」

答「17年か18年ぐらいです。」

問「それはメルボルン大学でですね。」

答「はい。」

問「あなたはメルボルン大学で23年ほど日本語を教えておられる。」

答「そのとおりです。1919年3月から教えています。」

問「あなたは大学の日本語教師であると言った。そして、使節団の団長に紹介されたのですね。」

答「団長には出席していた全ての人が紹介されました。」

問「あなたがKBSの連絡員に任命されるに至る、その次の段階とはどういうものでしたか。」

答「誰かが私のことを報告したのだと思います。親善使節団が帰国してから6週間か7週間ほど経った頃、私は正式に連絡員に任命されました。」

問「それは日本政府が派遣した公式の使節団ですね。」

答「そうです。」

問「日本クラブで彼らはあなたに職業を聞いた。そしてその数週間後に正式に任命された。こういうことですね。」

答「はい。」

問「また、あなたはそのポストに応募はしていない。それに間違いありませんね。」

答「はい。」

問「正式に任命される前にあなたはその任命を受け入れるかどうか打診されましたか。」

答「はい。」

問「誰に打診されましたか。」

答「親善使節団の団長にです。」

問「どうしてそういう話になったのですか。」

答「教育問題を話している時にです。」

問「正確に思い出してください。」

答「最初はオーストラリア人に対する日本語教育について話をしていました。オーストラリア人の日本語能力はどのくらいか、どのくらいで上達するようになるか、小学校の教育水準はどの程度か、といったような内容の話です。彼らは小学校とハイスクールの性格や教育水準について知りたがっていました。しだいに私たちは教育問題全般について話すようになっていました。」

問「あなたは使節団の団長と何時間ぐらい話をしましたか。」

答「約1時間ほどです。」

問「あなたひとりで団長と話をしていたのですか。」

答「他のメンバーもそこにはいました。」

問「それは使節団のメンバーですか、それとも日本クラブのメンバーですか。」

答「両方です。」

問「日本クラブの会員は何人いましたか。」

答「34 名ぐらいです。」

問「使節団の団員は何人ぐらいでしたか。」

答「7 名か 8 名です。」

問「日本クラブの会員は全員が使節団のメンバーと 1 時間ぐらい話をしたのですか。」

答「いいえ。」

問「他の会員と比べて、あなたが使節団の団長と話をした時間は長かったですか、それとも短かったですか。」

答「私が最も長かったと思います。」

問「あなたはヴィクトリア州の教育機関のことについて彼に説明をしたのですね。」

答「はい。」

問「その話がどうして KBS 連絡員就任の話になったのですか。」

答「国際文化振興会は 1934 年に設立されたばかりで、1935 年当時はまだ新しい団体でした。そして、私がオーストラリアの教育事情に通じているものですから、帰国したら私のことを話してみると彼らは言いました。もし任命されたら引き受けるかと聞かれましたので、もしその職務が難しいものでなく、また政治などの問題と関係しないならば引き受けると答えました。私は教育問題にしか興味がなかったものですから。それに対して彼らは結構だと答えました。」

問「あなたがそう言ったということは、彼らが何か政治的な問題に関心を持っていると危惧したからですか。」

答「ちがいます。」

問「それではどうしてですか。」

答「もし政治的な問題が期待されているとしたら、私は断わるつもりでした。私は政治には全く関心がありませんでしたから。」

問「政治的な問題とはどういう類のことですか。」

答「国際政治とか組織とか、そういう類のことです。」

問「祖国に奉仕することも政治的なことではありませんか。」

答「それは物事の性質によると思います。」

問「KBS の目的は何ですか。」

答「私が理解している限りでは、相互理解のために教育や文化の交流を図ることです。それは日本のためにもなるし、オーストラリアやオーストラリア人のためにもなると日本は考えていました。」

ここで、稲垣は「親善使節団の団長」だった出淵勝次自身から国際文化振興会連絡員への就任を打診されたかのように答えているが、これは記憶違いか偽証であろう。第2章で述べたように、稲垣に対する「在濠連絡事務員」の任命は、この親善使節団に随行していたPeter Russoの「推薦」によって実現したものだったし、稲垣もそのことは知っていた。

陸軍側弁護人の尋問は、稲垣が国際文化振興会の招聘を受けて1937年12月に訪日することになった経緯に移っていく。

問「あなたはいつ頃からKBSに報告書を送るようになりましたか。」
答「1935年の終わり頃か1936年の初め頃からです。」
問「それでは1938年にどうして日本へ行くことになったのですか。」
答「私は国際文化振興会にまだ行ったことがなかったものですから、振興会がどのような仕事をしているのか、他の国の連絡員はどのようなことを報告しているのか、教育問題について振興会は他国の連絡員からどのような報告を受けているのか、そういうことについて直接見聞できる機会を振興会は私に与えようと考えたのだと思います。渡航費用は振興会が負担してくれました。」
問「別の言い方をすれば、あなたは自分の報告と他の国からの報告を比べようとしたのですね。」
答「そのとおりです。また、振興会は同会の仕事の内容を私が知ることを期待していたのだと思います。」
問「そうすると、あなたは振興会の目的の全てを知ることができたのですね。」
答「はい。」
問「振興会の目的を知っておけば、その後は振興会の目的に合わせて報告書を書くことができる。」
答「そのとおりです。」
問「渡航費用は振興会が負担してくれたということでしたが。」
答「はい。」
問「それはKBSが支払ってくれたということですね。」
答「はい。」
問「日本に来るようにと誰が言ったのですか。」
答「振興会の主事です。」

問「それは手紙でですか。」
答「はい。」
問「東京の振興会本部から。」
答「はい。」
問「天皇は振興会の後援者ですか。」
答「ちがうと思います。」（中略）
問「日本には 1938 年のいつごろ到着しましたか。」
答「1 月の 22 日か 25 日ごろです。」
問「日本ではどこに行きましたか。」
答「東京へ行きました。しかし、上陸したのは長崎で、その後、神戸と大阪を経由して東京に行きました。」
問「外務省には行きましたか。」
答「東京に到着してから行きました。」
問「国際文化振興会には行きましたか。」
答「はい。」
問「KBS 関係者との会議に出席しましたか。」
答「教育に関する会議に出席しました。」
問「他の国の連絡員も出席していましたか。」
答「いいえ。KBS の人間だけです。」
問「それは日本で生まれ日本に住んでいる人だけということですか。」
答「そのとおりです。」
問「会議では日本のプロパガンダを普及する問題についても取り上げられましたか。」
答「いいえ。」
問「日本人の生活様式を「称揚」（exalatation）することについてはどうでしたか。」
答「いいえ。」
問「あなたは「称揚」の意味をわかっていますか。」
答「正確にはわかりません。」
問「それでは、日本人の生活様式を「賛美」（praising）することについてはどうでしたか。」
答「ありませんでした。」
問「あなたは「賛美」の意味をわかっていますか。」
答「はい。」

問「日本人の生活様式は一番だということを喧伝するようなことは話し合われなかったのですか。」
答「ありませんでした。」
問「それに類することも。」
答「そのようなことは話し合われませんでした。」
問「それでは、いったい何について話し合っていたのですか。」
答「日本語の教科書をいかに改善するかということについてです。このことについて、振興会の人たちは私の意見を聞きたがっていましたし、私もできるかぎり意見を述べました。日本語入門書と教科書の改善をどうするかという問題についてです。私はそのための見本も提供しました。それはまだ印刷前の草稿でしたが、彼らはそれについて説明してくれるよう求めました。会議の連続でした。私は多くの会議に出席しました。」(中略)
問「日本に5週間もいてずっと日本語教科書の話をしていたのですか。」
答「そうです。東京にいた4週間、ずっと教科書の問題について話し合っていました。よりより教科書を出版したかったものですから。」

このように稲垣は、「東京にいた4週間」のほとんどを「日本語教科書」の出版に関する協議に費やしたと証言している。後述のように、稲垣は「樺山伯爵とはよく会いました」と述べているものの、国際文化振興会側の記録によると、この「4週間」の間に稲垣が同会の役職員と会ったのは、1938年2月9日の「対外文化工作に関する協議会」の席上を除けば、同月12日に開催された「稲垣濠洲連絡員招待打合会」(3)の場においてだけであり、稲垣が「東京にいた4週間、ずっと教科書の問題について話し合って」いた相手は、Peter Russoや、やがて稲垣の『日本語読本』を出版することになる教文館の関係者ではなかったかと思われるが、稲垣は、「日本のプロパガンダを普及する問題についても取り上げられ」ていたと指弾されても完全には抗弁することが難しいであろう「対外文化工作に関する協議会」のことには触れず、専ら「教科書の問題について話し合って」いた会議のことにのみ言及する。「日本のプロパガンダ」はオーストラリアの「国益」を損なう恐れがあるが、「日本語教科書」はそうではないこと、むしろオーストラリアの「国益」に貢献しうるものであることを、稲垣は充分に自覚していたと言える。

陸軍側弁護人は、稲垣と国際文化振興会の関係について、さらに追及する。

問「滞日中、近衛公爵には会いましたか。」

答「いいえ。」

問「KBS の役員には会いましたか。」

答「何人かの役員と会いました。樺山伯爵とはよく会いました。彼は振興会の理事長でした。それから黒田伯爵にも会いました。黒田伯爵は樺山伯爵の補佐役をしておりました。樺山伯爵はすでにご高齢でしたが、黒田伯爵はまだお若かったものですから。近衛公爵に紹介された人もいましたが、私は主に樺山伯爵や黒田伯爵と会っておりました。」

問「滞日中、オーストラリアにおける日本語普及や日本語学習の普及に関する問題について、KBS から何か指示を受けましたか。」

答「その問題は私に完全に委ねられておりました。」

最後の問答からは、国際文化振興会には対オーストラリア「日本語普及政策」なるものが実は不在だったのではないかとの推論を導き出すことができる。少なくとも稲垣にとっては、「日本語普及政策」も「日本語普及」事業も、それがオーストラリアに対するものである限りは、自分に「完全に委ねられて」いる事柄であり、東京の「KBS から何か指示」を受ける類のことではなかったのである。

Gillard の尋問は続く。

問「振興会はあなたを助けようとしましたか。」

答「私の主たる課題は、オーストラリア人の学生のために、新しい日本語教科書を出版することにありました。それに対する財政的な援助を KBS から受けることができました。他には資金を出してくれる所はありませんでした。振興会はたいてい私を助けてくれました。」

問「振興会はあなたを援助したのですね。」

答「はい。」

問「1938 年に訪日するまでお金に困っていたというのは事実ですか。」

答「それは事実です。私はいつもお金に困っていました。」

問「それが 1938 年以降は変わったのではないですか。」

答「とくに変わりはありません。」

問「1938 年以降は住まいにも変化があったのではありませんか。少しは良い家具も入れたでしょう。」

答「少しは変化があったかもしれません。しかし、それはほんのわずかです。メルボルン大学からは給与をもらっていません。家計はむしろ悪くなりました。」

問「1938年まではお金に困っていた。しかし、それ以降は改善された。そういうことではないのですか。」

答「ちがいます。私の所得は学生の数に左右されますし、それに、その金額はそんなに大きくありません。」（中略）

問「あなたやKBSの活動が日本の国家主義者たちによってオーストラリア人の眼をごまかすために利用されていたとは思いませんか。」

答「思いません。」

問「あなたは1938年から1941年までの期間、日本人は善良で平和を愛し、文化にしか関心のない民族であるという見方を喧伝していたのではありませんか。」

答「KBSは教育や文化の問題としか関わっておりません。」

つづいて、稲垣側弁護人のBourkeが『日本語読本』について質問する。

問「あなたは日本語学習用の教科書を何冊か書いていますね。」

答「はい。」

問「それはどのような教科書ですか。」

答「日本語の入門書です。」

問「それは日本語と英語のいずれで書かれているのですか。」

答「日本語で書かれています。しかし、各頁の終わりは英語で書かれています。」

問「日本語と英語の両方で書かれているのですね。」

答「そのとおりです。」

問「この教科書を書くためにどのくらいかかりましたか。」

答「少なくとも4年間です。ひょっとすると、もっとかかっていたかもしれません。」

問「最近の4年間ですか。」

答「そうです。あるいはそれ以上。」

問「この教科書を書いた目的は何ですか。」

答「学生が日本語を早く習得するのを助けるためです。」

このようにBourkeは、オーストラリアの「学生が日本語を早く習得するのを助けるため」に、稲垣が日本語教科書の執筆に「少なくとも4年」の歳月を捧げてきたことを印象づけようとした。これは、この裁判の性格からして、稲垣がオーストラリアの日本語教育に貢献しようとしてきたことのみならず、ひいては、そのことを通じてオーストラリアの「国益」に貢献しようとしてきたことを印象づけるためであったろう。

稲垣に対する尋問が終わった。つづいて証言席に立ったのは配偶者のRoseである。Roseはまず Bourkeの尋問を受けた。

問「稲垣は豪日関係に関心を示したことがありますか。」

答「彼は平和を築くことができると考えていたに過ぎません。そしてそれは日本語を教えることで達成できると考えていたのです。人々はお互いに理解しあえると。児童たちのエッセイも両国の間に平和と友好を築くためのものでした。」

問「何のエッセイですか。」

答「ですから、稲垣が企画した、子供たちのエッセイ・コンテストです。稲垣は両国の間に平和と友好を築く最善の方法について、子供たちはどういうふうに考えているのかを、知りたかったのです。」

問「あなた自身、ヴィクトリア州教育省と関係がありますね。」

答「はい。」

問「あなたはご主人がKBSの連絡員だったことをご存じでしたか。」

答「はい、存じておりました。ただし、詳しいことは承知しておりません。1934年か1935年のことだったと思いますが、Peter Russoがやって来て、文化交流と平和のための団体が新たに設立されたと申しておりました。それは政治的なことには関与しておらず、文学とかそういう類のこととのみ関わっており、それぞれの国に連絡員を置いていると。そして、彼が申しますには、稲垣はこのポストに任命されるだろうとのことでした。そして実際、稲垣は任命されました。」(中略)

問「日本に行かれた時、あなたはKBSの活動と何か関わりましたか。」

答「私たちはむしろぞんざいに扱われていたと思います。何かを本当に求められていたとは思えません。お金も送ってきませんでしたし、誰も会いに来ませんでした。私たちは神戸から横浜まで船で直行しましたが、それはお金がなくて何もできなかったからです。帰らなければならなくなった時のために、少しは貯えを残しておく必要もありましたし。横浜に到着してからしばらくして男の人がひとりだけKBSからやって来ました。Peter Russoは来ませんでした。それからKBSに連れていかれ、それは素晴しい建物でしたが、私たちは歓迎されているようには思えませんでした。」

問「そこで、あなたのご主人は何をされていたのですか。」

答「主人の最大の関心事は娘や私に自分の国を見せることにありました。私たちは日本に4週間おりましたから。」

問「そういうことではなくて、KBSとの関係においてです。」

答「一度だけ一緒だったことがありますが、それだけです。」

問「そこでは何がありましたか。」

答「蚕や日本の工業製品についての映画を見ました。退屈な映画でした。私たちのための歓迎会はありませんでした。一度だけ何人かの貴族と話をしていた時にチリ人のための歓迎会に出席するよう誘われましたが、それだけです。あとは日本語教育についての話をしていました。」（中略）

問「日本から帰国した後もご主人は国際的なお仕事をされていたのですね。」

答「とんでもない。私たちはほとんどの時間を一緒に過ごしましたが、主人はオーストラリアに戻ってきてむしろ喜んでいるようでした。彼も少し失望したのだと思います。」

Roseが稲垣も「少し失望したのだと思います」と証言していることに関しては、彼女の友人であるEthel May Punshonも、「稲垣は日本から帰国した後、日本語教育に嫌気がさしたようだった」[(4)]と述べている。これに関して福島尚彦（1979b）は、『日本語読本』の出版斡旋と引き換えに、稲垣が国際文化振興会から「具体的にスパイ活動をしてくれと頼まれたわけではない」[(5)]にしても、彼自身が「あっという間に、足をすくわれるようにして、何か得体の知れない大きなものの中に巻き込まれて」[(6)]しまったと感じるような、そういう類の要請を受けたのではないかと示唆しているが、それを裏づける資料は、管見の限り見あたらない。むしろ稲垣が「失望した」のは、第2章で述べたように、オーストラリアに対する「日本語普及」の考え方の上で、国際文化振興会の関係者や「対外文化工作に関する協議会」の他の出席者と、稲垣自身との間にズレがあることを発見したからではないかと思われる。

さて、つづいて尋問に立った陸軍側弁護人のGillardは、Roseが触れた「子供たちのエッセイ・コンテスト」のことを取り上げる。

問「あなたはさきほど児童エッセイ・コンテストをアレンジされたとおっしゃいましたが、それはどういうものですか。」

答「私よりもPeter Russoの方が詳しくお話しできると思います。」

問「私はあなたに質問しているのです。」

答「でもあなたはそれをどうアレンジしたかってお尋ねになったではありませんか。」

問「それでは、このコンテストはどのようにアレンジされて、またあなたご自身は何をアレンジしたのですか。」

答「小学校や児童関係の団体に手紙を書いて、エッセイ・コンテストが実施される予定であることを伝えました。テーマは、日本とオーストラリアの間に平和友好関係や相互理解をいかに創り出していくかというものです。私たちは子供の視点からの意見が欲しかったのです。」

問「それは誰が審査したのですか。あなたのご主人も審査員でしたか。」

答「とんでもない。エッセイは日本に送って審査してもらうことになっていました。」

問「豪日間に平和な関係をいかに創り出していくかというテーマに関する、オーストラリアの子供たちの意見を、日本人が審査するというのですか。」

答「テーマに基づいて審査することになっていました。」

問「誰が。」

答「Peter Russo は間違いなく審査員のひとりでしたわ。近衛公爵もそうだったと思います。でももっと他のことも私にお尋ねになったほうがよろしいわ。だって、とても奇妙だったんですもの。」

問「奇妙というのは。」

答「私たちが日本に参りました時、KBS の方がキャビネットをお開けになって、「ところで稲垣先生、これらの作品はいったい何ですか」とお尋ねになりましたの。それは私たちが送ったエッセイでした。きっと Peter Russo がきちんとアレンジしなかったんだわ。」(中略)

問「ということは、KBS の人たちはそれらのエッセイをうさん臭いと思ったのですか。」

答「うさん臭いと思ったわけではありません。そもそも私たちが送ったものがいったい何かをご存じなかったのです。オーストラリア側でのみ頑張っていたのです。」

このように、「児童エッセイ・コンテスト」、国際文化振興会で言うところの「日濠関係に関する懸賞論文」をめぐっては、メルボルンの稲垣と東京の Russo、あるいは稲垣と国際文化振興会の間に齟齬が生じたようだが、この Rose の証言からは、国際文化振興会の対オーストラリア事業の中には、同会の意志というよりも、その「連絡員」に過ぎない稲垣蒙志の主導によって企画されたものもあったことがうかがえる。「児童エッセイ・コンテスト」のように、「オーストラリア側でのみ頑張って」いて、東京の国際文化振興会はそれが「いったい何で」あるかを知らないケースもあったのである。

Gillard はさらに尋問をつづける。

問「日本での待遇はぞんざいだったとおっしゃいましたね。」
答「そのとおりです。」
問「広報もなかったのですね。」
答「ありませんでした。稲垣はオーストラリアで長いこと日本語を教えておりましたし、その間ずっと誰にも助けてもらえませんでしたから、たぶん KBS は主人に会ってやればそれでいいと考えていたのだと思います。」
問「それではご主人は KBS の誰にも会わなかったのですか。」
答「小さな集まりが一度だけありました。そこで主人は何か話すように言われましたが、それっきりだったと申しておりました。それ以外は YMCA みたいなところで話しただけです。」

第1回法廷はこの Rose に対する尋問で閉廷した。第2回法廷は2月24日に開かれたが、稲垣側弁護人の証人集めが間に合わなかったことから、すぐに閉廷となり、第3回法廷は3月5日に開かれることとなった。

3月5日の法廷で最初に証言席に立ったのは、メルボルン大学事務局長の John Frederick Foster である。陸軍側弁護人の Gillard は Foster に対する尋問において、稲垣の日本語教育の水準に関する問題を取り上げた。これは、おそらく稲垣の無能さを暴露することで、その日本語教育がオーストラリアの「国益」に貢献することがなかったことを立証するためだけではなく、稲垣の教育水準の低さが「意図的」なものであったこと、すなわち、稲垣がオーストラリアの日本語教育を「妨害」しようとしていたことを立証するためであったと思われる。

問「稲垣の日本語教育に対する不満の声をお聞きになったことがありますか。」
答「彼が抑留されるまでは聞いたことがありません。」
問「抑留された後は。」
答「聞いたことがあります。」
問「それはどういうものですか。」
答「稲垣は有能な日本語教師ではないというものです。また、彼は意図的にその日本語教育を効果のないものにしているというものです。」

問「それは見識のある人からですか。」

答「そうだと思います。」

問「単なるゴシップではないのですね。」

答「それは非公式に聞いたものです。公的な形で不満が寄せられたことはありません。陸軍の将校が会話の中で私にそう言ったのです。」

問「陸軍関係者以外からはどうですか。」

答「聞いたことがありません。」

問「あなたは稲垣の日本語教育の水準をご存じですか。」

答「私は日本語については何も知りません。」

問「大学には稲垣が営んでいた日本語教育の水準について何も記録がないのですか。」

答「彼は大学で日本語を5年次まで教えておりました。」

問「5年次まで。」

答「そうです。日本語は大学の学位につながる科目ではありません。それは副次的な選択科目に過ぎません。大学はただ稲垣がそれを教え、学生が選択するのを許可していただけです。したがって、日本語教育の水準を他の外国語科目の水準と比較する方法はないのです。」

問「たとえばフランス語のことを考えてみましょう。あなたもハイスクールではフランス語を学ばれたと思いますが、大学でもフランス語を履修されましたか。」

答「はい。」

問「大学で3年間フランス語を学んだとして、それはパリのソルボンヌ大学で学んだのと比較するとどの程度のものでしょうか。」

答「なんとも申し上げられません。私はフランス語の専門家ではありませんから。」

問「あなたはどの言語の専門家でもないのですか。」

答「違います。」

問「言語教育に関して、大学が採用している基準というものはありますか。」

答「大学それ自体の基準があるだけです。」

問「あなたはフランスの大学と比較することはできないと言われる。」

答「フランスの大学とメルボルン大学の水準を比較することのできる人もいるでしょう。しかし、それは私の任ではありません。」

問「今私が問題としているのは、稲垣が5年次に教えていた日本語の水準はどの辺にあったかということです。この点はご理解いただけますね。」

答「わかります。」

問「助けていただけませんか。」

答「できません。ただし、個人的な意見ならば持っております。」

問「おっしゃってください。」

答「現代語学科の他の言語科目と比較した場合、かりに日本語を5年間かけて学んだとしても、会話力や読解力の面でそれほど高い能力は得られなかったと思います。」

このようにFosterは、稲垣の日本語教育に対して「不満の声」をあげていたのが、さらには稲垣に対して「意図的にその日本語教育を効果のないものにしている」との疑いの眼を向けていたのが、「陸軍の将校」だけだったことを認めている。しかしそれと同時に、きわめて慎重な言い回しながら、稲垣の日本語教育が「それほど高い能力」を学生に得させられるものではなかったことをFoster自身も認識していたことを認めた。

これに対して、稲垣側弁護人のBourkeは反対尋問に立ち、Fosterに次のような質問をする。

問「稲垣のことで不満を述べていた者のひとりはEast大尉ですね。」

答「Gillard大尉のご質問に対する回答の中で触れた人のおひとりはEast大尉です。」

問「彼は日本語書籍の出版業を営んでいましたね。」

答「知りません。」

問「彼はメルボルン大学で稲垣さんの学生でしたね。」

答「はい。」

問「East大尉は稲垣さんに対して悪意を持っているとお感じにはなりませんでしたか。」

答「どちらともお答えできません。」

問「稲垣さんに対して悪意を示したことはないですか。」

答「悪意を持っていると考えたことはありませんでしたが、大尉は批判的でした。」

問「それは稲垣さんの教師としての能力に対してですか。」

答「はい。」

このように、Bourkeは稲垣の日本語教育に対する「陸軍関係者」の批判が個人的な「悪意」に基づくものであったことを立証するため、それを裏づける証言をFosterから引き出そうと努めたが、Fosterはそれを慎重に避けた。こうして、「陸軍関係者」がなにゆえ稲垣の日本語教育を批判していたのか、そしてまた、稲垣は実際のところ「意図的にその日本語教育を効果のないものに」していたのか否かについては、この裁判では明らかにされなかった。なお、第2章で触れたように、「稲垣さんの教師としての能力」に対して「批判的」だった「East大尉」は、稲垣から日本語を学んだ後、3LOラジオ局の日本語講座やマックロバートソン・ガールズ・ハイスクールの土曜講座で日本語教師を務めた経歴を有していた。

さて、同じ3月5日には、メルボルン大学教育学部教授のGeorge Browneも証言席に立っている。彼は陸軍側弁護人の尋問に対する回答において、国際文化振興会の活動について次のように述べている。

問「KBSについてご存じのことを教えてください。」
答「振興会はメルボルン大学教育学部と良い関係にありました。同会は一義的に世界の国々と日本との間の相互理解と知的交流を促進するために設立された団体だと私は理解しています。ロシアにも似たような団体がありますね。国際文化振興会は私が所属する教育学部にたくさんの有益な教材と真心のこもった何通かの手紙を送ってきてくれました。そこには日本語がヴィクトリア州の試験科目に取り入れられたことを喜ぶとともに、オーストラリアの日本語教育を支援し、日豪間の友好関係を促進するために、書籍や文献などを寄贈することを可能な限りしていきたい旨、したためられておりました。」

この裁判において、オーストラリアの日本語教育に対する国際文化振興会の「支援」について言及したのはBrowneだけだった。しかし、稲垣側弁護人のBourkeはそのことを掘り下げて尋問することをしなかったし、陸軍側弁護人のGillardは同会を日本の「プロパガンダ」機関と見なしたまま、そこから一歩も出ることはなく、結局、国際文化振興会の「支援」がオーストラリアの日本語教育に有益なものだったか否かについては、この裁判では問われなかった。

3月5日にはPeter Russoも証人として出廷している。はじめにBourkeが尋問する。

問「稲垣がKBSの連絡員になることについて、彼と話をしたことがありますか。」

答「私が彼に委嘱したのです。それは私がオーストラリアを離れる前、すなわち1935年10月のことでした。その年、二人の人間が国際文化振興会から文化使節として海外に派遣されました。ひとりは私でオーストラリアに派遣されました。もうひとりは駐日英国大使館の顧問をしていたGoerge Samson卿で、彼はコロンビア大学で日本文化について講演することになりました。私は1935年10月にメルボルン大学で講演をしました。その時の司会はLatham卿が務めてくれました。その文化使節としての任務を終えた後、私が彼に連絡員を委嘱したのです。」（中略）

問「稲垣は1938年に訪日していますね。」

答「はい。」

問「その目的は何ですか」

答「とくに目的はありません。ただ、振興会は海外にいる連絡員を招聘して、振興会の業務方法を直接見聞させることをポリシーとしておりました。」

問「あなたは稲垣の日本語教科書の出版に何か関わっておりましたか。」

答「世に出すという意味では関わっておりました。私は出版の承認を求められました。正確には承認を与えたわけではありませんが、世に出すだけの意味はあるだろうと考えておりました。」

問「そしてKBSは出版のための経費を出したのですね。」

答「経費を出したわけではありません。KBSそのものがそれを出版しましたから。」

問「すると、KBSは出版の手配をしただけということですか。」

答「そのとおりです。」

問「あなたはその教科書をご覧になったことがありますか。」

答「第1巻の校正刷りは見ました。しかし第2巻は見ておりません。」

問「この教科書の目的は何ですか。」

答「オーストラリアの学生に日本語を教えることです。」

問「その目的にこの教科書はかなっていますか。」

答「それは学生次第だと思います。」

このRussoに対するBourkeの質問は失敗だったと言える。稲垣の『日本語読本』で学んだ者の日本語能力の向上度合が「学生次第」であるということは、この『日本語読本』が必ずしも良質の教材ではないこと、そして、陸軍側弁護人のGillardがメルボルン大学事務局長に対する尋問で立証しょうとした、稲垣の日本語教育の水準の「低さ」を逆に証明することになってしまったからである[(7)]。Gillard は内心ほくそ笑んだことだろう。

その Gillard は Russo に対して、次のように尋問する。

問「国際文化振興会はいつ設立されましたか。」

答「1934 年です。」(中略)

問「日本は国際連盟をいつ脱退しましたか。」

答「今から 2 年ほど前だったと思いますが。1936 年より以前ということはありません。」

問「しかし、振興会が設立されたのはその頃ですね。ちょうど満州事変が起こった頃だ。」

答「はい。」

問「振興会が設立されたのは、国際連盟が資金を提供していた協会の役割を埋め合わせるためではなかったのですか。」

答「わかりません。しかし、振興会は民間団体として設立されていますし、国際連盟の日本にある関係団体やその他の文化関係の機関とも協力関係にありました。」

問「あなたは今「協力関係」と言われましたが、それは講師を派遣したり教材を送付したりすることを言っているのですか。」

答「そうです。」

問「日本にはプロパガンダのための機関は存在しますか。」

答「プロパガンダという言葉に対するあなたの定義を知りたいですね。」

問「あなたはどう思いますか。」

答「そうですね。何らかの魂胆を持って日本の立場を宣伝することでしょうか。」

問「それでは、何らかの魂胆を持って日本の立場を宣伝するための機関は日本に存在しますか。」

答「ほとんどすべての愛国団体がそうでしょうね。」(中略)

問「それらの愛国団体はオーストラリアに支部がありますか。」

答「私の知っている限りではありません。」

問「日本のプロパガンダを普及するための機関や企業でオーストラリアに支部を持っているところはありますか。」

答「公的な支部をですか。」

問「公的も私的も含めてです。」

答「ないと思います。」

問「そうすると、KBSはオーストラリアに公的な連絡先を持っている唯一の機関と言っても差し支えないですね。」

答「いや、旅行会社があります。」

問「日本の旅行会社がオーストラリアにあるのですか。」

答「たしか代理店みたいなものがあったと思います。」

問「汽船会社のことを言っているのですか。ダルゲッティー商会のような。」

答「そうです。ただし、たしかにKBSはオーストラリアで知られている唯一の機関と言っても差し支えないかもしれません。」

問「日本の愛国団体がKBSを何らかの魂胆から利用したことがあったとは思いませんか。」

答「全くなかったは言いませんが、少なくとも私自身の活動や私が関わった事業では、そういうことはありませんでした。私はKBSからオーストラリアに向けて書籍を送っていただけですから。」

問「書籍というと。」

答「要請された書籍のことです。」

問「あなたは、KBSからオーストラリアに向けて書籍を送っていただけとおっしゃいましたね。それに間違いありませんか。」

答「そのとおりです。なぜなら、私は対オーストラリア事業に関するアドバイザーという当時の私の職務について申し上げているのですし、また、要請された書籍のことについて話をしているのですから。」

問「誰からの要請ですか。」

答「オーストラリアのいろいろな学校からのです。稲垣さんからも来ましたし、Brown（筆者註：メルボルン大学教育学部教授のGeorge Browneのこと）からも来ました。」

問「他には。」

答「覚えていません。」

問「日本企業から要請を受けたことはありませんでしたか。」

答「ありません。」

問「日本企業は日本のプロパガンダを撒き散らすために利用されていたとは思いませんか。」

答「誰によってですか。」

問「日本政府や、あなたがさっき挙げた愛国団体によってです。」

答「そういうこともあったかもしれません。」

問「KBSの出版物でプロパガンダの装いを帯びていたものはありませんでしたか。」

答「それは読者の受けとり方によると思います。」

問「あなた自身はどう思いますか。」

答「ありませんでした。私が送った書籍は教育や美術や舞踏や文学に関する本でしたから。」

問「それらの本は、日本人はとても平和的かつ協力的で慎み深い民族であるという見方に読者を誘導するものではありませんでしたか。」

答「どこの国の文学だってそれが書かれた国への信頼感に読者をいざなうものだと思います。」

問「それではイタリアの文学はどうですか。イタリア人は好戦的で軍国主義的だとは思いませんか。」

答「それはあまりにも個人的な見解だと思います。」

問「私はあなたの個人的な意見を知りたいんだ。イタリア人は軍国主義的かどうか。」

答「それがこの問題とどう関係すると言うのですか。」

問「日本人は軍国主義的ですか。」

答「私はそこまで物事を一般化したくない。」

GillardのRussoに対する尋問は、この裁判があたかも国際文化振興会と関係があり、またイタリア系の出自を持つRussoを弾劾する裁判であるかのように、執拗をきわめた。

問「日本で軍部が権力を握るようになったのはいつ頃からですか。」

答「1931年の9月頃からです。軍部はそれ以前からすでに力を持っていましたが、1931年の9月頃からは学校や大学でも軍の影響力が感じられるようになりました。」

問「それはどういう意味ですか。」

答「1932年頃から多くの学校で軍事教練が義務化され、少佐や退役将校が学生の思想を監視するために各学校に配属されるようになりました。日本の国体に関する法的な定義が見直されたのもこのころです。有名な美濃部事件も最初は1932年に起こりました。彼は優れた法学者で私の同僚でもありましたが、天皇は国家のために存在するというのが彼の学説でした。これが1932年に問題とされ、その直後に美濃部は逮捕され告発されました。このことが、軍部が天皇と直接謁見する権利を獲得し、国会よりも力を持つに至った端緒となりました。」

問「その2～3年後に国際文化振興会が設立されているということに、何か意味があるようには思いませんか。」

答「思いません。」

問「両者の間に関係があるようには思いませんか。」

答「思いません。」

問「1931年頃から軍部は力を持ちはじめ、天皇とも直接会うようになった。そのとおりですね。」

答「そのとおりです。」

問「あなたは国際文化振興会の組織を完全に知っていますか。」

答「それはどういう意味ですか。」

問「今あなたは「Herald」社にお勤めですね。そこには約10か月間お勤めですが、同社の組織のことをよくご存じではありませんか。」

答「･･･」

問「いかがですか。」

答「よく知りません。」

問「関心がないのですか。」

答「私は自分の職務に関係することにしか関心がありません。」

問「KBSには何年間お勤めでしたか。」

答「5年間です。」

問「その5年間、あなたは自分の職務を離れてそれがどのような組織であるかを知ろうともしなかったのですか。」

答「私は自分の仕事に没頭しておりましたので、それ以外のところで何が起こっていたのかは知りません。」(中略)

問「稲垣が1938年に日本に行った時、あなたは稲垣に会いましたか。」

答「はい。」

問「何度ぐらい。」

答「はっきりとは覚えていませんが、何回も会ったように思います。」

問「はっきり思い出してください。稲垣自身やその夫人はすでに証言席に立ちました。今度はあなたが答えてください。あなたは日本で何回ぐらい稲垣に会いましたか。」

答「彼は日本に2～3週間いたと思いますが、何回会ったかまでは覚えていません。」

問「私は何回会ったかと聞いているんだ。」

答「週に２～３回だったと思います。」

問「それ以外の時間、彼は何をしていたと思いますか。」

答「わかりません。ただ、数人の友人を訪ねたことは知っています。」

問「ある場所で稲垣は入ることを許されたが、夫人は拒絶されたということを知っていますか。」

答「知りません。」

問「知らないのですか。」

答「知りません。」

問「稲垣夫人は詮索好きな女性なので、そこが何であるのかを知ろうと試みたようですが、あなたはこれについて何も知らないのですか。」

答「聞いたことがありませんでしたし、興味も持ちませんでした。」

問「国際文化振興会の、あなたも知らない支部と彼は接触していたのではないですか。」

答「そんなことはありません。こんなことを言うと稲垣さんを傷つけるかもしれませんが、彼はKBSからそれほど重要視されていませんでした。」

問「どうしてですか。」

答「ひとつは彼がオーストラリア人と、すなわち外国人と結婚していること。次にあまりにも長くオーストラリアに住んでいること。そして日本の大学を卒業していないことからです。これらのことがあいまって彼に対する待遇が決められる時、こういうことは日本ではとても重要なことなのですが、彼に対する歓迎会は夕食会ではなく昼食会に決まりました。これは振興会の規程では第五等の待遇ですし、主宰者は伯爵に過ぎません。」

問「公爵ではなくてですか。」

答「そうです。」

問「日本を離れ、外国人と、とりわけ英国人と結婚した日本人は、祖国では畏怖のまなざしで迎えられると私は理解してますが。」

答「とんでもない。」

問「そうではないのですか。」

答「ちがいます。たしかに蝶々夫人の時代はそうだったかもしれませんが。」

Russoに対する長い尋問が終わった。この裁判では、他にもメルボルン大学やヴィクトリア州立図書館の関係者が証言席に立ち、稲垣との交友関係や稲垣自身の性格について証言した。

判決は3月10日に言い渡された。その内容は次のとおりである。

「本件裁判の不服申立人である稲垣蒙志は58才で、オーストラリアには1906年に入国した。彼はそれ以降3回帰国している。すなわち、1925年、1926年、1938年である。稲垣はオーストラリア人女性と結婚し、ひとりの娘を儲けた。現在は日本語教育に従事しているが、その業務においてメルボルン大学とは23年にわたって関係がある。

稲垣はオーストラリアの日本人社会と密接な関係があり、過去6年間は東京に本部がある国際文化振興会のオーストラリアにおける連絡員を務めていた。また、何人かの定評あるオーストラリア市民が稲垣の性格について証言したが、彼は評判が良かった。

当裁判所はすべての証言と証拠を慎重に検討したが、その結果、彼の関心と共鳴の対象が日本であることには疑いをさしはさむ余地がなく、彼の釈放を勧告するのに必要充分な理由を得られなかった。

このため、われわれは彼の抑留は継続されるべきだと判決する。」(8)

判決の場に稲垣自身は居合わせなかったらしく、南部方面軍司令部は3月13日付でタチュラ収容所に対し、裁判所の判断は抑留継続であるとして、この旨を稲垣に伝達するよう指示している(9)。また、同司令部は3月31日付でRoseに対して次のような書簡を送っている。

「外国人裁判所の結論は最終的なものであります。裁判所はあなたのご主人を釈放することは国家の安全保障のためにならないと判断しました。南部方面軍司令部としてはこの勧告を受け入れなければなりません。」(10)

これは憶測に過ぎないが、稲垣の「抑留理由」が「敵国人」(11)であったことを勘案するならば、この裁判の結論は最初から出ていたのかもしれない。だとすれば、稲垣がその日本語能力を活かして、あるいはその日本語教育を通じて、オーストラリアの「国益」に貢献してきたと裁判で立証されたとしても、判決は変わらなかった可能性もある。

しかし、この裁判において稲垣側弁護人のBourkeが立証しようと努めたことのひとつは、稲垣がその日本語教育や教材制作を通じてオーストラリアの「国益」に貢献してきたということであり、陸軍側弁護人のGillardが試みたことは、それを否定すること、そしてさらには、稲垣の日本語教育の水準がオーストラリアの「国益」を損いかねないほど低レベルのものだったことを立証することであったと言える。また、Gillardは稲垣と国際文化振興会の関係を問題視したが、それは同会を日本の「プロパガンダ」機関と見なしていたからであって、国際文化振興会がオーストラリアに対して「日本語普及」事業を営んでいたからではない。国際文化振興会がその「日本語普及」事業を通じて、オーストラリアにおける日本語教育の振興に、ひいてはオーストラリアの「国益」に貢献していたと、もしBourkeが（たとえば、メルボルン大学教育学部教授のGeorge Browneに対する尋問において）主張していたら、Gillardはどのように反論しただろうか。

いずれにせよ、BourkeもGillardも、日本語教育がオーストラリアの「国益」に貢献しうるものであることを前提に、それでは稲垣自身はその日本語教育を通じてオーストラリアの「国益」に貢献してきたのか否かを問うた。ある特定の個人が営んだ日本語教育の、その「国益」への貢献度が争点のひとつとなった裁判は、オーストラリアでは他に類を見ない。その意味で、この裁判は当時のオーストラリアにとって日本語と日本語教育がどのような存在であったかを知る上での貴重な記録を残すことになった。

しかし、その判決内容は稲垣にとって心外なものだったに違いない。稲垣はその後の約5年間をタチュラ収容所で過ごすことになった。

稲垣の配偶者Roseは判決から1年半後の1943年8月23日に死去している。「収容所にローズ死去のニュースが伝えられると稲垣は人が変ったようになってしまった」(12)という。

1945年8月15日、タチュラ収容所に抑留されていた日本人たちは日本の降伏を知らされた。翌16日には昭和天皇の玉音放送も流されたが、多くの抑留者は雑音やその聞きなれない文体のため、玉音放送の内容を理解できなかったという(13)。収容所の中は日本の降伏を信じるか否かによって「負け組」と「勝ち組」に分かれ、両者の間に「感情的対立がしばらく続きキャンプ内が緊張した」(14)が、稲垣は「勝ち組」に属し、日本が降伏したというのは嘘であると、他の抑留者たちを説得して回ったという(15)。

1945年11月15日の段階でオーストラリアに抑留されていた日本人は3,268名だった(16)。オーストラリア政府の日本人抑留者に対する方針は、英国国籍を有する者の配偶者やオーストラリアで生まれた者を除き、滞豪期間の長短に関係なく、全員を日本に送還することにあった。

1946年2月21日、釈放された元抑留者たちを乗せた「光栄丸」がメルボルン港から日本に向けて出航した。「光栄丸」は約3週間後の3月13日に浦賀に入港している。また、第二陣として「大海丸」が3月2日にシドニー港を出航した。

しかし、稲垣はこれらの送還に漏れた。漏れた理由は不明だが、彼は4月29日付で収容所に対して、早期の送還を要請している(17)。また、7月20日には次のような上申書も提出している。

「私、メルボルン出身の稲垣蒙志は下記の理由から日本への送還を希望いたします。

1. 妻が1943年8月23日に死亡したこと。
2. 1943年5月以来、体調が良くなく、現在も回復していないこと。
3. 体調不良により体力を失い、また妻の死により全ての気力を失ったこと。私は日本に戻り、少し休養したいと思いますが、もはや活動的な仕事はできないものと考えます。
4. 娘がひとりいるが、1938年に結婚して、すでに自立しており、また良好な環境の下にいること。
5. 私の将来については、娘とも相談したが、彼女は私の希望を尊重しており、日本に戻って休養するよう助言してくれたこと。
6. 私は自分の健康状態を充分に自覚しているが、現在の状況下では回復することが困難と思われること。

これらの事情をご考慮いただき、可能なかぎり早く私を日本に送り返してくださいますようお願い申し上げます。」(18)

1947年1月4日、稲垣は日本に送還された(19)。福島尚彦（1998）によれば、「その後の稲垣の消息を知る人はいない」(20)という。

〈註〉

(1) NAA A367/1, C73350

(2) Nagata, Yuriko（1996）によれば、オーストラリアの軍事関係者や警察当局は、在豪日本人の活動、とりわけ「日本人会」の活動には注意を払っていたという。また、「日本人会」は日本の諜報機関とも見なされていた。

(3) 国際文化振興会（1938a）718頁～719頁

(4) NAA A367/1, C73350

(5) 福島尚彦（1979b）3頁

(6) 福島尚彦（1979b）3頁

(7) なお、稲垣の「日本語能力」については、Russo と Gillard の間で次のような問答があった。

問「稲垣自身の日本語能力とは、どの程度のものでしたか。」

答「私が知っている限り、彼の日本語には素晴らしいものがありました。ただし、稲垣の教科書を点検したところ、現代語の表現に関しては、平均点以上とは言えませんでした。このため、点検の際にいくつかの文章を削除しました。それらは確かに完璧なものではありましたが、あまりにも古風だったので、現代の言葉に直す必要があったのです。

問「あなたはたしか大学で日本語を学んでから、日本に行ったのですね。」

答「そのとおりです。」

問「あなたはまっすぐ日本に行って、日本語の読み書きができるようになったのですね。」

答「読むことに関しては、かなりできると思っていました。また話すこともできると。しかし、すぐに自分の日本語が時代遅れである上、あまりにも形式ばったもので、現代のものではないことに気づきました。それを克服し、また日本語会話をマスターするのに数年を要しました。外国で日本語会話を学ぶことは日本人と生活しているのでない限りひどく難しいと言うことができるでしょう。会話の教材がないわけですから。習うより慣れろです。」

(8) A367/1, C73350

(9) A367/1, C73350

(10) A367/1, C73350

(11) NAA A367/1, C73350

(12) 福島尚彦（1998）58頁

(13) Nagata, Yuriko（1996）p. 181～ p. 182.

(14) 永田由利子（1998）64頁

(15) Nagata, Yuriko（1996）p. 184.

(16) そのうち、オーストラリア国内で逮捕された者は958名だった。Nagata, Yuriko（1996）p. 193.

(17) A367/1, C73350

(18) A367/1, C73350

(19) A367/1, C73350

(20) 福島尚彦（1998）58頁

結　論

1.　本研究で設定した概念について

本書では、1910年代後半から1940年代初頭までの時期におけるオーストラリアの日本語教育史を考察してきた。ここでは、その総括を試みるとともに、本書で解明できた事柄の今日的な意義について考えてみたい。

はじめに、本書で使用した「日本語教育政策」と「日本語普及政策」という二つの概念について触れておく。序論でも述べたように、上記二つの概念は便宜的に設定したものである。そして本書では、その便宜的に設定した概念を利用して、いわゆる戦間期とほぼ重なる時期におけるオーストラリアの日本語教育史を考察するとともに、同国の「日本語教育」と日本の対オーストラリア「日本語普及」のそれぞれに関する「政策」の中身と目的を見てきた。また、この二つの概念は対比的に設定されるべき性格のものであるが、その両者の対比を通じて、オーストラリアの「政策」と日本の「政策」の関係を分析してきた。その結果、本書においては当時のオーストラリアと日本は、その「日本語教育」あるいは対オーストラリア「日本語普及」を通じて追求しようとしていたところの「国益」の中身こそ異とするものの、すなわちオーストラリアは「国防」という「国益」を、日本は「我国並に東方文化の真義価値を世界に顕揚する」という「国益」を追求しようとしていたのであるが、オーストラリアで日本語教育を振興するという点では利害が一致していたことを明らかにすることができた。多くのオーストラリア人が日本語を学び、またその日本語能力が向上することは、オーストラリアの「国益」にとっても、日本の「国益」にとっても、歓迎すべきことだったのである。

おそらくはこの点の解明が不充分だと、稲垣蒙志が起こした裁判の記録（第5章第4節参照）も、稲垣は日本の「プロパガンダ」の担い手だったかどうかだけが争われた裁判の記録と読まれてしまう可能性がある。しかし、当時のオーストラリアにおける日本語と日本語教育の価値、そしてオーストラリアの「日本語教育政策」が目指していたものの中身が解明できていれば、この裁判では、稲垣がその日本語教育を通じて、オーストラリアの「国益」に貢献してきたかどうかも争点のひとつであったことが浮かび上がってくる。稲垣側の弁護人も、陸軍側の弁護人も、日本語教育がオーストラリアの「国益」に貢献しうるものであることを前提として法廷に臨んでいたと言える。そして、稲垣側の弁護人は、稲垣がその日本語教育を通じてオーストラリアの「国益」に貢献してきたことを、それに対して陸軍側の弁護人は、稲垣の日本語教育がオーストラリアの「国益」を損いかねないほど低レベルのものであった（しかも「意図的」に低レベルのものであった）ことを、それぞれ立証することに努めていたと言うことができる。

以上の事柄が解明できたという点で言えば、「日本語教育政策」と「日本語普及政策」という二つの概念を本書で設定したことは、たとえそれが便宜的な措置であったとしても、おおむね妥当だったと自己評価して差し支えないのではないかと考える。また、このことからやや拡大的に推論するならば、オーストラリア以外の国や地域の日本語教育事情あるいは日本語教育史を分析する際にも、序論の部分で述べた前提が整っている限りにおいては、これら二つの概念を設定しても差し支えないケースがありうるのではないかと考える。

しかしそれと同時に、上記二つの概念を設定したことで、視野から抜け落ちてしまった領域もあるように思われる。この点については最終節で触れたい。

2. オーストラリアの「日本語教育政策」

2-1 「国防」を目的とした「日本語教育政策」

本書における分析を通じての、その結論のひとつとして言えることは、戦間期におけるオーストラリアの「日本語教育政策」は、すでに先行研究が指摘しているところではあるが、基本的に「国防」を目的としたものであったということである。ただし、その対象は軍の将兵にとどまらず、ハイスクールの生徒、大学生、文民公務員、一般市民など、多方面にわたっていた。また、その中身は、陸軍士官学校や空軍日本語学校など軍関係の学校における日本語教育の開始あるいは実施だけでなく、高等教育機関に対する補助金の支給、日本人教師の招聘、日本語学習者に対する留学機会の提供、ハイスクールの生徒や大学生に対する日本語学習奨励、日本語教師の養成など広範囲に及んでいた。

しかし、それらの中には「立案」こそされたものの、「実行」には移されなかった「政策」もあった。たとえば、日本留学から帰国した陸軍大尉の Capes が 1920 年代の後半にまとめた「日本語教育に関する覚書」と題する意見書（第 1 章第 4 節参照）は、中等教育レベルで日本語教育を実施することの意義を問うた、すなわち今日なお課題として残されている問題を扱った、管見の限りは最初の意見書であるが、この意見書が実際に生かされることはなかった。また、1939

年から1940年にかけて各軍と国防省の関係者からなる検討部会がまとめた「軍における日本語教育」と題する部会報告書（第1章第6節参照）は、ハイスクールの生徒や大学生に対する日本語学習奨励や日本語教師養成の在り方まで視野に入れた、それまでのオーストラリアで最も包括的な「日本語教育政策」を提言したが、「この報告書を最終的に完成することは、戦争中はあまり意味を持たないので、延期すべきである」とされた。戦間期のオーストラリア政府には、「日本語教育政策」の「立案には熱心だが、それを実行に移す能力を欠くきらい」(1)があったと言える。

むろん、なかには実行に移された「日本語教育政策」もあるのだが、その多くには継続性がなかった。具体的には、陸軍士官学校における日本語専任講師職の設置、陸軍士官の日本留学、ニューサウスウェールズ州のフォート・ストリート・ハイスクールにおける日本語教育の実施、日本人教師の招聘などである。これらの施策は、日豪間に「緊張緩和」が見られるとすぐに廃止あるいは中止された。戦間期におけるオーストラリアの「日本語教育政策」には、その実行面に「喉元過ぎれば熱さを忘れる」とでも言うべき、継続性の欠如という特徴が見られる。

もっとも陸軍士官学校における日本語教育の実施やシドニー大学に対する補助金の支給のように、20年以上にわたって実行された施策もあった。しかし、「国防」という政策目的からすれば、結果としては中途半端に終わり、日本語能力を備えた人材を本当に必要とした時代、すなわち日豪関係が「緊張」した時代には間に合わなかったと言うことができる。それは、検閲者のために日本語文書を翻訳するという、きわめて「国防」と結びついた作業を、稲垣蒙志や清田龍之助のような仮想敵国人にも委託せざるを得なかったという事実、あるいは、「第三高千穂丸事件」（第3章第2節参照）の裁判で、「日本語法廷通訳者を務められるだけの実力を持った、信頼できるヨーロッパ人」を「オーストラリアではただのひとりも見つけ出すこと」ができなかったという事実、さらには、日豪開戦時に陸軍や空軍が躍起となった、高度の日本語能力をすでに身につけている人材の確保という試み（第4章第1節参照）において、充分な成果が得られなかったという事実を勘案すれば、明らかであろう。

序論で触れたように、1980年代後半から1990年代にかけてオーストラリア政府およびその関係機関は、『言語に関する国家政策』『オーストラリアにおけるアジア教育のための国家戦略』『オーストラリアの言語－オーストラリア言語・識字政策－』『アジアの諸言語とオーストラリアの経済的将来』など、LOTE教育やアジア語教育を振興するための計画や方針をあいついで策定した。それらの全ては実質的に「日本語教育政策」でもあったのだが、その内容の豊富さに比べて、実行面や効果については、それを疑問視する調査結果がある[(2)]。また、『アジアの諸言語とオーストラリアの経済的将来』の提言を受けて、連邦政府と各州・地域の教育省は1994年から「オーストラリアの学校におけるアジア語・アジア学習推進計画」(The NALSAS Program) の実行に着手したのであるが、その後、1990年代末のアジア経済危機や日本経済の予想外に長引く低迷を間近に見て、「アジアの諸言語」の教育を「オーストラリアの経済的将来」の観点に立って推進することの意義と必要性をオーストラリア政府は見失ってしまったのか、2002年5月2日、連邦政府の教育科学訓練大臣 Brendan Nelson は、当初の目標が未達成であるにもかかわらず、「NALSAS」計画を予定 (2006年) よりも4年早い2002年末をもって終了すると発表した[(3)]。これらの現象を考え合わせるならば、戦間期におけるオーストラリアの「日本語教育政策」の在り方は、その時代に特有な現象だったとは言いがたく、政策目的における「国益」の中身が「国防」から「経済」に変わった今日にも共通の現象かもしれない。

2-2　日本語学習者と「国益」

戦間期におけるオーストラリアの「日本語教育政策」は基本的に「国防上の理由」から立案されたものだった。しかし、当時のオーストラリアでも、その日本語教育と日本語学習のすべてが、「国防」を目的として営まれていたわけではない。メルボルン大学やクィーンズランド大学の日本語教育あるいはヴィクトリア州の中等教育機関における日本語教育は、基本的にオーストラリアの「日本語教育政策」の枠外にあったが、そこではとくに「国防」は意識されていない。また、アデレードにあった「日本語クラブ」の会員たちのように、個人的な興味や関心から日本語学習を始めた人々もいた。しかし、「第三高千穂丸事件」に衝撃を受けたオーストラリア政府が「日本語クラブ」会員の日本語能力をオーストラリアの「国益」のために利用しようとした形跡があることは、第3章第2節で指摘したとおりである。

また、第3章第1節で触れたとおり、日本国内では「日本語クラブ」がオーストラリアにおける「日本語学習熱」の高さを象徴する存在として1938年頃から盛んに紹介されたが、この「日本語学習熱」という表現は、結果として当時の日本人のある種のナショナリズムを駆り立てたのではないかと想像でき、その意味で「日本語クラブ」の存在は、会員たちの意志とは全く別のところで日本の「国益」に貢献させられていたとも考えることができる。

これらのことは、個人的な興味や関心に基づく日本語学習、すなわち「国益」

とはほんらい無関係であるはずの日本語学習も、「国益」に搦めとられる可能性や危険性があることを示唆する。そしてまた、オーストラリア政府の「日本語クラブ」に対する関心が奈辺にあったかを分析するならば、序論の部分で述べたように、「日本語教育政策」とは基本的に何らかの「国益」の追求を目的として立案されるものだが、その「国益」の中身によっては、「日本語教育政策」の立案を必要としない場合もあるということが明らかとなろう。「日本語クラブ」の事例が暗示しているように、「国益」の内容によっては、わざわざ「日本語教育」を施さなくても、自ら日本語を学習中の者あるいは学習した経験を有する者を「徴用」しさえすればいいケースもありうるのである。日豪開戦時に陸軍や空軍が試みた、高度の日本語能力をすでに身につけている人材をオーストラリア国内外で見つけ出すという行為（第4章第1節参照）も、その延長上にあったと言うことができるだろう。

ただし、「日本語クラブ」の場合は、その会員たちの日本語能力がオーストラリアの「国益」に貢献できるだけのレベルに達していなかった。また、日豪開戦時における陸軍や空軍の試みも結果的には虚しく終わった。このため、オーストラリア政府の目論見がかなえられることはなかったのであるが、日本語教育に要する予算や時間の節約を図るという観点からすれば、未習者を対象として日本語教育をあらたに開始することよりも、すでに日本語を学習中の者または学習した経験を有する者を「徴用」すること、あるいは彼らの日本語能力が「徴用」できるだけのレベルに達していない場合は、その日本語能力をさらに発展せしめるために予算と時間を投入することの方にこそ、経済的合理性はあると言うことができるかもしれない。

1980年代以降のオーストラリアには「資源としての言語」（Language as a Resource）という考え方がある。これは、主に移民の母語や継承語を国家の「資源」と見なして、すなわち、「国益」に貢献しうるものと見なして、それらを積極的に活用していこうとする考え方である。この考え方が公認される以前は、主に「権利としての言語」（Language as a Right）という考え方に基づいて、オーストラリア政府は移民の継承語教育を助成してきたのであるが、「権利としての言語」という考え方に基づいて継承語教育を助成する場合は、基本的にその受益者が移民やその子女に限定されるため、彼らのための継承語教育を国家の資金（税金）を投入してまでも助成することに対する理解を、その施策の直接的な受益者以外の納税者に対して求めることが難しい。それに対して、「資源としての言語」という考え方においては、彼らの母語や継承語の価値が「国益」という観点から保障されているため、すなわち、継承語教育の成果はマジョリティーにも還元されるものであると説明することができるため、より多くの納税者の理解を得やすい。「資源としての言語」という考え方は、移民の継承語教育に要する経費を政府が負担することを、「国益」の観点から正当化する考え方でもある。

むろん、「資源としての言語」という考え方には欠点もある。その最大のものは、言語と「国益」を結びつけることで、「国益」への貢献度という観点から、移民の様々な母語や継承語が序列化されてしまうという欠点である。これは、「オーストラリア全国で、あらゆる言語を教育するのは現実的に不可能」であり、「すべてのニーズに応えるために、限られた数の教員、教育課程、財源を分散させることは好ましく」なく、「資力と資源をある程度集中させることが必要である」ことから、必然的に生じる現象かもしれないが、「資力と資源をある程度集中」させる過程において、「オーストラリアの国益にとってより重要な言語を優先する必要がある」としたら、「オーストラリアの国益にとってより重要」でない言語は「優先する必要」がないわけだし、したがって、そのような言語の教育を助成する必要もないということになってしまう。

ただし、「資源としての言語」という考え方には利点もある。そのひとつは、上述のように、政府が継承語教育に国家の資金を投入することの是非を「国益」の観点から正当化できるということであるが、もうひとつは、この考え方には「国益」に貢献できるだけの言語能力の養成に要する予算や時間の節約を図るという観点で、経済的合理性が認められることである。

すなわち、継承語教育の場合は、その学習者の多くが当該言語の基礎をすでにある程度は習得しているであろうと想定できることから、たとえば英語を母語とする者に対して当該言語の教育を入門レベルから施すことに比べて、「国益」に貢献できるだけの言語能力を得させるのに必要な時間数が少なくてすみ、したがって費用もより少なくてすむであろうと考えられる点である。すでに存在する「資源」を活用する場合は、まだ存在しない「資源」を調達する場合に比べて、コストを低くおさえることができるというわけだ。そして、この経済的合理性を根拠とすれば、政府が継承語教育を助成することの正当性はさらに強化されるであろう。

以上のことを整理するならば、1930年代後半から1940年代初頭にかけての時期にオーストラリア政府が「日本語クラブ」の会員たちやその他の日本語既習者たちの日本語能力を「国益」のために活用しようとしたことにも経済的合理性はあったと言えるし、今日のオーストラリア政府が「資源としての言語」という考え方から移民のための継承語教育を助成していることにも経済的合理性はあると言うことができる。なぜなら、いずれの場合も未習者を対象にその言語の教育を入門レベルから施すことに比べて、予算や時間の節約を図ることができると考えられるからだ。経済的合理性という観点からは、両者の間に共通性を認めることができる。

また、「日本語クラブ」の事例を「資源としての言語」という観点から見つめなおすならば、日本語は当時のオーストラリアで継承語としての性格をほとんど有していなかったし、「日本語クラブ」の会員たちは、その多くが英語母語話者ではなかったかと想像できるが、オーストラリア政府はその会員たちの日本語能力を国家の「資源」と見なし、それをオーストラリアの「国益」のために「徴用」しようとしたと、アナロジカルには言うこともできるだろう。もっともその「資源」はオーストラリアの「国益」に貢献できるだけの品質と埋蔵量を有していなかったのであるが、今日のオーストラリアには継承語としての性格が強い言語を中心に、充分な品質と埋蔵量を有する言語（LOTE）も存在しよう。そして、それらの言語の教育を国家が助成することの正当性を、「資源としての言語」という、きわめて「国益」と密接な関係を有する考え方に求めるのであれば、ある国とオーストラリアとの「関係が深刻な事態に陥った」時に、オーストラリア政府が、その国から移民してきた人々やその子女の継承語教育を助成してきたことの見返りとして、彼らの言語能力を「徴用」することも、経済的合理性の観点から、また正当化されてしまうのである。

2-3　日本語の「難しさ」と日本語教育の効果

第1章第5節で触れたように、1910年代の後半にオーストラリア海軍ではその士官学校に日本語教育を導入することが検討されたが、日本語は「学習するに際して直面する困難さ」ゆえに、それを「マスターすることはほとんど至難の業である」のと同時に「時間の無駄」であることから、同校のカリキュラムに導入することは断念された。また、第1章第6節で触れたように、1930年代後半の陸軍士官学校は、「日本語は一般的に言って文化的な価値を持つ言語ではない」のと同時に、「生涯にわたる学習を必要とし、卒業後に大学進学や日本留学の形で継続して学習しない限り、士官学校における教育は無駄になる」として、同校における日本語教育の中止を提言した。

このように、オーストラリアの国防関係者の中には、日本語の「難しさ」や日本語学習に要する時間の長さ、あるいは教育効果の観点から、日本語教育を実施することに否定的な見解を有する者もいた。

日本語が英語母語話者にとって実際に「難しい」言語であるかどうかはここでは問題としない。たしかに英語を母語とする者が日本語を習得するためには、とくにヨーロッパ系の言語の場合と比較して、より多くの学習時間数を要するとのデータもある。たとえば米国では、国防総省の調査結果に基づき国務省の外交研修所が、米国の教育機関で教えられている外国語を、英語を母語とする米国人が当該言語をあるレベルまで到達するのに必要な学習時間数という観点から、4つの範疇に分類しているが、それによると日本語は、アラビア語・中国語・韓国語とともに「第4範疇」に分類されている。この「第4範疇」に含まれる言語は、習得するのに最も時間を要する言語であり、たとえばフランス語やスペイン語のように「第1範疇」に含まれる言語を480時間学習して到達できるレベルに、「第4範疇」の言語で到達するためには、1,320時間と約3倍弱の学習時間数が必要とされている(4)。

しかし、ある言語の「難しさ」を立証するのに学習時間数という指標だけで測ることには限界があろう。また、日本語の英語母語話者にとっての「難しさ」の中身を検討することは本書の主題ではないので、この問題に深入りすることは避けるが、上述のように、オーストラリアの国防関係者の中には、日本語を英語母語話者には「難しい」言語であると見なして、その教育に効果の観点から否定的な見解を有する者もいたことは指摘しておきたい。

そして、この日本語の「難しさ」と日本語教育の効果という観点から、1940年代の初頭にメルボルン大学文学部長のA. R. Chisholmと副学部長のH. K. Huntが学校教育や大学教育の分野で日本語教育を実施することに疑問を呈していたことは、第3章第3節で紹介したとおりである。両名は、「日本語の難しさだけを声高に叫ぶのは勇気に欠けていると言わざるをえない」としつつも、「日本語を他の言語を犠牲にしてまでも中等学校のカリキュラムに主要科目として取り入れる必要があるかという問題」に関して、「たしかに日本語学習はその難しさゆえに素晴しい精神訓練の機会となろう」けれども、「はじめは通常の言語を学習して、その能力を高めた方が、日本語学習も容易にするという考え方がある」とした上で、「ラテン語のような屈折語を学ぶことで得られるものを日本語でも得られると考えることには疑問がある」と主張した。そして、大学で日本語教育を実施することについても、「東洋語はその難しさと疎遠さゆえに文学部の科目としてはなじまない」として、むしろ「パリにあるかの有名な東洋語学校のような施設」を「連邦政府の責務」で設立すべきだとした。

また、この日本語教育の効果という観点では、メルボルン大学の稲垣蒙志が「初級以上の日本語を教えることを意図的にさぼってきた」と疑われ、さらに「オーストラリアの日本語教育を妨害することは日本の国策の一部かもしれない」とオーストラリアの国防関係者から見られていたことは、同じく第3章第3節で紹介したとおりである。

しかし、このような日本語の「難しさ」と日本語教育の効果に関する問題は、「優良な教授法」や「科学的に整えられた教科書」を欠いていた当時に特有の問題ではない。当時とは比較にならないほど多くの人々が日本語を学んでいる現在のオーストラリアにおいても大きな問題である。

序論でも紹介したとおり、1980年代後半から1990年代にかけて、オーストラリアでは日本語学習者数が急増したのであるが、その理由のかなりの部分は、同じ時期にあいついで策定された、言語教育に関する各種の提言や答申が、日本語を含むLOTEあるいはアジア語の学校教育における実質上の必修科目化を求めていたことにある。1991年の『オーストラリアの言語－オーストラリア言語・識字政策－』はLOTE教育の必修化を、そして1994年の『アジアの諸言語とオーストラリアの経済的将来』は必修化されたLOTE教育におけるアジア語の優先化（アジア語6：ヨーロッパ語4）を求めていた。このため、結果として多くの学校が日本語の必修化を図ることになったのだが、これに対しては、日本語の「難しさ」を理由に反対する意見も見られた。たとえば、ニューサウスウェールズ州の日刊紙「Sydney Morning Herald」（1993年6月2日）によれば、当時、同州議会で野党だった労働党の議員は州政府の方針を批判して、次のように語っている。

「アジア語の教育に重点を置くことには問題がある。連邦政府の報告書によれば、職業技能としてのフランス語能力は700時間から800時間あれば習得できるが、日本語や中国語の場合は2,400時間も必要である。政府の方針は中途半端な日本語話者を大量生産するだけだ。」(5)

ここに引用されている「フランス語能力は700時間から800時間あれば習得できるが、日本語や中国語の場合は2,400時間も必要である」というデータは、米国国防総省の調査結果に基づくものであるが、日本語は英語を母語とするオーストラリア人には「難しい」言語であることの根拠として、この時期のオーストラリアの新聞紙上にたびたび登場する。

「日本語は他の言語よりも難しく、フランス語やドイツ語の場合は700時間から900時間で習得できるのに対し、日本語の場合は2,400時間かかるという。たしかに日本語に対する需要は大きいが、充分な日本語能力を身につけるまでには最低でも数年は必要になる。」(6)

「英語を母語とする者にとってアジア語は難しく、ビジネス関係者はアジア語学習の必要性に疑問を投げかけている。オーストラリア言語・識字委員会(The Australian Language and Literacy Council)の『ビジネス関係者は語る』(Speaking of Business)と題する報告書は、大学で高度のアジア語能力に到達することの困難さを各種のデータで示している。そして、この報告書によれば、アジア語の多くは習得するのにヨーロッパ語の少なくとも2倍の時間を要するとのことだ。たとえば、イタリア語やスペイン語の場合は700時間から800時間あれば習得できるが、日本語の場合は2,500時間かかるという。」(7)

そして、この「難しさ」という観点からは、英語母語話者が日本語を習得するためには、「膨大な努力と時間が必要であり、その学習は全ての生徒に適しているわけではない」(8)ことから、日本語よりも他の言語の教育を優先すべきという論調が生まれる。たとえば、1993年3月3日の「The Australian」(オーストラリア唯一の総合日刊紙)によれば、オーストラリア国立大学アジア研究学部教授のGavan McCormackは、学校教育ではフランス語・イタリア語・インドネシア語のように生徒にとって「取っつきやすい言語」(9)を教えるべきで、日本語は適当でないと主張した。また、1994年3月23日の同紙によると、南クィーンズランド大学副学長のBarry Lealは、アジア語教育の必要性が強調される風潮に対して、「アジア語学習を強要することは、外国語教育全体に悪影響を及ぼす」(10)として、子供たちに日本語・中国語・韓国語などの「難しい」(11)言語を教えることは好ましくなく、はじめはヨーロッパ語を教えるべきであるとした。

1993年10月17日の「The Sun Herald」には、次のような事例も紹介されている。

「このたび、ナララ・ヴァレー・ハイスクール(Narara Valley High School)は日本語教育を取りやめ、かわりにインドネシア語教育を導入することに決定した。これは、アルファベットを用いる言語を母語とする生徒たちにとって、日本語はあまりにも異質な言語であり、教えるのに多くの困難を伴うがゆえの決断だ。」(12)

ただし、「中途半端な日本語話者を大量生産」しているのは、日本語の「難しさ」だけが理由ではない。「日本語教育のレベルがあまり高度とは言えない」(13)ことも原因のひとつとされている(14)。そして、「日本語教育のレベル」が問題とされる時は、60年以上前の稲垣蒙志がそうであったように、日本語教師の

「能力」も問題とされる。

「日本語は数年前にフランス語・ドイツ語・イタリア語を抜いて、クィーンズランド州で最も人気のある外国語となった。州教育省の発表によれば、同州では22,000名の小学生と16,000名の高校生が日本語を勉強している。しかし、学校現場では日本語を優先言語として取り入れなければならなくなったことから、経験や知識が少ないにも関わらず、多くの教師が日本語を教えなければならない羽目に陥った。（中略）子供たちは日本語を学ぶことに何の不安も感じていないが、問題は教師の側にある。教師たちは、自分の日本語能力、そして教室で使用する教材やリソースに自信を持てないでいるのだ。」(15)

もっとも、1990年代におけるオーストラリアの日本語教師は、とくに初等中等教育レベルで日本語を教えている教師は、その多くが英語母語話者であり、稲垣のように「教授法」ではなく、その「日本語能力」が問題とされている。したがって、彼ら自身も日本語の「難しさ」の犠牲者であるわけだが、上述のように、英語母語話者にとっての日本語の「難しさ」や日本語教育の効果の問題、さらには日本語教師の「能力」の問題は、日本語学習者数が飛躍的に増加した現在でも大きな問題であり、60年前と状況はそれほど変わっていないと言うことができる。ただひとつ大きく変わったことは、今日ではある日本語教師の「日本語教育のレベルがあまり高度とは言えない」としても、その日本語教師が「初級以上の日本語を教えることを意図的にさぼって」いる、あるいは「意図的にオーストラリアの日本語学習を妨害」しているとの疑いをかけられないですむということなのであるが、このことをオーストラリアの歴史の中で、あるいは日豪関係史の上で、大きな前進と見なすか、それとも意味はないと見なすかは、評価の分かれるところであろう。

2-4　オーストラリアの「国益」

たびたび繰り返しているように、オーストラリアの「日本語教育政策」は、「国防」を目的としたものだった。それに対して、国際文化振興会の「日本語普及」は「我国並に東方文化の真義価値を世界に顕揚する」ことを目的としていたのだが、オーストラリア人の中にも同会の「日本語普及」を、その目的はともかくとして、少なくとも事業面に関しては歓迎する人々がいた。たとえば、メルボルン大学文学部長のA. R. Chisholmと副学部長のH. K. Huntは、「国際文化振興会は文化関係を促進するために設立された団体だが、活発で有益な活動をしている」として、同会の「日本語普及」を日豪両国の「相互の利益を拡大する」ことにつながるものと見なしていた。また、同じくメルボルン大学の教育学部教授George Browne は、稲垣蒙志がオーストラリア陸軍を相手に起こした裁判において、「振興会はメルボルン大学教育学部と良い関係にありました」と述べるとともに、「国際文化振興会は私が所属する教育学部にたくさんの有益な教材と真心のこもった何通かの手紙を送ってきてくれました」と証言していた。

このように、国際文化振興会の「日本語普及」を歓迎するオーストラリア人も存在したのであるが、なかでもクィーンズランド大学の Alexander Melbourne と東京商科大学や国際文化振興会に勤務した Peter Russo の 2 名は、「いずれはそうなるであろう」あるいは「そうならなければならない」はずのオーストラリアの「国益」という観点から、国際文化振興会の「日本語普及」を歓迎していたと言える。

この両名に共通することは、ヨーロッパに位置する英国の「国益」と太平洋に位置するオーストラリアの「国益」は必ずしも一致しないということを明確に認識していたことである。そして、両名はこの認識から、当時の実質的な国是でもあった「白豪主義」（移民制限法）の撤廃にまでは言及しなかったものの、オーストラリアの主に経済的な利益の追求という観点に立って、日本人を含むアジア人に対する入国制限の緩和や移民の増加を求めた。また、Melbourne は、アジア諸国とオーストラリアとの知的交流の推進やオーストラリアにおけるアジア研究振興の必要性を訴えた。一方の Russo も、「日本をその背景と文化を含め研究することは、すべてのオーストラリア知識人にとって義務である」とした。

この両者の認識や主張は、1970 年代以降のオーストラリアではきわめてありふれたものとなった。1973 年における英国の EC（ヨーロッパ共同体）加盟により、オーストラリアはそれまで英国から与えられていた貿易上の特恵措置を失い、アジア諸国との経済交流に活路を見いだすことになる。そして、英国の庇護を離れて、アジア太平洋国家の一員として生きていく道を選択することになった。また、ヴェトナム戦争に参戦した結果として受け入れたインドシナ難民をはじめ、アジア系の移民を大量に受け入れることになる。1901 年に制定された移民制限法も 1972 年には廃止されている。

そして、これらの事件や事象が積み重なった結果、オーストラリアは今日までつづく「多文化主義」（Multiculturalism）を標榜する国家へと移行していった。また、アジア太平洋国家の一員として隣人を知る必要から、1970 年代のオーストラリアでは、日本語教育・日本研究を含むアジア語教育・アジア研究のための学科や施設が高等教育機関にあいついで設置されるようになった(16)。Bolton,

Geoffrey（1995）は Alexander Melbourne を「名誉なき予言者」（Prophet without Honour）と呼んでいるが、これは故なきことではない。

このような、英国の庇護の喪失、アジア諸国との経済交流の拡大、アジア太平洋国家という自己規定、アジア系移民の大量受け入れ、多文化主義の採用といった一連の動きは、1990 年代に入ると、それまでのように英国国王がオーストラリア国王を兼務する王制ではなく、オーストラリア人の大統領を国家元首とする共和制を求める運動までも生じることになった。1999 年にはその是非を問う国民投票も実施されている(17)。

1930 年代の Melbourne や Russo が共和制まで視野に入れていたかどうかは不明である。しかし、当時のオーストラリアでは事実上の国是だった「白豪主義」の是非を問いかねない発言や、「オーストラリアの極東政策は英本国のそれとは異なるものである」という認識は、当時としては公安当局の捜査対象者となるほど過激なものだった。そして、彼らはその言動から「親日家としての容疑」をかけられてしまうのだが、それでもなお日本との関係を重視し、オーストラリアの「国益」という観点から、国際文化振興会の「日本語普及」を歓迎した。オーストラリア政府が現に存在するオーストラリア、すなわち、大英帝国あるいは「ヨーロッパ」の一員としてのオーストラリアの「国防」という「国益」のために「日本語教育」の振興を求めていたのに対し、Melbourne や Russo は、地理的のみならず政治的あるいは経済的にも太平洋国家の一員であるところのオーストラリア、すなわち、当時からすれば「いずれはそうなるであろう」あるいは「そうならなければならない」はずのオーストラリアの、おそらくは通商面での利益も含む「国益」の観点から、国際文化振興会の「日本語普及」を歓迎していたと言える。オーストラリアの「国益」を目的とする点では一致していても、そのオーストラリアとは、現在すでに存在するオーストラリアか、それとも将来的に存在するはずのオーストラリアかという点で、オーストラリア政府と Melbourne や Russo の立場は異なっていたのである。

オーストラリアの「国益」と日本語との結びつきという観点において、当時のオーストラリア政府の考え方と Melbourne や Russo の考え方のどちらが今日と連続性を有するかということについては、あらためて触れるまでもなかろう。現代のオーストラリアは、アジア太平洋国家の一員としての立場からの経済的利益の追求をその「日本語教育政策」の主要な目的としている。

しかし、オーストラリアという国家をアジア太平洋国家の一員と位置づけることに対しては、今日、異論も呈されている。そしてその異論においては、オーストラリアにおける日本語教育の在り方も俎上に載せられることがある。

1995年5月19日の「The Australian」には、「学生たちは間違った言語を話している」(Students speak the wrong language) と題する、次のような論説記事が掲載されている。

「かって英国の週刊誌『目撃者』(Spectator) は、オーストラリアはヨーロッパの一員なのだから EU (ヨーロッパ連合) に統合されるべきだと主張した。この主張は一見非常識な提案のように思われるが、少なくともヨーロッパではオーストラリアがヨーロッパ国家の一員と見なされていることを示している。(中略)

その地理的位置と国際経済のブロック化を背景に、オーストラリアがアジアに安住の地を求めたがるのはやむをえないことだ。しかし、それはわれわれの文化的未熟さを露呈するだけだ。

われわれのアジアに対する熱いまなざしは、大学や学校で日本語教育が重視されていることの中にはっきりとあらわれている。オーストラリア人が日本語を学ぶのは、日本がアジアの巨人だからであるが、現在、大学での日本語履修者数は2,670名で、この数字はどの言語の履修者数よりも大きい。また、ハイスクールの12年生で日本語を学んでいる者は1993年に4,671名と過去最高を記録した。一方、フランス語を学ぶ12年生の数は1990年の5,000名から1993年には4,334名へと下落の一途を辿っている。(中略)

ここで注目すべきことは、日本語は日本からの移民が多いから重視されるようになったわけではないということである。日本語教育をヨーロッパ語教育の犠牲の上に拡大することは、方向性が間違っているのみならず、われわれの文化的アイデンティティーを混乱させる要因にもなりかねない。

私のことを悪くとらないで欲しい。自分は決して反日家ではない。しかし、私は日本語教育への傾斜の中に、自分自身の国に対する不安からの安易な逃避を見ないわけにはいかないのである。

英語は国際語かもしれないが、本質的にはヨーロッパ語である。もともとはアングロ・サクソン語とゲルマン語のミックスサラダで、それにラテン語のドレッシングを少し利かして、さらに古フランス語の風味を加えてできた言語である。したがって、英語を母語とする者には、ドイツ語やロマンス諸語を学ぶことはそれほど大変なことではない。しかし、日本語を習得するためにはヨーロッパ語を学ぶ場合に比べて少なくとも4倍の時間が必要とされている。それはとても根気のいる仕事だ。一方、ヨーロッパ語の場合は比較的容易に習得することができるし、英語に関する知識を増やすこともできる。(中略)

現在の政府や個々の学校におけるアジア語重視の風潮は直ちに是正されるべきである。ある政治家は次のように述べている。「長いこと日本語に無関心だったことを思えば、政府が日本語教育を重視するのはいいことだ。しかし、誰も彼もが甲板の片方にのみ走っていってしまったら、船は沈んでしまう。」（中略）

われわれは次のことを明確にしておく必要がある。それは、オーストラリアがヨーロッパ文化を継承した国であるということ、そして、われわれの存在基盤がヨーロッパ文化にあるということだ。したがって、われわれに必要なのはアジアになろうと努力することではなく、アジアを理解しようと努めることだ。（中略）オーストラリアは文化的にはヨーロッパだが、地理的にはそうでない。オーストラリアにはバランスのとれた外国語教育が必要である。」(18)

この論説記事は、オーストラリアを「ヨーロッパ文化を継承した国」と見なす立場から、「日本語教育への傾斜」に警鐘を鳴らしている。地理的にはアジア太平洋国家の一員だが、「文化的にはヨーロッパ」であるオーストラリアにおいては、国家の在り方をめぐって今日も様々な論争がある。アジア太平洋国家の一員という自己規定やアジア系移民の増加に対する反発から、オーストラリアを再び「ヨーロッパ国家の一員」に位置づけるべきとする声もある(19)。1930～1940年代にMelbourneやRussoが「いずれはそうなるであろう」あるいは「そうならなければならない」はずのものとしてイメージしたであろうオーストラリアは、たしかに20世紀の最後には現実のものとなったと言えるのだが、オーストラリアという国家の在り方はそこで不動のものとなったわけではなく、今日なお揺れ動いているとすることができる。おそらくは今後も揺れ動いていくことだろう。そして、それにあわせてオーストラリアの「国益」の中身も、さらには、その「国益」の追求を目的として立案されるべき「日本語教育政策」の内容も変わっていくかもしれない。

3.　日本の対オーストラリア「日本語普及政策」

3-1　対オーストラリア「日本語普及政策」の欠如

オーストラリアの「日本語教育政策」が「国防」という目的を有していたのに対し、日本は「我国並に東方文化の真義価値を世界に顕揚する」という目的から「欧米」に対する「日本語普及」を開始した。そして国際文化振興会は、「嘱託」や「在濠連絡事務員」という人材を抱えるとともに、「資料の配給」のような事業の枠組を備えて、オーストラリアの日本語教育にも関与したのであるが、本書の結論のひとつとして、そもそも日本には対オーストラリア「日本語普及政策」なるものは存在しなかったとすることができる。国際文化振興会は「政策」を欠いたまま、オーストラリアに対して「日本語普及」事業を営んでいたと言えるのではないか。

国際文化振興会はオーストラリアで日本語教育が「進展」するために、「可能なことは何でもしたい」としていた。しかし、その「可能なこと」の中身を同会が組織として検討した形跡は見あたらない。むしろ、かかる種類の検討は、Peter Russoのような「嘱託」や稲垣蒙志のような「在濠連絡事務員」、あるいは清田龍之助のような「日本人講師」にすべて委ねていた感がある。国際文化振興会の対オーストラリア「日本語普及」事業は、同会の「日本語普及政策」に基づいて組織的に遂行されたものではなく、その実態としては、Russoや稲垣あるいは清田のような個々の関係者からの、たぶんに恣意的な要請に対して、個別的に対応することに終始していたと言うことができるだろう。

稲垣蒙志は、自ら起こした裁判において、「オーストラリアにおける日本語普及や日本語学習の普及に関する問題について、KBSから何か指示を受けましたか」と問われたのに対し、「その問題は私に完全に委ねられておりました」と証言している。このことは、少なくとも稲垣にとって、「日本語普及」の政策も事業も、それがオーストラリアに対するものである限りは、自分に「完全に委ねられて」いる事柄であり、東京の「KBSから何か指示」を受ける類のものではなかったことを物語っている。

しかし、清田龍之助やPeter Russoの発言や行動を思い返してみるならば、彼らも稲垣と同じような認識を持っていたのではないかと想像することができる。すなわち、清田やRussoもオーストラリアに対する「日本語普及」はすべて自分に「完全に委ねられて」いるものと考えていたのではないかと想像することができる。そして、かりにそうだとしたら、国際文化振興会には対オーストラリア「日本語普及政策」なるものが、組織全体としては、やはり欠如していたと言わざるを得ないし、それと同時に、ややアイロニカルな言い方をすれば、同会にはオーストラリアに対する「日本語普及政策」が欠如していたわけではなく、少なくとも関係者の数だけ「日本語普及政策」があったと言うこともできる。国際文化振興会の対オーストラリア「日本語普及」事業は、自分は「完全に委ねられて」いると認識していたのではないかと想像できる複数の関係者がそれぞれ別箇に考えたところの「日本語普及政策」から導き出された、たぶんに恣意的な要請に基づいて営まれていたと言えるのではないだろうか。

3-2　オーストラリアの「日本語学習熱」

本書で解明したとおり、国際文化振興会の対オーストラリア「日本語普及」事業は高度の日本語能力を有する人材の輩出という点では、充分な効果を挙げることができなかった。しかし、同会がオーストラリアの日本語教育に関与したことで成果を挙げた事柄もあったように思われる。それはオーストラリアの「日本語学習熱」を日本に紹介したことである。この営みは、当時の日本が置かれていた状況からして、日本人のある種のナショナリズムを高揚せしめるだけの効果があったものと想像できる。

管見の限り、「日本語学習熱」あるいは「日本語ブーム」という言葉が広まる過程を分析した先行研究は存在しない。そのような中で、本書は1930年代後半から1940年代初頭にかけての時期に日本で多用された、オーストラリアの「日本語学習熱」という言葉が、自然発生的に広まったものではなく、きわめて人為的な過程を経て広まったものであることを明らかにしたが、この「日本語学習熱」あるいは「日本語ブーム」という言葉は、ある国の日本語教育や日本語学習の状況を紹介する際に今日でもよく使われる表現である(20)。

むろん、「日本語ブーム」と呼んでも差し支えないような現象が見られる場合もあろう。すなわち、日本語学習者数の増加が統計上でも認められるような場合である。1980年代から1990年代にかけての日本で、オーストラリアの日本語教育事情を紹介する際に、「日本語ブーム」という言葉が用いられたのは故なきことではなかったかもしれない(21)。1990年代に限定しても、オーストラリアの日本語学習者数は1990年の約6万人から1998年には約30万人と5倍に増加し、この現象はオーストラリアの大学関係者から「Tsunami」(津波)(22)と表現された。また、当時、オーストラリアの新聞紙上にも、「ニューサウスウェールズ州の日本語学習ブーム」(the boom in Japanese studies in NSW)(23)あるいは「オーストラリアの日本語学習ブーム」(the boom in Japanese language studies in Australia)(24)という表現が見られた。

しかし、1980～1990年代のオーストラリアで日本語学習者数が増加した背景には、学校教育における日本語の実質的な必修科目化を求める「政策」があったという事実は認識しておく必要がある。また、オーストラリアのある大学関係者が、「日本からのお客さんがよくオーストラリアの日本語熱という言葉を使っていました」(25)と証言しているように、これらの言葉を多用するのは当該国の人々よりもむしろ日本人の側だろう。そしてそれは、海外で「日本語熱が盛り上がることはいいことだ」(26)と日本人の多くに認識されているからではあるまいか。さらに、日本国内では今日でも、「日本語学習熱」あるいは「日本語ブーム」

という表現は、たぶんに日本人のナショナリズムを喚起するような文脈で用いられることがあるのではないか(27)。だとすれば、これらの言葉の生成と流通の過程を個々の事例ごとに分析することは、今日、決して無駄な作業ではあるまい。

4. 「日本語教育政策」と「日本語普及政策」

前述のとおり、当時の日本はオーストラリアに対する「日本語普及政策」を欠いていた。このため、すなわち出会うべき片方が存在しなかったため、戦間期においては、オーストラリアの「日本語教育政策」と日本の対オーストラリア「日本語普及政策」が「幸福な出会い」をすることはなかった。また、両者が出会うことによって1930年代後半以降に「日本語学習熱」がオーストラリアで「発生」したわけでもなかった。

ただし、国際文化振興会はオーストラリアの日本語教育に「資料の配給」等の事業を通じて関与はしていた。しかし、その関与もオーストラリアの「日本語教育政策」とうまく噛み合っていたとは言えない。オーストラリアの「日本語教育政策」は基本的に「国防上の理由」から立案されたものであり、それが具体化したものとしては、陸軍士官学校、シドニー大学東洋学科、その「予備教育」機関としてのフォート・ストリート・ハイスクールやノース・シドニー・ハイスクールにおける日本語教育の開始と日本人教師の招聘、陸軍士官や海軍士官の日本留学、そして1944年における空軍日本語学校の開校などがあるが、これらはいずれも国際文化振興会の設立以前あるいは日豪開戦後の出来事であり、日本の対オーストラリア「日本語普及」事業の枠組はまだ（あるいは、すでに）存在していなかった。また、シドニー大学は1930～1940年代も日本語教育を営んでいたが、同校は国際文化振興会の「日本語普及」事業の対象ではなかった。それに対して同会が「援助」したのは、メルボルン大学、クィーンズランド大学、マックロバートソン・ガールズ・ハイスクール日本語土曜講座、南オーストラリア州の「日本語クラブ」など、主に稲垣蒙志や清田龍之助が関わっていた機関であるが、これらの機関における日本語の教育と学習は、一部の例外を除いて基本的にオーストラリアの「日本語教育政策」の枠外にあった。オーストラリアと日本は、いずれもそれぞれの「国益」のために、「日本語教育」あるいは「日本語普及」に勤しんでいたのであるが、互いに連携することはなく、各々の必要性と思惑によって無関係に動いていたと言える。そして、いずれも高度の日本語能力を有する人材の輩出という点では、充分な成果を挙げることができなかったとすることができるだろう。

5.　本研究の限界について

本書では、「日本語教育政策」と「日本語普及政策」という対になる二つの概念を設定し、いわゆる戦間期におけるオーストラリアの日本語教育史を考察するとともに、同国の「日本語教育政策」と日本の対オーストラリア「日本語普及政策」のそれぞれの中身と目的、そして両者の関係を分析してきた。その結果、当時のオーストラリアと日本は、その「日本語教育」あるいは対オーストラリア「日本語普及」を通じて追求しようとしていたところの「国益」の中身こそ異とするものの、オーストラリアで日本語教育を振興するという点では利害が一致していたことを明らかにした。

しかし、本書ではその「国益」の中身の是非については触れなかった。また、「国益」の追求を目的として「日本語教育政策」あるいは「日本語普及政策」を立案することの是非、さらには、そのような政策に基づいて「日本語教育」を実施すること、あるいは「日本語普及」を実施することの是非についても触れなかった。むしろ、「日本語教育政策」も「日本語普及政策」も、それぞれの政府や公的機関が立案主体となるものである以上は、その政策目的として「国益」の追求があるであろうということを所与の前提としてきた。

オーストラリア政府の「日本語教育政策」も国際文化振興会の「日本語普及」も、個々の日本語学習者の幸福や利益の追求を視野に入れたものではなかった。彼らはオーストラリア政府にとっても国際文化振興会にとっても、それぞれの「国益」を追求するための「日本語教育」あるいは「日本語普及」の対象者に過ぎず、彼らの幸福や利益を（少なくとも直接的に）追求することは、その「日本語教育」あるいは「日本語普及」が目指すべき「国益」の中身とはされなかった。したがって、その「国益」の中身を今日的な視点から批判することは可能だろう。あるいは、その「国益」とは誰にとっての「国益」だったのか、本当は個々の人々の犠牲の上に得られる「国益」だったのではなかったかという問題設定の仕方も可能だろう。これらの点が抜け落ちているのは、本書が「日本語教育政策」と「日本語普及政策」という二つの概念を設定したことから、そして「政策」の中身と目的の解明を研究課題としたから、必然的に生じたものである。

前述のように、ある国や地域の日本語教育事情、とくに公教育分野における日本語教育の状況を分析するに当たって、「日本語教育政策」と「日本語普及政策」という二つの概念を設定することは、序論の部分で述べた前提が整っている限りにおいては、それほど無謀な試みではないと思われる。また、これら二つの概念を対比的に設定することで、その国や地域の日本語教育の全体像が見えてくる場合もあろう。しかし、「政策」に焦点を当てることで、視野から抜け落ちてしまう領域があることも認識しておく必要がある。それは、その政策目的が「国防」であれ「経済」であれ、あるいは「我国並に東方文化の真義価値を世界に顕揚する」ことであれ、「わが国に対する諸外国の理解を深め」ることであれ、日本語を実際に学習するのは、いや、日本語に限らずどんな言語であろうとも、その言語を実際に学習するのは、国家ではなく、個々の人間であるという最も重要な事実である。

〈註〉

（1）Slattery, Luke（1993）

（2）たとえば、Asian Studies Association of Australia（2002）を参照。

（3）この決定に対する野党（計画策定時の与党）の反応については、Rudd, Kevin（2002）を参照。

（4）宮地宏・高士京子（1994）112 頁

（5）Powell, Sian（1993）

（6）Williams, Graham（1993）

（7）Powell, Sian（1994）

（8）McAsey, Jennifer（1992）

（9）McGregor, Richard（1993）

（10）Powell, Sian（1994）

（11）Powell, Sian（1994）

（12）Davey, Karen（1993）

（13）Thomas, Martin（1992）

（14）1992 年 12 月 9 日の「The Australian」は次のように報じている。「言語教育の専門家によれば、オーストラリアの外国語教育、とりわけ日本語教育は、教え方の未熟さと不適切さのために、ビジネスや学術の分野で役に立たない低レベルの学生を作り出しているとのことだ。」Thomas, Martin（1992）

（15）Harris, Trudi（1994）

（16）日本語教育・日本研究の状況に関しては、疋田正博（1985）を参照。

（17）ただし、この国民投票で共和制は否決された。事前の各種世論調査で共和制支持が 70% を越えていたにもかかわらず、国民投票で否決された理由については、国民投票にゆだねられた大統領選出方法が、国民投票による直接方式ではなく、国会で選出する間接方式だったことにあるという意見もある。たとえば杉本良夫（2000）は次のように指摘している。「君主派の戦略勝ちだった。みずからが少数派であることが判明した時点で、英国との現在の関係を維持しようとする人たちは、共和派の一部と組んで「今回提示されたモデルには反対しよう」というキャンペーンを張った。このため、実質的争点が君主制派対共和制派というよりは、来るべき共和国の元首選出方式に絞られるという様相を帯びた。投票結果は、直接派が間接派を阻止することに成功し、君主制派が漁夫の利を得たことを示している。」（171 頁～172 頁）

（18）Slattery, Luke（1995）

（19）たとえば、杉本良夫（2000）171 頁～172 頁を参照。

（20）たとえば、梅棹忠夫（1992）211 頁を参照。

（21）具体的な使用例としては、朝日新聞［朝刊］1989 年 6 月 6 日「日豪新時代、中高生に「日本語」熱」、埼玉新聞［朝刊］1994 年 1 月 11 日「豪の小中学校で日本語熱」などがある。

（22）Lo Bianco, Joseph（2000）p. 1.

（23）Shimada, Sally（1993）

（24）Williams, Graham（1993）

（25）国際交流基金・国際文化フォーラム編（1989）74 頁

（26）小林健一（2003）

（27）「日本語ブーム」という表現は、海外の日本語教育・日本語学習の状況を言いあらわす場合のみならず、日本国内の現象を言いあらわす場合にも使われることがある。すなわち、20 世紀末であれば大野晋の『日本語練習帳』（1999）、21 世紀初頭であれば斎藤孝の『声に出して読みたい日本語』（2001）等の日本語関連書籍がミリオン・セラーになるような現象を言いあらわす場合にである。このような「日本語ブーム」とナショナリズムの関係については、小森陽一（2003）を参照。

参考文献（ここでは、本文中または註で言及あるいは引用した文献のみを挙げる）

1. オーストラリア国立公文書館保存文書

A1, 1916/29032
A1, 1928/3075
A367/1, C73350
A432, 1943/1104
A458, N1/22
A461/8, 748/1/569
A705, 208/44/11, Part1
A816, 44/301/9
A981, JAP113
A981/4
A1196/1, 44/501/14
A1336/1, 29826
A1379/1, EPJ1497
AWM60, 20/1/542
B1535, 871/12/105
B1535, 929/16/161
BP9/3, Japanese
BP242/1, Q24136
BP242/1, Q24301
C443, J20
C443, J45
C443/P1, J421
CP78/22, 1924/62
MP472/1, 5/18/8562
MP508/1, 247/723/217
MP529/8, INAGAKI/M
MP742/1, 323/1/1349
SP1714/1, N45868

2. オーストラリア国立図書館保存文書

MS 8202, Papers of Peter Vasquez Russo

3. メルボルン大学公文書館保存文書

M. Inagaki Collection

4. 外務省外交資料館保存文書（「本邦ニ於ケル協会及文化団体関係雑件：国際文化振興会関係」）

国際文化振興会（1934）『財団法人国際文化振興会設立趣意書、事業綱要及寄附行為』（国際文化振興会）

国際文化振興会（1935a）『国際文化振興会議事要録：第二十四回理事会』（国際文化振興会）

国際文化振興会（1935b）『国際文化振興会議事要録：第二十六回理事会』（国際文化振興会）

国際文化振興会（1935c）『国際文化振興会議事要録：第三十回理事会』（国際文化振興会）

国際文化振興会（1937a）『国際文化振興会記録：第四十六回理事会議事要録』（国際文化振興会）

国際文化振興会（1937b）『国際文化振興会記録：第四十九回理事会議事要録』（国際文化振興会）

国際文化振興会（1937c）『国際文化振興会記録：第五十回理事会議事要録』（国際文化振興会）

国際文化振興会（1937d）『国際文化振興会記録：第五十二回理事会議事要録』（国際文化振興会）

国際文化振興会（1937e）『月報（昭和十二年七月号）』（国際文化振興会）

国際文化振興会（1938a）『月報（昭和十三年二月号）』（国際文化振興会）

5. 国際交流基金図書館保存文書

国際文化振興会（1935d）『国際文化振興会議事要録：第二十九回理事会』（国際文化振興会）

国際文化振興会（1936）『昭和十年度事業報告書』（国際文化振興会）

国際文化振興会（1937f）『日本語海外普及に関する第一回協議会要録』（国際文化振興会）

国際文化振興会（1937g）『国際文化振興会記録：第四十三回理事会議事要録』（国際文化振興会）

国際文化振興会（1938b）『対外文化工作に関する協議会要録［第六輯］英帝国諸領』（国際文化振興会）

国際文化振興会（1940）『国際文化振興会事業報告：国際文化事業の七ヶ年』（国際文化振興会）

6. 国立国語研究所保存文書

国際文化振興会（1937h）『日本語海外普及に関する第二回協議会要録』（国際文化振興会）

7. 一橋大学事務局保存文書

清田龍之助に関する人事記録

Peter Russo に関する人事記録

8. 単行本・論文・報告書・会議録・新聞記事

〈英語〉

Asian Studies Association of Australia（2002）*Maximizing Australia's Asian Knowledge : Repositioning and Renewal of a National Asset*, Asian Studies Association of Australia.

Board of Studies New South Wales（1999）*Japanese Background Speakers Stage 6 Syllabus*,

Board of Studies New South Wales.

Bolton, Geoffrey（1995）*A. C. V. Melbourne : Prophet without Honour*, Macintyre, S., Thomas, J.（ed.）*The Discovery of Australian History 1890-1939*, Melbourne University Press.

Brewster, Jennifer（1996）*You Can't Have a Failure Rate of 75% : Idealism and Realism in the Teaching of Japanese in Australia 1917-1950*, Marriott, H., Low, M.（ed.）*Language and Cultural Contact in Japan*, Monash Asia Institute.

Chisholm, A. R., Hunt, H. K.（1940）*The Study of Japanese in Australia*, The Australian Institute of Political Science, *The Australian Quarterly*, March 1940.

Cooper, Robert L.（1989）*Language Planning and Social Change*, Cambridge University Press.

Council of Australian Governments（1994）*Asian Languages and Australia's Economic Future*, Queensland Government Printer.

Courier Mail（1938）*Classes in Japanese, lecturer here next month*, Courier Mail, February 28, 1938.

Davey, Karen（1993）*Language switch*, The Sun Herald, October 17, 1993.

Department of Employment, Education and Training（1991）*Australia's Language, The Australian Language and Literacy Policy*, Australian Government Publishing Service.

Djite, P. G.（1994）*From Language Policy to Language Planning : An Overview of Languages Other Than English in Australian Education*, The National Languages and Literacy Institute of Australia.

Frei, Henry p.（1991）*Japan's Southward Advance and Australia, From the Sixteenth Century to World War II*, University of Hawaii Press.

Garran, Robert（1939）*A School of Oriental Studies*, The Australian Institute of International Affairs, *The Austral-Asiatic Bulletin*, February-March, 1939.

Harris, Trudi（1994）*Students lead bilingual push*, The Australian, July 7, 1994.

Herald（1936）*Nippon comes to Melbourne*, Herald, July 25, 1936.

Japan Times & Mail（1938）*The Inagakis and Japanese Studies in Australia*, Japan Times & Mail, February 13, 1938.

Kokusai Bunka Shinkokai（1935）*K. B. S Quarterly*, Vol. 1, No. 1, Kokusai Bunka Shinkokai.

Lo Bianco, Joseph（1987）*National Policy on Languages*, Australian Government Publishing Service.

Lo Bianco, Joseph（2000）*After the Tsunami, Some Dilemmas : Japanese Language Studies in Multicultural Australia*, The National Languages and Literacy Institute of Australia, *Australian Language Matters*, Vol. 8, No. 1.

Low, Morris（1997）*Visions of Japanese Studies in Australia : A Short History*, Low, M., Rix, A.（ed.）*Visions of Japanese Studies in Australia : A Short History and Discussion*, Japan Cultural Centre, Sydney, The Japan Foundation.

Mackay, Mary（1997）*Objects, Stereotypes and Cultural Exchange*, Dever, Maryanne（ed.）*Australia and Asia, Cultural Transactions*, Curzon.

Marriott, H., Low, M.（1996）*Interpersonal Contact with Japan : Paradigms and Processes*, Marriott, H., Low, M.（ed.）*Language and Cultural Contact in Japan*, Monash Asia

Institute.

Marriott, H., Neustupny, J. V., Spence-Brown, R. (1994) *Unlocking Australia's Language Potential, Profiles of Key Languages in Australia, Vol. 7 - Japanese*, The National Languages and Literacy Institute of Australia.

McAsey, Jennifer (1992) *Trading in tongues*, The Weekend Australian, December 12-13, 1992.

McGregor, Richard (1993) *Schools create glut of Japanese speakers*, The Australian, March 3, 1993.

Meaney, Neville (1976) *A History of Australian Defence and Foreign Policy 1901-23 : Volume 1, The Search for Security in the Pacific, 1901-1914*, Sydney University Press.

Meaney, Neville (1996) *Fears & Phobias, E. L. Piesse and the Problem of Japan 1909-1939*, The National Library of Australia.

Meaney, Neville (1999) *Towards a New Vision, Australia & Japan, Through 100 Years*, Kangaroo Press.

Melbourne, Alexander C. V. (1935) *A Foreign Policy for Australia*, Dinning, H., Holmes, J. G. (ed.) *Australian Foreign Policy 1934*, Melbourne University Press.

Merlino, Frank (1988) *The Victorian School of Languages, 1935-1988, A Brief History*, Merlino, Frank (ed.) *AILANTO*, No. 1, The Victorian School of Languages.

Nagata, Yuriko (1996) *Unwanted Aliens, Japanese Internment in Australia*, University of Queensland Press.

New South Wales Department of School Education (1994) *LOTE in the Public School System*, New South Wales Department of School Education.

Noguchi, Sachiko, Davidson, Alan (1993) *The Mikado's Navy and Australia : Visits of His Imperial Japanese Majesty's Training Ships, 1878-1912*, Japanese Studies Centre Melbourne.

Ono, Kiyoharu (1972) *Japanese at Fort Street 1918-1972*, Fort Street Boys High School, *The FORTIAN, School Magazine of Fort Street Boys High School*, May 1972.

Ozolins, Uldis (1993) *The Politics of Language in Australia*, Cambridge University Press.

Powell, Sian (1993) *Language program a sad waste, says Carr*, Sydney Morning Herald, June 2, 1993.

Powell, Sian (1994) *Report queries need for Asian language skills*, The Australian, March, 23, 1994.

Price, Willard (1938) *Japan Reaches Out*, Angus & Robertson.

Rudd, Kevin (2002) *Asian Studies & Australia's Asian Future : A Crisis or Not?*, The Asia-Australia Institute, The University of New South Wales.

Russo, Peter (1940a) *Australia and Japan, Policy of harmony should be aim*, Courier Mail, July 16, 1940.

Russo, Peter (1940b) *Europeans are packing up in Shanghai and Tokio... But I am going back to Japan*, Courier Mail, November 26, 1940.

Russo, Peter (1962) *Kokusai Bunka Shinkokai - Then and Now*, Kokusai Bunka Shinkokai, *KBS Bulletin*, No. 57.

Shimada, Sally (1993) *Japanese widens career options*, Sydney Morning Herald, May 25, 1993.

Sissons, David (1996) *Introduction : James Murdoch (1856-1921)*, Murdoch, James (1996) *A history of Japan*, Vol. 1, Routledge.

Slattery, Luke (1993) *Concern over fall in language studies*, The Australian, March 3, 1993.

Slattery, Luke (1995) *Students speak the wrong language*, The Australian, May 19, 1995.

Smith's Weekly (1940) *Russo works for Australia and Japan, Young Victorian will be useful to Latham*, Smith's Weekly, August 31, 1940.

The Asian Studies Council (1988) *A National Strategy for the Study of Asia in Australia*, Australian Government Publishing Service.

The Japan Foundation (1989) *Japanese Studies in Australia*, The Japan Foundation.

The Japan Foundation (1997) *Japanese Studies in Australia and New Zealand*, The Japan Foundation.

The Japan Foundation (2001) *Annual Report 1998*, The Japan Foundation.

The Japan Foundation Sydney Language Centre (1999) *Urawa Survey Results*, The Japan Foundation Sydney Language Centre, *Dear Sensei*, No. 26.

Thomas, Martin (1992) *Fatal flaws in foreign language teaching*, The Australian, December 9, 1992.

Thomis, Malcolm I. (1985) *A Place of Light & Learning, The University of Queensland's First Seventy-five Years*, University of Queensland Press.

Torney-Parlicki, Prue (2000) *Somewhere in Asia: War, Journalism and Australia's Neighbors, 1941-75*, University of New South Wales Press.

Torney-Parlicki, Prue (2001) *Selling Goodwill : Peter Russo and the Promotion of Australia-Japan Relations, 1935-1941*, Ward, I., Bonnell, A. (ed.) *Australian Journal of Politics & History*, Vol. 47, No. 3, Blackwell Publishers.

Tsurumi, Yusuke (1937) *Japan Speaks to Australia*, The Australian Institute of International Affairs, *The Austral-Asiatic Bulletin*, October-November, 1937.

Walker, David (1999) *Anxious Nation, Australia and the Rise of Asia 1850-1939*, University of Queensland Press.

Williams, Graham (1993) *Language skills are crucial*, The Australian, June 18, 1993.

Zainu'ddin, Ailsa G. Thomson (1985) *Rose Inagaki : 'Is It a Crime To Marry a Foreigner?'*, Lake, M., Kelly, F. (ed.) *Double Time : Women in Victoria - 150 Years*, Penguin Books.

Zainu'ddin, Ailsa G. Thomson (1988) *The Teaching of Japanese at Melbourne University*, The Australian and New Zealand History of Education Society, *History of Education Review*, Vol. 17, No. 2.

〈日本語〉

青木公（1979）「モンティおばさん覚えてる？」『朝日新聞』（東京版・夕刊）1979年11月1日

青木節一（1964）「K・B・Sの思い出」国際文化振興会『国際文化』第118号

朝日新聞社（1989）「北小路功光」『朝日新聞』（東京版・夕刊）1989年2月28日

アモン，ウルリヒ（1992）『言語とその地位―ドイツ語の内と外―』（三元社）
イ・ヨンスク（1996）『「国語」という思想―近代日本の言語認識―』（岩波書店）
池田俊一（1991）「大洋州の日本語教育」宮地裕他編『講座日本語と日本語教育〈第 15 巻〉日本語教育の歴史』（明治書院）
石黒修（1940）『国語の世界的進出―海外外地日本語読本の紹介―』（厚生閣）
石黒修（1941）『日本語の世界化―国語の発展と国語政策―』（修文館）
石附実・笹森健（2001）『オーストラリア・ニュージーランドの教育』（東信堂）
伊東敬（1943）『現代濠洲論』（三省堂）
伊藤尚武（1979）「オーストラリア関係文献―国立国会図書館所蔵資料の概要―」大洋州経済学会『大洋州経済』第 2 号
稲垣蒙志（1938）『日本語読本：巻一』（教文館）
稲垣蒙志（1939）『日本語読本：巻二』（教文館）
稲垣蒙志（1940）『日本語読本：巻三』（教文館）
稲垣守克（1944）「国際文化振興会の事業」日本語教育振興会『日本語』1944 年 7 月号
井上薫（1992）「日本帝国主義の朝鮮における植民地教育体制形成と日本語普及政策―韓国統督府時代の日本語教育を通した官吏登用と日本人配置―」北海道大学教育学部『北海道大学教育学部紀要』第 58 号
井上武夫（1943）『濠洲の運命』（肇書房）
今井信光（1993）『オーストラリアにおける日本語教育事情』（国際文化フォーラム）
今井信光（1994）「オーストラリアの日本語教育の歴史―中等教育を中心に―」オーストラリア教育研究会『オーストラリア教育研究』創刊号
梅棹忠夫（1992）『実戦・世界言語紀行』（岩波新書）
海野士郎（1997）「オーストラリアにおける戦争と日本人」移民研究会編『戦争と日本人移民』（東洋書林）
英国教育雇用省（2002）『現代外国語：英国ナショナルカリキュラム』（国際交流基金日本語国際センター）
大賀一郎（1982）「人間の価値」小出満二先生著作刊行会編『農学・農業・教育論―小出満二先生著作集―』（農山漁村文化協会）
大津彬裕（1995）『オーストラリア―変わりゆく素顔―』（大修館書店）
大庭定男（1988）『戦中ロンドン日本語学校』（中公新書）
小熊英二（1998）『〈日本人〉の境界』（新曜社）
尾崎裕子（1999）『クィーンズランド州の初等中等教育における日本語教育事情』（国際交流基金海外派遣日本語教育専門家帰国報告会資料）
押本直正（1982）「日豪親善に貢献した日本移民」国際協力事業団『移住研究』第 19 号
押本直正（1996）「豪州米と米国米のルーツ―高須賀穣と西原清東の功績―」国際協力事業団『移住研究』第 33 号
オリガス，ジャン・ジャック（1994）「フランスにおける日本語教育の現状と課題」国際交流基金日本語国際センター『世界の日本語教育―日本語教育事情報告編―』第 1 号
外務省編（1955）『日本外交年表並び主要文書』（日本国際連合協会）
外務省欧亜局編（1980）『80 年代の日豪関係』（外務省欧亜局）

外務省文化事業部（1936）「昭和十一年度文化事業部執務報告」外務省編（1995）『外務省執務報告：文化事業部』（復刻版・クレス出版）
外務省文化事業部（1937）「昭和十二年度文化事業部執務報告」外務省編（1995）『外務省執務報告：文化事業部』（復刻版・クレス出版）
外務省文化事業部（1938）「昭和十三年度文化事業部執務報告」外務省編（1995）『外務省執務報告：文化事業部』（復刻版・クレス出版）
外務省文化事業部（1939）「昭和十四年度文化事業部第二課関係執務報告」外務省編（1995）『外務省執務報告：文化事業部』（復刻版・クレス出版）
嘉数勝美（2000）「オーストラリア」アルク編『海外就職―日本語を教える・2001年版―』（アルク）
霞会館諸家資料調査委員会編（1982）『昭和新修華族家系大成：上巻』（吉川弘文館）
兼松編（1950）『兼松回顧六十年』（兼松）
カルヴェ，ルイ＝ジャン（2000）『言語政策とは何か』（白水社）
川上郁雄（1998）「オーストラリアの日本語教育の不幸―1990年代の動向と課題―」宮城教育大学『宮城教育大学紀要』第33巻
川崎賢一（1999）「国際文化振興会の社会学的分析―文化の生成とパトロネージを中心として―」平成10年度文部省科学研究費補助金（基盤研究B）研究成果報告書『国際文化振興会から国際交流基金へ―国際交流基金論序説―』
川村湊（1994）『海を渡った日本語―植民地の「国語」の時間―』（青土社）
韓国教育部（2002）『中学校裁量活動の選択科目教育課程』（国際交流基金日本語国際センター）
神崎清（1936）「邦語の海外発展：言語による文化交歓」『東京朝日新聞』1936年11月24日
北村武士, Voravudhi, Chirasombutti（1998）「昭和十年代タイ国日本語教育史年表」国際交流基金バンコック日本語センター『国際交流基金バンコック日本語センター紀要』第1号
木村宗男（1991）「戦時南方占領地における日本語教育」宮地裕他編『講座日本語と日本語教育〈第15巻〉日本語教育の歴史』（明治書院）
久保田優子（2002）「朝鮮総督府初期の日本語教育政策：教科書編纂について」九州産業大学国際文化学部『九州産業大学国際文化学部紀要』第23号
クルマス，フローリアン（1987）『言語と国家―言語計画ならびに言語政策の研究―』（岩波書店）
クルマス，フローリアン（1993）『ことばの経済学』（大修館書店）
黒住征士（1941）「戦時下濠洲通信：冷めぬ日本語熱」『東京朝日新聞』1941年9月7日
黒住征士（1942）「濠洲に抑留されて」『朝日新聞』1942年10月6日
言語権研究会編（1999）『ことばへの権利―言語権とはなにか―』（三元社）
小出詞子（1991）『日本語教育とともに―小出詞子著作集―』（凡人社）
小出詞子（1997）「小出詞子年譜」『日本語教育論文集―小出詞子先生退職記念―』編集委員会編『日本語教育論文集―小出詞子先生退職記念―』（凡人社）
国際協力事業団企画・評価部（2000）「国際協力事業団（JICA）」国立国語研究所編『日本語教育年鑑―2000年版―』（くろしお出版）

国際交流基金（1998a）『国際交流基金主催パネル・ディスカッション「衛星放送を利用した日本語教育―豪州・米国の試み―」報告書』（国際交流基金）
国際交流基金（1998b）『国際交流基金年報 1998』（国際交流基金）
国際交流基金関西国際センター（1999）『事業年報 1998』（国際交流基金関西国際センター）
国際交流基金 15 年史編纂委員会編（1990）『国際交流基金 15 年のあゆみ』（国際交流基金）
国際交流基金日本語国際センター（1992）『海外の日本語教育の現状―海外日本語教育機関調査・1990 年―』（第一法規出版）
国際交流基金日本語国際センター（1995）『海外の日本語教育の現状―日本語教育機関調査・1993 年―』（大蔵省印刷局）
国際交流基金日本語国際センター（2000）『海外の日本語教育の現状―日本語教育教育機関調査・1998 年―』（大蔵省印刷局）
国際交流基金・国際文化フォーラム編（1989）『日本語国際シンポジウム報告書―海外における日本語教育の現状と将来―』（国際文化フォーラム）
国際文化振興会（1937i）『財団法人国際文化振興会第八回評議員会議事録』（国際文化振興会）
国際文化振興会（1937j）『財団法人国際文化振興会第九回評議員会議事録』（国際文化振興会）
国際文化振興会（1938c）『日本語海外普及に関する第三回協議会要録』（国際文化振興会）
国際文化振興会（1938d）『財団法人国際文化振興会第十回評議員会議事録』（国際文化振興会）
国際文化振興会（1938e）『財団法人国際文化振興会第十一回評議員会議事録』（国際文化振興会）
国際文化振興会編（1941）『日本文化の特質―紀元二千六百年記念国際懸賞論文集―』（日本評論社）
国際文化振興会（1964）『KBS30 年のあゆみ』（国際文化振興会）
国立国語研究所（1984）『日本語教育のための基本語彙調査』（秀英出版）
後藤乾一（1999）『〈東〉ティモール国際関係史 1900-1945』（みすず書房）
小林健一（2003）「辞書なぜ売れる？・外国人の“日本語熱”が再燃」『日本経済新聞』（東京版・朝刊）2003 年 3 月 2 日
小森陽一（2003）「日本語ブームとナショナリズム」日本語教育学会『日本語教育』第 116 号
子安宣邦（1996）『近代知のアルケオロジー』（岩波書店）
斉藤鎮男（1971）『オーストラリア通信』（国際開発ジャーナル社）
酒井一臣（2002）「交錯する脅威―E. L. ピースと日豪関係―」オーストラリア学会『オーストラリア研究』第 14 号
佐藤恭三（1981）「1930 年代後半のオーストラリア外交―コモンウェルスと太平洋国家意識の狭間―」日本国際政治学会編『日豪関係の史的展開』（有斐閣）
椎名和男（1988）「中等教育における外国語としての日本語」岡田英夫編『別冊日本語・日本語教師読本シリーズ⑦：最新日本語教師事情』（アルク）
ジェイン, P., 水上徹男（1996）『グラスルーツの国際交流』（ハーベスト社）
シソンズ, デイビッド C. S.（1974）「1871～1946 年のオーストラリアの日本人」海外移住事業団『移住研究』第 10 号
芝崎厚士（1997）「国際文化振興会の創設―戦前日本の対外文化政策の歴史的特質―」国際関

係論研究会『国際関係論研究』第 11 号
芝崎厚士（1999a）『近代日本と国際文化交流—国際文化振興会の創設と展開—』（有信堂）
芝崎厚士（1999b）「財政問題から見た国際文化交流—戦前期国際文化振興会を中心に—」平野健一郎編『国際文化交流の政治経済学』（勁草書房）
渋谷勝巳（1992）「言語計画」真田信治・渋谷勝己・陣内正敬・杉戸清樹『社会言語学』（桜楓社）
嶋津拓（1996）「オーストラリアにおけるドイツ語教育の位置—その変遷と現状—」日本独文学会ドイツ語教育部会『ドイツ語教育』第 1 号
嶋津拓（1998）「1990 年代前半のオーストラリアの新聞紙上に見られる「日本語学習不要論」について」オーストラリア学会『オーストラリア研究』第 11 号（筑波書房）
嶋津拓（1999）「1990 年代におけるオーストラリアの言語政策と日本語教育」オセアニア英語研究会『オセアニア研究』第 11 巻（オセアニア出版）
嶋津拓（2001a）「オーストラリアにおける日本語教育の位置—その変遷と現状—」杏林大学付属国際交流研究所『研究年報』第 4 号
嶋津拓（2001b）「James Murdoch とシドニーの「日本語教師」たち」オセアニア英語研究会『オセアニア研究』第 13 巻（オセアニア出版）
嶋津拓（2002）「1930 ～ 1940 年代のオーストラリアにおける「日本語学習熱」について—オーストラリアの「日本語の研究熱は世界一」だったか—」椎名和男教授古希記念論文集刊行委員会編『国際文化交流と日本語教育—きのう・きょう・あす—：椎名和男教授古希記念論文集』（凡人社）
ジョーンズ，コリン W.（1997）「世界の日本語教育事情 11 ：オーストラリア」国際文化フォーラム『国際文化フォーラム通信』第 36 号
白洲正子（1978）「序」北小路功光『説庵歌冊』（自家出版）
新内康子（1997）「青年文化協会、国際文化振興会で作られた教科書」関正昭・平高史也編『日本語教育史』（アルク）
杉本良夫（1991）「メルボルンから：日本語プロレタリアート」『朝日新聞』（東京版・朝刊）1991 年 9 月 13 日
杉本良夫（2000）『オーストラリア—多文化社会の選択—』（岩波新書）
鈴木文四郎（1938）「意外な日本語熱」『東京朝日新聞』1938 年 1 月 20 日
清田龍之助（1943）「大東亜と豪州」海軍有終会『有終』1943 年 2 月号［神戸日豪協会（1977）『かんがりあ』第 11 号に再録］
関正昭（1997a）『日本語教育史研究序説』（スリーエーネットワーク）
関正昭（1997b）「戦時中の日本語教育界で幹事役を果たした人々：（1）石黒修」関正昭・平高史也編『日本語教育史』（アルク）
曽野豪夫（2000）『写真で語る日豪史—昭和戦前編—』（六甲出版）
高橋力丸（1999）「日本のパブリック・ディプロマシー・モデル—国際交流基金と国際文化振興会の比較分析—」平成 10 年度文部省科学研究費補助金（基盤研究 B）研究成果報告書『国際文化振興会から国際交流基金へ—国際交流基金論序説—』
高松宮宣仁親王（1995）『高松宮日記：第三巻』（中央公論社）
高見澤孟（1998）「太平洋戦争中の米国における日本語訓練計画とその影響」言語文化研究所

『日本語教育研究』第 35 号
竹田いさみ（2000）『物語オーストラリアの歴史』（中公新書）
竹田いさみ・森健編（1998）『オーストラリア入門』（東京大学出版会）
田中純（1988a）「国際文化振興会とその周辺：一九三四～一九七二（一）」仕事研究会『文化交流の仕事』第 4 号
田中純（1988b）「国際文化振興会とその周辺：一九三四～一九七二（二）」仕事研究会『文化交流の仕事』第 5 号
多仁安代（2000）『大東亜共栄圏と日本語』（勁草書房）
団伊能（1964）「創立と戦前の国際文化振興会」国際文化振興会『国際文化』第 118 号
中華人民共和国教育部（2002）『全日制義務教育日本語課程標準（実験稿）』（国際交流基金日本語国際センター）
チェンバレン富士子（1988）「会議通訳・翻訳養成科における聴解指導方法—クインズランド大学の場合—」日本語教育学会『日本語教育』第 66 号
鶴見祐輔述（1937）『濠洲人の支那事変観—附・濠洲事情概要—』（日本外交協会）
東京朝日新聞社（1935a）「講師は在留二外人："文化日本海外版"」『東京朝日新聞』1935 年 4 月 24 日
東京朝日新聞社（1935b）「日濠の親善：令息に"日本語教育"日本の学校で」『東京朝日新聞』1935 年 10 月 24 日
東京朝日新聞社（1936）「濠洲日本語熱の標本：手筋誇って来朝」『東京朝日新聞』1936 年 11 月 10 日
東京朝日新聞社（1938）「長年の体験結晶：濠洲人向きに日本語新読本」『東京朝日新聞』1938 年 2 月 7 日
東京朝日新聞社（1941）「昂る日本研究熱：秋山総領事の濠洲土産」『東京朝日新聞』1941 年 5 月 23 日
東光武三（1938）『羊とカンガールの国—濠洲の話—』（外務省文化事業部）
徳永一郎（1938）「濠洲旅行日誌」東京商科大学太平洋倶楽部『太平洋』第 6 号
豊田治助（1939）『最近の濠洲』（同盟通信社）
永井松三（1940）「日本文化の海外宣揚」外交時報社『外交時報』第 860 号
永田由利子（1998）「オーストラリアの日本人戦時強制収容について」全豪日本クラブ記念誌編集委員会編『オーストラリアの日本人：一世紀をこえる日本人の足跡』（全豪日本クラブ）
永田由利子（2002）『オーストラリア日本人強制収容の記録』（高文研）
永田由利子（2003）「「和解」のないままに—日系オーストラリア人強制収容が意味したこと—」オーストラリア学会『オーストラリア研究』第 15 号
永畑道子（1982）『恋の華—白蓮事件—』（新評論）
夏目漱石（1911a）「マードック先生の日本歴史」夏目漱石（1957）『漱石全集：第二十巻』（岩波書店）
夏目漱石（1911b）「博士問題とマードック先生と余」夏目漱石（1957）『漱石全集：第二十巻』（岩波書店）
成田勝四郎（1971）『日豪通商外交史』（新評論）

新堀通也編（1986）『知日家の誕生』（東信堂）
西川忠一郎（1942）『最近の濠洲事情』（三洋堂書店）
日濠協会（1928）『会報：濠洲事情概要』第1号（日濠協会）
日濠協会（1934）『会報：濠洲一般事情』（日濠協会）
日濠協会（1935）『濠洲極東親善使節レーサム閣下復命書の抄訳』（日濠協会）
日濠協会（1937）『昭和十一年度第九回総会々務報告』（日濠協会）
日濠協会（1938）『昭和十二年度第十回総会々務報告』（日濠協会）
日濠協会（1939）『昭和十三年度第十一回総会々務報告』（日濠協会）
日濠協会（1940）『昭和十四年度第十二回総会々務報告』（日濠協会）
日濠協会（1941）『昭和十五年度第十三回会務報告』（日濠協会）
日濠協会・日本新西蘭協会編（1980）『日濠協会五十年・日本新西蘭協会二十八年史』（鹿島出版会）
日本語教育振興会（1941a）「通信」日本語教育振興会『日本語』創刊号
日本語教育振興会（1941b）「日本語教育振興会事業報告」日本語教育振興会『日本語』創刊号
日本語教育振興会（1941c）「彙報」日本語教育振興会『日本語』1941年12月号
日本語普及総合推進調査会（1985）『海外における日本語普及の抜本的対応策について（答申）』（国際交流基金）
ニュージーランド教育省（2002）『ニュージーランド日本語カリキュラム』（国際交流基金日本語国際センター）
野口幸子（1997）「孤独な日本語教師―稲垣蒙志―」大蔵省印刷局編『時の法令』第1537号
芳賀浩（1995）「オーストラリア・中等教育レベルにおける日本語教育のカリキュラム・ガイドライン」国際交流基金日本語国際センター編『日本語国際センター国際懇談会第6回会議議事録』（国際交流基金日本語国際センター）
バーカン，アラン（1995）『オーストラリア教育史』（青山社）
パッシン，ハーバート（1981）『米陸軍日本語学校―日本との出会い―』（TBSブリタニカ）
パンション，エセル・メイ（1987）『モンティ一〇〇年の青春―人生は未来を秘めて―』（神戸日豪協会）
疋田正博（1985）「オーストラリアにおける日本語教育」シィー・ディー・アイ『日本語教育および日本語普及活動の現状と課題』（総合研究開発機構）
疋田正博（1994）「オーストラリアにおける日本研究」国際日本文化研究センター『日本研究：国際日本文化研究センター紀要』第10集（角川書店）
一橋大学学園史刊行委員会（1986）『一橋大学学問史』（一橋大学）
平川祐弘（1984）『漱石の師マードック先生』（講談社学術文庫）
平高史也（1997）「言語政策研究の視点から見た外国語教育」新プロ「日本語」研究班1＋言語政策研究会編『世界の言語問題3』（文部省科学研究費補助金報告書）
平松幹夫（1977）「日豪文化交流事始め：マードック先生豪で日本語教育に貢献」神戸日豪協会『かんがりあ』第12号
広田弘毅（1936）「友好極めて厚し」大阪毎日新聞社編『日濠新親善号』（大阪毎日新聞社）
福島尚彦（1978）「稲垣蒙志：その一」神戸日豪協会『かんがりあ』第14号

福島尚彦（1979a）「稲垣蒙志：その二」神戸日豪協会『かんがりあ』第 15 号
福島尚彦（1979b）「稲垣蒙志：その三」神戸日豪協会『かんがりあ』第 16 号
福島尚彦（1998）「蒙志という名の根なしかずら」全豪日本クラブ記念誌編集委員会編『オーストラリアの日本人：一世紀をこえる日本人の足跡』（全豪日本クラブ）
藤本周一（1994）「国際文化振興会による戦前の 3 事業に関する研究ノート」大阪経大学会『大阪経大論集』第 45 巻第 1 号
フライ，ヘンリー（1980）「オーストラリアから見た日本の地政学的脅威—一九三一年～一九四一年—」三輪公忠編『日本の一九三〇年代—国の内と外から—』（彩光社）
古澤峯子（1977）「清田龍之助先生のこと」神戸日豪協会『かんがりあ』第 11 号
古澤峯子（1997）「人間のふれあいを求めて」神戸日豪協会編『心の懸け橋—神戸日豪協会 25 年の歩み—』（神戸日豪協会）
保科孝一（1941）「国語政策の意義」日本語教育振興会『日本語』1941 年 9 月号
保科孝一（1942）『大東亜共栄圏と国語政策』（統正社）
マッキロップ，B. C.（1978）「サドラー教授の思い出」（1978）神戸日豪協会『かんがりあ』第 13 号
松田陽子（1994）「オーストラリアの言語政策における多文化主義と言語教育問題」オーストラリア学会『オーストラリア研究』第 5 号
松田陽子（1996）「オーストラリアの言語政策と多文化主義」新プロ「日本語」研究班 1 ＋言語政策研究会編『世界の言語問題 2』（文部省科学研究費補助金報告書）
松永外雄（1942）『濠洲印象記』（羽田書店）
松宮一也（1942）『日本語の世界的進出』（婦女界社）
松本美穂子（1941）「マードックと「日本歴史」」光葉会『学苑』1941 年 8 月号
マリオット，ヘレン（1991）「オーストラリアの日本語教育—文化・社会の理解を深める教育をめざして—」アルク『月刊日本語』1991 年 11 月号（アルク）
三瀬幸次郎（1998）「オーストラリアに生きた 82 年」全豪日本クラブ記念誌編集委員会編『オーストラリアの日本人：一世紀をこえる日本人の足跡』（全豪日本クラブ）
三井高維（1924）『濠洲旅行記』（自家出版）
宮岸哲也（1997）「海外の日本語教育への援助に関する一考察—スリランカの学校教育における日本語教育の改善を通して—」日本語教育学会『日本語教育』第 95 号
宮下史朗（1977）「わが国におけるオーストラリア研究—第 2 次大戦期—」追手門学院大学オーストラリア研究所『オーストラリア研究紀要』第 3 号
宮地宏・高士京子（1994）「米国における日本語教育の現状」国際交流基金日本語国際センター『世界の日本語教育—日本語教育事情報告編—』第 1 号
宮田峯一（1921）「故マードック先生を悼みて」『英語青年』第 46 巻第 4 号（英語青年社）
宮田峯一（1928）「中学の英語科」『英語青年』1928 年 11 月 1 日号［川澄哲夫篇（1978）『資料日本英学史・英語教育論争史』（大修館書店）に再録］
宮田峯一（1942a）『濠洲連邦』（紘文社）
宮田峯一（1942b）「訳者のあとがき」ガン，イーニアス『南十字星と濠洲』（育生社弘道閣）
宮田峯一（1944）『濠洲の資源と植民問題』（照林堂）
村上雄一（1999）「初期日豪関係史の諸問題」福島大学行政社会学会『行政社会論集』第 11 巻

第3号
メイニー，ネヴィル（1981）「「黄禍論」と「オーストラリアの危機」―オーストラリア外交政策史における日本、1905-1941年―」日本国際政治学会編『日豪関係の史的展開』（日本国際政治学会）
森正三（1943）『濠洲記』（大同書院）
安田敏朗（1997）『帝国日本の言語編制』（世織書房）
安田敏朗（2002）「日本語教育史と言語政策史のあいだ」日本語教育学会大会委員会編『2002年度日本語教育学会春季大会予稿集』（日本語教育学会）
柳沢健（1960）『印度洋の黄昏』（柳沢健遺稿集刊行委員会）
山県五十雄（1926）「日本の史家マードック―其一生と其事業―」『太陽』第32巻第13号（博文館）
山口誠（2001）『英語講座の誕生―メディアと教養が出会う近代日本―』（講談社）
山下秀雄（1998）「現代日本語教育の源流をたずねて[続編]（iii）―日本語教育振興会と『ハナシコトバ』の時代的背景―」言語文化研究所『日本語教育研究』第36号
山本武利（2001）『日本兵捕虜は何をしゃべったか』（文藝春秋社）
読売新聞20世紀取材班編（2001）『20世紀・太平洋戦争』（中公文庫）

あとがき

本書は、筆者が2003年6月に一橋大学大学院言語社会研究科に提出した学位請求論文『オーストラリアの日本語教育と日本の対オーストラリア日本語普及－その「政策」の戦間期における動向－』に若干の加筆と修正を行ったものである。

この論文を書くに至った理由は、序論で述べたように、筆者が1994年3月から1997年4月までの約3年間、国際交流基金から同基金シドニー日本語センターに派遣され、オーストラリアに対する「日本語普及」に従事していた時に抱いた疑問を明らかにしたいと考えたことにある。しかし、その疑問は3年間の滞豪期間中には明らかにすることができず、帰国後に持ち越さざるを得なかった。その意味では、筆者のオーストラリア勤務は3年間では終わらなかったとも言えるのが、本書をどうにか書き終えたことで、今、それがようやく終わった気がする。そして、筆者のオーストラリアに対する理解と敬意は、本書を書き上げたことでさらに高まったようにも思う。

本書のいくつかの節はすでに発表済みのものである。発表の場は次のとおりであるが、学位請求論文にまとめるに際して大幅に加筆した。

＜第1章第2節・第3節・第7節＞

「James Murdochとシドニーの「日本語教師」たち」(2001) オセアニア英語研究会『オセアニア研究』第13巻 (オセアニア出版)

＜第2章第7節＞

「1930～1940年代のオーストラリアにおける「日本語学習熱」について－オーストラリアの「日本語の研究熱は世界一だったか－」(2002) 椎名和男教授古希記念論文集刊行委員会編『国際文化交流と日本語教育－きのう・きょう・あす－』(凡人社)

幸いなことに、本書の基となった学位請求論文によって、筆者は2003年12月に一橋大学大学院言語社会研究科から博士（学術）の学位を授与されたが、そこに至る過程においては、同研究科の先生方にたいへんお世話になった。糟谷啓介先生には、筆者が大阪に転勤した後も、電子メール等を通じて懇切丁寧にご指導いただいた。大学に提出する事務上の文書の書き方まで面倒をみていただき、感謝の申し上げようもないほどである。また、李妍淑（イ・ヨンスク）先生は、学術的あるいは社会的にどのくらいの意義があるのかよくわからないこの研究を、学位請求論文としてまとめるよう常に励ましてくださった。この場を借りて厚くお礼申し上げたい。

さらに、安田敏朗先生と鶴田庸子先生（一橋大学留学生センター）からは論文審査委員として有益なご批評を頂戴した。そのご批評を本書にどこまで活かせたかは心許ないが、それはすべて筆者の責任である。

筆者が学生時代に学恩を受けた先生方にもお礼を申し上げたい。とくに橋本郁雄先生（学習院大学名誉教授）と田中克彦先生（一橋大学名誉教授）には、筆者が国際交流基金に勤務するようになってからも折にふれてご指導と励ましの言葉をいただいてきた。

本書を執筆するにあたっては、今まであまり取り上げられることがなかった資料も利用した。それらの資料を入手するにあたっては、多くの方々のお世話になったが、かって国際交流基金シドニー日本語センターで筆者の同僚だったワイルダー・加藤七世さんにはとりわけお世話になった。ここに記して感謝申し上げたい。

既述のように、本書は筆者がシドニーに赴任しなければ誕生しなかった性格のものである。シドニー赴任の機会を与えてくださった国際交流基金（同基金は2003年10月に独立行政法人として新たなスタートを切った）にも、この場を借りてお礼申し上げる。

なお、本書の刊行に際しては、ひつじ書房の松本功さんと黒岩佳子さんにたいへんお世話になった。松本さんと黒岩さんの未熟な筆者に対するアドバイスは常に的確だった。あらためて感謝の意を表したい。

2004年7月

嶋津　拓

索　　引

〔著者〕嶋津　拓……………しまづ・たく………………

（略歴）1961年、東京に生まれる。学習院高等科、学習院大学文学部を経て、1986年、一橋大学大学院社会学研究科修士課程を修了。専攻は社会言語学。同年より国際交流基金（現在の独立行政法人国際交流基金）に勤務。日本研究部、日本語国際センター、シドニー日本語センター、関西国際センターで海外の日本語教育・日本語学習を支援する業務に携わる。2003年、本書の基となった論文で一橋大学大学院言語社会研究科より博士（学術）の学位を取得。

（主要論文）「オーストラリアにおけるドイツ語教育の位置－その変遷と現状－」（『ドイツ語教育』第1号、1996、日本独文学会ドイツ語教育部会）、「1990年代前半のオーストラリアの新聞紙上に見られる「日本語学習不要論」について」（『オーストラリア研究』第11号、1998、オーストラリア学会）、「オーストラリアにおける日本語教育の位置－その変遷と現状－」（『研究年報』第4号、2001、杏林大学付属国際交流研究所）、「海外の日本語教育に対する支援の現状と展望」（『SCIENCE OF HUMANITY』第33号、2001、勉誠出版）等

オーストラリアの日本語教育と
日本の対オーストラリア日本語普及
―その「政策」の戦間期における動向―

発行	2004年7月25日初版1刷
定価	3600円＋税
著者	©嶋津　拓
発行者	松本　功
印刷・製本	（株）シナノ
発行所	有限会社　ひつじ書房

112-0002　東京都文京区小石川5-21-5
Tel.03-5684-6871／Fax 03-5684-6872
郵便振替 00120-8-142852

toiawase@hituzi.co.jp
http://www.hituzi.co.jp/index.html
ISBN4-89476-221-8
Printed in Japan

近刊のご案内

シリーズ 言語学と言語教育

○1. 日本語複合動詞の習得研究―認知意味論による意味分析を通して―
松田文子著　定価7350円
○2. 統語構造を中心とした日本語とタイ語の対照研究
田中寛　定価19950円
○3. 日本語と韓国語の受身文の対照研究
許明子著　定価6300円
4. 言語教育の新展開―牧野成一教授古希記念論文集―
鎌田修、筒井道雄、畑佐由紀子、ナズキアン・ふみこ、岡まゆみ編
予価8000円